GUINNESS DES RECORDS 2000

2000

GUINNESS DES RECORDS 2000

GUINNESS
WORLD RECORDS
2000

LE LIVRE GUINNESS
DES RECORDS

GUINNESS DES RECORDS 2000

2000

GUINNESS DES RECORDS 2000

GUINNESS
WORLD RECORDS
2000

LE LIVRE GUINNESS
DES RECORDS

GUINNESS
WORLD RECORDS

GUINNESS DES RECORDS 2000

GU
WO
2

LE L
D

GUINNESS
WORLD RECORDS

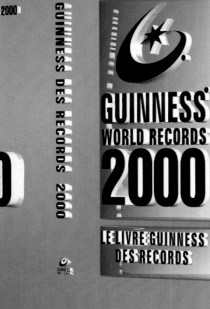

GUINNESS DES RECORDS 2000

2000

GUINNESS DES RECORDS 2000

GUINNESS
WORLD RECORDS
2000
LE LIVRE GUINNESS
DES RECORDS

DÉFINITION

Un record est un phénomène, une performance ou un exploit qui dépasse ce qui a été réalisé auparavant selon les mêmes critères et paramètres. Les records doivent être à la fois mesurables et comparables.

COLLECTIONS

Les demandes d'homologation concernant les collections représentent un taux important parmi toutes les demandes que reçoit Le Livre Guinness des Records. Pour être homologuée, tous les objets de la collection doivent être différents et porter sur le même thème.

TENTATIVE EN PUBLIC

La plupart des tentatives de records, particulièrement celles destinées à récolter des fonds pour des œuvres de charité, ont lieu devant un large public. Dans tous les cas, nous

demandons que chaque tentative de record soit médiatisée et se déroule dans un lieu public.

RECORDS SPORTIFS

Le Livre Guinness des Records est l'arbitre final de tous les records sportifs inscrits dans le livre. Si le record à battre appartient à une discipline régie par une autorité ou une Fédération, celle-ci devra être consultée, et c'est elle qui homologuera le record. Le Livre Guinness des Records ne l'enregistrera qu'ultérieurement.

COMMENT ENTRER DANS LE LIVRE

Le Livre Guinness des Records représente toutes les personnes qui ont accompli des exploits extraordinaires. Si vous pensez que vous pouvez battre un record existant ou établir un nouveau record, vous êtes en bonne voie pour faire votre entrée dans le LGR.

JE PEUX LE FAIRE

Tout le monde ne peut pas battre le record du 100 m, marcher sur un fil à une altitude record, ou accomplir la traversée de l'Atlantique la plus rapide. En revanche, tout le monde peut battre un record, pour le plaisir, seul ou en équipe. Vous pouvez par exemple entreprendre une collection géante et insolite. Cela ne représente pas un gros investissement. Battez un record en vous amusant et défiez celui du lancer de camembert. Pour les moins sportifs et les plus patients, les records de mots-croisés ou de châteaux de cartes feront des heureux. L'autre façon d'entrer dans le LGR est d'inventer son propre record. À vous de jouer !

DOSSIER DU RECORD

Les prétendants à un record doivent faire parvenir au Bureau Officiel d'Homologation le dossier du record. Celui-ci se composera de photocopies d'extraits de la documentation (coupures de presse, témoignages, etc.), de deux attestations signées par des témoins officiels (personnalité, maire, député, officier ministériel ou assermenté ; ou d'experts suivant la nature du record), et de photos démonstratives de l'évènement. Une vidéo est également souhaitée.

Cette documentation ne sera pas retournée. Toute photo ou vidéo remise doit être libre de droits. Le dossier sera obligatoirement accompagné d'un procès-verbal dûment rempli. Vous trouverez ce document détachable à la fin du livre. Ce document peut aussi être demandé auprès du Bureau Officiel d'Homologation en joignant une enveloppe timbrée à votre adresse.

DÉLAIS

Quelle que soit la catégorie à laquelle vous décidez de vous attaquer, il est important de contacter la Commission suffisamment tôt. En effet, nous recevons pas moins de 5 000 dossiers par an, et dans le cas d'un nouveau record – et donc de nouveaux règlements – le traitement du dossier demande davantage de temps. Nous avons également besoin de nous assurer que le record n'a pas été battu récemment.

CATÉGORIES NOUVELLES

Dans le cas d'un record qui constituerait une nouvelle rubrique, il convient d'établir les nouvelles règles précises et de les soumettre au Bureau Officiel d'Homologation pour leur approbation et leur enregistrement international.

e-mail : guinnessdesrecords@editions.net
site internet : http://www.guinnessdesrecords.com

CONTACTEZ-NOUS

Devant la quantité des demandes, il ne nous est pas possible de répondre par téléphone ou par fax. Nous ne répondons que par courrier. Vous pouvez nous écrire à l'adresse suivante :

**Le Livre Guinness des Records
Bureau Officiel d'Homologation
40, cours Albert 1ᵉʳ – 75008 Paris**
Ou bien par e-mail :
guinnessdesrecords@editions.net

PARUTION

Pour des raisons de place, dans tous les cas, le fait de détenir un record, qu'il soit homologué par la Commission Officielle ou non, n'implique jamais l'inscription automatique dans Le Livre Guinness des Records. Il n'en demeure pas moins un record.

RECORDS NON HOMOLOGABLES

Le LGR ne publie pas de records gratuitement dangereux (plongeon d'un hélicoptère, suspension par une corde en feu...). Les records détenus par des professionnels ne doivent pas tenter les amateurs doués de raison. Les records de gloutonnerie sont totalement déconseillés et ne sont plus homologués. Les records de fakirisme, incomparables entre-eux, ne peuvent plus être homologués. Les records non-stop, pour la même raison, ne sont plus homologués.

RÈGLEMENTS

Le Livre Guinness des Records possède des règlements spécifiques pour la plupart des exploits humains. Chaque tentative doit être exécutée en tout point selon ces règlements. C'est ainsi que le Bureau Officiel peut comparer les records entre eux. Des règlements spécifiques ont été établis pour presque tous les exploits humains, de l'ouverture d'huître au lancer-rattrapé de l'œuf cru de poule, en passant par le pousser de brouette. Voici quelques exemples parmi des records qui suscitent beaucoup de demandes :
Ballons de baudruche en grappe • nombre de ballons qui doivent être gonflés à l'hélium, être attachés entre eux et décoller du sol.
Cracher de grains, pépins ou noyaux • élan de 2 m. Chaque candidat a droit à 3 essais. Record de distance. Terrain horizontal, vitesse du vent nulle.
Cuisine • Les records de plats régionaux, étant donné leurs variétés, ne seront pas obligatoirement inscrits. Les réalisations doivent ressembler en tout à un plat existant (recette, proportions et saveur), être cuites en un seul morceau et être comestibles, et « bonnes ».
Objets géants et miniatures • Les objets géants doivent être une réplique exacte d'un objet usuel dans ses proportions et matières. Pour les objets miniatures, les instruments et les optiques étant de plus en plus performants, il n'est plus possible de mesurer les records battus.
Pyramides • Record de hauteur d'un assemblage d'objets (verres, canettes, livres...) tous identiques. Taille et forme de la base indifférentes (sauf catégories spécifiques : pièces, pneus, mur, assiette). Sans structure ni fixation. Les règlements complets et le procès-verbal se trouvent en pages 280-81.

MARATHONS

Pour ne pas multiplier à l'infini les records du fait de la variation du paramètre « temps » (en 30 mn, 1 h, 2 h, 24 h, non-stop, etc.), ne seront plus homologués que quelques-uns inférieurs à 1 h. Pour les relais, seules les catégories homologuées par les Fédérations seront prises en compte.

PREUVES PHOTOGRAPHIQUES ET K7 VIDÉO

Pour constituer un dossier, une documentation, comprenant des photos et une vidéo, est indispensable. Toute photo ou vidéo remise doit être libre de droits pour toutes éditions du LGR, pour diffusion dans les programmes TV sur le thème des records et pour la promotion de celui-ci.

La quantité des records est sans cesse augmentée par vos performances. Par manque de place et pour varier la maquette, nous sommes contraints à une sélection très stricte. Les records non inscrits dans une édition n'en sont pas moins des records homologués.
Ils peuvent être consultés sur le site Internet du Livre Guinness des Records : http://www.guinnessdesrecords.com

Sommaire

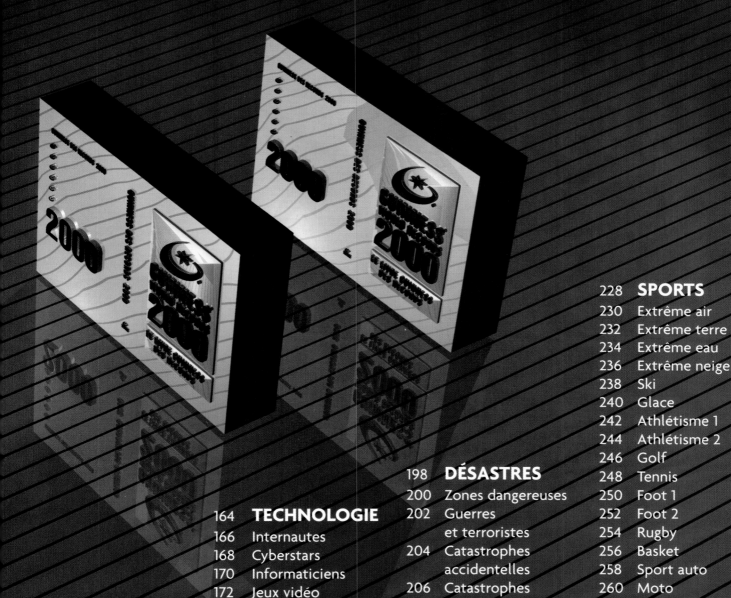

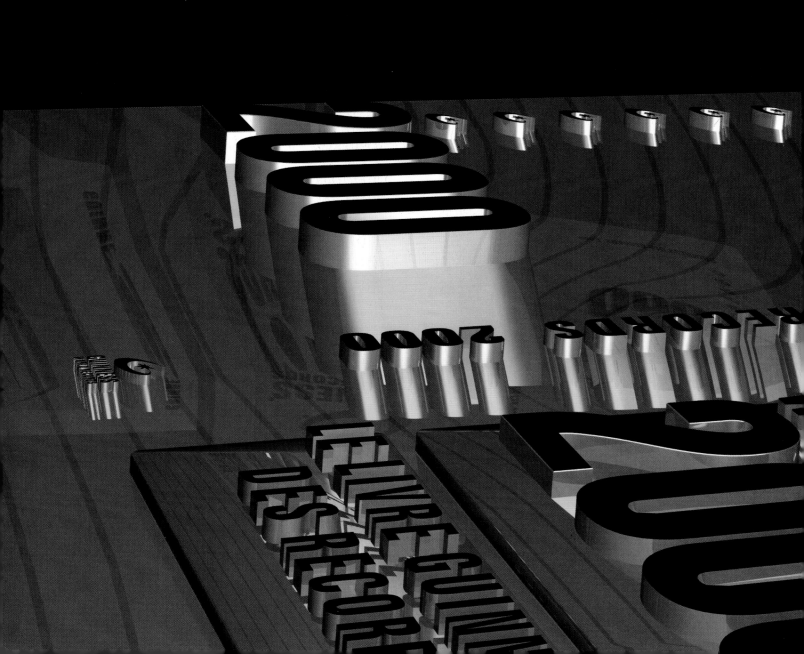

Courage

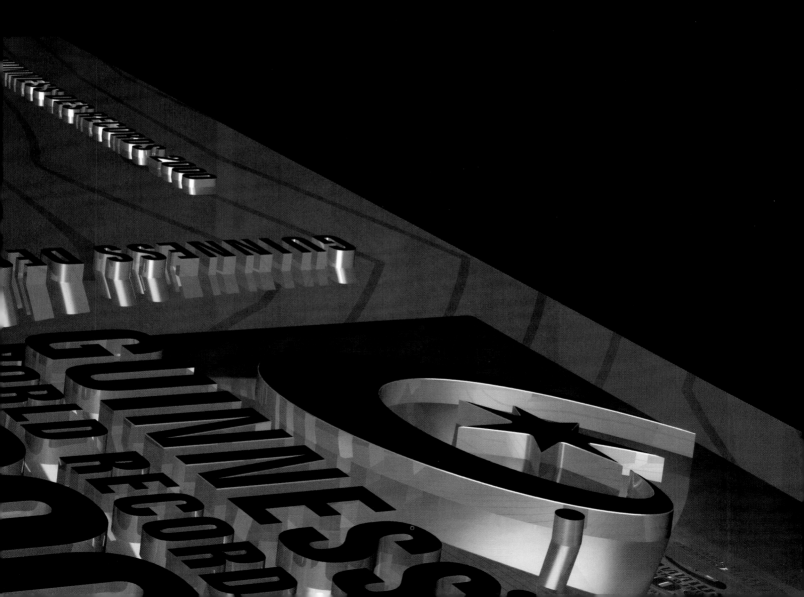

Héros de l'espace

CONQUÉRANTS DE L'ESPACE

Les premiers cosmonautes

Homme • Le 1er vol homologué par la F.A.I. fut celui de Youri Alexeïevitch Gagarine (1934-1968) sur *Vostok 1*, le 12-04-61. Le décollage eut lieu à Baïkonour à 6 h 07 TU et l'atterrissage, près d'Engels, région de Saratov, Russie, 1 h 48 min plus tard. Ce vol atteignit l'altitude de 327 km pour une distance de 40 868 km et une vitesse maximale de 28 260 km/h.
France • Jean-Loup Chrétien (n.20-08-38) fut le 1er Français à effectuer un vol spatial, à bord d'un vaisseau soviétique *Soyouz*, du 24-06 au 2-07-82.
• Patrick Baudry (n.6-03-46) fut le 2e Français dans l'espace, sur la navette américaine *Discovery*, du 17 au 24-06-85.

Cosmonautes les plus jeunes

Homme • Le Soviétique German Stepanovitch Titov (n.11-09-35) avait 25 ans et 329 jours lorsqu'il s'envola à bord de *Vostok 2*, le 6-08-61.
Femme • La Soviétique Valentina Terechkova fut la plus jeune femme dans l'espace. Elle était âgée de 26 ans lors de son 1er vol.

« Le Pas » dans l'espace

Hommes • Le 1er homme à se livrer à une activité extra-véhiculaire fut le Soviétique Alexis Leonov (n.20-05-34), à bord de *Voskhod 2* le 18-03-65.
• Bruce Mc Candless (n.8-06-37), fut le premier à effectuer une sortie dans l'espace sans être relié au vaisseau. Il se trouvait à bord de la navette *Challenger*, à 264 km au-dessus de Hawaii, le 7-02-84.

Costume le plus cher

L'équipement de Mc Candless (voir art. ci-dessus) coûta 15 millions de $ (75 millions de F).

Humain le plus isolé d'un autre

Alfred Worden, commandant du module de pilotage lors de la mission lunaire *Apollo 15*, entre les 30-07 et 1er-08-71, fut séparé par 3 596,4 km de tout autre humain vivant, pendant que David Scott et James Irwin se trouvaient à la base de Hadley, explorant la surface de la Lune.

VOLS SPATIAUX

Séjours dans l'espace

Les plus longs • Le Russe Valeri Poliakov (n.27-04-42) est resté dans l'espace pendant 437 jours 17 h 59 min. Il avait quitté Baïkonour le 8-01-94 pour rejoindre la station orbitale *Mir*. Il est revenu sur Terre le 20-03-95.
• Poliakov détient aussi le record du plus long séjour total, car il était resté dans l'espace pendant 241 jours lors d'une 1re mission en 1988-1989. Soit un total de 679 jours.
Le plus court • Le commandant Alan Bartlett Shepard (n.18-11-23), effectua une mission suborbitale à bord de *Mercury Redstone 3* qui dura seulement 15 min 28 s, le 5-05-61.

Équipage le plus nombreux

Le plus grand équipage à bord d'un unique vaisseau spatial est de 10 astronautes. Ce chiffre fut atteint le 29-06-95, lorsque l'équipage américano-russe de la navette spatiale *STS 71 Atlantis* (5 Américains et 2 Russes) rejoignit l'équipage américano-russe de *Soyouz TM 21* (2 Russes et

ÉVÉNEMENT LE PLUS MÉDIATISÉ

Le 1er pas sur la Lune effectué par les astronautes d'Apollo 11 en juillet 1969 a été suivi à la télévision par 600 millions de personnes (1/5 de la population mondiale de l'époque).

Mission historique

Le spationaute français Jean-Pierre Haigneré, 50 ans, s'est envolé le 20-02-99 pour la station orbitale *Mir* avec un équipage russo-Slovaque. Il s'agit du plus long séjour dans l'espace pour un Français. La mission, baptisée Perséus, durera en effet 6 mois. Jean-Pierre Haigneré sera aussi le dernier occupant de *Mir*, qui devrait être détruite au terme de cette 27e mission. Le spationaute a déjà séjourné 3 semaines à bord de *Mir* en 1993, et fait partie du club très fermé des 8 spationautes français qui ont le privilège de participer à de telles aventures.

Outre des expériences sur les systèmes cardio-vasculaires et neurosensoriels de l'homme, sur l'astrophysique et la maintenance de la station, Jean-Pierre Haigneré devra effectuer une sortie de 6 h dans l'espace.

---

1 Américain) à bord de la station orbitale russe *Mir*, à laquelle s'était arrimée la navette *Atlantis*.

Premières funérailles spatiales

Les cendres de 24 pionniers de l'espace, incluant celles du créateur de *Star Trek*, Gene Roddenberry, et du savant nazi Krafite Ehricke, ont été envoyées en orbite le 21-04-97 à bord de la fusée espagnole *Pégase*, pour un coût de 3 000 £ (25 500 F) chacune. Contenues dans les capsules de la taille d'un tube de rouge à lèvres et comportant un nom et un message personnel, les cendres resteront en orbite pour une durée comprise entre 18 mois et 10 ans.

Sépulture la plus lointaine

En janvier 1998, les cendres du Dr Eugene Shoemaker furent transportées à bord de l'Explorateur Lunaire de la Nasa, chargé de cartographier la surface du satellite pendant une année.

Séjours lunaires

Premier sur la Lune • Neil Armstrong, le commandant de la mission *Apollo 11*, mit le pied sur la Lune le 21-07-69 à 2 h 56 TU.
• L'équipage d'*Apollo 17* (Eugene Cernan et Harrison Hagen Schmitt) a travaillé sur le sol lunaire pendant 22 h 5 min. Il a recueilli la quantité record de 114,8 kg de roches et d'extractions du sol. Cette mission lunaire, la plus longue, a duré 12 jours 13 h 51 min, du 7 au 19-12-72.

Altitude la plus haute atteinte

Hommes • L'équipage d'*Apollo 13* (capitaine James Arthur Lovell Jr, Fred Wallace Haise Jr et John L. Swiger), dont la mission faillit mal tourner, s'approcha le 15-04-70, à 1 h 21, à 254 km de la surface lunaire, soit 400 171 km de la Terre.

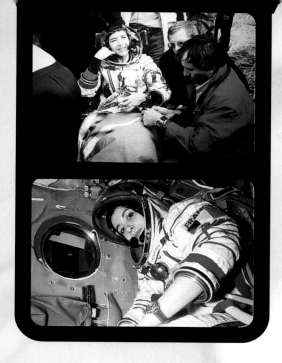

CLAUDIE ANDRÉ-DESHAYS

Spationaute depuis 1985, Claudie André-Deshays (n.13-05-57) – médecin rhumatologue, spécialiste en médecine aéronautique – a été désignée comme doublure de Jean-Pierre Haigneré pour le vol spatial franco-russe Altaïr, du 1er au 22-07-93, pour assurer le suivi des expériences biomédicales depuis le centre de contrôle. Le 17-08-96, elle effectuait un vol de 16 jours à bord de Mir lors de la mission Cassiopée. En mai 1998, elle a été sélectionnée comme suppléante de Jean-Pierre Haigneré pour la mission franco-russe de février 1999 à bord de Mir.

Femme • L'Américaine Kathryn Thornton a atteint 600 km, pendant la mission spatiale *Endeavour STS 61* en décembre 1993.

TECHNOLOGIE SPATIALE & FUSÉES
Engin le plus grand
La sonde américaine RAE B, *Explorer 49*, lancée le 10-06-73, mesurait 450 m d'un bout à l'autre en comprenant ses antennes.

Fusée la plus grosse
La fusée américaine *Saturne 5* était la plus grosse fusée de tous les temps. Elle mesurait 110,60 m de haut pour un poids de 2 903 tonnes sur la rampe de lancement. Elle transportait l'engin spatial *Apollo*.

Fusées les plus puissantes
• Une fusée soviétique *NI*, lancée du cosmodrome de Baikonour, Kazakhstan, le 21-02-69, avait une poussée de 4 620 tonnes, mais elle explosa 70 s après son décollage. Connue en Occident sous le nom de *G-1*, elle était la fusée la plus puissante de tous les temps.
• La fusée soviétique *Energya* pèse 2 400 tonnes à pleine charge. Sa poussée est de 3 483 tonnes. Elle a été lancée de Baïkonour le 15-05-87.

Fusée la plus proche du Soleil
L'engin spatial *Helios B* s'est approché, le 16-04-76, à 43,4 millions de km du Soleil.

PERSONNE LA PLUS ÂGÉE DANS L'ESPACE

Le sénateur américain John Glenn (n.1921) est devenu, à 77 ans, la plus vieille personne dans l'espace lorsqu'il a pris part à la mission spatiale d'octobre 1998, 36 ans après son succès de février 1962 en tant que 1er astronaute américain à être mis en orbite autour de la Terre. Cette mission de 9 jours à bord de la navette Discovery, à 523 km d'altitude, est motivée par une étude médicale sur le vieillissement.

Ancien pilote dans la marine, il fit son entrée en politique dans les années 70, et fut élu sénateur démocrate de l'Ohio en 1974. Réélu en 1984, il engagea une campagne électorale infructueuse pour la présidence des USA. Sur la photo on peut le voir à l'extérieur du laboratoire Levette, dans son costume spatial, peu de temps avant de rejoindre l'entraînement de la Nasa au Laboratoire de recherche centrifuge de la Brooks Air Force Base en février 1998. La centrifugeuse est utilisée par les astronautes de la Nasa pour simuler l'accélération subie pendant le décollage, afin de la préparer à la mission spatiale d'octobre 1998.

Aventuriers 1

Marches les plus longues

• Arthur Blessitt, de North Fort Myers, Floride, a parcouru à pied la distance de 51 824 km en 27 ans, depuis 1969. Il portait une croix de 3,70 m de haut et prêchait partout où il allait. Il s'est rendu sur tous les continents, y compris l'Antarctique.

• Steven Newman, de Bethel, Ohio, a parcouru 24 959 km en 4 ans, du 1er-04-83 au 1er-04-87, en solitaire, à une vitesse plus rapide que Blessitt. Il a visité 20 pays et 5 continents.

France • Voir photo.

À 3 ans et demi

La Française Édith Mollier est partie pour faire le tour du monde, le 30-06-91, de Paris, avec sa fille Sandy, 3 ans et demi. Via New York, Los Angeles, Papeete, Nouméa, Sydney, Jakarta, Bali, Singapour et Moscou, Édith et Sandy sont revenues à Paris après un voyage de 10 mois, « à la routarde », avec un sac à dos de 10 kg pour deux.

Handicapés

Le Canadien Rick Hansen (n.1957), paralysé des membres inférieurs, a parcouru 40 074 km, à travers 34 pays, en fauteuil roulant. Il est parti de Vancouver le 21-03-85 et y est rentré le 22-05-87.

Mea culpa

« J'ai brisé la loi non écrite du *Livre Guinness des Records* », a déclaré Ffyona Campbell à une chaîne TV. Sa performance, qui figurait dans l'édition précédente du *Livre Guinness des Records*, apparaissait comme un voyage de 30 321 km autour du monde, effectué entre 1983 et 1994.

En réalité, Ffyona Campbell avait parcouru sur ce trajet 1 600 km à l'arrière de son camion d'assistance.

Sahara

D'est en ouest • L'ethnologue français Philippe Frey a réalisé la traversée du Sahara, le plus grand désert du monde, de la mer Rouge à l'océan Atlantique, en solitaire, accompagné de 2 chameaux chargés de porter l'intendance. Parti de Marsa-Alam, Égypte, le 8-09-90, il a rejoint Jreida,

Mauritanie, le 12-06-91, après avoir parcouru une distance de 9 000 km en 9 mois de marche via le nord du Tchad et le désert de Libye. Sa moyenne journalière était de 50 km à pied ou à dos de chameau.

Du nord au sud • Le Français Gérard Vacher (n.22-08-44) a parcouru, entre le 7-05-85 et le 30-01-86, 4 765 km en 116 jours de course, d'Alger à Abidjan, Côte-d'Ivoire, via le Mali. Sa moyenne journalière était de 41,07 km.

Antarctique en solitaire sans assistance

Le Norvégien Borge Ousland est la 1re personne à avoir traversé l'Antarctique en solitaire et sans assistance, en 1997, pendant 64 jours, de Berkner Island à Scott Base, Nlle-Zélande. Durant son voyage, il a tracté une charge de 180 kg de matériel, grâce à des skis et à une voile lui permettant de profiter des vents favorables.

PÔLE NORD
Conquête du pôle Nord

• On ne peut affirmer que les explorateurs américains Frederick Cook (1865-1940) et Robert Peary (1856-1920) aient vraiment atteint le pôle Nord, car leur équipement astronomique ne leur permettait pas de faire un point exact. L'expédition de Wally Herbert, en 1968-1969, a réussi à parcourir 37 km en 15 h. Or Cook affirmait avoir parcouru à deux reprises 42 km en une journée, tandis que Peary soutenait avoir tenu la moyenne incroyable de 61 km par 24 h pendant 8 jours consécutifs.

• Les premières personnes à avoir indiscutablement atteint le pôle Nord, 90° 00' 00" de latitude N, sont les Russes Pavel Gueordiyenko, Pavel Senko, Mikhaïl Somov et Mikhaïl Ostrekine, le 23-04-48.

France • Corinne Pelozuelo, Franck Chambolle et Bruno Lambert ont atteint le pôle Nord magnétique en autonomie pédestre le 19-04-95. Ils ont parcouru 600 km en 25 jours en tractant des pulkas (traîneaux humains) d'un poids moyen de 80 kg.

🔊 JEAN-LOUIS ÉTIENNE

Parti le 9-03-86 de Ward Hunt Island, à l'extrême nord du Canada, le docteur français Jean-Louis Étienne est arrivé au pôle Nord le 11-05-86 après un voyage de 63 jours et 800 km à pied et à skis de fond sur la banquise, tirant lui-même son matériel sur un traîneau. Sa meilleure journée fut de 28 km, en 10 h de marche.

PÔLE SUD
Les premiers piétons de l'Antarctique

Le 11-01-87, 3 Britanniques ont atteint le pôle Sud après avoir parcouru en 2 mois, à skis et en tirant des traîneaux, les quelque 1 400 km qui séparent l'extrémité orientale de l'île de

MARCHE RECORD

Le Français René Flinois, alors âgé de 35 ans, est parti de Paris le 23-03-87, pour atteindre Bangkok, en Thaïlande, le 18-04-89. Sur les 36 000 km de son parcours, René Flinois a effectué 17 000 km à pied, chargé de son sac à dos.

Ross (point de départ de l'aventure) du pôle Sud. Ils sont les 1ers « piétons » à avoir réussi ce raid depuis la malheureuse expédition de Scott en 1912.

Dernière grande terre froide inexplorée
Le Français Nicolas Vanier a réalisé son vieux rêve : traverser les 8 000 km de steppes de la Sibérie. De juin 1990 à novembre 1991, avec son équipe Transsibérie-Pinault, il a traversé la steppe, d'Alekgirk, à la frontière mongole, à l'océan Arctique. Seuls des modes de transport traditionnels ont été utilisés : chevaux, rennes, chiens de traîneau.
(Voir aussi photo)

Traversées du Groenland
Première • La 1re traversée du Groenland d'est en ouest, d'Umivik à Godthaab, est due à F. Nansen, en 1888, 450 km en partie à 3 000 m.
France • Au printemps 1936, l'explorateur français Paul-Émile Victor a effectué la traversée du Groenland d'est en ouest en 40 jours, parcourant 800 km à pied, accompagné de Miguel Perez et de l'archéologue danois Eigil Knuth. N.28-06-1907 à Genève, il effectua sa 1re expédition polaire grâce au commandant Charcot, qui l'emmena avec lui en juillet 1934. Paul-Émile Victor est décédé le 7-03-95, à l'âge de 87 ans, à Bora-Bora, Polynésie.

Les records du docteur Étienne
Pôle Nord • *Voir photo.*
Pôle Sud / Expédition Erebus • Menée en partenariat avec le ministère de l'éducation nationale, France 3 et la fondation Elf par Jean-Louis Étienne, l'expédition a quitté la Tasmanie, Australie, le 11-12-93 à bord du voilier *Antarctica*. L'objectif de l'expédition était d'accéder à la mer de Ross pour atteindre le mont Erebus, volcan situé au cœur de l'Antarctique. Culminant à 3 794 m d'altitude, il a fasciné les hommes depuis sa

découverte. Par le volume de ses émissions, c'est l'un des 50 volcans les plus importants de la planète et le seul qui contient un lac de lave en activité. Les 16 membres de l'équipe sont revenus à bon port le 24-02-94 à Christchurch, Nlle-Zélande.

À DOS DE CHAMEAU
Sur la Route de la soie
En juillet 1988, le Français Renaud Georges et son équipe ont emprunté une partie de la Route de la soie et des épices qui relie la Chine à l'Asie Mineure, avec 4 chameaux et un guide chamelier. Ils sont partis d'Urfa, Turquie, et ont terminé leur périple 40 jours plus tard à Konya, sur les rives du « désert salé ».

TRANSCANADA

Dernière expédition en date du Français Nicolas Vanier, l'Odyssée blanche – traversée du Grand Nord canadien Pacifique-Atlantique via les Rocheuses –, a duré 99 jours. Parti le 12-12-98 de Stagway, Alaska, il a rejoint Québec le 29-03-99, soit 8 600 km parcourus dans un traîneau tiré par 10 chiens, par des températures avoisinant - 45 °C. Les chiens de cet attelage unique au monde sont issus d'un croisement entre un laïka sibérien et une chienne groenlandaise. Cet exploit est l'aboutissement de 20 années d'expéditions, toujours avec des moyens de déplacement naturels, pour un total respect de la nature.

Traversée de l'Afrique
Parti le 29-11-89 de Nouakchott, Mauritanie, le Canadien Frank Cole a traversé à dos de chameau le continent africain dans le sens ouest-est via le Sahara et a rejoint le Soudan, le 3-11-90, après avoir parcouru 7 100 km.

Course à reculons la plus longue
L'Indien Arvind Pandya a traversé à reculons les USA, de Los Angeles à New York, en 107 jours, du 18-08 au 3-12-84, couvrant une distance de 5 000 km. Il réalisa le même type de course de John O'Groats à Land's End, GB, en 26 jours et 7 h, du 6-04 à 2-05-90, soit une distance de 1 512 km.

Distance en tondeuse à gazon
En 1997, Ryan Tripp, 12 ans, a fait un voyage de 5 417 km en tondeuse à gazon à travers les USA, qui lui a permis de récolter 10 400 $ (62 400 F) pour un bébé malade de sa ville. Parti de Salt Lake City, Utah, Ryan a conduit la tondeuse Walker 25 ch le long d'une route secondaire, avec le consentement de la police. Il suivait une voiture conduite à tour de rôle par sa tante, son oncle, ses grands-parents et un ami de la famille. Todd, son père, suivait avec un pick-up et une remorque contenant l'équipement. La tondeuse était équipée de pneus adaptés à la route. 19 États et 42 jours plus tard, il arriva au Capitole, Washington DC, où il fut accueilli par le sénateur de l'Utah Orrin Hatch.

Aventuriers 2

À CHEVAL

Distance à cheval la plus longue
La famille Grant (GB) a parcouru
une distance de 27 650 km dans une voiture
à cheval. Elle partit de Vierhouten, Pays-Bas,
le 25-10-90, et rentra chez elle en 1998.
France • Du 13-04-84 au 1er-09-88, les Français
Émile Brager et Marie Roesle ont parcouru
24 928 km à cheval, de la Terre de Feu
à l'Alaska, traversant les 2 Amériques.

Cachemire - Katmandou
Les Français Christine Pauchard et
Hervé Le François ont traversé à cheval
la chaîne de l'Himalaya sur 3 000 km,
d'août 1990 au 28-02-91.

Paris – Jérusalem
En 1973 et 1974, la Française Évelyne Coquet
a effectué le parcours Paris-Jérusalem
à cheval, soit une chevauchée de 6 000 km
sur les sentiers de 11 pays pendant 9 mois.

Cercle polaire
Après un périple de 8 000 km pendant
18 mois, à cheval et en solitaire, à travers les
USA, le Canada et l'Alaska, le Français Thierry
Posty franchit en novembre 1988 le cercle
polaire pour atteindre l'océan Arctique.

Amérique du Nord
De 1771 à 1815, le prêtre méthodiste Francis
Asbury, né à Birmingham, GB, a parcouru
425 000 km et prêché 16 000 sermons à
travers toute l'Amérique du Nord.

Amérique du Sud
En 1981, les Français Jean-François Ballereau
et Constance Rameaux sont partis de Buenos
Aires, Argentine, ont traversé la Pampa, les
Andes, les déserts péruviens, la forêt équatoriale,
pour rejoindre la Colombie avec 4 chevaux.

Traversée des Andes, désert d'Atacama
Les Français Stéphane Bigo et Michèle Corson
sont partis du Brésil le 25-11-84 pour parcourir à
cheval une boucle de 8 000 km. Ils ont traversé
2 fois les Andes, avec des passages de cols
à plus de 4 800 m, et le désert d'Atacama, au
Chili. Ils sont revenus au Brésil le 25-12-85.

À VÉLO ET EN TANDEM
TRAVERSÉES
À vélo
Paris – Saïgon • 13 000 km, 6-08 au 14-11-48,
Lionel Brans (F), 100 j.
Asie – Australie • 12 000 km, 06-90 à 08-91,
Stanislas Fautré et Cléo Poussier (F), voyage
de 14 mois.
Charleville – Abidjan • 9 000 km, 5-12-88
au 12-04-89, 70,3 km par jour,
Dominique Lejeune (F), 4 mois et 7 j.
Scandinavie – Pays baltes • 8 300 km,
1er-06 au 26-07-95, 13 pays traversés,
Emmanuel Hamel (F), 56 j.
Vancouver – Halifax • 6 115 km, du 13 au
28-06-82, Wayne Phillips (Can), 14 jours
22 h 47 min.

À VTT
Épernay – Dakar • 8 900 km, 1er-08 au 26-09-
93, en solitaire, Bruno Vogin (F), 57 j.
Suède – Belgique • 5 490 km, 6-05 au 8-07-
93, en solitaire, Richard Hervé (F), 63 j.

À monocycle
New York – Los Angeles • 5 248 km, 10-07 au
22-08-92, Akira Matsushima (Jap), 1 mois et 12 j.
Argentine, Aconcagua • 5 500 m, 19-02-92,
Thierry Bouché (F).

À triporteur
5 pays via cercle polaire • 4 245 km, 04-95,
122 kg, Richard Hervé (F), 56 j.

À vélo à voile
Sibérie • 04-96, fleuve Ob gelé,
Christian Nau (F), 6 j.
Chine, désert Ûrümqi et Turfan • 04-96, 48 h,
après Sibérie, Christian Nau (F), 5 j.

EN VOITURE
TRAVERSÉES
Norvège, cap Nord - Afrique du Sud, Cap •
28 160 km, Austin 90, 86 jours, Richard Pape
(F), du 28-07-55 au 22-10-55.
Paris - Dakar • 5 525 km, 2 jours 22 h 3 min,
Land Rover Discovery, Arnaud Delmas
et Jean Marsalet (F), du 15-06-96 au 18-06-96.

TRAVERSÉES DE L'AFRIQUE ET DE L'ASIE

• *Georges-Marie Haardt et Louis Audouin-Dubreuil traversèrent
pour la 1re fois l'Afrique et l'Asie en automobile, à l'occasion, en 1924,
de la « Croisière noire » et en 1931 de la « Croisière jaune ».*
• *Du 29-04-84 au 13-09-84, le Français Michel Bernard a couvert
une distance de 23 000 km entre Jakarta, Indonésie, et Paris
dans une Renault 4 fourgonnette.*

Distance et vitesse

En mai 1989, le Français Franz Hummel
et ses coéquipiers Jean-Pierre Frizon
et Jacques-Marie Bourget ont traversé
20 pays entre le cap Nord et Le Cap, soit
20 530 km, en 13 jours 22 h 55 min.
Précédemment, il avait couvert des distances
records en temps limité : 8 320 km en 5 jours
20 h 21 min, en décembre 1988, avec
Jean-Pierre Frizon et Stéphane Roux ;
13 560 km en 12 jours 8 h 45 min,
en mai 1990. Il a aussi effectué la traversée
des Amériques du sud au nord en avril 1996.

 RAID DANS L'HIMALAYA

Au mois d'août 1992, les Parisiens Éric et François Brossier sont retournés à vélo sur la Route de la soie, dans l'Himalaya. Ils ont pédalé sur une distance de 800 km, culminant jusqu'à 4 000 m d'altitude.

DISTANCE LA PLUS LONGUE

Escale au nord de l'Australie. Entre 1981 et 1990, Jean-Claude Hunin et son épouse ont parcouru, à bord d'une Toyota Land Cruiser, 452 000 km à travers 127 pays. Ils ont conduit pendant 3 000 jours.

À MOTO ET CYCLOMOTEUR

Distance record

• L'Argentin Emilio Scotto a couvert une distance de 735 000 km et traversé 214 pays, entre 1985 et 1995.

• Le Finlandais Jari Saarelainen a parcouru au total 108 000 km en moto à travers 43 pays. Il a quitté Helsinki, Finlande, le 1er-12-89 et est revenu 742 jours plus tard, le 12-12-91.

France • D'octobre 1989 à novembre 1991, Didier Veracini a parcouru 65 000 km en Amérique du Sud, seul avec une Ténéré.

Paris – cap Nord à cyclomoteur

Le Français Richard Hervé a parcouru la distance Paris-cap Nord aller et retour, soit 10 000 km, en 61 jours, du 27-05 au 27-07-91, sur un cyclomoteur Jawa 210 de 49 cm³.

Afrique en solitaire du nord au sud

Parti le 3-11-91 de Marseille, le Français Paul Évrard a rejoint l'Afrique du Sud avec une Ténéré le 8-01-92. Il a parcouru près de 15 000 km en solitaire, et a traversé plus de 11 pays. Du 21-03 au 30-08-94, il a renouvelé son exploit en traversant l'Afrique en solitaire du nord de l'Égypte jusqu'à

l'Afrique du Sud, parcourant 21 294 km en 162 jours.

Afrique d'ouest en est

Les Français Didier Magnin et Patrice Campigny ont traversé d'ouest en est le continent africain à moto. Partis de Dakar, Sénégal, pour rejoindre Dar es-Salaam, Tanzanie, sur l'océan Indien, ils ont parcouru 10 900 km en 34 jours.

Traversée en motoneige

John Outzen, Carl Denis et André Boucher ont relié Anchorage, Alaska, à Dartmouth, Nlle-Écosse, Canada, en motoneige, entre le 2-01 et le 3-03-92, soit une distance de 16 499,5 km en 56 jours de chevauchée. Entreprise pour célébrer le 500e anniversaire de la découverte du continent nord-américain par Christophe Colomb en 1492, elle a été la 1re traversée à motoneige de cette envergure.

Tours du monde

À PIED

Les premiers

• L'Américain George Schilling est censé être la 1re personne à avoir fait le tour du monde à pied, du 3-08-1897 à 1904, soit en 7 ans.
• Le 1er tour du monde certifié revient à l'Américain David Kunst (n. 1939), du 20-06-70 au 5-10-74, soit en 4 ans et 3 mois.
• Il a fallu 10 ans, du 6-04-68 au 8-04-78, à l'Argentin Tomàs Carlos Pereira (n.16-11-1942) pour traverser 5 continents et parcourir 48 000 km.

Voyageurs records

• John D. Clouse, un avocat d'Evansville, Indiana, a visité tous les pays souverains,

Circumnavigation

Karen Thorndike (56 ans), de Washington, est la 1re Américaine à avoir effectué une circumnavigation en solitaire, à bord d'Amelia, un voilier de 11 m. Partie de San Diego, le 4-08-96, elle a terminé son voyage le 18-08-98, au terme de 2 ans et 2 semaines de traversée, pendant lesquels elle a dû affronter de violentes tempêtes, et une grippe qui aurait pu lui être fatale. Elle déclare aujourd'hui : « J'ai souvent cru que je ne reverrais jamais Seattle. » Son exploit a été suivi par des milliers d'internautes du monde entier.

tous les pays non souverains (excepté 3) et les autres territoires qui existaient avant 1998. Son voyage le plus récent l'emmena aux îles Spratly en 1997. Son fils George a commencé à voyager à l'âge de 10 semaines et avait déjà accompagné son père dans 104 pays à l'âge de 5 ans.
• Le couple le plus voyageur est certainement celui du docteur Robert Becker et de sa femme Carmen, d'East Northport, New York. Ils ont visité tous les pays souverains. Seulement 7 des pays non souverains ou autres territoires manquent à leur palmarès.

Par les pôles

Les Britanniques Ranulph Fiennes et Charles Burton (expédition Trans-Globe) partirent à pied de Londres-Greenwich, le 2-09-79, pour le pôle Sud (17-12-80), puis vers le pôle Nord (11-04-82). Ils étaient de retour à Greenwich le 22-08-82 après avoir parcouru 56 000 km en 3 ans.

En courant

Le 27-05-87, le Français Jamel Balhi quitte Paris pour accomplir le tour du monde par l'hémisphère nord en courant. De retour le 9-09-89, il a parcouru 25 000 km en 2 ans et 3 mois, à une moyenne de 70 km/jour.

En auto-stop

Le record du nombre de kilomètres est détenu par l'Allemand Stephan Schlei, de Ratingen, qui a parcouru, depuis 1972, 807 500 km.
France • Alexandre Fuzeau, Parisien de 27 ans, est le 1er auto-stoppeur à avoir réalisé un tour du monde complet. Parti de Grande-Bretagne en juin 1993, il a terminé son voyage en octobre 1993 après avoir parcouru 61 000 km et testé 869 voitures.

En roller-blades

Parti de San Francisco, Californie, le 29-03-96, le Français Fabrice Gropaiz a achevé son tour du monde en roller-blades le 30-04-99. Pendant 3 ans, il aura tracté une remorque de 40 kg, traversant le Mexique, passant par l'Europe et l'Australie pour revenir par la Russie, parcourant ainsi 20 000 km.

EN VOITURE

En solitaire

Du 24-04-90 au 9-01-98, Jean-Louis Bonacina, de Mont-Saint-Aignan, Seine-Maritime, a parcouru 246 840 km et traversé 50 pays, à bord de son 4 x 4.

Le plus rapide sur les 5 continents

Navin Kapila, Man Bahadur et Vijay Raman ont parcouru 40 075 km en 39 jours 7 h 55 min. Ils quittèrent New Delhi, Inde, dans leur Hindustan « Contessa Classic » le 22-11-92 et étaient de retour le 31-12-92.

En traction avant

Partis de Paris le 4-07-88, Éric Massiet, Yann Vrignaud et 2 copilotes, tous âgés de 25 ans, ont réalisé en 574 jours un tour du monde au volant de deux Citroën 11 CV. De retour à Paris le 26-01-90, ils ont parcouru 100 000 km à travers 30 pays.

Tour du monde des collectionneurs

Le 12-06-93, les Français M. Gallou, A. Hurault, T. Vallier et C. Busche ont entrepris de recenser les collectionneurs les plus excentriques du monde. À bord d'une camionnette, ils ont parcouru 160 000 km, à travers 48 pays sur les 5 continents. Ils sont rentrés le 20-05-95.

👤 CIRCUMNAVIGATION SOUS-MARINE

Le bateau à moteur C and W Adventure, long de 35 m, amarré le 15-04-98, à Gibraltar. Construit à Southampton, GB, il est parti le 19-04 pour tenter d'accomplir le tour du globe en moins de 80 jours. L'actuel record du monde est de 83 jours 9 h 54 min.

À BICYCLETTE

Distance la plus grande

L'Allemand Walter Stolle a parcouru 646 960 km et visité 159 pays entre 1959 et 1976.

Trois tours du monde

Le Marseillais Joseph Capeille a fait 3 tours du monde à bicyclette. Le 1er lui a fait visiter 38 pays en 3 ans, de 1977 à 1980, et parcourir 42 000 km sur sa bicyclette L'Aventureuse. Le 2e, de 1981 à 1984, lui a fait parcourir 32 000 km et traverser 25 pays, sur son vélo Liberty. Au cours du 3e, sur La Croix du Sud, de mars 1987 à 1992, il a parcouru 55 000 km et visité 38 pays.

Le plus rapide

Jay Aldous et Matt DeWaal ont fait un tour du monde de 22 997 km, depuis Salt Lake City, Utah, en 106 jours, du 2-04 au 16-07-84.

En tandem

Laura Geoghegan et Mark Tong ont parcouru une distance de 32 248 km en tandem entre Londres et Sydney, du 21-05-94 au 11-11-95.
France • Antoine Namy et François Pac, Français âgés de 25 et 26 ans, partis le 4-04-93, ont rejoint l'Inde, l'Australie, les deux Amériques et le continent africain avant de revenir via l'Espagne. À raison de 55 km/jour, ils ont parcouru 26 000 km

et pédalé pendant 500 jours. Ils sont arrivés à Bar-le-Duc, Meuse, le 11-08-94.

Tour du monde de la famille Hervé

Parti le 1er-04-80 de Lyon, le couple français Claude et François Hervé a parcouru 150 000 km à bicyclette, traversant 66 pays, pour arriver à Paris 14 ans plus tard, le 30-04-94, avec leur fille Manon, alors âgée de 7 ans, née au cours de leur périple et devenue polyglotte.

À MOTO

En solitaire

• L'aventurier britannique

Nick Sanders a achevé un tour du monde à moto, pour une distance parcourue de 32 074 km, en un temps record de 31 jours et 20 h, du 18-04 au 9-06-97. Parti de Calais, il a traversé l'Europe, l'Inde, le Sud-Est asiatique, l'Australie, la Nlle-Zélande et l'Amérique du Nord pour enfin revenir à Calais.
• Le 8-03-87, le Japonais Shinji Kazama, 36 ans, a quitté l'île de Ward Hunt, Arctique canadien, sur une moto 250 cm³ ; il a rallié le pôle Nord après 44 jours, le 20-04-87.
Femme • Moniika Vega (n.9-05-62), de Rio de Janeiro, Brésil, est la seule femme au monde à avoir effectué en solitaire un tour de la Terre à moto. Elle est partie

sur sa Honda 200 cm³ de Milan, Italie, le 7-03-90, et est revenue le 24-05-91, après avoir parcouru 83 500 km : elle a ainsi traversé 53 pays au total.

EN AVION

Circumnavigation - Définition
Un tel vol nécessite le passage en 2 points situés aux antipodes, avec un trajet minimal de 40 007 km. Des exceptions sont cependant autorisées, à condition que la longueur du vol atteigne au moins celle des tropiques du Cancer ou du Capricorne (36 787,559 km).

Premières
La 1re circumnavigation fut réalisée par 2 hydravions Douglas DWC de l'armée américaine, en 57 étapes. Le *Chicago* était piloté par Lowel Smith et Leslie Arnold, le *New Orleans* par Erik Nelson et John Harding, du 6-04-24 au 28-09-24, partis de Seattle, Washington, et y terminant leur voyage.

En passant par les 2 pôles • La 1re fut réalisée par le capitaine Elgen Long (44 ans) dans un Piper Navajo, du 5-11-71 au 3-12-71. Il couvrit 62 597 km en 215 h de vol réel. La température dans la cabine tomba jusqu'à - 40 °C au-dessus de l'Antarctique.

Sans ravitaillement ni atterrissage
Jeana Yeager et Dick Rutan, à bord de leur *Voyager*, partirent de la base Edwards, Californie, et naviguèrent du 14 au 23-12-86. Leur circumnavigation dura 9 jours 3 min 44 s ; ils couvrirent 40 213 km, à la moyenne de 186 km/h. L'avion, d'une envergure de 34 m, pouvait transporter 5 636 litres de carburant.

Vitesse sur lignes régulières
Compte tenu des horaires des compagnies, le tour du monde le plus rapide fut effectué par l'Anglais David Springbett (n.1938). Parti de Los Angeles le 8-01-80, vers l'est, il parcourut 37 124 km pour revenir le 10-01, 44 h 6 min plus tard.

Par les antipodes sur ligne régulière
Frère Michael Bartlett, de Sandy, Beds, GB, a effectué le tour du monde en vol régulier, en 58 h 44 min, en 1995, couvrant

la distance de 41 547 km.
Autonomie
L'Airbus A340 *World Ranger*, parti du Bourget le 16-06-93, a effectué un tour du monde en 48 h 22 min 6 s. Lors du retour, le record d'autonomie a été battu, avec 18 545 km de vol sans escale, entre Auckland, Nlle-Zélande, et Paris. Sa consommation fut de 134,80 tonnes de carburant.
En hélicoptère
En 1996, Ron Bower et John Williams (tous les 2 Américains) ont fait le tour du monde dans un hélicoptère Bell en 17 jours 6 h 14 min 25 s.

EN BATEAU À VOILE
Circumnavigations les plus rapides
• Le catamaran *Enza*, 28 m, piloté par Peter Blake (Nlle-Zélande) et Robin Knox-Johnston (GB), a effectué le tour du monde le plus rapide sur mer, avec équipage, qui a duré 74 jours 22 h 17 min, du 16-01 au 1er-04-94.
• Le Français Titouan Lamazou, des Sables-d'Olonne, sur le monocoque *Écureuil-d'Aquitaine II*, 18,30 m, a réussi le tour du monde en solitaire en 109 jours 8 h 48 min, de novembre 1989 à mars 1990.

TOUR DU MONDE HISTORIQUE 🖼 📠

Le Suisse Bertrand Piccard (41 ans) et le Britannique Brian Jones (51 ans), qui ont accompli le tour du monde en ballon à bord de Breitling-Orbiter III, ont pulvérisé les records de durée de vol et de distance en montgolfière, soit 46 759 km parcourus en seulement 19 jours 21 h 55 min, du 1er-03 au 20-03-99 : un ballon de 9 tonnes, 55 m de haut, 18 500 m³ d'hélium, pour une vitesse de croisière de 80 km/h et 20 pays traversés. Au cours de leur voyage, ils ont également battu le record de la traversée du Pacifique la plus rapide : 12 000 km survolés en 7 jours.

Alpinistes

ALPINISME
Palmarès français

• Liz Sansoz est la Française la plus titrée, avec un titre de championne du monde cadette en 1984, un titre de championne d'Europe 1996 et un titre de championne du monde 1997. Elle fut également vainqueur de la Coupe du monde 1996, de la Coupe du monde 1998 et du Top Rock 1998.

• François Legrand est le Français le plus récompensé en alpinisme. À son tableau de chasse, il a accroché 3 titres de champion du monde, en 1991, 93 et 95. Cinq fois vainqueur de la Coupe du monde (en 1990, 91, 92, 93 et 97), il fut aussi vainqueur par 4 fois des Masters d'Arco.

• Nathalie Richer est la championne du monde en titre dans la catégorie vitesse.

• François Petit, quant à lui, gagna le titre de champion du monde en 1997, fut vainqueur du Top Rock la même année et avait remporté la Coupe du monde en 1996.

• Arnaud Petit, enfin, remporta la Coupe du monde en 1996.

ENCHAÎNEMENTS
4 faces nord
Le Français Jean-Marc Boivin (1950-1990) a mis 17 h, le 17-03-86, pour enchaîner 4 faces nord : aiguille Verte (descente en para-pente), Droites, Courtes et Grandes Jorasses (descente avec une aile delta).

3 faces nord
Le Français Christophe Profit a enchaîné, en 41 h, les 12 et 13-03-87, les faces nord des Grandes Jorasses, de l'Eiger et du Cervin, en solitaire et sans aide.

Sur tous les continents
Le premier • Le Canadien Patrick Morrow (n.18-10-52) est le 1er à avoir gravi les plus hauts sommets de chaque continent : en Afrique, le Kilimandjaro, 5 895 m ; en Antarctique, le Vinson, 5 140 m ; en Asie, l'Everest, 8 846 m ; en Europe, l'Elbrous, Caucase, 5 642 m ; en Amérique du Nord, le McKinley, 6 194 m ; en Amérique du Sud, l'Aconcagua, 6 960 m ; et, en Indonésie, la pyramide Carstenz, 5 030 m, qu'il gravit le 7-05-86.

Première femme • La Japonaise Junko Tabei a réalisé l'ascension du mont Blanc, du Kilimandjaro, de l'Aconcagua, du McKinley et du Vinson, au 19-01-91, à l'âge de 51 ans.

Premier Français • Le guide de haute montagne Jean-Pierre Frachon, 44 ans, est le 4e au monde et le 1er Français à avoir réussi l'ascension des 7 sommets : l'Elbrous en mars 1988, l'Everest en septembre 1988, l'Aconcagua en janvier 1989, le Kilimandjaro en janvier 1990, le McKinley en mai 1990, le mont Vinson en janvier 1991, la Carstenz le 27-11-91.

Première Française • Christine Janin a été la 1re Française à réussir cet exploit. Elle avait commencé avec l'Everest en 1990, les six autres sommets dans l'année 1992, terminant par l'Aconcagua, le 25-12.

En solitaire • L'Italien Reinhold Messner a gravi sans oxygène les 14 sommets de plus de 8 000 m de l'Himalaya. En réussissant 1982 l'ascension du Kangchenjunga, il est devenu le premier à avoir gravi les 3 plus hautes montagnes du monde, avec l'Everest et le K2 à son palmarès.

Shisha Pangma
Le 9-05-96, Hans Kammerlander réussit l'ascension du Shisha Pangma, 8 013 m, et enchaîna le 24-05 l'ascension de l'Everest, qu'il gravit seul depuis 6 400 m, sans oxygène et dans le temps record de 17 heures.

Record d'endurance
Jean-Christophe Lafaille, jeune guide de haute montagne, a réussi en 15 jours l'enchaînement non-stop des 10 faces nord des Alpes entre le 4 et le 19-04-95.

Fuji-Yama
Le Japonais Teiichi Igarashi (n.21-09-86) a escaladé le mont Fuji-Yama, 3 776 m, le 20-07-86, à 99 ans et 302 jours.

Alpinistes les plus jeunes
Un groupe de jeunes Français de 13 à 17 ans est monté au Mera Peak, Himalaya, 6 414 m, le 2-05-91, pour redescendre à skis. Le projet a été conçu par Philippe Bonano et Michel Folliet.

ESCALADE
Descente en rappel
Peter Baldwin, de Plymouth, Devon, GB, et le Canadien Stu Legget détiennent le record de la plus longue descente en rappel. Le 31-08-94, ils ont par moments descendu à 160 km/h 1 746,5 m en rappel depuis le sommet du mont Gilbraltar, Calgary, Canada.

Falaises
• La falaise du Saussois, 70 m de haut, à 200 km de Paris, est une des plus ardues de France. On y dénombre 220 voies du 4e au 8e degré.

• La falaise d'Orgon-Canal, Lubéron, a des voies qui vont jusqu'au 9e degré.

• Le Français Patrick Edlinger réussit, en 1987, la première escalade de la falaise calcaire de 50 m la Femme Blanche, monts de Céüze, Hautes-Alpes.

• Jérôme Rochelle, Marseillais de 28 ans, a escaladé en solitaire, en mai 1993, 9 falaises de calanques en 18 h.

• Ouverte et répétée par Fred Ronlhing en 1996, la voie considérée comme la plus difficile à ce jour est Akira, à Vilhonneur, Charente ; elle est cotée 9b.

• Autre voie française exceptionnellement difficile est Action directe, la première cotation 9a de l'histoire de l'escalade, ouverte par Wolgang Güllich, Allemand.

Tyrolienne : sur un fil
Michel Frisque, Lakdar Aounallah, Bruno et Jean Tavarès, Salif et Arsan Ly, de Marseille, âgés de 20 à 25 ans, ont parcouru à une hauteur de 100 m la plus grande distance en tyrolienne, 383 m, entre 2 pics rocheux dans le massif de Marseilleveyre, le 1er-06-93.

Énigme sur le toit du monde

Le 8-06-24, l'alpiniste anglais George Mallory (n.1886) disparaissait mystérieusement, alors qu'il était sur le point, avec son compatriote Andrew Irvine, de réussir la 1re ascension de l'Everest. Le 1er-05-99, son corps a été découvert à 8 300 m par une équipe d'alpinistes américains dirigée par Eric Simonson. La plus grande énigme de l'histoire de l'alpinisme n'est pas près d'être résolue. Rien ne permet de dire aujourd'hui s'ils furent les 1ers à atteindre le sommet et en redescendaient pour prouver leur exploit, ou s'ils n'en ont pas eu le temps. Seule la découverte de leur appareil photo pourrait le dire.

RECORDS D'ALPINISME

Himalaya	Altitude	Record ou 1er	Date	Voie/Conditions	Alpinistes	Temps
Everest	8 848 m	Au sommet	29-05-1953	Arête S.-E.	Hillary (N.-Z.), Norgay (Nép.)	420 j
		Plus rapide	26-09-1988	Sans oxygène	Batard (F.)	22 h 29 min
		Français	15-10-1978		Mazeaud, Afanassieff, Jaeger	
		Hivernale	17-02-1980	-50 °C – vents 150 km/h.	Cichy, Wielicki (Pol.)	
		Solitaire	20-08-1980	Sans oxygène – Col N.	Messner (Ita.)	
		Sans oxygène	8-05-1978	Col N.	Messner (Ita.), Habeler (Aut.)	
		Femme	16-05-1975		Tabei (Jap.)	
		Femme s. oxygène	13-05-1995	Col N.	Alison Hargreaves (GB)	
		20 personnes	10-05-1990		Équipe américano-soviéto-chinoise de James Whittaker	
		Française	6-10-1990		Christine Janin	
		9 ascensions	1983-1992	Sans oxygène	Ang Rita (Nép.)	
		Plus âgé	30-04-1985	55 ans et 130 jours	Bass, (USA)	
		37 alpinistes	10-05-1993			
		Bivouac	24-09-1975	Dans un trou au sommet	Scott, Haston (USA)	
		Bivouac	8-10-1983	Au sommet, aucun survivant	Kamuro, Yoshino (Jap.)	
K2	8 611 m	Au sommet	31-07-1954	Arête des Abruzzes S.-E.	Compagnoni, Lacedelli (Ita.)	70 j
		Plus rapide	4-07-1986	En solitaire	Chamoux (F.)	23 h
		Femme	23-06-1986		Rutkiewicz (Pol.)	
		Française	23-06-1986		Barrard	
Kangchenjunga	8 598 m	Au sommet	25-05-1955	Face S.-O.	Brown, Band (GB)	47 j
		Solitaire et Français	17-10-1983	Face S.-O.	Beghin	
Lhotse	8 516 m	Au sommet	18-05-1956	Face O.	Luchsinger, Reiss (CH)	45 j
		Femme en solitaire	16-05-1996		Chantal Mauduit (F.)	
Malaku	8 481 m	Au sommet français	15-05-1955	Arête N.-O.	Couzy, Terray	47 j
Dhaulagiri	8 167 m	Au sommet	15-05-1960	Arête N.-E.	Exp. suisse : Forrer, Diemberger...	52 j
		Femme	6-05-1982		Vivijs (Bel.)	
		Français	18-05-1980	Face N.-E.	Ghilini – Exp. internationale	
		Plus rapide	9-05-1990	Aller-retour	Wielicki (Pol.)	22 h
		Hivernale	13-12-1982	Arête N.-E.	Koizumi, Wangkhu (Jap.)	
Manaslu	8 163 m	Au sommet	9-05-1956	Versant N.-E.	Imanishi, Gyaltsen (Jap.)	50 j
		Femme	4-05-1974		Nakaseko, Uchida, Mori (Jap.)	
		Français	7-10-1981	Face O.	Beghin, Müler	
		Solitaire	25-04-1972		Messner (Ita.)	
Cho Oyu	8 153 m	Au sommet	19-10-1954	Arête O.	Tichy (Aut.), Passang (Nép.)	31 j
Nanga Parbat	8 125 m	Au sommet	3-07-1953	Arête E.	Buhl – Exp. germano-autrichienne	42 j
		Français et Française	27-06-1984	Versant Diamir	Liliane et maurice Barrard	
		Solitaire	9-08-1978	Versant O.	Messner (Ita.)	
Annapurna	8 078 m	Au sommet français	3-06-1950	Face N.	Herzog, Lachenal, Terray, Rebuffat	18 j
		Femme	15-10-1978		Komarkova, Miller (USA)	
Hidden Peak (Gasherbrum I)	8 068 m	Au sommet	5-07-1958	Arête S.-E.	Schoening, Kauffmann (USA)	36 j
		Femme	Print. 1982		Saudan (CH)	
		Français	15-07-1980	Face S.-O.	Barrard, Narbaud	
Broad Peak	8 047 m	Au sommet	9-06-1957	Face O.	Buhl – Exp. autrichienne	28 j
Gasherbrum II	8 035 m	Au sommet	7-07-1956	Arête S.-E.	Larch, Moravec, Willenpart	
		Française	6-08-1981		Janin	
Xixabangma	8 013 m	Au sommet	2-05-1954	Arête N.	Ching – Exp. chinoise	47 j
Nun	7 135 m	Plus jeune Français, s. oxy.	26-07-1996		Mathias Chatrefou (F.)	

Mont Blanc	Altitude	Record ou 1er	Date	Voie/Conditions	Alpinistes	Temps
Mont Blanc	4 807 m	Au sommet	8-08-1786	Voie N. – Versant français	Docteur Paccard, Balmat (F.)	18 h 30'
		Femme	1808	Portée	Marie Paradis (F.)	
		Sans guide	14-08-1855		Hudson, Kennedy, Smyth, Ainslie (USA)	
		Femme	1868	Non portée	Henriette d'Angeville + guides (F.)	
		Hivernale	1876		Isabella Straton	
		Le plus âgé	3-08-1933	79 ans	Henri Brulle (F.)	
		Solitaire	1971	Pilier du Brouillard	E. Jones	
		La plus jeune	6-08-1991	7 ans	Valérie Schwartz (F.)	
		Plus rapide	21-07-1990		P.-A. Gobet (CH)	3 h 38' AR : 5 h 10'
		Nombre d'ascensions	1947-1981	520 (36 en un an)	René Tournier (F.)	
		Nombre de 1ers	1974-1985	12 sur le mont Blanc	Patrick Gabarrou (F.)	
		Non-voyant, au sommet	08-1988		Willy Mercier (Bel.)	
Grand Pilier d'Angle ou pilier Bonatti		Au sommet	22-08-1955	5 bivouacs	Bonatti (Ita.)	6 j
		Plus rapide	11-10-1990		Catherine Destivelle (F.)	4 h 10'
Grandes Jorasses Pointe Walker	4 208 m	Au sommet	30-06-1868	Face S.	Walker, Anderegg, Jaun, Grange	
		Hivernale	30-01-1963	Face S.	Bonatti, Zapelli (Ita.)	
Éperon Walker	4 208 m	Au sommet	4-08-1938	Face N.	Cassin, Esposito, Tizzoni (Ita.)	2 j
		Plus rapide	07-1952	Face N.	Bernardini, Dufranc	14 h
		Français	16-07-1945	Face N.	Rebuffat, Frendo	
		Solitaire	1968	Face N.	Gogna	
		Hivernale	02-1971	Face N.	Desmaison, Gousseault	
		Femme, solo	10-02-1993	Face N.	Catherine Destivelle (F.)	58 h 15'
Aiguille Verte	4 121 m	Au sommet	29-06-1865	Couloir Whymper	Almer, Biener, Whymper	
Grand Dru	3 754 m	Au sommet	12-09-1878	Versant S.-O.	Burgener, Dent, Walker, Maurer	
		Hivernale	1975	Face O. directissime	Malinovski, Pietukowski, Wach, Wolff	
		Nouvelle voie	20-04-1992	Face O	Marc Batard (F.)	19 j
		Nouvelle voie	16-03-1994	Voie extrême directissime	Marc Batard (F.)	10 j
Petit Dru	3 733 m	Au sommet	29-08-1879	Arête S.-O.	Charlet-Straton, Folliguet, Payot	
		Solitaire	1955	Pilier S.-O.	Bonatti (Ita.)	
		Hivernale	1957	Face O.	Desmaison, Couzy	

Autres continents	Altitude	Record ou 1er	Date	Voie/Conditions	Alpinistes	Continent
Aconcagua	6 960 m	Au sommet	12-01-1897	Face N.	Zurbriggen (CH)	Américain
		Français	1954	Face S.	Bernardini, Denis, Dagory	
		Femme	7-03-1940		Bance-Link	
		Hivernale	15-09-1953		Huerta, Godoy, Vasalla	
		Aller-retour (5 h 57' 39')	23-02-1992	Retour en courant	Lieutenant français Giot	
		Non-voyant, au sommet	01-1995		Willy Mercier (Bel.)	
McKinley	6 194 m	Au sommet	7-06-1913		Stuck, Karsten, Tatun (USA)	Américain
Kilimandjaro	5 895 m	Au sommet	3-10-1889	Mont Kibo	Meyer, de Leipzig, Purtscheller (All.)	Africain
		Non-voyant, au sommet	07-1989		Willy Mercier (Bel.)	
Elbrous	5 642 m	Au sommet	14-07-1874	Face occidentale	Knubel, Sottaev (GB)	Européen
Vinson	5 140 m	Au sommet	30-01-1966		Clinch, Schoeninh (USA)	Antarctique
		Français	11-01-1991		Frachon, Rigaux	
		Française	1992		Janin	
Carstenz	5 030 m	Au sommet	13-11-1962	Face N. arête O.	Harrer	Océanien
		Solitaire	1972		Messner (Ita.)	
Cervin	4 478 m	Au sommet	14-07-1865		Équipe dirigée par Michel Croz	Européen
		Femme, hivernale	11-03-1994	Face N.	Catherine Destivelle (F.)	
Eiger	3 970 m	Au sommet	1858	Face O	Barrington	Européen
		Femme, hivernale	9-03-1992	Face N.	Catherine Destivelle (F.)	

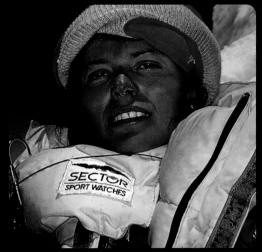

👤 CHAMOUX - MAUDUIT - JANIN

• *Benoît Chamoux, déjà vainqueur de 13 sommets de plus de 8 000 m, a disparu au cours de sa 14e ascension, le Kangchenjunga, le 6-10-95.*
• *Chantal Mauduit (n.24-03-64) et les sommets himalayens : K2 (8 611 m), solitaire, 3-08-92 ; Shisha Pangma (8 046 m), 4-10-93 ; Cho-Oyu (8 201 m), 31-10-93 ; Lhotse (8 516 m), solitaire, 1re femme, 10-05-96 ; Manaslu (8 163 m), solitaire, 24-05-96 ; Gasherbrum II (8 035 m), 17-07-97. Le 13-05-98, elle a trouvé la mort après le passage d'une avalanche, sur les pentes du Dhaulagiri, au Népal.*
• *Le 6-10-90, Christine Janin était la 1re Française à atteindre le sommet de l'Everest.*

Abysses

SOUS TERRE

Pénétrations les plus profondes

Premier 1 000 m • La barrière des 1 000 m de profondeur a été franchie pour la 1re fois en 1956 au gouffre Berger, Isère, France.

Record sportif • Le record de la plus grande descente est détenu depuis le 3-12-89 par le club Vulcain de Lyon, qui descendit à 1 602 m dans le gouffre le plus profond du monde, le Jean-Bernard, Haute-Savoie.

Record absolu • Dans la mine Western Deep Levels de Carletonville, Afrique du Sud, des mineurs sont descendus à 3 581 m, le 12-07-77.

Siphon le plus long exploré en plongée

Le spéléologue suisse Olivier Isler a exploré le 4-08-91, sur 4 055 m, le siphon de La Doux de Coly, Dordogne, France.

Séjours souterrains les plus longs

Homme • Le spéléologue yougoslave Milutin Veljkovic a passé 463 jours, du 24-06-69 au 30-09-70, dans une grotte des monts Sverljig, en Yougoslavie.

France • Michel Siffre est resté 205 jours dans Midnight Cave, Texas, du 14-02 au 5-09-72.

Femme • Le record appartient à Véronique Le Guen, qui a passé 111 jours, du 10-08 au 29-11-88, dans l'aven de Valat-Nègre, Aveyron, à 82 m sous terre.

SOUS EAU

En apnée

Apnée statique • L'apnéiste s'immerge à une faible profondeur, avec comme seul objectif le temps total d'immersion sans inhalation d'oxygène.

Poids constant • L'apnéiste effectue une descente à la seule force des palmes et des bras et remonte de la même manière.

Poids variable • L'apnéiste effectue une descente à l'aide d'une gueuse et remonte à la palme et/ou en se tirant sur un filin par les bras.

UMBERTO PELLIZARI

Le 13-09-97, l'Italien Umberto Pellizari (n.28-08-65) – régulièrement recordman dans différentes catégories – a reconquis le titre mondial en poids constant en atteignant - 75 m en 2 min 11 s, à Venere, Italie. Dès 6 ans, il pratique la natation, se consacre à l'apnée à 18 ans, et décroche son 1er record en 1988. Cet athlète hors pair possède une capacité pulmonaire de 7,9 litres.

Apnée dynamique • L'apnéiste s'immerge et se déplace à faible profondeur, dans le seul but de la distance totale parcourue (avec ou sans palmes), sans inhalation préalable d'oxygène.

Free apnée (ou plongée en immersion libre) • C'est une plongée à poids constant, mais effectuée sans palmes.

« No limits » • L'apnéiste descend avec une gueuse et effectue sa remontée à l'aide d'un ballon ou d'une combinaison gonflable. Le « no limits » est le record absolu de profondeur qu'a montré Luc Besson dans *le Grand Bleu*. Il n'est pas homologué, car considéré comme extrêmement dangereux. Seuls 3 hommes sont en mesure de lutter dans cette course aux abysses : les Italiens Umberto Pellizari (- 131 m en 1996) et Gianluca Genoni (record actuel), et le Cubain Pipin Ferreras (- 128 m en 1995).

Apnée statique

Homme • Le Réunionnais Andy le Sauce a battu, le 4-04-96, le record du monde

« No limits »

• En décembre 1983, le Français Jacques Mayol, l' « homme-dauphin » qui servit de modèle au héros du *Grand Bleu*, le film de Luc Besson, réussit une plongée à 105 m, au large de l'île d'Elbe, Italie. Il descendit en 1 min 44 s et remonta en 1 min 30 s.

• Seize ans plus tard, le 5-06-99, le record a été amélioré de 32 m par le Français Loïc Leferme, à Saint-Jean-Cap-Ferrat, Alpes-Maritimes, avec une plongée de 137 m.

• Le record féminin, 107 m, au large de l'île d'Elbe, est détenu par l'Italienne Angela Bandini (n.1961) depuis le 3-10-89. Elle est restée sous l'eau pendant 2 min 46 s.

d'apnée statique avec 7 min 35 s passées sous l'eau.

Femme • Cathie Mongès, Saint-Paul, Réunion, a battu le record du monde féminin d'apnée statique avec 5 min et 16 s passées sous l'eau.

Descente en poids constant
Homme • *Voir photo.*

Femme • Le 5-10-96, la Cubaine Deborah Andollo a fait une plongée à poids constant de 62 m.

En lac • Le Français Jean-Michel Pradon a battu, le 28-02-96, le record mondial d'apnée en poids constant avec une plongée de 52 m, dans le cénote mexicain de Timul.

Descente en poids variable
Homme • L'Italien Gianluca Genoni détient, depuis septembre 1998, le record du monde d'apnée en poids variable avec une plongée de 121 m, au large de la Sardaigne.

Femme • Le record est détenu par Deborah Andollo, avec une plongée de 90 m. La performance a été réalisée le 27-07-97 dans les eaux du golfe d'Asinara, Sardaigne.

En lac • Le Français Roland Specker a battu, en 1996, le record mondial, avec une plongée de 60 m.

Apnée dynamique
Avec palmes • Andy le Sauce a battu, le 25-05-96 à la Réunion, le record du monde d'apnée dynamique, en parcourant 164 m en piscine.

Sans palmes • Frédéric Cocuet détient depuis 1993 le record d'apnée dynamique sans palmes en piscine, avec 125 m.

Plongée en free apnée
Homme • Le 30-10-95, le Cubain Isaël Espinosa Mendes a battu le record du monde de free apnée avec une plongée de 71 m.

Femme • Avec une plongée de 60 m, Deborah Andollo détient le record féminin de free apnée depuis 1995.

« No limits »
Voir photo.

Profondeur avec appareil respiratoire
Les Américains John J. Gruener et R. Neal Watson ont plongé à 133 m munis d'un appareil de respiration autonome (Scuba) le 14-10-68 au large de Freeport, Grand Bahama.

Plongée en altitude
• Le 16-01-95, Henri Garcia, membre de l'équipe chilienne Expedición America, resta 1 h 8 min en plongée dans le lac du cratère du volcan Liconcabur, situé sur la frontière bolivo-chilienne, à 5 900 m d'altitude.

• Le 11-03-95, le Français Alain Schalk a atteint, en apnée, la profondeur de 11 m dans les eaux du lac Chungara, au Chili, à 4 520 m d'altitude, sans inhalation préalable d'oxygène.

Les 24 h sub-aquatiques
Du 2 au 3-07-94, une équipe de 8 Français, Dominique Bourgeois, Philippe Lacolombe, Thierry Poirier, Claudio Pasoual, Franck Gautier, Jean-Pierre Brauge, Eric Debord et Didier Sager, tous équipés de scaphandres autonomes, ont parcouru à la nage, au Centre nautique municipal de Bourges, Cher, en immersion totale, la distance de 76,270 km en 24 h. Chaque équipe de 4 plongeurs s'est relayée toutes les 2 h, les plongeurs nageant 10 min chacun le long d'un parcours de 60 m.

Plongée océanique la plus profonde
La plongée la plus profonde a été réalisée dans la fosse des Mariannes. Le bathyscaphe de la marine américaine *Trieste*, conçu et manœuvré par le Suisse Jacques Piccard et par le lieutenant Donald Walsh, atteignit 10 911 m de profondeur à 13 h 10, le 23-01-60. La pression de l'eau était de 1 183 kg/cm². La descente a duré 4 h 48 min et la remontée 3 h 17 min.

SOUS GLACE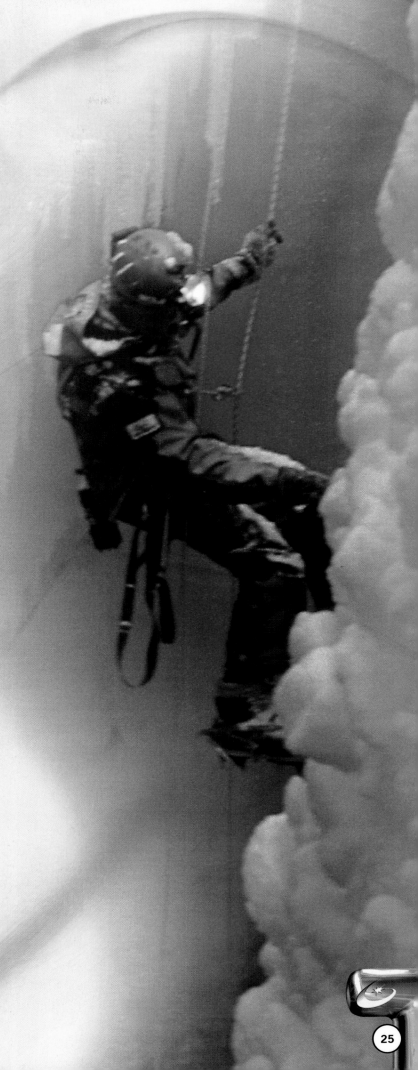

Le 11-10-98, le Français Janot Lamberton (spéléologue, alpiniste et pionnier des expéditions sous-glaciaires) – accompagné de l'expédition Inlandsis 98 – a pulvérisé son propre record de descente sous glace en atteignant - 203 m dans les profondeurs de la calotte glaciaire groenlandaise. L'inlandsis, immense paysage de glace, représente 84 % de la surface du Groenland, soit 1 700 000 km², et a une épaisseur pouvant aller jusqu'à 3 500 m.

Vitesse 1

TRAVERSÉES À LA NAGE

Manche

Derrière moto • Les 27 et 28-04-90, à Phoenix, Arizona, Michael Secrest a roulé pendant 24 h derrière une moto à la vitesse moyenne de 81,59 km, parcourant une distance de 1 958,196 km.

France-Angleterre • Le record sur le trajet France-Angleterre est de 8 h 5 min, par le Britannique Richard Davey, en 1988.

Angleterre-France • Le record officiel de l'Association de la traversée à la nage de la Manche (fondée en 1927) est de 7 h 17 min, une performance établie par l'Américain Chad Hundeby, de Shakespeare Beach, Douvres, au cap Gris-Nez, France, le 27-09-94.

Femme • En 1978, Penny Lee Dean (USA) a traversé la Manche (Douvres – cap Gris-Nez) à la nage en 7 h 40 min.

Allers et retours • Le record de vitesse de la traversée aller et retour, 16 h 10 min, appartient depuis le 17-08-87 au Néo-Zélandais Philip Rush (n.6-11-63), qui avait réussi l'aller en 7 h 55 min.

Femme • Le record féminin de l'aller et retour est de 18 h 15 min. Il fut établi le 18-08-83, par la Néerlandaise Irene Van der Laan (n.27-12-60).

Atlantique

• La nageuse australienne Susie Maroney (23 ans), de Sydney, est la 1re personne à avoir effectué la traversée Cuba-Floride. Elle s'apprête aujourd'hui à s'attaquer à la traversée non-stop Mexique-Cuba, soit 240 km.

• Le Français Ben Lecomte (31 ans), parti de Cape Cod, USA, le 16-07, est arrivé à Quiberon, le 25-09-98.

DEUX-ROUES

En VTT • *Voir photo.*

Derrière véhicule • Le record de vitesse à bicyclette est de 268,831 km/h. Cette performance a été réalisée derrière un véhicule (faisant office de protection aérodynamique et d'« aspirateur ») par le Néerlandais Fred Rompelberg le 3-10-95, à Bonneville Salt Flats, Utah.

Motos de série

• *Voir photo.*

• La Bimota Furano, fabriquée sur commande en très petites séries (30 modèles/an), peut atteindre 290 km/h.

Sur piste

• Le 14-07-90, à Bonneville Salt Flats, Utah, l'Américain Dave Campos – sur sa moto aérodynamique de 7 m de long *Easyriders*, propulsée par 2 moteurs Ruxton Harley Davidson de 1 491 cm³ – a atteint une moyenne de 518,45 km/h, avec une pointe à 519,61 km/h.

• Le record de vitesse au terme des 400 m est 343,17 km/h, par l'Américain Elmer Trett, au Virginia Motorsports Park, Petersburg, en 1994.

Sur route

Le 12-09-87, un radar des périphériques parisiens a relevé un excès de vitesse à moto de 244 km/h.

De dos

Le 27-04-91, sur l'aérodrome de Chambley-Bussières, Meurthe-et-Moselle, le Français Laurent Aubugeau a atteint 238,16 km/h en conduite à l'envers, sur Yamaha FZR 1 000 cm³. Il détient également le record du 200 m départ arrêté de cette discipline, en 7 s 35.

Roue avant

Laurent Aubugeau a battu, le 20-07-93, le record de vitesse sur roue avant, sur Suzuki 1100 GSXR. Il a atteint 220,54 km/h, sur le circuit Paul-Ricard du Castellet, dans la région du Var.

Roue arrière

Le 31-05-94, sur le circuit Paul-Ricard, Laurent Aubugeau, sur Suzuki 1100 GSXR, a battu le record de vitesse sur roue arrière, à 260,72 km/h.

👤 VTT SUR NEIGE

Le Français Éric Barone a établi son 5e record du monde de vitesse en VTT sur neige, en atteignant 217,391 km/h, le 17-03-99, sur la piste de KL des Arcs, Var, la plus rapide du monde. La pente atteint 82 % au maximum, pour un dénivelé de 565 m.
(Photo : J.-P. Noisillier/Agence Nuts)

Par-dessus le guidon

Le 23-08-94, Juanito Legrand, assis sur le guidon, les pieds touchant terre avec ses chaussures en inox, a accéléré jusqu'à 181,06 km/h sur une ligne droite de 2 km à l'autodrome de Linas-Montlhéry.

À skis

Sur le circuit du Castellet, Var, Jean-Paul Dienne, de Pérols, Hérault, a été tracté par une Suzuki G5XR 1100 à 219 km/h sur des skis nautiques Reflex de saut, le 15-02-90.

En duo

Jocelyn Hars et Sylvie Fiquet ont établi le 1er-03-95 à Loon-Plage, Dunkerque, Nord, un record de vitesse en duo assis sur la selle en roue arrière « wheeling » à 227,9 km/h.

VOITURES À ROUES NON MOTRICES

Officiel : 1 227,985 km/h

Voir photo.

1 016 km/h

Le 23-10-70, l'Américain Gary Gabelich a atteint sur *The Blue Flame*, équipée d'un moteur à gaz naturel liquide et au peroxyde d'azote, la vitesse de 1 016 km/h, avec une pointe à 1 046 km/h non homologuée, à Bonneville, Utah. Il aurait pu atteindre 1 488 km/h.

France : 621 km/h

Le Français Bob Feeler, de Gonesse, Val-d'Oise, a atteint 621 km/h avec son dragster *Rocket Car*, le 9-08-88.

VOITURES À ROUES MOTRICES

Moteur turbine : 690,909 km/h

Donald Campbell (1921-1967) a atteint 690,909 km/h, le 17-07-64, au volant de *Bluebird*, sur la lagune salée du lac Eyre, Australie.

Multipistons : 696,331 km/h

L'Américain Al Teague a atteint 696,331 km/h au volant de sa *Speed-O-Motive-Spirit* 76, à Bonneville, Utah, le 21-08-91.

Monopiston : 575,149 km/h

L'Américain Bob Herda a réalisé 575,149 km/h, le 2-11-67 à Bonneville, Utah, sur sa *Herda-Knapp-Milodan*.

Voitures de série : 350 km/h

Les plus rapides et les plus puissantes du monde sont la Bugatti EB 110 550 ch, la Jaguar XJ 220 et la Mac Laren F1 G.T., qui peuvent atteindre 350 km/h.

France • Le coupé français Venturi 400GT bi-turbo 408 ch peut atteindre 290 km/h.

Moto de série

La moto de série la plus rapide est la Suzuki Hayabusa GSX 1 300 R. Elle peut atteindre 340 km/h.

RECORD OFFICIEL POUR UN AVION

Le record est de 3 529,56 km/h. Il appartient depuis le 28-07-76 à Eldon Joersz et George Morgan, sur un Lockheed SR-71 A Blackbird, au-dessus de la base de Beale, Californie, sur 25 km. Lors de son dernier vol, il a traversé les USA en 1 h 8 min 17 s. Cet avion a déjà atteint 3 608 km/h (record non homologué), en 1990. (Photo : François Robineau.)

Accélération

La plus forte accélération de 0 à 100 km/h a été atteinte en 3 s 2, sur 48,18 m, par Tony Gillet à bord de sa *Vertigo* équipée d'un moteur Ford Escort Cosworth, 2 litres turbo 16 soupapes.

Voiture solaire

Le 5-01-91, à Richmond, Australie, *Solar Star*, construite par Star Micronics et pilotée par Manfred Hermann, a atteint 135 km/h.

TRAINS

Prototypes • La plus grande vitesse jamais atteinte par un véhicule sur rails est de 9 851 km/h (Mach 8). C'est un train-traîneau à fusées sans équipage qui l'a réalisée, sur une voie de 15 km, à White Sands Missile Range, Nouveau-Mexique, le 5-10-82.
• *Voir photo page suivante.*
• Le train pour voyageurs le plus rapide au monde est le TGV-Atlantique français, qui, lors d'essais en 1990, a atteint la vitesse de 515,3 km/h, entre Courtalain, Eure-et-Loir, et Tours, Indre-et-Loire. Sur trajet régulier, il couvre les 203,4 km qui séparent Lille et Roissy en 48 min, à une vitesse moyenne de 254,3 km/h.

Réseau de chemin de fer

Le TGV-Atlantique et le TGV-Nord atteignent chacun les 300 km/h, tout comme l'Eurostar sur le trajet Paris-Calais, puis le train ralentit au moment où il rejoint l'Angleterre. Le TGV-Atlantique a une vitesse supérieure de 30 km/h à celle de l'ancien TGV, il n'a que 8 moteurs au lieu de 12, mais il peut tracter 10 wagons contre 8 pour l'ancien.

NAVIRES

L'aéroglisseur militaire expérimental SES-100B, de l'US Navy, de 23,70 m et 100 tonnes, a atteint 91,9 nœuds (170 km/h), le 25-01-80, dans la baie de Chesapeake, Maryland.
France • Le destroyer français *Le Terrible*, de 3 200 tonnes, a atteint en 1935 la vitesse de 83,42 km/h. Construit à Blainville-sur-Orne, Calvados, il fut désarmé à la fin de 1957. Les sous-marins nucléaires soviétiques *Alfa* ont une vitesse de 74 km/h. Ils peuvent plonger à 760 m.

AVIONS

Record officiel

Voir photo.

Avion de combat

Un avion de chasse soviétique Mig-25 Mikoyan fut repéré par radar à Mach 3,2 (3 395 km/h). Quand il est armé de 4 gros missiles air-air, sa vitesse descend à Mach 2,8 (2 969 km/h). C'est un monoplace de 24 m de longueur et 14 m d'envergure ; il pèse 37 tonnes au décollage.

Biplan

Le Fiat CR42B italien, à moteur Daimler-Benz de 1 010 ch, atteignit 520 km/h en 1941. Un seul exemplaire fut construit.

VOITURE À ROUES NON MOTRICES

Le record officiel de vitesse sur 1 mile est détenu par le pilote Andy Green sur Thrust SSC, avec 1 227,985 km/h, dans le désert de Black Rock, Nevada, en octobre 1997. L'engin, propulsé par 2 moteurs Rolls-Royce Spey 205, a été conçu par Andy Green, qui est le 1er à avoir dépassé le mur du son sur terre. Le record est régulièrement retenté, et la barre placée toujours plus haut.

Vitesse 2

Prototype de train le plus rapide

Le 14-04-99, un prototype de Maglev (train magnétique japonais) a battu le record du monde de vitesse en atteignant 552 km/h sur rail. Cette fois-ci, il transportait des passagers, répartis dans 5 wagons, sur une voie expérimentale de 18,4 km de long, aux alentours de Tokyo.

AVIONS

Avion à moteur à pistons

Le Tupolev 95/142 (Russie), propulsé par 4 moteurs de 15 000 ch entraînant 4 paires d'hélices contra-rotatives, a atteint la vitesse de 925 km/h.

Avions à hélice

• L'avion de transport soviétique Tupolev 114 turbopropulsé a atteint la vitesse de 877 km/h sur des trajets commerciaux. Conçu sur le modèle du bombardier Tu-95, il a 4 moteurs de 15 000 ch.

• Le prototype de combat de la marine américaine Republic XF-84H avait une vitesse de pointe programmée de 1 080 km/h. Il a volé en 1955, mais sa construction fut abandonnée.

Avions de ligne

• Le Tupolev TU-144 a atteint, en 1988, la vitesse record de 2 587 km/h, soit Mach 2,4. Sa vitesse de croisière est de Mach 2,2. Le Tupolev TU-144 est entré en service en 1975 et a toujours été utilisé comme avion de fret et postal. Il n'est plus en service.

• Le 22-06-96, l'équipage du commandant Prunin a effectué à bord d'un Concorde transportant une centaine de passagers une accélération de 0 à Mach 1 en 4 min 16 s entre Mérignac et Cap-Ferret, Gironde.

ESPACE

Hommes • La plus grande vitesse à laquelle aient voyagé des humains est de 39 897 km/h. Le module d'*Apollo 10* voguait à 122 km d'altitude, le 26-05-69. L'équipage était composé de Thomas Stafford et des commandants Eugene A. Cernan et John Watts Young.

Femmes • La vitesse la plus élevée atteinte par une femme est 28 582 km/h, par Kathryn Sullivan, au départ du retour de la mission *STS 31 Discovery*, le 29-04-90. L'astronaute américaine Kathryn Thornton aurait dépassé cette vitesse au retour de la mission *Endeavour STS 61*, qui se termina le 13-12-93.

Engins spatiaux propulsés

• La navette *Columbia*, de la Nasa, fut lancée de cap Canaveral, Floride, le 12-04-81. Elle était commandée par John Young, de la marine américaine, et pilotée par Robert Crippen. Le coût du programme (entrepris en 1972) avait été de 10 milliards de $.

VITESSE À SKI

Le record était détenu par le Français Philippe Billy (photo) depuis 1997, avec 243,902 km/h. Au moment de mettre sous presse, nous apprenons qu'il a été battu le 1ᵉʳ-05-99, avec 248,105 km/h, par l'Autrichien Harry Egger. Voir rubrique Extrême : neige.

À 26 715 km/h, *Columbia* pulvérisa tous les records. Descendue de l'altitude de 122 km et ayant subi une température de 2 160 °C, elle atterrit, pesant alors 97 tonnes et à la vitesse de 347 km/h. Elle détient le record de durée dans l'espace pour les navettes : 10 jours 2 h 38 s depuis sa 33ᵉ mission, STS 32 *Spacelab 1*, avec 6 hommes d'équipage, le 9-01-90.

• Propulsé par une fusée à oxygène liquide et ammoniaque, le X-15A-2, de North American Aviation, fit son 1ᵉʳ vol le 25-06-64. Les matériaux du fuselage lui permirent de supporter 1 650 °C. Piloté par William Knight (n.1930), de l'US Air Force, il atteignit 7 274 km/h (Mach 6,85) en 1967.

Technologie spatiale et fusées

• Les sondes *Helios A* et *Helios B* de la Nasa se déplacent à une vitesse de 252 800 km/h chaque fois qu'elles atteignent le périhélie (point où elles sont le plus proches du Soleil) de leur orbite solaire.

• La plus grande vitesse en vol est de 211 126 km/h, atteinte par *Mariner 10* lorsqu'il a dépassé Mercure en septembre 1974.

AILE DELTA

Le record du monde de vitesse en aile delta est détenu par le Tchèque Tomas Suchanek, qui a atteint la vitesse de 51,48 km/h de moyenne sur 100 km le 5-03-94, sur sa Moyes Xtralite 137, au départ de Garie Beach, Australie.

France • Christian Durif a réalisé le record du monde de vitesse sur 50 km en atteignant la vitesse moyenne de 38,46 km/h sur son aile delta Compact, au départ du col des Robines, Alpes-de-Haute-Provence.

Vitesse
Le record du monde de vitesse sur base de 15/25 km est détenu par le Français Serge Ferrari, qui a atteint la vitesse moyenne de 168,55 km/h le 29-06-95, à bord d'un ULM trois-axes équipé d'un moteur de 42 CV au départ de l'aérodrome de Belley-Peyrieu.

SKI

Il s'agit d'une épreuve de vitesse pure, mesurée sur une distance de 100 m, la longueur de la piste variant de 500 à 1 000 m. Les records sont établis et validés durant des compétitions (championnats du monde).
Voir photo.

AVION SUPERSONIQUE

Le Concorde fit son 1ᵉʳ vol le 2-03-69. Il a une capacité de 128 passagers et sa vitesse de croisière peut atteindre Mach 2,2 (2 333 km/h). Il vola effectivement à Mach 1,05 en 1969 et dépassa Mach 2 en 1970. En 1976, il devint le 1ᵉʳ avion civil supersonique de ligne. En 1990, il battit le record de vitesse sur le parcours New York-Londres, en 2 h 54 min 30 s. Trente ans après sa mise en service, le Concorde reste un échec commercial, mais confirme en revanche sa réussite technique, en continuant d'influencer l'ensemble de l'industrie aéronautique.

Cascadeurs

CASCADES À BICYCLETTE

Descente verticale
Le 16-07-92, à Dole, Jura, Jean-Louis Demet
a descendu à vélo et à la verticale les 56 m
de la basilique de Dole, en 6 min. Il descend
ainsi sanglé toutes les façades.

Roue arrière
Christian Dachez, à Chantonnay, Vendée,
a parcouru sur la roue arrière d'un VTT
28,857 km en 1 h 59 min sur une piste.

Marche arrière
Le 6-07-85, le Français Robert Poggio a gravi
successivement les cols du Télégraphe et
du Galibier, Savoie, en marche arrière, assis
sur le guidon. Il a parcouru ainsi 35,36 km
avec 2 099 m de dénivelé, sans mettre
pied à terre, en 3 h 7 min.

CASCADES À MOTO

Distance
Roue avant • Le Français Patrick Bernaud
a parcouru une distance de 153,20 m
sur la roue avant de sa trial, le 3-12-94,
à Rillieux-la-Pape, Rhône.
Roue arrière • Le Japonais Yasuyuki Kudoh
a parcouru 331 km sur la roue arrière
de sa Honda TLM220 R 216 ch, le 5-05-91,
à Ibaragi, Japon.
Sur le dos • Le 20-12-87, Patrick Polesso,
de Marseille, s'est fait tirer, allongé sur
le dos sur une planche, par une Suzuki 1100
Katara sur 1,2 km, à 240 km/h.
Sans arrêt • Les Indiens Har Rishi, Amarjeet
Singh et Navjot Chadha ont conduit
un scooter Honda DX 100 cm³ pendant
1 001 h sans arrêter le moteur.
Cette équipe a parcouru 30 965 km
du 22-04 au 3-06-90.

Sauts en longueur
Avec tremplin • Le 22-06-91, à Loudon, New
Hampshire, Doug Danger a sauté 76,50 m
en longueur sur Honda CR500.

France • Le 6-02-77, Alain Prieur a sauté
par-dessus 16 autobus, sur une longueur
de 64,40 m, à Montlhéry, Essonne.
Femme • Sur sa Kawasaki KX500,
la Britannique Fiona Beale a réalisé
un saut de 57,90 m par-dessus
12 camions, le 14-08-97.

Saut en hauteur
Le 15-02-81, à Pra-Loup, Alpes-de-Haute-
Provence, Alain Prieur a fait un bond
de 6 m de haut, par-dessus un chalet.
En 1985, il a sauté à moto dans les gorges
du Verdon et a atterri en parachute 635 m
plus bas. Il s'est tué dans une cascade
aérienne le 4-06-91.

Sauts périlleux arrière et looping
Les deux seuls motocyclistes à avoir
effectué un saut périlleux arrière à
moto sont les Français Thierry Toussaint
et Éric Barone. Le 17-10-92, Thierry
Toussaint effectua un looping à 6 m
de haut, et Éric Barone réussit cette
acrobatie le 5-06-93.

Percussion
Le 13-08-95, lors d'un show se déroulant
à Vagney, Vosges, Gérard Sarreaud a percuté
8 murs composés de 48 briques avec
sa moto de 500 cm³.

Mur de la mort
L'Allemand Martin Blume a tenu pendant
7 h 13 s dans le mur de la mort, à Berlin, le
16-04-83. Il conduisait une Yamaha XS 400,
a accompli 12 000 tours dans un cylindre
de 10 m de diamètre, à la vitesse moyenne
de 45 km/h, et a parcouru au total 292 km.

Passagers
L'équipe des « Dare Devils », de
l'armée indienne, a formé une pyramide
de 140 hommes sur 11 motos, sans
aucune attache, harnais ou autre soutien,
et a roulé sur 200 m, à Jabalpur, Inde,
le 14-02-96.

ASCENSION DE LA TOUR EIFFEL

*Le 30-04-98, le Français Hugues Richard a gravi avec un vélo de trial
les 747 marches qui mènent au 2ᵉ étage de la tour Eiffel, soit une hauteur
de 115,80 m, en 36 min 26 s, sans mettre pied à terre.*

CASCADES EN VOITURE

Barefoot
Le 12-11-89, Grégory Riffi, de Talloires,
Haute-Savoie, s'est fait tracter sur le
sable de la plage de Berck, Pas-de-Calais,
par une Renault 5 Turbo-II, à 221,63 km/h.
Seul matériel, des baskets spéciales.

Ventriportant
Vitesse • Sur le circuit du Castellet,
Jean-Claude Joly s'est fait tracter à plat
ventre derrière une Ferrari Testarossa,
à 232 km/h, le 3-10-88.

Distance • Le Français Pascal Dragotto, de
Marseille, Bouches-du-Rhône, a parcouru
365 km sur le ventre tracté par une voiture.
Équipé d'un plastron et de genouillères,
il a effectué le trajet reliant Marseille à
Lyon, du 15 au 17-10-93.

Sauts en longueur
Homme • Le 15-12-84, à Pommevic,
Tarn-et-Garonne, le cascadeur Thierry Robin
a effectué un saut de 101,17 m au volant
de son Alfetta. Il a pris son élan sur 1,4 km,
abordé un tremplin de 5,60 m de haut

Équilibre

Le 15-12-96,
14 pilotes
de l'escadron
motocycliste de la
garde républicaine
de Paris ont formé
une troïka
d'équilibre sur
15 motos.
Onze d'entre eux
tenaient
en équilibre.

LOOPING

Le 17-09-90, le cascadeur Patrick Bourny a effectué avec succès un looping au volant d'un camion muni d'arceaux semi-cylindriques fixes.

et 30 m de long, et a atterri sur un matelas de cartons.

Femme • Le 3-04-83, Jacqueline De Creed a réussi un saut de 70,73 m de long, dans une Ford Mustang 1967, au Santa Pod Raceway, GB.

Saut en hauteur
En février 1998, le Californien Brian Carson – le cascadeur automobile le plus célèbre du monde – a battu son propre record de 90,80 m, en réussissant un vol plané de 96,60 m, dans un prototype spécialement construit pour l'occasion, à la vitesse de 149,6 km/h. La cascade eut lieu à Las Vegas.

Freinage
Le 18-04-87, Jean-Claude Marty, de Narbonne, Aude, a réussi un freinage sur route de 116 m à 220 km/h, à bord d'une Audi200 Quattro.

Tonneaux
Lors du Téléthon 1994, à St-Christo-en-Jarez, Loire, Guy Bardon a effectué 88 tonneaux en 30 min à bord de son automobile.

Roues latérales
Distance • Le 19-03-94, le Belge Christian Mercier, au volant de sa Daihatsu Charade 1600, a parcouru 410 km en 11 h 45 min 15 s, sur 2 roues latérales sans arrêt.
Vitesse • Le Suédois Göran Eliason a atteint 181,25 km/h, avec un élan de 100 m, sur les 2 roues de sa Volvo 850 Turbo, à Såtenäs, Suède, le 19-04-97. Le même jour, il a atteint la vitesse record de 159,18 km/h au km lancé.

CASCADES EN CAMION
Roues arrière
• Le 28-09-86, le Français Patrick Bourny, de Baume-les-Dames, Doubs, a parcouru 1,3 km sur les roues arrière d'un Renault R360.
• Le 16-06-90, le cascadeur français G. Bataille a parcouru 13,8 km sur 2 roues à bord d'un Iveco 190-32 Turbo dans le tunnel de Fréjus, Savoie.
Roues latérales
Le 13-05-90, à Feurs, Loire, le cascadeur Patrick Bruneton, 28 ans, a parcouru 128,80 m sur deux roues latérales d'un semi-remorque Renault Turbo de 8 tonnes en 13 s 91, soit à la vitesse de 33,334 km/h.

CASCADES ET CINÉMA
Acteurs ayant accompli le plus de cascades
Vivant • Originaire de Hong Kong, l'acteur, réalisateur, producteur, cascadeur et scénariste Jackie Chan a joué dans plus de 65 films depuis ses débuts, à l'âge de 8 ans, dans *Big and Little Wong Tin Bar* (Hong Kong, 1962).
Historique • Buster Keaton apparaît dans plus d'une centaine de films, dont *le Mécano de la « General »* (USA, 1926). Il est le seul acteur de son époque à s'être livré à des cascades aussi périlleuses.
Femme • Michèle Yeohna, ex-miss Malaisie, fut la 1re actrice que Jackie Chan autorisa à effectuer les cascades prévues dans son rôle. Dans *Ah Lahm : The Story of a Stuntwoman* (Hong Kong, 1996), un saut

de 20 m mal synchronisé entraîna une hospitalisation de 3 mois.

Cascadeurs les plus prolifiques
Vic Armstrong a doublé tous les acteurs qui ont joué James Bond. En 30 ans, il est apparu dans plus de 200 films. Il a également conçu les cascades de *Demain ne meurt jamais* (GB/USA, 1997).

Acteur le plus courageux
Mel Gibson passe pour l'acteur le plus courageux de Hollywood. Il accomplit lui-même ses cascades, quel qu'en soit le danger, et il est le seul à interpréter à la fois le rôle principal et celui du cascadeur. Il a tourné dans plus de 30 films.

Chute libre en parachute la plus haute
Dar Robinson a effectué une chute libre de 335 m de la terrasse de la tour CN de Toronto, Canada, pour les besoins de *Highpoint* (Canada, 1979). Son parachute s'est ouvert à 91 m du sol, après une chute de 6 s.

Saut le plus haut sans parachute
A.J. Bakunus, doublure de Burt Reynolds dans *Hooper* (USA, 1978), a sauté sans parachute d'une hauteur de 70,71 m. Il a atterri sur un matelas d'air.

Cascade aérienne la plus chère
Simon Carne réalisa l'une des cascades aériennes les plus périlleuses lorsqu'il se propulsa d'un avion à un autre à une altitude de 4 752 m. On peut admirer la scène dans *Cliffhanger* (USA, 1993). Elle n'a été tournée qu'une seule fois, en raison du danger et de son coût record : 1 million de $. Sylvester Stallone aurait proposé de réduire son cachet de la même somme afin de pouvoir mettre en scène la cascade.

Saut en bateau le plus long
Nick Gillard a effectué un saut de 67 m et survolé 2 ponts.

Cette séquence est tirée d'*Amsterdamned* (Pays-Bas, 1988), de Dick Maas, polar mettant en scène un plongeur psychotique agissant dans la capitale néerlandaise. Gillard estime que la peur est un sentiment positif, car elle permet de rester vigilant.

Temps record passé dans un incendie
Pour les besoins d'*Alien 3* (USA, 1992), Nick Gillard est resté pendant 2 min sans respirer au milieu d'un incendie. Au cours de 20 ans de carrière, il s'est retrouvé entouré par le feu au moins 100 fois. Il a également réalisé et organisé des cascades de plus de 15 grands films. C'est à lui que l'on doit les séquences du bateau et du char d'*Indiana Jones et la Dernière Croisade* (USA, 1989). Il participa également au tournage de *Robin des Bois prince des voleurs* (USA, 1991) et à celui des *Trois Mousquetaires* (USA, 1993). Sa dernière prouesse réside dans la conception des cascades du film de George Lucas *Star Wars : la Menace fantôme*, sorti en mai 1999. Sa carrière de cascadeur a débuté avec un rôle dans le *Voleur de Bagdad* (USA, 1978).

GLISSADES

Le 2-03-95, à Loon-Plage, Dunkerque, Nord, le Français Jocelyn Hars a établi le record du monde, tracté par sa moto et chaussé de semelles d'acier, à la vitesse de 229,86 km/h.

Rescapés

Évasions d'un camp de travaux forcés

Tatiana Mikhaïlovna Russanova, citoyenne soviétique qui vit actuellement à Haïfa, Israël, s'est, entre 1943 et 1954, échappée 15 fois d'un camp stalinien de l'ex-URSS. Elle a été rattrapée et punie à 14 reprises. Toutes ses évasions sont juridiquement reconnues par les avocats indépendants russes, mais seulement 9 le sont par les responsables de la Cour suprême de Russie.

Aspiration ascensionnelle

Alors qu'en mai 1993 Didier Dahran était en train d'effectuer son 3e saut en parachute à Boulac, France, il se vit aspiré par un courant ascensionnel jusqu'à une altitude de 7 000 m. Deux heures après ce saut, à une altitude que normalement seuls les avions à réaction peuvent atteindre, Didier Dahran retomba à grande vitesse vers le sol. Son parachute rectangulaire se désintégra au contact de l'atmosphère. Il déplia donc son parachute de secours et s'évanouit avant de tomber, indemne, mais très refroidi, à 48,3 km de la zone où il avait sauté.

Surf sur la vague la plus haute

Le 3-04-1868, un Hawaïen du nom de Holua a, pour sauver sa vie, chevauché une vague de 15 m de haut au moment où celle-ci allait frapper Minole, Hawaï.

À moins de 0 °C

En janvier 1997, l'Américain Dale Powitsky, originaire de Dayton, Ohio, livrait des pièces de bœuf dans une chambre froide lorsque la porte se referma derrière lui, l'enfermant pour 2 jours. Pour éviter de mourir de froid, Powitsky récupéra toutes les étiquettes des pièces de viande et y mit le feu avec son briquet. Ensuite, il coupa les morceaux de gras des carcasses et, en les brûlant, il s'en servit pour produire la quantité de chaleur nécessaire à sa survie.

« Titanic »

Mme Ismay faisait partie des 711 survivants du naufrage, le 14-04-1912. Millvina Dean, âgée de 8 semaines, survécut – bien que voyageant en 3e classe – ainsi que sa mère et son frère. Son père était l'un des 1 517 disparus.

Prisonnier du désert

Un Mexicain survécut après 8 jours passés dans le désert à une température de 39 °C. Il ne possédait que 7 litres d'eau et venait de parcourir 56,3 km à cheval avant la mort de l'animal. Il dut marcher 161 km avant de trouver de l'aide. Quand on le découvrit, il était devenu aveugle, était gravement déshydraté et avait perdu 25 % de son poids. Ses cheveux étaient devenus complètement gris.

Parachute : sauvetage en vol le plus bas

Le 16-10-88, Eddie Turner sauva la vie de Frank Farnan, qui avait perdu connaissance après avoir percuté l'avion d'où il avait sauté, à 3,95 km d'altitude. Turner tira le cordon du parachute de Farnan à 550 m – soit moins de 10 s avant l'impact – au-dessus de Clewiston, Floride.

Rescapés des profondeurs

• Roger Chapman et Roger Mallinson ont été pris au piège à l'intérieur de *Pisces III*, un bateau qui avait sombré à 240 km au sud-est de Cork, Irlande, le 29-08-73, pendant 76 h, à 480 m de profondeur.

• La plus grande profondeur à laquelle un sauvetage sans aucun équipement ait été effectué est de 68,60 m, par Richard Slater, du sous-marin *Nekton Beta*, à Catalina Island, USA, le 28-09-70.

• Le record de sauvetage en profondeur avec équipement est de 183 m. Il fut effectué par Norman Cooke et Hamish Jones, du sous-marin *HMS Otus*, pendant un exercice naval en Norvège, le 22-07-87. Les hommes portaient des uniformes et des gilets de sauvetage.

Sous l'eau et sans équipement

En 1991, Michael Proudfoot était en pleine investigation dans l'épave d'un bateau de croisière près des côtes de Basse-Californie, Mexique, quand il perdit son régulateur d'air et ainsi toute possibilité de respirer. Incapable de le remettre en place, Michael Proudfoot trouva une bulle d'air prisonnière du bateau et un récipient d'eau. En rationnant l'eau qu'il possédait ainsi que sa consommation d'oxygène et en se nourrissant d'oursins, il put miraculeusement rester en vie pendant 2 jours avant d'être délivré par des sauveteurs.

Sauvetage le plus important sans perte humaine

Les 2 689 personnes qui se trouvaient à bord du *Normandie* survécurent au naufrage du 7-06-44.

À bord d'un canot

• La plus longue survie connue à bord d'un canot dura 133 jours. Poon Lim, matelot de la marine marchande britannique, était à bord du bateau *SS Ben Lomond* qui fut torpillé dans l'Atlantique, à 910 km à l'ouest de St Paul's Rocks, le 23-11-42, à 11 h 45. Il fut récupéré par un bateau de pêcheurs près de Salinópolis, Brésil, le 5-04-43.

• Le record de survie de 2 personnes sur un canot est de 177 jours. Le 17-11-91, les pêcheurs Tabwai Mikaie et Arenta Tebeitabu, originaires de l'île de Nikunau, Kiribati, ont tous été emportés par un cyclone ainsi qu'une 3e personne peu de temps après leur départ, sur leur barque de 4 m de long.

CHUTE SANS PARACHUTE

Le 26-01-72, l'hôtesse de l'air yougoslave Vesna Vulovic est tombée d'un DC-9 qui avait explosé au-dessus de Ceska Kamenice, Yougoslavie, d'une hauteur de 10 160 m, dans un arbre couvert de neige. Elle est restée 27 jours dans le coma et 16 mois à l'hôpital.

Ils ont été retrouvés épuisés le 11-05-92, à 1 800 km de leur point de départ, près de Samoa. Le 3e homme est mort avant d'avoir été retrouvé, également près de Samoa.

Tentatives de suicide en couple

En mars 1996, Pin-jen et Chang Shu-mei, un couple de Taïwanais qui venaient de se marier à Huang, ont fait un pacte de suicide quand leurs parents ont refusé d'approuver leur mariage. Ils ont survécu à 4 tentatives, dont une pendaison, un plongeon du haut d'une falaise à bord d'une voiture et un saut du haut du 12e étage d'un immeuble. Ils renoncèrent quand leurs parents promirent de reconsidérer leur position.

Chien sauveteur le plus efficace

Le chien sauveteur le plus célèbre de tous les temps est Barry, un saint-bernard qui sauva la vie de 41 personnes pendant ses 12 ans de carrière dans les Alpes suisses. Le sauvetage dont on a le plus parlé est celui d'un jeune garçon qui gisait, à moitié gelé, enseveli sous l'avalanche qui venait de tuer sa mère. Barry s'allongea sur le corps de l'enfant pour le réchauffer, lui lécha le visage pour le réveiller, et le porta jusqu'à la maison la plus proche.

Accidents d'avion

• En 1972, un avion volant entre l'Uruguay et le Chili s'écrasa dans les Andes, tuant 16 des

45 passagers. Au bout de 10 jours, les survivants, affamés et gelés par des températures atteignant - 17,5 °C, se résignèrent à dévorer la chair de leurs morts. 13 autres victimes succombèrent à leurs blessures. Les secours arrivèrent 72 jours plus tard, grâce à 2 survivants qui avaient eu le courage de marcher 80 km pendant 8 jours, pour trouver de l'aide.

• Le 9-04-98, un Cessna 150 fut arrêté en plein vol par des fils électriques, dans lesquels s'accrocha sa roue gauche, à 183 m de la tour de contrôle de Boeing Field, près de Seattle, USA. Les autorités coupèrent immédiatement l'alimentation des lignes électriques. Le pilote, Mike Warren, âgé de 47 ans, resta prisonnier dans son cockpit – qui pendait à 18 m au-dessus de la route principale – pendant 4 h avant l'arrivée des pompiers. Les sauveteurs lui envoyèrent un harnais au bout d'une corde, à travers une fenêtre de l'avion. Par chance, il n'était pas blessé. Il l'enfila, retira sa ceinture de sécurité, et se dégagea par la fenêtre du cockpit, les pieds devant. Il se laissa ensuite glisser le long de l'aile gauche et atterrit dans le seau d'un cueilleur de cerises. L'avion n'avait souffert que d'un voilage de l'hélice, et fut descendu à terre à l'aide d'un harnais.

Survie dans une caverne souterraine

Les chauves-souris sont généralement considérées comme de sinistres créatures. Le spéléologue George Du Prisne leur doit pourtant la vie. En 1983, alors qu'il explorait des grottes dans le Wisconsin, il tomba dans un cours d'eau et fut aspiré dans une autre caverne. Après 4 jours, les sauveteurs abandonnèrent leurs recherches. Déterminé à s'en sortir, il pela une orange, la suspendit à une ficelle et l'offrit à une douzaine de chauves-souris. Trouvant étrange le comportement des chauves-souris qui se dirigeaient vers la grotte, les habitants de la ville la plus proche signalèrent ce fait, et le spéléologue fut sauvé 13 jours plus tard.

COUPS DE FOUDRE

Le malchanceux Roy Sullivan, garde forestier américain, a été frappé 7 fois par la foudre. Cette attirance commença en 1942. Il perdit cet été-là l'ongle de l'orteil droit. La chose se renouvela en juillet 1969, quand il perdit les 2 sourcils. En juillet 1970, il fut brûlé à l'épaule gauche. Le 16-04-72, ses cheveux s'enflammèrent. Le 7-08-73, ses cheveux prirent feu de nouveau et il fut blessé aux 2 jambes. Le 5-06-76, il fut blessé à la cheville. Le 25-06-77, on l'emmena à l'hôpital de Waynesboro, poitrine et abdomen brûlés : il avait été frappé par la foudre alors qu'il tenait verticalement sa canne à pêche. En septembre 1983, il se donna la mort, à la suite d'une déception amoureuse.

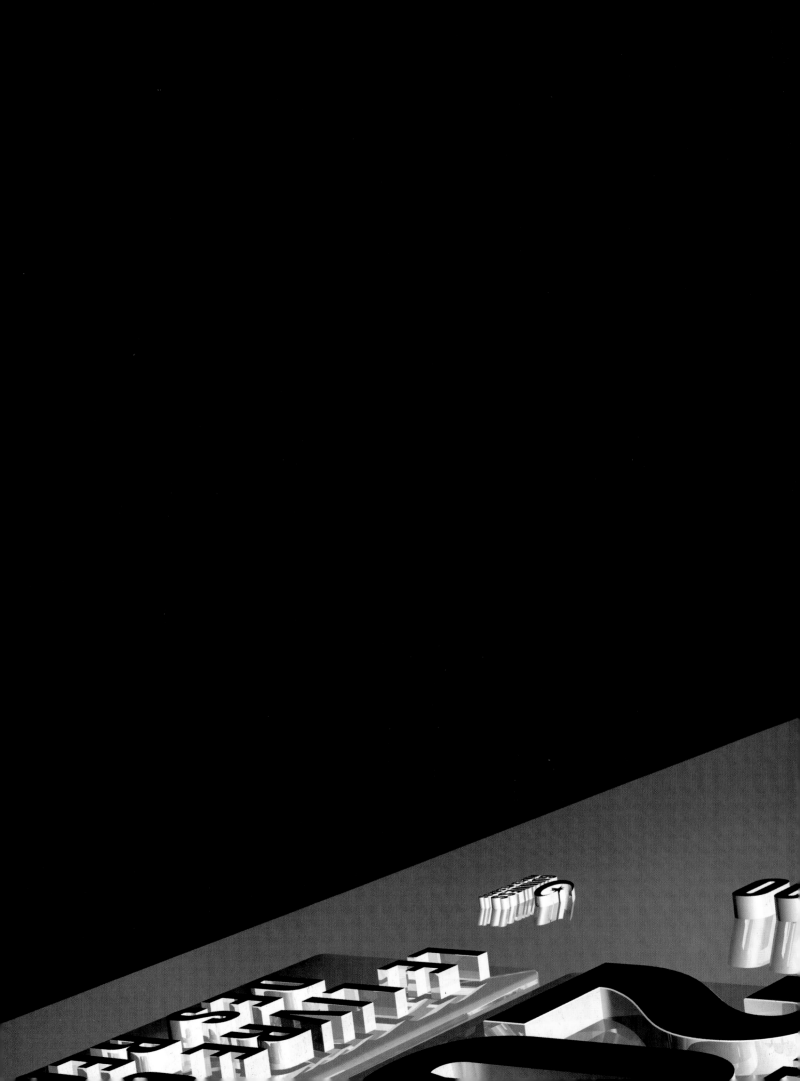

Scientifiques

PRIX NOBEL
Nombre de prix
Les USA ont obtenu 257 récompenses : 81 en physiologie ou en médecine, 72 en physique, 48 en chimie, 26 en économie, 18 pour la paix et 12 en littérature.

France • La France a obtenu 47 prix Nobel, dont 12 en littérature. Le 1er d'entre eux (1901) fut décerné à Sully Prudhomme.

Lauréat le plus jeune
Le professeur Lawrence Bragg (GB, 1890-1971) a eu le prix de physique 1915 à l'âge de 25 ans.

Femmes lauréates
• 27 femmes ont obtenu un prix Nobel, dont 8 pour la paix, 8 pour la littérature, 6 pour la physiologie et la médecine, 3 pour la chimie et 2 pour la physique.

• La Française Marie Curie fut la 1re lauréate, en 1903 (physique) ; la dernière est l'Allemande Christiane Nuesslein-Volhard en 1995 (physiologie-médecine).

Prix Nobel 1998
Littérature • José Saramago (Portugal).
Médecine/Physiologie • Robert F. Furchgott (USA), Louis J. Ignarro (USA), Ferid Murad (USA).
Physique • Robert B. Laughlin (USA), Horst L. Stormer (Allemagne), Daniel C. Tsui (USA).
Chimie • Walter Kohn (USA), John A. Pople (USA).
Économie • Amartya Sen (GB-citoyen indien).
Paix • John Hume et David Trimble (Irl).

CALCUL
Nombres premiers
Le plus grand nombre premier connu est composé de 420 921 chiffres. Il est suffisamment long pour remplir 33 pages du *Livre Guinness des records*. Il a été découvert le 13-11-96 par Joël Armengaud et George Woltman.

Nombre π
Hiroyuki Goto (n.2-08-73), Tokyo, Japon, a récité π de mémoire jusqu'à la 42 195e décimale, le 18-02-95, au NHK Centre.

OPÉRATIONS
Multiplication
Le 12-07-96, Christian Lebas, de Paris, a fait « tourner » un programme informatique pour multiplier un nombre de 32 768 chiffres par lui-même. Le résultat, qui est un nombre de 65 536 chiffres, aurait nécessité 742 ans de calcul mental et 11 h de lecture.

Problème le plus difficile
Le théorème de Fermat a engendré le plus grand nombre de mauvaises démonstrations jamais publiées pour un théorème. Pierre de Fermat (1601-1665) inspira des siècles de vaines recherches lorsqu'il inscrivit son théorème en marge d'un cahier, ajoutant : « J'ai une démonstration admirable pour ce théorème, mais la marge est trop étroite pour la contenir. » En juin 1993, Andrew Wiles, de l'université de Princeton, USA, annonça qu'il avait trouvé la démonstration de ce théorème, mais en décembre de la même année il déclara que ses calculs n'étaient pas terminés.

Énigme mathématique
Elle a été trouvée sur un papyrus égyptien datant de 1600 ans av. J.-C., et transcrite plus tard ainsi : « En allant au marché, j'ai rencontré un homme avec 7 épouses. Chacune avait 7 sacs. Chaque sac contenait 7 chats, et chaque chat avait 7 petits. Petits, chats, sacs, épouses et homme, combien allaient au marché ? »

Réponse : 2 402.

MESURES
Trou le plus petit
Un trou d'un diamètre de 3,16 angströms

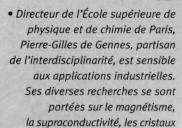

SIDA
En janvier 1983, Luc Montagnier et son équipe – Françoise Barré-Sinoussi et Jean-Claude Chermann – isolent le virus responsable du sida, à l'Institut Pasteur.

PRIX NOBEL
• *Directeur de l'École supérieure de physique et de chimie de Paris, Pierre-Gilles de Gennes, partisan de l'interdisciplinarité, est sensible aux applications industrielles. Ses diverses recherches se sont portées sur le magnétisme, la supraconductivité, les cristaux liquides, les polymères...*

• *Prix Nobel de physique en 1992, Georges Charpak a introduit l'informatique et l'électronique pour enregistrer, transmettre et analyser les phénomènes de désintégration de particules. Auparavant, tout était réalisé par photographie, ce qui était une considérable perte de temps.*

($3,16 \times 10^{-10}$ m) a été percé sur une surface de bisulfure de molybdène par le Dr Heckl, de l'université de Munich, Allemagne, et par le Dr Maddocks, de l'université de Sheffield, GB, le 17-07-92.

Électricité

L'Américain Robert Krampf, ancien directeur scientifique au musée des Sciences et de l'Histoire de Jacksonville, Floride, réalise une démonstration qui figure dans le spectacle « Electric Frankenstein », au Centre scientifique du Pacifique, à Seattle. Ce show est une présentation de phénomènes électriques à haut voltage avec un groupe électrogène Van de Graaf, permettant de créer des éclairs longs de 1,20 m, pour un débit de 1 million de volts. Le mot « électricité » fut employé pour la 1re fois en 1600 par William Gilbert (1540-1603), médecin de la reine Elizabeth Ire d'Angleterre.

E=mc²

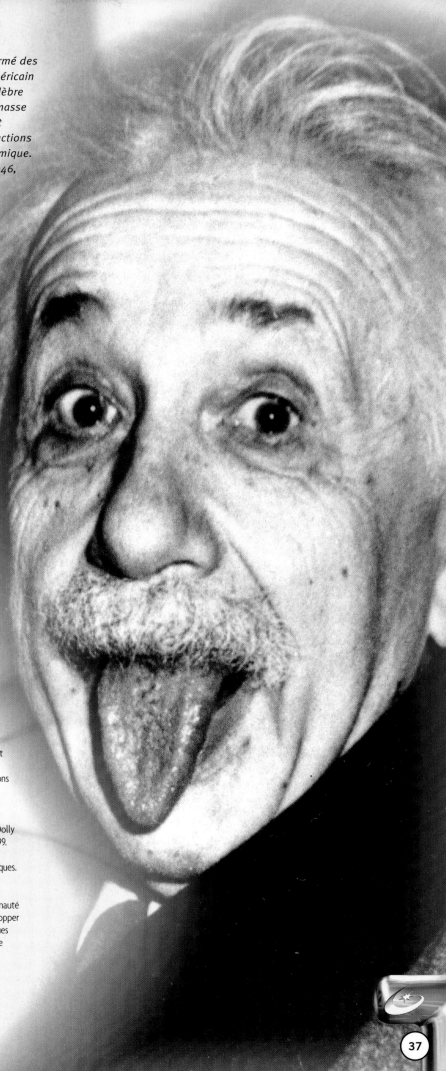

Bien qu'il ne se soit jamais complètement intégré au milieu très fermé des chercheurs scientifiques, Albert Einstein (1879-1955), physicien américain d'origine allemande, est resté le plus célèbre d'entre eux. Aussi célèbre que sa fameuse formule, E=mc², qui traduit l'équivalence entre la masse et l'énergie. En 1939, il adressera une lettre au président Roosevelt pour que soit mis en œuvre un programme de recherche sur les réactions en chaîne, mais ne participera pas à l'élaboration de la bombe atomique. En 1945, il lui écrira même pour le dissuader de l'utiliser. En mai 1946, il devient président du Comité de vigilance des savants atomistes.

Laser le plus puissant

Le laser le plus puissant est le « Petawatt » du laboratoire Lawrence Livermore, Californie. Le 22-05-96, il a produit un faisceau de 1,3 x 1 015 W de puissance, sur une cible de la taille d'un grain de sable, pendant 10 s. Durant ces quelques secondes, la puissance du laser était 1 300 fois plus importante que la somme de toute la production d'électricité des USA.

Lumière la plus brillante

Des scientifiques de l'université du Michigan ont réalisé la plus grande intensité lumineuse produite par un laser, avec des vibrations de 10-20 watts/cm² dans un laser à argon. Pendant ces vibrations, la pression microscopique du plasma du laser fut la plus élevée jamais créée artificiellement, soit un milliard d'atmosphères, ou 1 104 pascals.

Champs magnétiques

Le plus fort • Le champ magnétique atteignit 35,3 ± 0,3 teslas au laboratoire Francis Bitter, à l'Institut du Massachusetts le 25-05-94.

Le plus faible • Le même laboratoire a produit le plus faible champ magnétique, 8 x 10⁻¹⁵ teslas, dans une chambre blindée. Il est utilisé par David Cohen dans ses recherches sur les très faibles champs magnétiques du cœur et du cerveau.

Tension la plus élevée

La différence de potentiel la plus grande fut atteinte en laboratoire par Nat. Electrostatics, à Oak Ridge, Tennessee, USA, où les techniciens enregistrèrent, le 17-05-79, une tension de 32 ± 1,5 million de volts.

APPAREILS

Objets les plus pointus

Les objets les plus pointus sont les tubes de micropipettes en verre utilisés pour des travaux intracellulaires sur des cellules vivantes. Kenneth Brown et Dale Flaming, du département de physiologie de l'université de Californie, à San Francisco, ont réalisé des pointes biseautées d'un diamètre extérieur de 0,02 micron et d'un diamètre intérieur de 0,01 micron. Elles sont 6 500 fois plus fines qu'un cheveu humain.

Thermomètre le plus petit

Frederich Sachs, biophysicien à l'université de l'État de New York, a mis au point un « ultra-micro-thermomètre » pour mesurer la température d'une seule cellule vivante. La pointe a un diamètre de 1 micron, environ 1/50 du diamètre d'un cheveu.

GÉNÉTIQUE

Plus vieil ADN utilisé pour une empreinte

En 1993, Cano et son équipe de paléontologues annoncèrent avoir réussi l'extraction d'une séquence d'ADN d'un fossile vieux de 125 à 130 millions d'années. Selon Cano, l'empreinte génétique partielle était celle d'un charançon emprisonné dans un bloc d'ambre. L'expérience est controversée : d'autres paléontologues n'ont pas réussi à la répliquer. Certains ont avancé que le fossile aurait pu avoir été récemment contaminé, par exemple par une moisissure.

Animal le plus grand breveté

L'*Oncomouse*, lignée de souris ayant été génétiquement altérée pour avoir une haute prédisposition au cancer, a été produite en 1984 par des généticiens de l'université Harvard, USA. Quatre ans plus tard, le bureau des brevets américains accorda un brevet à l'université pour cette « invention ». En 1972, déjà, une décision de la Cour suprême des USA avait jugé qu'un brevet devait être accordé à Ananada Chakrabarty pour une bactérie génétiquement altérée afin de décomposer le pétrole.

Premier mammifère cloné

En janvier 1997, les scientifiques de l'Institut Roslin et de PPL Therapeutics à Édimbourg, Écosse, ont annoncé la naissance de Dolly, une brebis des montagnes galloises clonée à partir d'une seule cellule mammaire prélevée sur une brebis adulte. L'ADN de Dolly a été injecté dans l'ovule fécondé d'un autre mouton, dont l'ADN avait été retiré. Ils avaient tenté de cloner 220 moutons avant d'en produire un vivant et sain. En février 1998, PPL Therapeutics annonça avoir cloné un veau. Nommé « Mr Jefferson », et né le 16-02-98 en Virginie, ce veau de race holstein pèse 44,5 kg. Contrairement à Dolly, créée à partir d'une série de cellules adultes, Mr Jefferson est le produit d'un transfert nucléaire d'une cellule fœtale. PPL a aussi produit génétiquement des moutons contenant dans leur lait de l'alpha-1-antitrypsin (AAT), une protéine humaine utilisée pour le traitement des fibroses kystiques. La technique de clonage de Dolly a été reproduite avec succès en avril 1999. La Nexia Biotechnologies, compagnie montréalaise, a obtenu 3 chèvres identiques.

Clonage humain

En février 1998, le Dr Richard Seed, un médecin de Chicago, ébranla la communauté scientifique en déclarant pouvoir développer le 1er clone humain, grâce à des techniques similaires à celles utilisées pour produire la brebis Dolly. Certains généticiens accueillirent sa déclaration avec consternation. Il fit alors le serment de poursuivre ses travaux au Mexique si le Congrès américain s'opposait à ses recherches.

Architectes 1

LES PLUS ANCIENNES

Habitations
C'est en France, sur le site de Terra Amata, près de Nice, Alpes-Maritimes, que furent découverts, en octobre 1965, les vestiges des plus anciennes véritables habitations. Elles seraient vieilles de 400 000 ans et d'origine acheuléenne. Le 28-06-66, une hutte entourée d'une palissade de 15 m de long fut dégagée.

Maisons de Paris
La maison du 51 rue de Montmorency fut construite en 1407 pour l'alchimiste Nicolas Flamel.

TGB

La Bibliothèque nationale de France, ouverte au public le 20-12-96, est répartie sur un site de 7,5 ha dans le XIIIe arr. de Paris. Sa surface de plancher (y compris le parvis) est de 365 178 m², pour une capacité d'accueil de 3,6 millions de visiteurs/an. 395 km de rayonnages permettent d'aligner 10 millions de livres et 820 000 volumes en libre accès. 2 salles de lecture offrent 3 590 places au total.

Hôtels
Le plus vieil hôtel du monde est japonais : l'Auberge Hoshi, à Awazu, aurait été fondée en 717. Elle a 100 chambres. Elle appartient à la famille Hoshi depuis 46 générations.
France • L'Hostellerie de la Croix-d'Or, à Provins, Seine-et-Marne, possède 7 chambres et date de 1270.

LES PLUS HAUTES

Antennes
Aujourd'hui, la structure la plus haute toutes catégories est l'antenne de télévision de Fargo, Dakota, de 629 m. Construite pour la chaîne 11 KTHI-TV en 30 jours, le 2-10-63, elle a coûté 500 000 $. De 1963 à 1974, cette tour fut la plus haute du monde. Elle a repris la 1re place après la chute de l'antenne de Radio Varsovie, en 1991.

Tours
La tour sans soutien la plus haute du monde est la tour de Canadian National (CN), société des chemins de fer, à Toronto, Canada. Elle s'élève à 553,34 m. La construction de ce bâtiment en béton armé s'est achevée le 2-04-75 et a coûté 63 millions de $ (315 millions de F). Le restaurant tournant et panoramique de 416 places, à 350 m, offre une vue à 120 km.
France • La tour Eiffel fut la plus haute tour jamais construite avant l'avènement des antennes de télévision. Conçue par Gustave Eiffel (1832-1923) pour l'Exposition universelle de 1889, elle a été achevée le 31-03-1889. Haute de 300 m (321 m aujourd'hui avec son antenne de télévision), elle pèse 7 340 tonnes. Cet édifice de fer compte 1 792 marches et peut osciller de 13 cm par grand vent. Construite en 2 ans, 2 mois et 2 jours, elle a coûté 7 799 401,31 F de l'époque. Fin avril 1997, elle avait accueilli 169 118 806 visiteurs.

Tours de bureaux
• Depuis mars 1996, les tours jumelles de Petronas, à Kuala Lumpur, Malaisie, ont battu le record de l'immeuble de bureaux le plus haut du monde, détenu depuis 22 ans par la Tour Sears de Chicago quand un pinacle de 73,50 m a été placé à son sommet. Ces tours de 88 étages atteignent une hauteur de 451,90 m. La Tour 1 du World Trade Center n'est qu'à 420 m, mais avec ses antennes de télévision elle atteint la hauteur totale de 521 m.
• Les plus vastes sont celles du World Trade Center, à New York. Leur superficie totale est de 1 114 800 m². La plus haute est la tour 2, qui mesure 420 m. Mais, antenne TV comprise, la tour 1 s'élève à 521 m, soit 91 cm de plus que la Sears Tower. Il y a 99 ascenseurs dans chaque tour, 43 600 fenêtres. 50 000 personnes y travaillent et il y a 70 000 visiteurs/jour.
France • La tour Maine-Montparnasse, Paris-XVe, a 209 m de haut, sur 58 étages, dont une terrasse au 56e. La superficie de plancher est de 90 200 m², pour les bureaux.

5 500 personnes y travaillent pour une centaine de sociétés. Il y a 25 ascenseurs, dont le plus rapide a une vitesse de 6 m/s (21,6 km/h). La tour Maine-Montparnasse a accueilli 600 000 visiteurs payants en 1996.

En construction
La construction du centre financier mondial de Shanghaï a officiellement commencé le 27-08-97. Le travail sur cette tour de 460 m de haut doit être achevé en 2001. Plus grande que les tours Petronas et les Twin Towers, elle comprendra un salon panoramique au 94e étage et une passerelle à l'air libre appelée « pont de la coopération mondiale et de l'amitié ».

Tours habitables
Le John Hancock Center à Chicago, Illinois, haut de 343,50 m, compte 100 étages ; les étages 44 à 92 ne comprennent que des appartements.
France • La tour Défense 2000, à Paris-la Défense, a 134 m de haut. Elle comprend 370 appartements sur 47 étages.

Arches
• L'arche monumentale en acier *Gateway to the West*, à Saint Louis, Missouri, est large de 192 m à la base et haute également de 192 m. Elle commémore la conquête de l'Ouest après l'acquisition de la Louisiane en 1803, et fut achevée en 1965 pour 29 millions de $.
• La Grande Arche de la Défense, à Puteaux, Hauts-de-Seine, est un cube de 110 m de haut. Elle a coûté 3,4 milliards de F. Le vide intérieur de l'arche est de 90 m de haut et 70 m de large, ce qui permettrait d'y faire tenir Notre-Dame de Paris.

Obélisques
• L'obélisque le plus haut, 169 m, a été construit en 1884 par Robert Mills, à Washington DC, USA.
• L'obélisque inachevé d'Assouan, commandé par la reine d'Égypte Hatchepsout en 1490 av. J.-C., mesure 42 m et pèse 1 168 tonnes.
• L'obélisque de Louxor, érigé par Ramsès II (XIIIe siècle av. J.-C.), fut offert par le vice-roi d'Égypte Méhémet-Ali au roi Louis-Philippe Ier, et dressé en 1836 place de la Concorde, à Paris. C'est une colonne de granit haute de 22,83 m pesant 230 tonnes.

🯅 BÂTISSEURS

Ci-dessus, Jean Nouvel (n.1945), Dominique Perrault (n.1953) et Gustave Eiffel (1832-1923). Trois générations d'architectes français qui ont marqué de leurs réalisations l'histoire de l'humanité, à l'instar des grands travaux de la décennie François Mitterrand, tels l'esplanade de la Défense (par Johan Otto von Spreckelsen et Paul Andreu), la TGB de Dominique Perrault ou le pont de Normandie. Sans oublier la célébrissime tour Eiffel.

Jets d'eau

Le plus grand est celui de Fountain Hills, Arizona. À pleine pression et avec un débit de 26 500 litres/min, la colonne d'eau, haute de 170 m, pèse 8 tonnes. Quand les 3 pompes fonctionnent, cette colonne d'eau peut atteindre 190 m de haut, la vitesse du jet est alors de 236 km/h.

Europe • Le jet d'eau de Genève s'élève à 140 m de hauteur grâce à deux groupes de pompes qui puisent 30 000 litres/min dans le lac Léman et les projettent à une vitesse de 200 km/h.

France • Le jet d'eau du parc de Marly-le-Roi, Yvelines, s'élève à 37 m.
• La fontaine de Varsovie, construite dans les jardins du Trocadéro, à Paris, pour l'Exposition universelle de 1937, est dotée de jets d'eau horizontaux d'une portée de 55 m.

Menhir

Le plus haut menhir est le Grand Menhir brisé, de 300 tonnes, actuellement en 4 morceaux. Il se dressait à l'origine à 18 m de hauteur, à Locmariaquer, Morbihan.

Usine française

La plus grande est l'usine d'Aerospatiale, à Colomiers, Haute-Garonne, inaugurée le 10-10-90, qui couvre une superficie de 100 000 m². Sa hauteur est de 46 m. Avec les 4 bâtiments annexes, l'ensemble s'étend sur 510 000 m² et a coûté 1 milliard de F. Depuis janvier 1991, on y assemble les Airbus.

PONTS

Le plus long

Le plus long pont du monde est le 2e viaduc du lac Pontchartrain, reliant Mandeville à Metairie, Louisiane. Achevé en 1969, il mesure 38,422 km.

Pont à haubans

Le plus grand est le pont de Normandie, inauguré le 20-01-95, dont la travée mesure 856 m. Les pylônes mesurent 214,77 m, les fondations s'enfoncent jusqu'à 55 m.

Pont suspendu

Le plus long pont suspendu à câbles relie Honshu à Shikoku, Japon. Achevé en 1998, la portée la plus grande mesure 1 990 m pour une longueur totale de 3 910 m. Ses deux câbles principaux sont également les plus gros du monde, avec un diamètre de 110 cm. Deux tours d'une hauteur de 297 m ont été érigées. Le tremblement de terre de Kobé, de janvier 1995, a eu l'effet secondaire d'accroître la longueur totale du pont initialement prévue.

Pont le plus large

Le pont de Harbour, Australie, inauguré le 19-03-32, mesure 503 m sur 48,80 m de large. Il comprend 2 voies de chemin de fer électrique, 8 voies routières, ainsi qu'une piste cyclable et une voie piétonne.

Mur le plus long

La Grande Muraille de Chine a, dans sa partie principale, une longueur de 3 460 km. Achevée sous le règne de l'empereur Shih Huang-di, de la dynastie des Chin (221-210 av. J.-C.), elle comprend en outre 3 530 km de tronçons secondaires. Sa hauteur varie de 4,50 m à 12 m et elle a jusqu'à 10 m d'épaisseur. Il fallu 300 000 ouvriers pour l'édifier, 52 km ont été détruits depuis 1966, dont une partie que l'on fit exploser pour permettre la construction d'un barrage en juillet 1979.

TOUR ELF - LA DÉFENSE

Suite au concours international lancé en 1982, 424 projets sont examinés pour établir le nouveau centre d'affaires de Paris. L'architecte danois Johan Otto Von Spreckelsen est le grand finaliste. En juillet 1989, la Grande Arche est inaugurée. Outre les centres commerciaux, 55 tours sont érigées. Avec ses 180 m, la tour ELF est la plus haute.

Architectes 2

Hôtel de glace

Construit en 1989, le Ice Hotel, à Jukkasjarvi, Suède, est le plus grand igloo du monde, avec une surface au sol de 3 000 m² et une capacité d'accueil de 100 personnes par nuit. Il est reconstruit chaque mois de décembre. On y trouve, entre autres, des sculptures de glace, un cinéma, des saunas, un bar, une chapelle et une suite nuptiale.

HÔTELS ET PALACES

Hôtels les plus grands

Neuf des dix plus grands hôtels du monde se trouvent à Las Vegas. C'est le MGM, de la Metro Goldwyn Mayer, qui est le plus grand. Il a coûté 1 milliard de $, et propose 5 005 chambres ou suites, dont la plus grande, le penthouse, a 557 m². Haut de 30 étages, il comprend une salle de spectacle de 15 200 places, un parc d'attractions de 13 ha, un parking de 9 000 places, et le 2e plus grand casino du monde, qui couvre une surface de 15 930 m².

France • Le Méridien, porte Maillot à Paris, compte 1 025 chambres, pour une superficie de 1 ha au sol, sur 9 étages. Sa surface totale s'étend sur 45,3 ha. En 1997, il employait 670 personnes qui ont accueilli 408 514 clients. Ces derniers ont consommé 525 540 œufs, 39 tonnes de pommes de terre, 204 560 pièces de savon et 14 000 bouteilles de champagne.

Hôtels les plus petits

À Rotterdam, Pays-Bas, l'hôtel Panipat, situé dans une demeure du XVIe siècle, ne compte qu'une chambre pour 2 personnes. On peut y dormir pour 2 000 F la nuit, champagne, bain aux chandelles et petit-déjeuner compris.

France • L'hôtel *Chez Marissou*, à Condat, n'a qu'une seule chambre, à 500 F la nuit, champagne compris. Il accueille 150 clients/an, et réalise chaque année un CA de 90 000 F.

Nombre de chambres

• Las Vegas, Nevada, USA, compte 100 000 chambres d'hôtel.
• Paris compte 71 157 chambres, toutes catégories confondues.

Hall le plus grand

Le hall de réception de l'hôtel Hyatt Regency, à San Francisco, mesure 107 m de long, 49 m de large et 52 m de haut, hauteur d'un immeuble de 17 étages.

Hôtels les plus hauts

Le Westin Stamford, à Raffles City, Singapour, possède 73 étages, pour une hauteur de 226,1 m. Sa construction date de 1985, et a coûté 235 millions de $ (1,175 milliard de F). En 1990 et en 1991, il a été ravalé pour 54 millions de $ (270 millions de F).

France • L'hôtel Pullman-Part-Dieu, à Lyon, occupe les 9 derniers étages de la tour du Crédit Lyonnais, entre 145 et 165 m au-dessus du sol.

PALAIS ET CHÂTEAUX

Maison la plus grande

Biltmore House, à Asheville, Caroline du Nord, se compose de 250 pièces. Elle appartient à George et William Cecil, petits-fils de George Vanderbilt II (1862-1914). La maison fut construite en 1890 sur un domaine de 48 160 ha.

Palais non habités les plus grands

Le palais impérial Gu Gong de Pékin couvre 720 000 m² ; il a une forme rectangulaire de 960 x 750 m. Il est l'œuvre du troisième empereur de la dynastie Ming, Yongle (1402-1424), mais la plupart des bâtiments datent du XVIIIe siècle. Il se compose de 5 cours et de 17 palais. Le dernier empereur de Chine vécut jusqu'en 1924 dans celui de la Suprême Harmonie. Les douves qui l'entourent ont une largeur de 49 m et une longueur totale de 3 290 m.

France • Le château de Versailles fut édifié en 1661 par Louis XIV, sur le site d'un ancien pavillon de chasse bâti par son père, Louis XIII, en 1624. L'ouvrage fut terminé en 1682. Le chantier de 20 ans avait mobilisé 36 000 ouvriers et 6 000 chevaux. La façade occidentale, longue de 580 m, est percée de 375 fenêtres. Le parc se prolonge sur 3 km. Il est traversé par le Grand Canal, long de 1,6 km.

Palais habités les plus grands

• Le palais Istana Nurul Iman, à Begawan, capitale du Brunei, appartient au sultan du Brunei. Il fut achevé en janvier 1984, pour un coût de 3 milliards de F. Avec ses 1 788 pièces, ses 257 salles de bains et ses 153 places de parking, c'est le palais habité toute l'année le plus grand au monde.
• Le château de Windsor, demeure de la famille royale britannique, date, pour ses parties les plus anciennes, du XIIIe siècle. De 576 m x 164 m, il a une surface de 94 500 m².

*En 1962, Justo Gallego a entrepris, seul,
la construction d'une cathédrale. Depuis cette date,
il continue d'édifier son œuvre pierre par pierre.*

• Le château Saint-Emmeram de Ratisbonne, Allemagne, de 21 460 m², compte 517 pièces. Le prince Albert von Thurn und Taxis, qui en est l'actuel propriétaire, n'en utilise que 95 avec ses deux sœurs et sa mère, la princesse Gloria. La valeur du château est estimée à plus de 1,2 milliard de F.
France • Le château de Brissac-Quincé, Maine-et-Loire, du marquis de Brissac, construit au XVIIᵉ siècle, compte 200 pièces et une surface de 15 000 m².

LOISIRS
Plages
La plus longue plage du monde est Virginia Beach, Norfolk, Virginie. Elle longe l'Atlantique sur 45 km et un estuaire sur 16 km. Cette plage a une superficie de 803 km² ; 147 hôtels et motels y sont installés, ainsi que 2 325 campings.
France • La plus longue de France et d'Europe est la plage de La Baule, Loire-Atlantique, qui va du Pouliguen à Pornichet, sur 12 km. À La Baule seule, elle mesure 9 km.

Camp de nudistes
Le centre héliomarin du cap d'Agde, Hérault, accueille chaque année 250 000 nudistes, sur une surface aménagée de 90 ha. Le centre comprend un hôtel, un camping, des commerces et restaurants.

Lieux de culte
Basiliques • N.-D.-de-la-Paix (1989) à Yamoussoukro, Côte-d'Ivoire, est la plus grande basilique du monde. C'est une réplique de St-Pierre de Rome. Sa superficie est de 30 000 m², elle peut accueillir 7 000 personnes. Elle s'élève à 158 m. Elle coûta 1 milliard de F.
• La nef de la basilique St-Pierre de Rome, construite de 1506 à 1614, au Vatican, mesure 187 m de long. L'édifice couvre une superficie de 15 142 m². Le diamètre intérieur du dôme est de 42 m et son centre se trouve à 119 m du sol. Le point le plus élevé du dôme est à 132 m du sol.
France • La grotte basilique St-Pie-X, à Lourdes, Hautes-Pyrénées, achevée en 1957, ayant coûté 20 millions de francs et longue de 200 m, peut accueillir 20 000 fidèles.
Temple mormon • Le temple de Salt Lake City, Utah, fut inauguré le 6-06-1893. Sa superficie au sol couvre 23 505 m².
Cathédrales • La plus vaste du monde est la cathédrale St. John the Divine de New York, qui couvre une superficie de 11 240 m², pour un volume de 476 350 m³. Sa 1ʳᵉ pierre fut posée le 27-12-1892. Ce bâtiment néo-gothique est appelé « St-Jean l'inachevée ». La nef, de 183 m de long, est la plus longue du monde, avec une voûte de 38 m de haut.
• La cathédrale Santa María de la Sede, à Séville, Espagne, construite de 1402 à 1519 dans le style gothique espagnol, a une superficie de 10 422 m². Elle mesure

126 m de long et 83 m de large ; la voûte de la nef s'élève à 30,50 m.
France • La cathédrale Notre-Dame d'Amiens, Somme, mesure 134 m de long ; sa hauteur maximale sous voûtes atteint 42,30 m. Pour une superficie de 7 760 m², elle a un volume intérieur de 200 000 m³. Elle a été construite entre 1204 et 1260 par Robert de Luzarches.
Mosquées • La mosquée la plus grande est celle de Shah Faisal, près d'Islamabad, Pakistan. La surface totale de cet ensemble est de 19 ha, avec une partie couverte de 5 000 m². Elle peut accueillir 100 000 fidèles dans la salle des prières et 200 000 dans les cours adjacentes.
France • La mosquée de Paris de la rue Geoffroy-Saint-Hilaire est la plus grande de France, avec 10 000 m² ; elle peut accueillir 2 500 personnes.
Synagogues • La plus grande synagogue du monde est le temple Emanu-El, sur la Vᵉ Avenue, à New York. Achevée en 1929, elle a une façade de 45,70 m sur la Vᵉ Avenue et de 77 m sur la 65ᵉ Rue. Le sanctuaire principal peut accueillir 2 850 fidèles et 5 500 personnes quand les trois autres sont utilisés.
France • La synagogue de la Victoire, rue de la Victoire, à Paris, d'une superficie de 700 m², peut accueillir 1 500 personnes.
Les plus hauts
Temples bouddhistes • Le temple Rongbu, à Tingri, Tibet, est situé à l'altitude record de 5 100 m, juste à 40 km du mont Everest. De nombreux lamas y vivent.

• L'ancienne cité d'Anuradhapura, Sri Lanka, abrite la pagode la plus haute, qui atteint 120 m.
Cathédrales • La flèche de la cathédrale de Strasbourg, Bas-Rhin, culmine à 142 m. Achevée en 1439, elle fut, jusqu'au XIXᵉ siècle, la plus haute construction du monde.
France • La cathédrale Saint-Pierre de Beauvais, Oise, a une hauteur record sous voûtes de 48,20 m. Commencée vers 1226 et jamais achevée, elle ne possède qu'un chœur et un transept.

STADE DE FRANCE

Construit sur un site de 17 ha et inauguré le 28-01-98, le Stade de France (des architectes Macary-Zubléna-Regembal-Costantini) est le plus grand stade modulable du monde. Les travaux (31 mois) se sont élevés à 2,6 milliards de F. La capacité d'accueil est de 80 000 places lors de matches de football et 100 000 places lors de spectacles. Les surfaces du toit et de la pelouse sont respectivement de 6 ha et de 9 000 m². Son poids total équivaut à 500 000 tonnes, soit celui d'un pétrolier géant.

Inventeurs

VIE QUOTIDIENNE

Coca-Cola
Le 8-05-1886, le pharmacien John S. Pemberton lance un nouveau sirop. Servi par inadvertance avec du soda, son succès est immédiat. La navette *Endeavour* possède même un distributeur de Coca-Cola pour ses cosmonautes. Mais sa réussite ne prévaut que par le secret de sa fabrication.

Ketchup
L'Américain Henry Heinz a inventé, en 1876, le Tomato Ketchup, qui doit sa formule et sa célébrité à un seul ajout, celui de tomate à une recette centenaire, le ke-tsiap chinois (à base de saumure de poisson ou de crustacés marinés).

Préservatif
Son invention est attribuée à l'Italien Gabriele Fallopia (1523-1562), professeur d'anatomie. Son but était de prévenir les maladies vénériennes, et son utilisation contraceptive était secondaire.

Tampax
C'est en 1937 que l'Américain Earl Hass déposa un brevet étendant le principe du tampon chirurgical au tampon hygiénique. Il est le fondateur de la société Tampax.

Verres de contact
En 1887 et 1892, les verres de contact (en verre) font leur apparition grâce à l'Allemand August Müller, aux Suisses Sulzer et Eugène Fick et au Français Eugène Kalt. En 1936, la société allemande IG Farben réalise les 1ers verres de contact en Plexiglas, toujours utilisé de nos jours pour les lentilles dures. En 1964, le Tchèque Wichterle met au point une lentille souple hydrophile. En 1985, les lentilles de contact peuvent à la fois corriger la myopie et la presbytie. Les 1res lentilles jetables apparaissent en 1989, aux USA.

MÉDECINE

Aspirine
Avec 100 milliards de comprimés utilisés par an, l'aspirine fête dignement son 1er siècle. Son origine est plutôt disparate. En 1829, Henri Leroux extrait la salicine, aux propriétés curatives, de l'écorce de saule et de la reine-des-prés (la spirée). En 1853, Charles Gerhard (Montpellier) synthétise l'acide acétylsalicylique. Felix Hoffmann associe le tout en 1899. Bayer la commercialise en 1899 sous le nom Aspirin (« a » pour acétylsalicylique, « spir » à cause de la reine-des-prés et « in », qui est la terminaison à la mode).

Culture de la peau
En 1950, le Pr Howard Green découvre que les fibroblastes de la peau humaine se multiplient très bien en y ajoutant une sorte d'« engrais » constitué par des cellules cancéreuses : les 3T3. Ces dernières ne peuvent plus se reproduire mais possèdent une grande valeur nutritive. La technique mise au point permet d'obtenir en 20 jours 60 cm² de peau à partir d'un mm² de peau de nouveau-né.

Pâte à os
Pour remplacer vis et broches, le Pr Jupiter, de Boston, USA, a créé un ciment à base de calcium, d'hydrogène et de phosphore. Expérimentée avec réussite sur 60 personnes pour consolider des fractures du poignet, cette pâte osseuse aurait permis d'accélérer la reprise de la mobilité tout en restituant pratiquement la longueur de l'os.

Viagra
Le Viagra (Sildenafil Citrate), traitement pour le dysfonctionnement érectile, a reçu l'approbation d'homologation aux USA le 27-03-98. Treize jours plus tard, il était disponible dans tout le pays. Le 31-12, 788 millions d'unités avaient été vendues, dont 683 millions pour le continent américain. Un record de rapidité pour l'homologation et la mise en vente d'un médicament.

FUTURISTE

Livre perpétuel
Le chercheur américain Joseph Jacobson a annoncé en avril 1998 qu'il venait d'inventer le 1er livre réinscriptible. Ce livre se compose de pages effaçables et recomposables à l'infini, grâce à un système de microcellules contenant une encre capable de réagir à un champ électrique. En fonction de l'impulsion donnée par une puce, l'encre prend la couleur blanche ou noire. Chaque livre logerait dans sa reliure une petite carte à mémoire, une puce et 2 piles permettant de stocker près de 350 ouvrages. À long terme, Jacobson envisage de concentrer 20 millions de volumes en 1 seul, et pense pouvoir élaborer un système permettant aux malvoyants de grossir les lettres. Les 1ers ouvrages devraient être disponibles dès 2002.

Photocopieuse traductrice
Photocopier une lettre en chinois qui ressort en anglais ne sera possible que le siècle prochain. Pourtant, ça existe ! L'autoscribe mis au point par un informaticien américain, Kevin Knight, va faire des envieux.

Publicité virtuelle
Le procédé Epsis permet d'intégrer des images virtuelles lors de retransmissions sportives. Les publicités sur la pelouse ou sur des panneaux mobiles sont parfaitement reproduites derrière les joueurs en mouvement. Dérivé des applications militaires, ce procédé a été développé dans le cadre du programme « Esprit » de la CEE.

Station spatiale
La Station spatiale internationale ouvre le IIIe millénaire sur l'espace au quotidien. L'assemblage de ce Meccano géant est réalisé par l'association de 16 pays (USA, CEE, Canada, Russie, Brésil). Sa construction, commencée en 1999, devrait prendre fin en 2001. Nouvelle « Odyssée de l'espace » !

GÉNIE

Léonard de Vinci (1452-1519), peintre, sculpteur, ingénieur, architecte et savant italien, a été un précurseur dans de nombreux domaines, et ses recherches, même si elles n'ont pas toutes abouti, ont permis à certaines inventions majeures de voir le jour.
On lui doit notamment des projets d'automobile (véhicule autopropulsé) ; de machine volante reproduisant le vol de l'oiseau, ancêtre de l'hélicoptère (1480) ; une ébauche de parachute ; de la chambre noire (il en donna une description très claire) ; la 1re conception d'un système de correction de la vue par contact (description d'une méthode optique pour corriger les défauts de réfraction par immersion de l'œil dans un tube rempli d'eau et fermé par une lentille) ; du char d'assaut ; de canons.

NOMS DE LA VIE COURANTE
Les inventeurs ont souvent donné leur nom à leurs inventions, mais peu se retrouvent dans le langage courant.

Macadam
En 1815, l'Écossais John McAdam (1756-1836) invente un système de revêtement à base de pierres concassées et de sable. Les évolutions vers le bitume n'ont pas fait tomber ce mot en désuétude.

Poubelle
Eugène Poubelle, préfet de Grenoble puis de Paris, lance un arrêté le 7-03-1884.

Inventions les plus inutiles

Kenji Kawakami a popularisé le concept du chindogu, qu'il définit comme celui des inventions censées, à tort, nous donner l'impression de nous faciliter la vie au quotidien. Ce journaliste japonais a déjà publié 2 ouvrages sur le sujet : *101 inventions japonaises les plus inutiles* et *99 inventions encore plus inutiles : l'art du chindogu*. On y retrouve entre autres le chiffon que l'on attache aux pattes d'un chat pour faire le ménage, ou le T-shirt pour se gratter le dos.

PARATONNERRE

En 1752, l'Américain Benjamin Franklin (1706-1790) – scientifique, mais aussi philosophe, homme d'État et diplomate – découvre la nature électrique de l'éclair et invente le paratonnerre. En 1780, il sera à l'origine d'une invention tout à fait différente : les lunettes à double foyer, destinées aux presbytes.

Il concerne l'obligation aux propriétaires de chaque immeuble « de mettre à la disposition des locataires un ou plusieurs récipients communs pour recevoir les résidus des ménages ».

Godillot
En 1893, l'industriel Alexis Godillot (1816-1893 ou 1903) donne son nom à une forme de chaussures à tige courte utilisée jusqu'à la Seconde Guerre mondiale. Son nom, passé dans le langage familier, désigne une grosse chaussure.

Spencer
En 1796, John Charles Spencer raccourcit son vêtement de soirée en coupant les basques brûlées près d'une cheminée.

Cardigan
James Brudnell (Lord Cardigan) part en 1854 pour la guerre de Crimée avec une veste sans col ni revers qui sera à la mode en 1868.

Sandwich
Lord John Montagu (1718-1792), 4e comte de Sandwich, se faisait servir à sa table de jeux des mets pris entre deux tranches de pain.

CARTE À PUCE

Entre 1974 et 1979, le Français Roland Moreno a breveté la carte à mémoire, ou carte à puce. Cette révolution se retrouve dans des gestes quotidiens (carte téléphonique), comme dans des applications plus complexes (carte bancaire, TV cryptée, GSM...).

Chirurgiens

Robot chirurgien

Le 7-05-98, le Pr Alain Carpentier et l'équipe de l'hôpital Broussais, à Paris, ont pratiqué la 1re opération à cœur ouvert assistée par ordinateur. Ce procédé qui représente une innovation sans précédent dans le domaine de la chirurgie cardio-vasculaire, a pu être réalisable grâce à « intuitive system », une technique mise au point par la société américaine Intuitive Surgical. Ainsi, des instruments et une caméra miniaturisés sont introduits dans le corps du patient jusqu'au cœur, par une ouverture d'une dizaine de millimètres à peine. Le chirurgien bénéficie d'une vision agrandie, stable et tridimensionnelle de la zone du cœur à soigner. De plus, l'opération se révèle moins traumatisante et moins douloureuse pour le malade.

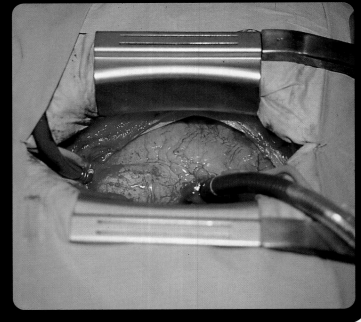

Anesthésie générale
La 1re opération sous anesthésie générale a eu lieu le 30-03-1842 à Jefferson, Géorgie. Le Dr Crawford Long (1815-1878) utilisa de l'éther diéthylique pour procéder, sur James Venable, à l'ablation d'un kyste au cou.

Amputations les plus rapides
Sur les champs de bataille, le chirurgien militaire Dominique Jean, baron Larrey (1766-1842), mettait 15 s pour amputer une jambe sans anesthésie. Il accompagna Napoléon dans toutes ses campagnes.

Autogreffe
À la différence des greffes, le greffon est prélevé sur le sujet lui-même. Le 1er-08-91, le petit Français Johann, âgé de 3 ans, s'est fait arracher la joue gauche par son chien. Le Dr Moncef Kétari, de l'hôpital de Dieppe, Seine-Maritime, l'a alors opéré en urgence. Il a fallu, auparavant, que les pompiers aillent rechercher le morceau arraché dans l'estomac de l'animal, qui, par chance, l'avait avalé sans l'avoir mâché.

Opérations intra-utérines
La 1re intervention in utero a été effectuée en 1982, par le Pr Michael Harrison, de l'université de Californie de San Francisco. France • Le 22-07-91, la petite Alexandra, ayant un diaphragme défectueux, a subi une opération, la tête dans l'utérus et le reste du corps sorti. Le Pr Bargy, les Drs Emmanuel Sapin et Yann Rouquet ont réussi cette intervention à l'hôpital Saint-Vincent-de-Paul, Paris, lors d'une opération qui a duré 5 h. Elle est née 9 jours plus tard et pesait 1,4 kg.

Pontage sans ouvrir
Un homme de 50 ans a subi un pontage coronarien par micro-vidéo-chirurgie, sans ouverture du thorax. Cette première en France a été réalisée à l'hôpital de la Pitié-Salpêtrière à Paris, dans le service du Pr Iradj Gandjbakhch, en septembre 1995. L'équipe a réussi sans arrêter le cœur ni mettre le patient sous circulation extracorporelle.

Greffe de main avec donneur
En septembre 1998, à l'hôpital Édouard-Herriot de Lyon, une équipe chirurgicale internationale – dirigée par le Pr Jean-Michel Dubernard, chef du service d'urologie et de transplantation de l'hôpital, et le Pr Earl Owen, directeur du centre de microchirurgie de Sydney – a réalisé une première mondiale : greffer la main d'une personne décédée sur un homme. Le patient, Clint Hallam, un Néo-Zélandais de 48 ans, avait été amputé en 1989, à la suite d'un accident provoqué par une tronçonneuse.

Erreur classique
Une habitante de Brétigny-sur-Orge, Essonne, âgée de 42 ans, a dû se faire réopérer en 1994 à la suite d'une erreur commise par un chirurgien orthopédiste de l'hôpital d'Arpajon, Essonne. Il a opéré son genou droit alors qu'elle souffrait d'une fracture du ménisque gauche. La Sécurité sociale

(économe) consultée, elle n'a pas été remboursée pour les 2 opérations.

Tumeurs
• La plus lourde tumeur pesait 148,70 kg, et provenait d'un kyste à l'ovaire. La patiente, opérée par le Dr Arthur Spohn, au Texas, en 1905, se rétablit parfaitement.
• La plus grosse tumeur retirée intacte mesurait 1 m de diamètre et pesait 137,60 kg. L'opération, effectuée en octobre 1991, par le Pr Katherine O'Hanlan, au centre médical de Stanford, Californie, dura plus de 6 h. La patiente de 35 ans quitta le bloc opératoire ne pesant plus que 95 kg. Elle est, depuis, tout à fait rétablie.

Calculs biliaires
• En août 1987, à l'hôpital de Worthing, GB, le Dr Whittle Martin a prélevé 23 530 calculs biliaires sur une femme de 85 ans.
• Le 29-12-52, un calcul de 6,3 kg a été prélevé sur une patiente de 80 ans, par le Dr Humphrey Arthure, à l'hôpital de Charing Cross, Londres.

Vésicule biliaire
La vésicule biliaire la plus grosse du monde pesait 10,4 kg et appartenait à une femme de 69 ans. Son ablation fut pratiquée par le Pr Bimal C. Ghosh au Centre médical naval national de Bethesda, Maryland, le 15-03-89. La patiente quitta l'hôpital 10 jours après.

TRANSPLANTATION

La 1re transplantation cardiaque a eu lieu le 3-12-67, de 1 h à 6 h du matin, à l'hôpital Groote Schuur, au Cap, Afrique du Sud. Sous la direction du Pr Christian Barnard, une équipe de 30 personnes a opéré Louis Washkansky, 55 ans. Le donneur était une femme de 25 ans, Denise Darvall. Louis Washkansky survécut 18 jours.

TRANSPLANTATIONS

Cœur
Voir photo.
France • La 1re transplantation du cœur fut réalisée à la Pitié-Salpêtrière, à Paris, le 28-04-68.

Cœur artificiel
Le 1er homme à recevoir un cœur artificiel (un *Jarvik 7* conçu par le Dr Robert Jarvik) a été le Dr Barney Clark, 61 ans, de Des Moines, Iowa. L'opération a été pratiquée les 1er et 2-12-82 à l'Utah Medical Center, Salt Lake City, par le Dr William DeVries. Barney Clark mourut le 23-03-83, 112 jours après l'intervention. France • *Voir photo.*

CŒUR ARTIFICIEL

En France, la 1ʳᵉ implantation réussie d'un cœur artificiel a été réalisée par le Pr Christian Cabrol (n.16-09-25), à la Pitié-Salpêtrière, Paris, le 10-04-86. Le 28-04-68, il avait déjà pratiqué la 1ʳᵉ greffe cardiaque européenne réussie. Le patient, Clovis Roblain, âgé de 66 ans, avait survécu 2 jours et 5 h. Aujourd'hui, plus de la moitié des greffés survivent des années.

Mère et greffée : première européenne
Greffée d'un ensemble cœur-poumon le 1ᵉʳ-02-97 par le Pr Gandjbakhch, Corinne Monteiro (32 ans) a mis au monde un petit garçon de 2,8 kg, le 26-04-99, à la maternité de la Pitié-Salpêtrière, à Paris – soit 26 mois après son opération. Malgré les risques encourus, tout s'est parfaitement déroulé.

Survies
Drek Van Zyl (n.10-08-26/m.6-07-94), du Cap, Afrique du Sud, a reçu le cœur d'une personne anonyme à l'hôpital de Groote Schuur, le 10-05-71. Il mourut à l'âge de 67 ans, après avoir survécu 23 ans et 57 jours à l'opération.
France • *Voir photo.*

Transplantations multiples
Intestin grêle + gros intestin + foie + estomac + pancréas + reins • Souffrant d'une incapacité pathologique à assimiler des aliments, Laura Davies, petite fille de Manchester, avait subi à 5 ans, en juin 1992, une 1ʳᵉ greffe d'un intestin grêle et d'un foie à l'hôpital de Pittsburg, USA. Par suite de complications, elle fut admise une 2ᵉ fois en septembre 1993, pour une transplantation de ces 7 organes. L'opération, qui fut une première mondiale en matière de greffes simultanées, s'est malheureusement soldée par un échec. La petite Laura est morte 3 mois plus tard, le 12-12-93.
Foie + pancréas + intestin grêle + estomac + gros intestin • Une transplantation du foie, du pancréas, de l'intestin grêle, d'une partie de l'estomac et du gros intestin a été pratiquée le 31-10-87 sur Tabatha Foster

SURVIE

Le Marseillais Emmanuel Vitria (n.24-01-20/m.9-05-87) a survécu 18 ans et 162 jours à une transplantation cardiaque. Opéré le 27-11-68, à l'hôpital Salvator de Marseille, il avait reçu le cœur d'un homme de 20 ans, Pierre Ponson. Son chirurgien, Edmond Henry, mourut d'une crise cardiaque en 1972, à l'âge de 61 ans.

(1984-1988) à l'hôpital pour enfants de Pittsburg. L'opération sur cette enfant de 3 ans et 143 jours, qui n'avait auparavant jamais avalé d'aliments solides, dura 15 h.

INSTITUTIONS MÉDICALES

Médecin le plus jeune
L'Américain Balamurali Ambati a terminé ses études de 2ᵉ degré au lycée de Baltimore, à 11 ans. À 13 ans, il obtenait sa licence de biologie à l'université de New York. En mai 1995, il a reçu le diplôme de l'école de médecine new-yorkaise du Mont-Sinaï, qui lui a permis de bénéficier d'une dérogation de l'État de New York pour pouvoir exercer. Il était âgé de 17 ans.

Familles de médecins
• Les 8 fils et les 2 filles du Dr Williams et de Beryl Waldrom, de Koncknacarra, Irlande, ont tous été diplômés de l'université de Galway entre 1976 et 1990.
• La famille Barcia, de Valence, Espagne, a pratiqué la médecine pendant 7 générations depuis 1792.
• Huit fils de John Robertson ont été reçus médecins entre 1892 et 1914.

Centres hospitaliers
• L'hôpital de Baragwanath, à Soweto, Afrique du Sud, compte un record de 3 294 lits.
• L'hôpital de la Pitié-Salpêtrière, à Paris, compte 2 068 lits. En 1998, il a admis 117 117 patients et 562 018 consultations y ont été données, pour un total de 546 391 journées d'hospitalisation. Cet hôpital est le plus grand d'Europe en activité, et en taille, avec une superficie de 33 ha.

Géographes

PAYS

Pays les plus grands

La Russie a une superficie de 17 075 400 km², soit 11,5 % des terres émergées du globe. Elle s'étend sur 8 000 km d'est en ouest et 4 490 km du nord au sud. Sa population est estimée à 148 millions d'habitants.

France • Le territoire métropolitain s'étend sur 551 602 km². C'est le 1er pays d'Europe par sa superficie, si on excepte l'ex-URSS (5,57 millions de km² pour la partie européenne seule).

Pays le plus petit

Créé le 11-02-29, l'État du Vatican, ou Saint-Siège, constitue une enclave territoriale de 44 ha, au cœur de Rome.

FRONTIÈRES

Les plus longues

La plus longue frontière continue du monde sépare le Canada des USA, sur 6 416 km (ce chiffre comprend les rives des Grands Lacs, mais exclut les 2 547 km de frontière entre le Canada et l'Alaska). Si l'on exclut les Grands Lacs, la frontière terrestre la plus longue sépare le Chili et l'Argentine et mesure 5 255 km de long.

Le plus grand nombre

Il y a 306 frontières dans le monde. L'Afrique, à elle seule, en possède 112.

Pays limitrophes

La Chine possède 24 000 km de frontières terrestres et compte 15 pays limitrophes : la Mongolie, la Russie, la Corée du Nord, Macao, le Vietnam, le Laos, la Birmanie, l'Inde, le Bhoutan, le Népal, le Pakistan et l'Afghanistan, le Tadjikistan, le Kirghizistan et le Kazakhstan.

DENSITÉS LES PLUS FORTES

Territoire • Voir photo.
État indépendant • Voir photo.
Pour 1 000 km² • Hong Kong (1 075 km²) comptait 6,4 millions d'habitants en 1997, avec 5 753 hab/km².

Densité en France

En 1997, la densité en métropole est de 106,3 hab/km². La population française vit sur environ 200 000 km² habitables, où la densité moyenne est donc de 289.

TOURISME

Pays le plus visité

• C'est la France qui accueille le plus grand nombre de touristes étrangers : 62,4 millions en 1996.
• Paris est la capitale mondiale du tourisme, qui accueille 20 millions de visiteurs/an.

DÉMOGRAPHIE

Natalité

• Le taux de natalité pour l'ensemble du monde est estimé pour la période 90-95 à 26 ‰.
• Hormis le Vatican, dont le taux est négligeable, l'Ukraine enregistre le taux de natalité le plus bas : 9,6 ‰, en 1995.
• Le taux de natalité le plus élevé est celui de Gaza, avec 56 ‰.
France • Le taux est de 12,6 ‰ en 1996.

Mortalité

• Dans la période 1990-1995, pour l'ensemble du monde, on a évalué 9 ‰ décès annuels. En 1980, la partie orientale de l'île de Timor avait un taux de mortalité de 45 ‰, tombé à 17,4 ‰ en 1995.
• Le taux le plus élevé était celui de la Sierra Leone : 23 ‰ pour la période 1990-1995. Le plus faible, de 1990 à 1995, était celui du Qatar, estimé à 2 ‰.
France • Le taux est de 9,2 ‰ en 1996.

Taux d'accroissement

• Le taux d'accroissement de la population mondiale (différence entre les taux de natalité et de mortalité) était de 15,7 ‰ en 1990-1995 ; il a culminé à 20,4 ‰ en 1965-1970.
• Le taux le plus élevé serait celui d'Oman : 38,8 ‰ en 1990-1995.

• La Lettonie a le taux le plus faible. Il est en 1996 de - 6,9 ‰.
France • Avec un total de 734 000 naissances en 1996 et 536 000 décès, le taux d'accroissement naturel est tombé à 3,4 ‰.

Accroissement naturel

La population de la planète s'accroît de 256 000 personnes/jour, soit presque 178 personnes de plus chaque minute.
France • 729 609 enfants sont nés en 1995, soit 1 997 naissances/jour.

Mariages les plus durables

• Sir Temulji Nariman et Lady Nariman ont été mariés pendant 86 ans, de 1853 à 1940. Les deux cousins furent unis à l'âge de 5 ans. Sir Temulji (n.3-09-1848) est mort en août 1940 à Bombay, Inde, à 91 ans et 11 mois.
• Paul (n.1885) et Alice Nicot (n.1892) ont été mariés pendant 79 ans et 10 mois. Leur mariage avait été célébré le 22-02-11.

RUES, AVENUES ET PLACES

Rues

La plus longue • Yonge Street, Toronto, Canada, prolongée jusqu'à la rivière Rainy, mesure 1 896 km.
France • La rue de Vaugirard, à Paris (VIe et XVe), mesure 4,360 km de long.

La plus longue couverte • La rue Saint-Joseph, quartier Saint-Roch, à Québec, est la plus longue au monde. Elle mesure 722 m.
La plus courte • La ville de Bacup, Lancashire, GB, revendique le titre pour Elgin Street, qui mesure 5,18 m.
France • La rue des Degrés, à Paris-IIe, entre la rue de Cléry et la rue Beauregard, mesure 5,75 m de long : c'est un escalier de 14 marches.
La plus étroite • Dans le village de Ripatransone, Marches, Italie, le Vicolo della Virilità, « ruelle de la Virilité », est large de 43 cm. On ne peut y passer que de profil.
France • La rue de l'Enfer, aux Sables-d'Olonne, Vendée, mesure 44 cm de large sur 30 m.
• À Paris-XIIe, le sentier des Merisiers mesure 87 cm.

Avenues

La plus longue • La plus longue du monde est l'avenue Nikko Cryptomeria, Imaichi, Japon. Elle mesure 35,41 km.
La plus large • L'axe monumental qui relie la place de l'Hôtel-de-Ville à la place des Trois-Pouvoirs, à Brasilia, sur 2,4 km, est un boulevard à 6 voies, large de 250 m.
France • L'avenue Foch, à Paris, est large de 120 m.

Densité de population

Macao, enclave portugaise située en Chine, a la plus forte densité de population du monde pour un territoire. On y comptait 433 000 habitants en 1996 sur une superficie de 19,3 km² seulement, soit une densité de 22 435 hab/km².

🚃 LA PLUS BELLE AVENUE DU MONDE

L'avenue des Champs-Élysées, acquise par la ville de Paris en 1828, fut initialement percée par Le Nôtre en 1670, en prolongement du jardin des Tuileries, puis rallongée au fil des siècles. Aujourd'hui longue de 1 910 m, elle a été rénovée entre 1992 et 1994 pour un coût de 240 millions de F.

TERRITOIRE INDÉPENDANT

La principauté de Monaco a une population de 30 500 habitants sur une superficie de 1,95 km², soit une densité de 15 461 hab/km², ce qui en fait l'État dont la densité est la plus élevée au monde.

Places

La plus étendue • La place Tiananmen, « porte de la Paix céleste », à Pékin, s'étend sur 39,6 ha.
France • La place des Quinconces, à Bordeaux, Gironde, a une superficie de 12 ha : c'est la plus grande d'Europe.
La plus petite • La place Vieille, à Vence, Alpes-Maritimes, mesure 4 x 4 m et compte 3 maisons.

Adresses
C'est à Paris, sur le pont Notre-Dame, en 1463, que l'on a commencé à numéroter les maisons. Celle qui porte le numéro d'adresse le plus élevé (n° 407) se trouve rue de Vaugirard.

VILLES

Villes les plus anciennes
• Jéricho, Cisjordanie, est la ville fortifiée la plus ancienne. La datation au carbone 14 indique qu'elle a pu compter 2 700 habitants dès 7800 av. J.-C.
• Le campement de Dolní Vestonice, République tchèque, remonte à la culture gravettienne, vers 27 000 av. J.-C.
• La plus ancienne capitale du monde est Damas, en Syrie. L'installation humaine y remonte au IVe millénaire av. J.-C. Citée dans la Bible (Genèse, XIV, 15), son existence est attestée pour la 1re fois par les scribes du pharaon Thoutmès III, qui la conquit vers 1482 av. J.-C.
France • Marseille, Bouches-du-Rhône, a été fondée vers 600 av. J.-C., sous le nom de Massalia, par des Grecs de Phocée.

Villes les plus grandes
Mount Isa, Australie, s'étend sur 41 225 km².
France • La ville d'Arles, Bouches-du-Rhône, s'étend sur 75 893 ha (759 km²).

Commune française la plus petite
Castelmoron-d'Albret, Gironde, compte 62 habitants et s'étend sur 4 ha, la moitié de la place de la Concorde, à Paris.

Villes les plus peuplées
La population de l'agglomération de Tokyo était estimée, en 1996, à 29,4 millions d'habitants.
France • Au recensement de 1990, Paris comptait 2 152 423 habitants, et l'Île-de-France (Paris + 7 départements) 9 650 000.

Ville française la moins peuplée
Au recensement de 1995, Caunette-sur-Lauquet, Aude, ne comptait aucun habitant, mais continue pourtant à être administrée par un conseil municipal élu par des habitants de Limoux et de Carcassonne.

Villes les plus hautes
• Située à 3 684 m d'altitude, Lhassa était la plus haute capitale du monde avant que le Tibet ne soit annexé par la Chine.
• Aujourd'hui c'est La Paz, Bolivie, qui est la capitale la plus haute du monde : elle se situe à 3 631 m d'altitude et son aéroport, El Alto, domine la ville, à 4 080 m.
• La ville de Wenchuan (5 100 m), fondée en 1955 sur la route Chinghai-Tibet, est la ville la plus haute du monde.
France • Saint-Véran, Hautes-Alpes, est la commune la plus élevée d'Europe, entre 1 990 m et 2 040 m.

Ville la plus basse
Le village d'Ein Bokek, Israël, est situé sur les rives de la mer Morte, à - 393 m.

Ville la plus éloignée de la mer
Urumqi (Wulumuqi), capitale de la région ouïghoure du Xinjiang, Chine, est située à une distance de 2 500 km de la côte la plus proche.

Nombre de communes en France
La France compte 36 551 communes. C'est le record d'Europe (ex-URSS non comprise).

Distances entre capitales de pays voisins
• Les capitales les plus proches de 2 pays limitrophes sont la Cité du Vatican et Rome, Italie, Rome entourant l'État du Vatican.
• La plus grande distance séparant les capitales de 2 pays ayant une frontière commune est 4 200 km, entre Moscou, Russie, et Pyongyang, République populaire démocratique de Corée.

Ville la plus chère
Selon une enquête de juin 1997 du Corporate Resources Group, qui donne le classement des villes les plus chères du monde, 2 villes japonaises, Tokyo et Osaka, arrivent en tête du palmarès.
France • Paris est placée en 33e position des villes les plus chères du monde.

Surpopulation urbaine
En 2025, 7 villes dans le monde auront plus de 20 millions d'habitants chacune, alors que dans les années 1950 on comptait seulement 4 villes de 2 millions d'habitants. L'explosion est concentrée en Asie (4 villes sur 7). Les historiens soulignent que la prolifération des grandes mégalopoles a souvent accompagné l'effondrement des grandes civilisations.

Unités d'habitation
Afin de permettre des comparaisons, on appelle unité d'habitation une ou plusieurs pièces séparées structurellement, occupées par des ménages privés d'une ou plusieurs personnes et ayant un accès privé ou commun vers la rue. C'est en Chine qu'on trouve le plus grand nombre d'unités d'habitation, soit 276 947 962 en 1990.

Villes et capitales les plus septentrionales
• La ville la plus au nord est Dickson (73° 32' N), Russie. Elle est peuplée de 1 400 habitants.
• La capitale la plus septentrionale est Reykjavik (64° 8' N), Islande. Elle est peuplée de 100 855 habitants.
• Le village le plus au nord s'appelle Ny-Ålesund (78° 55' N), petit site minier du Spitzberg occidental, Norvège. Sa population varie de 25 habitants en hiver à 100 en été.

Religions

Miracles

Depuis 1947, et jusqu'à ces dernières années, environ 1 300 dossiers ont été ouverts, chacun pour une déclaration de guérison. Le Comité médical international de Lourdes (C.M.I.L.) a retenu 66 cas de guérisons reconnues miraculeuses. Sur les 6 000 cas de guérison allégués, on a dénombré environ 2 000 cas de guérisons extraordinaires (non déclarés comme miracles). Le dernier cas miraculeux de guérison a été reconnu en 1989. Il s'agissait de celui d'une fillette italienne de 11 ans atteinte d'un cancer des os.

RELIGIONS ET SECTES

Christianisme

Le christianisme l'emporte sur toutes les religions, avec 1,36 milliard de fidèles en 1999, soit plus de 30 % de la population mondiale, dont 1,06 milliard de catholiques romains (baptisés).

Islam

L'islam est la religion non chrétienne la plus importante, avec 1 milliard de fidèles en 1999.

Judaïsme

Il y a 13 millions de juifs dans le monde en 1999. La plus forte communauté se trouve aux USA, avec 5,8 millions, dont 1,7 million à New York. En Israël, pour une population de 4,8 millions d'habitants, il y a 4,2 millions de juifs.

Bouddhisme, animisme et taoïsme

En Extrême-Orient, on peut cumuler les religions et être à la fois bouddhiste et shintoïste, comme, au Japon, confucianiste taoïste et bouddhiste. Selon les statistiques (1999), on dénombrait 300 millions de bouddhistes, et environ 240 millions d'animistes ainsi que 20 millions de taoïstes.

Religions en France

En 1999, la France comptait 46 millions de catholiques baptisés. L'islam constituait la 2ᵉ religion, avec 4,5 millions de fidèles. Il y avait 950 000 protestants, 600 000 juifs et 450 000 bouddhistes. 9,5 % de la population se déclare sans religion.

Société masculine

Le mont Athos, république autonome grecque de 336 km², composée de 20 monastères orthodoxes, a banni tout élément féminin, y compris les animaux femelles. Les abords de ce territoire leur sont interdits.

Sacrifices humains

En 1486, 20 000 personnes furent tuées par les prêtres aztèques du Temple (Teocalli) à Tenochtitlan, Mexique, en hommage à Huitzilpochtli, dieu de la Guerre. Il s'agirait du plus grand sacrifice humain jamais commis au cours d'une cérémonie.

Réunion de fidèles la plus grande

15 millions d'hindous se sont rassemblés, le 6-02-89, à Allahabad, Inde, pour le pèlerinage qui s'y tient tous les 12 ans.

Pèlerinage le plus couru

Tous les 3 ans, des millions de personnes se rassemblent à l'occasion de Kumbha Mela, le plus grand festival hindou du monde. Si l'on en croit la légende, le fils du dieu hindou Indra, pourchassé par les démons qui voulaient s'emparer du pot d'ambroisie (nourriture des dieux), déversa le divin nectar en 4 lieux, Nasiik, Ujjain, Haridwar et Prayag. Le festival, qui dure 11 mois et demi, se tient à tour de rôle dans les 4 sites. Cependant, le clou des festivités se déroule à Prayag (lieu de la purification) tous les 12 ans. Le 30-01-95, 20 millions de personnes prirent un bain dans les eaux

froides à la confluence du Gange et du Jumna, rituel censé absoudre tous leurs péchés. Le jour précédant le festival, 20 000 pèlerins arrivaient chaque heure à Prayag. Le rituel du bain débuta peu de temps après minuit. Vers 10 heures du matin, quelque 15 millions de personnes étaient immergées dans l'eau et 5 autres millions attendaient leur tour. Le prochain Prayag Mela est prévu pour 2001.

Apparition la plus suivie

Le 13-10-15, 70 000 personnes assistèrent à la danse du Soleil lors de la 6ᵉ et dernière apparition de La Vierge Marie, qui se révéla à 3 enfants à Fatima, Portugal. L'astre semblait effectuer une figure circulaire. Ces apparitions ont été officiellement reconnues par l'Église catholique romaine.

Apparition la plus récente

C'est Maria Esperanza Medrano Bianchini, qui, à plusieurs reprises depuis mars 1976, a assisté dans la grotte de Betania, Venezuela, à l'apparition de La Vierge. Des centaines d'autres personnes en furent témoins ultérieurement. L'Église catholique romaine a reconnu ces apparitions en 1987.

Stigmates éternels

Padre Pio (Francesco Foguione), moine capucin italien, porta des stigmates (blessures reçues par le Christ sur la croix) de 1918 jusqu'à sa mort, en 1968. Des milliers de pèlerins ont vu ses plaies.

Audience radio

Decision Hour, émission religieuse diffusée depuis 1957 et animée par l'évangéliste baptiste américain Billy Graham, est suivie par 20 millions d'auditeurs.

Suicide collectif

Le plus grand suicide collectif jamais commis en temps de paix eut lieu le 18-11-78. 913 adeptes du Temple du peuple rendirent l'âme après avoir absorbé un soda, Kool Aid, mélangée à du cyanure. Le drame, qui se déroula à Jonestown, non loin de Port Kaituma, Guyane, fut précédé de nombreuses répétitions menées par leur chef spirituel, le Révérend Jim Jones, « réincarnation du Christ, de Bouddha et de Lénine ». Ce dernier avait fui San Francisco, accompagné de 900 adeptes, suite aux accusations de fraudes dont il était l'objet. Son autopsie révéla une mort par balle.

Secte religieuse la plus meurtrière

Les membres du culte indien Thugga, société secrète vénérant Kali, la déesse hindoue de la Mort et de la Destruction, auraient étranglé, au cours de rites, plus de 2 millions de personnes en 300 ans. Ce culte fut éradiqué sous le protectorat britannique, au XIXᵉ siècle. 4 000 membres furent alors jugés et condamnés, pour la plupart, à la pendaison ou à l'emprisonnement.

⧈ SIÈGE RELIGIEUX LE PLUS LONG

L'attente des agents fédéraux américains au Mont Carmel Center, Waco, Texas, dura du 23-02 au 19-04-93. Les assiégés étaient les membres du QG des Branch Dravidians et leur chef, le « messie » David Koresh (de son vrai nom Vernon Howell). La secte stockait armes et munitions. Quatre agents trouvèrent la mort, ce qui amena les autorités fédérales à assiéger le Mont Carmel Center. Le 19-04-93, le bâtiment prit feu et 86 adeptes de la secte trouvèrent la mort, dont Koresh. Certains corps portaient la trace de coups de feu. Les conditions du sinistre demeurent un mystère. On ignore s'il s'agit d'un suicide ou d'un meurtre collectif.

JEAN-PAUL II

*Jean-Paul II (Karol Wojtyla, n.18-05-20 à Wabowice, Pologne),
successeur de saint Pierre, a été élu
le 16-10-78. Sur 264 papes, il est le 11ᵉ à avoir régné plus
de 20 ans et 6 mois. Il détient le record absolu du nombre
de voyages : 87 dans 116 pays, et plus de 100 voyages
en Italie ; ainsi qu'un record de ventes de disques :
45 000 ex. d'Abba Pater (Sony) vendus en France.*

CLERGÉ

Cardinal le plus âgé aujourd'hui
Ignatius Gong Pin-mei, Chine, n.2-08-01.

Cardinaux les plus jeunes
De nos jours, le cardinal le plus jeune est
Nicolas de Jesus Lopez Rodriguez (n.31-10-36)
en République dominicaine.
France • Mgr Paul Poupard (n.30-08-30) a été
promu le 25-05-85, à l'âge de 55 ans.

Archevêque le plus âgé
Le plus vieil archevêque catholique de
ces dernières années fut Edward Howard,
archevêque de Portland, Oregon, USA
(n.5-11-1877), qui mourut à l'âge de 105 ans et
58 jours, le 2-01-83. Il a célébré 27 800 messes.

Archevêque le plus jeune
Mgr Michel Calvet, n.3-04-44, archevêque
de Nouméa, Nlle-Calédonie, a été consacré
évêque le 4-11-79, à 35 ans.

Évêque le plus âgé
Mgr Herbert Welch, consacré évêque du
Japon et de Corée en 1916 (Église méthodiste),
mourut à l'âge de 106 ans, le 4-04-69.

Évêque le plus jeune
Le plus jeune évêque de tous les temps
fut le duc d'York et d'Albany, 2ᵉ fils
de George III. L'enfant fut élu évêque
d'Osnabrück à l'âge de 196 jours (6 mois),
le 27-02-1764, grâce à son père, Électeur
de Hanovre. Il démissionna 39 ans plus tard.
France • Mgr Thierry Jordan (n.31-08-43),
à Shanghaï, Chine, fut consacré évêque le
13-12-87, à l'âge de 44 ans, et nommé évêque
de Pontoise, Val-d'Oise, le 19-11-88.

Curé le plus âgé
Le Père Alvaro Fernández
(1880-1988) servit comme
curé de la paroisse de
Santiago de Abres, Espagne,
de 1919 à sa mort, à l'âge de 108 ans.

Femme évêque
Barbara Harris a été consacrée évêque
de l'Église anglicane, à Boston,
Massachusetts, le 11-02-89, à l'âge de 58 ans.

Pape le plus vieux
Saint Agathon, m.681, à l'âge probablement
exagéré de 103 ans, avait été élu en 678.

Pape élu le plus jeune
Il s'agit de Benoît IX (Théophylacte),
élu en 1032, à l'âge de 12 ans.

Pontificat le plus court
Le pontificat d'Étienne II (m.752) dura
seulement 2 jours.

Élection la plus lente
L'élection de Grégoire X – Teobaldo Visconti
– dura 31 mois, de février 1269 au 1ᵉʳ-09-1271.

Élection la plus rapide
Jules II – Giuliano Della Rovere – fut élu au
1ᵉʳ tour, le 21-10-1503.

Béatification accélérée
Un procès en béatification ne peut s'ouvrir
que 5 ans après le décès d'un serviteur
de Dieu. Mère Teresa (m.5-09-97) connaîtra
une exception, sur décision du pape
annoncée le 1ᵉʳ-03-99. L'enquête débute
donc 1 an et demi seulement après sa
mort, pour celle que l'on surnommait déjà
« la sainte de Calcutta ».

MARIAGES COLLECTIFS

*30 000 couples ont célébré de nouveau leurs noces à Washington en novembre 1997,
sous la bénédiction de l'Association du Saint Esprit pour l'unification du monde chrétien,
fondée par le révérend Sung Myung Moon. En 1995, Moon maria 35 000 couples, un record,
dans le stade olympique de Séoul (photo), Corée du Sud, et 325 000 autres par liaison satellite.*

Criminels

Criminalité la plus importante

• On a dénombré au Brésil, en 1983, 104 homicides pour 100 000 habitants, soit 370/jour.

• Les records de 58 homicides en une semaine (juillet 1972) et de 15 homicides en une journée (juin 1989) ont été enregistrés à New York.

• Le pays où est commis le plus grand nombre de meurtres est les USA, avec 25 000 cas/an.

• Malgré la baisse de la criminalité enregistrée depuis 1994 aux USA, ce pays continue de battre les records mondiaux en matière de vol à main armée. Plus de 620 000 vols/an sont recensés, et dans 30 % des cas les auteurs les commettent à l'aide

« Terminator » : 52 victimes

L'Ukrainien Anatoli Onoprienko (n.25-07-59) a massacré 52 personnes, dont 10 enfants, au cours de 23 épopées meurtrières entre 1995 et avril 1996. Il a été déclaré responsable de ses actes. Se vantant d'être le meilleur tueur du monde, il surpasse Landru, l'« étrangleur de Boston » et le « vampire de Düsseldorf ». Le président Koutchma s'est dit favorable à une exécution, bien que la peine de mort ait été abolie en Ukraine depuis 1995.

d'une arme. Plus de 1 280 000 meurtriers, violeurs, bandits et agresseurs utilisent des armes à feu.

• Le pays qui a le taux de meurtres le plus élevé par rapport à sa population change tous les ans, mais la Colombie a eu régulièrement un taux de 77,5 meurtres pour 100 000 habitants ces 10 dernières années (8 fois celui des USA). On compte plus de 27 000 victimes chaque année.

• La ville au plus fort taux par rapport à sa population est Bogota, capitale de la Colombie, où la violence est la cause principale de mort chez les individus de 10 à 60 ans. On compte 8 600 meurtres/an, soit une moyenne de 23 meurtres/jour.

Criminalité la plus faible

• Dans l'État indien du Sikkim, Himalaya, le meurtre est pratiquement inconnu.

• Dans la zone de Hunza, au Cachemire, un seul crime a été commis depuis 1900.

France • En 1995, au dernier recensement, 3 665 320 crimes ou délits ont été dénombrés, soit plus de 10 000 délits/jour, 15 fois plus qu'en 1950. Les vols représentaient 65,5 % de la criminalité en 1995, contre 32,6 % en 1950. La hausse la plus spectaculaire est celle des vols liés à l'automobile : la France détient le record mondial du vol de voitures, avec 44 voitures volées à l'heure.

Empoisonnement de masse

Le 1er-05-81 mourut la 1re des 600 victimes du scandale de l'huile de table espagnole. On découvrit, le 12-06, que la cause de la mort de cet enfant de 8 ans était l'ingestion d'huile frelatée. Les peines de prison des 586 chefs d'accusation demandées par les plaignants excédèrent 60 000 ans.

Récidiviste

Philippe Delandstheer, 56 ans, a été condamné 45 fois pour vol à l'étalage de bouteilles de pastis. En février 1993, il a été condamné à 3 mois de prison par le tribunal correctionnel de Lille pour avoir récidivé, mais cette fois avec du champagne.

Accusé le plus vieux de France

Le 26-11-91 à Prissac, Indre, Roger Devoulon a tué d'un coup de fusil de chasse son petit-neveu, Alain Devoulon, âgé de 32 ans, suite à une altercation. Jugé pour meurtre à Châteauroux, Indre, en 1995, Roger Devoulon, âgé de 89 ans, est le doyen des accusés de France.

Rançons

• En 1532-1533, le conquistador espagnol Francisco Pizarro obtint à Cajamarca, Pérou, la rançon la plus importante de l'Histoire, en échange de la vie de l'Inca Atahualpa. Elle consistait en une salle remplie d'or et d'argent, d'une valeur de 8 milliards de F. Aussitôt, Atahualpa fut étranglé par Pizarro.

• Le mouvement de guérilla urbaine des Montoneros, en Argentine, accepta de libérer les frères Jorge et Juan Born,

le 20-06-75, moyennant la remise de la plus grosse rançon des temps modernes, 1,5 milliard de pesos (360 millions de F).

• Le gouvernement japonais versa 30 millions de F pour la libération de 38 otages retenus dans un DC 8 de la compagnie JAL, à l'aéroport de Dacca, Bangladesh, le 2-10-77. Le gouvernement du Bangladesh avait refusé la mise en œuvre de toute action visant à libérer les otages.

Kidnappée la plus jeune

La plus jeune kidnappée fut la petite Caroline Warton, n.19-03-55 à 0 h 46. Elle fut enlevée à 1 h 15, soit 29 min après sa naissance, à l'hôpital baptiste du Texas.

Détournement de fonds

Le gouvernement des Philippines fit savoir, le 23-04-86, qu'il avait découvert l'origine de 860,8 millions de $ volés par l'ancien président Ferdinand Marcos (1917-1989) et par sa femme Imelda. Il fut prouvé que le montant total des détournements, depuis novembre 1965, devait être compris entre 5 et 10 milliards de $. Imelda Marcos a été acquittée à l'issue de son procès. Le couple présidentiel était réputé pour mener un train de vie fastueux. Lorsque Corazon Aquino, le successeur de Marcos, entra dans le palais de Malancanang, elle découvrit la garde-robe de l'ex-première dame : 3 000 paires de chaussures, 2 000 robes du soir, 1 000 collants neufs, 200 gaines Marks & Spencer et 500 soutiens-gorge. Lorsque le « People Power » renversa les Marcos en 1986, ces derniers s'enfuirent à Hawaï, où Ferdinand mourut en 1989. Sa veuve fut admise aux Philippines en 1991, mais regagna l'année suivante le lieu où reposait son défunt mari. En 1998, elle fut jugée coupable de corruption, peu après avoir vainement tenté sa chance à la présidence. Ce verdict est susceptible d'appel.

Criminel au col blanc

En février 1997, Yasuo Hamanaka, négociant en cuivre, plaida coupable de faux et d'abus de confiance, ainsi que de commerce illégal. Cela coûta 2,6 milliards de $ à Sumitomo, 1re société commerciale du Japon, pour 10 ans de transactions illégales. Cette affaire rappelle 2 scandales commerciaux datant de 1995 qui touchèrent la banque Daiwa, Japon, et la Barings, GB.

VOLS

Cambriolages les plus importants

• Le 22-01-76, à Beyrouth, Liban, un commando fit sauter les voûtes de la British Bank of the Middle East, à Bab Idriss, et, selon l'ancien ministre des Finances,

CHARLES MANSON

Dans la nuit du 8-08-69, Charles Manson, âgé de 34 ans à l'époque, et 4 de ses adeptes (dont 3 jeunes femmes envoûtées par leur gourou), assassinaient sauvagement l'actrice américaine Sharon Tate et 4 de ses amis, en l'absence de son époux, le réalisateur Roman Polanski. Ce crime rituel, motivé par une haine inouïe envers la société et l'establishment (on retrouva le corps de l'actrice enveloppé dans un drapeau américain), n'est pas le 1er qu'il perpétra. Condamné à mort en 1971, les 5 criminels verront leur peine commuée en détention à vie.

Lucien Dahadah, aurait vidé les coffres de 50 millions de $. D'après une autre source, il s'agirait d'un montant minimal de 20 millions de $ (soit 100 millions de F).

• Le plus important cambriolage fut celui de la Reichsbank après la chute de l'Allemagne nazie en avril-mai 1945. Le Pentagone, à Washington, décrivit l'événement, publié pour la 1re fois dans le Guinness Book 1957, comme une « allégation infondée ». Cependant, l'ouvrage l'Or des nazis de Ian Sayer et Douglas Botting, publié en 1984, révéla que le butin serait équivalent à 20 milliards de F de 1984.

• Le 25-03-90, quatre individus armés se sont emparés, dans une succursale de l'Union des banques suisses, à Genève, d'un butin de 35 millions de FS (135 millions de F).

• L'attaque de train la plus importante fut conduite le 8-08-63 entre 3 h 03 min et 3 h 27 min, dans le train postal de Glasgow-Londres, qui fut dévalisé au pont de Bridego, près de Mentmore. Les voleurs s'échappèrent avec 120 sacs de courrier contenant 2 631 784 £ (soit environ 22 millions de F) en billets.

• Des bons du Trésor et des certificats de dépôt d'une valeur de 2,4 milliards de F furent volés lors de l'attaque d'un messager d'un agent de change le 2-05-90 à Londres. France • L'attaque de la succursale de la Banque de France de Saint-Nazaire, Loire-Atlantique, le 3-07-86, a rapporté 88 millions de F à ses auteurs.

PROCÈS DE LA MAFIA

• En 1986, un total de 474 suspects de la Mafia furent officiellement accusés à Palerme, Italie : 121 ont fui et ont été accusés par contumace. Le procès de la Mafia le plus médiatisé eut lieu à Caltanisetta, Italie, en mai 1995, lorsque Salvatore « Toto » Riina (photo), réputé parrain de la Mafia sicilienne et personne la plus recherchée d'Italie, se rendit au procès avec 40 autres chefs de gang présumés. Riina fut accusé de trafic de drogue, d'extorsion et de 50 meurtres.

Vols de bijoux
Le cambriolage de la bijouterie de l'hôtel Carlton, à Cannes, rapporta, le 11-08-94, 250 millions de F aux 3 voleurs.

Vols d'œuvres d'art
• La Joconde, de Léonard de Vinci, disparut du Louvre le 21-08-11 et fut retrouvée en Italie en 1913, chez son voleur, Vincenzo Perruggia.
• Dans la nuit du 17-03-90, 2 hommes déguisés en policiers se sont introduits au musée Isabella-Stewart-Gardner, à Boston, USA, et ont volé 10 toiles : 3 Rembrandt, 1 Vermeer, 4 Degas, 1 Manet, 1 Flinck, plus une coupe chinoise en bronze datant de 1200 av. J.-C. Le système d'alarme n'avait pas été branché. Le FBI a estimé le montant de ce vol à 10 milliards de F.
France • Le vol, en plein jour, le 27-10-85, au musée Marmottan, à Paris, de 9 toiles impressionnistes majeures – dont 5 Monet et 2 Renoir – fut évalué, à l'époque, à 100 millions de F. Les toiles ont été retrouvées dans un appartement de Porto-Vecchio, Corse, le 4-12-90. Parmi elles se trouvait le célèbre Impression, soleil levant de Monet, qui avait donné son nom au mouvement impressionniste.

Saisies de drogue
• La prise la plus importante reste la saisie de 2 903 tonnes de marijuana colombienne au cours de l'opération « Tiburón » (« Requin »), menée par la Drug Enforcement Administration, qui arrêta 495 personnes et arraisonna 95 bateaux.
• Le 28-09-89, 20 tonnes de cocaïne furent saisies dans un entrepôt de Los Angeles. Leur valeur fut estimée à 7 milliards de $.
France • 1994 fut une année record pour les douaniers français, avec un total de 54,6 tonnes de drogue saisie ; la plus forte progression, 300 %, étant enregistrée à la frontière espagnole.

SERIAL KILLERS
Behram : 931 victimes
Il fut établi au cours du procès de Behram, Indien de la secte des thugs, qu'il avait étranglé 931 personnes avec son écharpe rituelle dans l'arrondissement d'Oudh, entre 1790 et 1840. On estime que 2 millions d'Indiens périrent rituellement des mains des étrangleurs pendant l'âge d'or du culte thug, de 1550 à 1853, date de son interdiction par les Britanniques.

Erzsébet Báthory : 650 victimes
La comtesse hongroise Erzsébet Báthory (1560-1614) détient le record du nombre des victimes officiellement attribuées à une seule et même criminelle, soit 650 personnes. Il s'agissait de jeunes filles des environs de son château de Csejthe, qu'elle saignait pour se faire des bains de jouvence. Jugée, elle fut assignée dans sa chambre en 1611, où elle mourut, le 21-08-1614.

Teófilo Rojas : 592 victimes
On a attribué 592 assassinats au chef de bande colombien Teófilo « Sparks » Rojas, entre 1948 (il avait 27 ans) et le 22-01-63, jour de sa mort dans une embuscade, à Armenia, Colombie.

Pedro Lopez : 300 victimes
Le serial killer le plus actif de ces dernières années fut Pedro Lopez, qui tua 300 jeunes filles en Colombie, au Pérou et en Équateur. Surnommé « le Monstre des Andes », Lopez fut accusé de 57 meurtres en Équateur en 1980 et condamné à la prison à vie.

Les sœurs Gonzales : 90 victimes
Les sœurs mexicaines Delfina et Maria de Jesus Gonzales, qui enlevaient des jeunes filles pour les prostituer, formaient l'association criminelle la plus prolifique du monde. Elles ont avoué 90 meurtres, mais furent suspectées d'en avoir commis beaucoup plus. Delfina et Maria furent condamnées à 40 années de prison en 1964.

Nou Bom-Kon : 57 victimes
Le 26-04-82, le policier sud-coréen Nou Bom-Kon, 27 ans, pris d'une fièvre éthylique confinant à la folie, tua au fusil et à la grenade 57 personnes et en blessa 35 autres. Il se supprima en dégoupillant une grenade entre ses jambes.

Bundy le psychopathe : 30 victimes
L'Américain Ted Bundy a tué 30 femmes entre 1974 et 1978. Ses cibles favorites étaient des jeunes filles aux cheveux raides, coiffées de préférence avec la raie au milieu. Il avait inventé un système qui condamnait les portes de sa voiture pour y bloquer ses proies. Très célèbre aux USA, il a écrit un livre, qui fut un best-seller. Il a été exécuté sur la chaise électrique en 1989.

Le cannibale de San Cristobal : 15 victimes
Le Vénézuélien Dorangel Vargas Gomez, arrêté le 15-02-99, a tué et mangé 15 personnes, dont 2 membres de sa famille. Ne regrettant rien, il a déclaré : « J'ai mangé des gens parce que j'avais faim et que ça ne coûte rien... Quand j'avais l'estomac plein, j'avais le cœur heureux. »

PSYCHOPATHES EXTRÊMES
La star
L'Américain Henry Lee Lucas a commencé sa carrière à 15 ans et a tué sa propre mère à 24 ans. L'enregistrement de ses confessions, où il raconte par le menu ses 157 assassinats, fut un triomphe médiatique.

Le plus monstrueux
L'Américain Jeffrey Dahmer, le « boucher du Milwaukee », a violé, tué, dépecé puis dévoré en partie 15 jeunes garçons. Il attirait ses victimes chez lui avec de l'argent, puis les droguait et les étranglait.

Condamnés

HOMMES DE LOI

Juge en activité le plus vieux

Albert Alexander (1859-1966), de Plattsburg, Missouri, exerça sa charge de magistrat du comté de Clinton jusqu'à sa retraite, qu'il prit à l'âge de 105 ans et 8 mois, le 9-07-65.

Juge le plus jeune

John Payton fut élu juge de paix à Plano, Texas, et prit ses fonctions à l'âge de 18 ans et 11 mois en juillet 1991.

PROCÈS

Procédure la plus longue

Le fonctionnaire indien Gaddam Keddey a mené pendant 44 ans 9 mois et 8 jours des actions en justice contre le gouvernement et l'État d'Hyderabad, afin d'obtenir une revalorisation de son grade et de son salaire. Il n'a cessé sa lutte que le jour de son départ à la retraite, où il obtint sa promotion et remporta le procès.

Procès les plus longs

Pénal • Du 30-11-92 au 29-11-94 (durant 398 jours de procès), à Hong Kong, le tribunal siégea pour juger 14 boat-people sud-vietnamiens accusés

Condamnés à mort

• John King, 24 ans, condamné à mort par injection au Texas, le 25-02-99, pour le meurtre de James Byrd, homme de couleur de 49 ans, perpétré le 7-06-98. Il l'avait d'abord enlevé puis lynché.

• Le 7-01-99, Gary Graham, 34 ans, reçoit une injection létale pour le meurtre de Bobby Grant Lambert, qu'il a commis 17 ans plus tôt, à l'âge de 17 ans, pour 80 $. Il a toujours proclamé son innocence.

• Karla Faye Tucker a été exécutée le 3-02-98 par injection, dans l'État du Texas. Sa condamnation en 1983, pour le meurtre d'un couple, avait depuis provoqué une mobilisation dans le monde entier. En vain. Toutes les demandes de grâce ont été rejetées, y compris celles émanant de Jean-Paul II, de l'ONU ou du Parlement européen. Elle aura été la 1re femme exécutée depuis la guerre de Sécession.

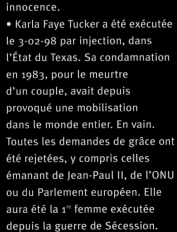

d'avoir assassiné 24 adultes et enfants nord-vietnamiens, morts brûlés dans leur baraque durant des émeutes dans un camp de réfugiés, à Hong Kong, en février 1992. Tous les accusés furent acquittés de ces meurtres, mais condamnés pour d'autres chefs d'accusation moins graves.

Civil • La plus longue audience pour un procès civil eut lieu lors de l'affaire Kemner Monsanto Co., à l'occasion d'une fuite de produits toxiques à Sturgeon, Missouri, en 1979. Le procès débuta le 6-02-84, au tribunal du comté de St Clair, Belleville, Illinois, devant le juge Richard Goldenhersh, et s'acheva le 22-10-87. Les témoignages se prolongèrent pendant 657 jours, précédant la délibération du jury, qui dura 2 mois.

Procès le plus suivi

Du 24-01 au 3-10-95, 5,5 millions d'Américains ont suivi quotidiennement à la télévision le procès d'O. J. Simpson, retransmis en direct sur 3 réseaux. Joueur de football américain et acteur, il était accusé des meurtres de son ex-femme Nicole et de son employé Ronald Goldman, perpétrés le 12-06-94. Lors de ce procès, 8 630 enquêteurs ont rassemblé 1 105 pièces à conviction, 133 témoins et 40 000 feuillets de compte-rendu d'audience présentés en 266 jours aux 12 jurés (24 sélectionnés au départ sur un millier de personnes convoquées). Le procès coûta 8 millions de $ (40 millions de F), et ses retombées médiatiques sont estimées à un demi-milliard de F. La seule intervention de l'accusé n'a duré que 38 s, l'élection du porte-parole du jury 4 min et la concertation des jurés seulement 4 h.

MOTIFS POLITIQUES

Manifestations

La plus grande eut lieu à Shanghai, Chine, le 4-04-69 : 2,7 millions de manifestants sont descendus dans la rue pour protester contre l'agression soviétique aux frontières.

Assassinats de chefs d'État

• La 1re tentative d'assassinat dont on a gardé la trace fut perpétrée contre Amenemhat Ier, pharaon, vers 2000 av. J.-C.
• En 200 ans, de 1718 à 1918, 4 tsars de Russie et 2 héritiers ont été assassinés. Plusieurs ont été victimes d'attentats sans succès.

Attentats sur un chef d'État

Charles de Gaulle (1890-1970), président de la République française de 1958 à 1969, a été la cible du plus grand nombre de tentatives d'assassinat sur un chef d'État. Il a survécu à 31 tentatives entre 1944 et 1966, certaines contrecarrées avant terme.

Dissident le plus patient

Le Soviétique Benjamin Bogomolny a demandé un 1er visa de sortie en 1966 et n'est arrivé à Vienne, Autriche, que le 14-10-86.

Exils les plus longs

• Le 1er-07-94, le chef de l'OLP, Yasser Arafat, est retourné à Gaza après 27 ans d'exil. Il avait été interdit de séjour en juin 1967.
• *Voir aussi photo.*

Massacres les plus importants

Chinois • Selon l'URSS, Mao Tsé-toung (1893-1976) aurait fait périr 26,3 millions de Chinois. Le rapport Walker, publié en juillet 1971 par la commission judiciaire du Sénat américain, évaluait le nombre des victimes, depuis 1949, de 32,2 à 61,7 millions.

Russes • Le nombre des victimes de la purge stalinienne (1936-1938) n'a jamais été publié. Cependant, une preuve de son importance est apportée par les statistiques démographiques, qui révèlent un déficit en individus dès avant le début de la Seconde Guerre mondiale. Alexandre Soljenitsyne a avancé le chiffre de 66,7 millions de morts, victimes de la répression sous Lénine, Staline et Khrouchtchev entre octobre 1917 et décembre 1959.

Nazis • 6 millions de juifs furent victimes de la « solution finale », organisée par Adolf Hitler (1889-1945) en avril 1941 et perpétrée jusqu'en mai 1945. Au camp d'Auschwitz-Birkenau, Pologne, 4 millions de personnes furent exterminées, du 14-06-40 au 18-01-45, dans les chambres à gaz. Jusqu'à 6 000 personnes furent assassinées par jour.

Cambodge • Plus du tiers des 8 millions de Cambodgiens auraient été tués entre le 17-04-75 et janvier 1979. Sous le règne de Pol Pot, chef du gouvernement khmer rouge, les villes, la propriété et l'argent furent abolis. On pouvait être exécuté à la baïonnette ou au gourdin pour s'être endormi pendant la journée, avoir posé trop de questions, avoir joué de la musique occidentale, être vieux et faible ou trop bien élevé. Au centre d'interrogatoire de Tuol Sleng, on assassina jusqu'à 580 personnes/jour.

France • La Terreur (ou 2e Terreur), de septembre 1793 à juillet 1794, fut décidée par la Convention pour faire face au péril extérieur et aux menées des contre-révolutionnaires. Sur 500 000 personnes incarcérées, 17 000 furent guillotinées après procès, 25 000 exécutées sans jugement. La chute de Robespierre, le 9 thermidor an II (27-07-1794), mit fin à la Terreur.

EMPRISONNEMENT

Détentions les plus longues

• Paul Geidel (1894-1987), groom d'hôtel à New York, fut reconnu coupable d'assassinat le 5-09-11, à l'âge de 17 ans. Il fut relâché du pénitencier de Fishkill, New York, le 7-05-80, à l'âge de 85 ans, après avoir purgé sa peine pendant 68 ans, 8 mois et 2 jours.

En hôpital psychiatrique • Bill Walace (1881-1989) a passé 63 ans dans l'hôpital psychiatrique Aradale, à Ararat, Australie, juste un peu avant son 108e anniversaire. Il avait tué un homme dans un restaurant de Melbourne, en décembre 1925.

Prisonniers politiques • Kim Sung-Myun a passé 43 ans et 10 mois à la prison de Séoul,

Montant	Raison	Lieu	Bénéficiaire	Date
LES PLUS GROSSES INDEMNITÉS classées par montant décroissant				
6 milliards F	Contrefaçon	Los Angeles	Société Litton	31-8-1993
3 milliards F	Catastrophe industr.	Bhopal-Inde	500 000 victimes	14-2-1989
500 millions F	Divorce	Los Angeles	Dena al-Fassi	14-6-1983
500 millions F	Dommages corporels	New York	Marle Hansen	29-9-1987
400 millions F	Faute médicale	New York	Agnes Whitaker	18-7-1986
300 millions F	Diffamation	Waca-Texas	Vic Feazel	20-4-1991
250 millions F	Harcèlement sexuel	Jefferson City-Miss.	Peggy Kimzey	28-6-1995
20 millions F	Diffamation	Columbus-Ohio	Larry Flynt	17-4-1980
11 millions F	Erreur judiciaire	New York	Robert McLaughlin	10-1989

Corée du Sud. Arrêté en 1951 pour avoir soutenu les communistes de la Corée du Nord, il fut relâché en août 1995 sans avoir lu un journal ou vu la télévision durant sa détention.

• Incarcéré le 5-08-62, Nelson Mandela a été libéré le 11-02-90 après 27 ans, 6 mois et 6 jours de détention.

Évasion la plus massive
Le 11-02-79, un employé iranien de l'Electronic Data Systems conduisit une foule à l'assaut d'une prison de Téhéran, afin de libérer ses 2 collègues américains. 11 000 autres détenus en profitèrent pour s'évader, provoquant ainsi la plus importante évasion de l'Histoire. Bien que l'initiateur soit un Iranien, le plan d'évasion des 2 Américains avait été mis au point par Ross Perot, l'employeur de ces derniers et candidat à la présidence des USA.

Cavale la plus longue
Condamné pour le meurtre de 2 shérifs adjoints en 1920, Leonard Fristoe fut incarcéré à Carson City, Nevada, d'où il s'évada le 15-12-23. Après avoir vécu 46 ans sous la fausse identité de Claude Willis, il fut livré, le 15-11-69, aux autorités de Compton, Californie, par son propre fils. Il était âgé de 77 ans.
France • Condamné à 7 ans de réclusion criminelle en 1968, François Besse s'est évadé le 10-05-71 de la prison de Gradignan. Le 7-02-73, il y fut incarcéré une 2ᵉ fois, et s'évada à nouveau. Les gendarmes le surprirent le lendemain en flagrant délit de cambriolage. Enfermé à Fresnes pour 15 ans, il scia les barreaux et

s'enfuit. Il réintégra la prison en 1976, 4 mois après. C'est à la Santé qu'il rencontra Mesrine. Ils s'en évadèrent le 8-05-78. Arrêté par la police belge, il s'évada du palais de justice de Bruxelles. Le 1ᵉʳ-06-90, il fut condamné par contumace à la réclusion criminelle à perpétuité par la cour d'assises de Paris. Arrêté le 3-11-94 à Tanger, Maroc, il a été condamné à 7 ans de réclusion par le tribunal marocain.

PEINE CAPITALE
Attente la plus longue
Willie Darden, 54 ans, survécut au record de 6 mandats d'exécution en 14 ans. Condamné pour meurtre en 1973, il mourut sur la chaise électrique, en Floride, le 15-03-88.

Dernière exécution publique
Eugène Weidmann fut le dernier condamné à mort exécuté publiquement, le 17-06-39, à Versailles, Yvelines, à 4 h 50 du matin, en présence d'une foule nombreuse. Son bourreau, Henri Desfourneaux, eut pour successeur, en 1951, son neveu André Obrecht (1897-1983), à qui succéda le neveu par alliance de celui-ci, Marcel Chevalier, en janvier 1978.

Dernier guillotiné en privé
La peine de mort a été abolie le 9-10-81, au début du 1ᵉʳ septennat de François Mitterrand, à l'initiative du ministre de la Justice, Robert Badinter.

La dernière exécution capitale eut lieu le 10-09-77 à la prison des Baumettes, à Marseille. Le condamné était le criminel tortionnaire Hamida Djandoubi, âgé de 28 ans.

Condamnations les plus longues
• Le 11-03-72, à Palma de Majorque, l'accusation réclama une peine d'emprisonnement de 384 912 ans contre le facteur Gabriel Grandos, 22 ans, qui avait omis de distribuer 42 768 lettres.
• Chamoy Thipyaso et 7 de ses associés furent chacun condamnés à 141 078 ans d'emprisonnement par la cour d'assises de Bangkok, Thaïlande, le 27-07-89, pour escroquerie publique.
• Le Français Henry Parot, membre de l'organisation basque ETA et responsable d'un attentat qui avait fait 11 morts et 83 blessés le 11-12-87, a été condamné par la justice espagnole à 20 siècles de prison.

RECORDS DIVERS
Contrôles fiscaux
Nombre • De 1964 à 1994, la société de Gabriel Horreau, à Mozé-sur-Louet, Maine-et-Loire, a fait l'objet de 6 contrôles fiscaux. Le temps de présence des inspecteurs s'est échelonné entre 60 et 347 jours, pour un total de 905 jours, soit plus d'1 mois/an d'occupation des lieux pendant 30 ans.
Le plus long • Pendant 17 ans, Maxime Dufour, du Vésinet, Yvelines, a été victime d'un contrôle fiscal. L'État a été condamné pour

l'avoir poursuivi obsessionnellement. Il ne doit son salut final qu'à la constance de son avocat Mᵉ Allain Guilloux.

Viager le plus long
L'appartement de Jeanne Calment, décédée en août 1997 à l'âge de 122 ans, a coûté 900 000 F à André-François Raffray, notaire d'Arles, qui l'avait acheté en viager en 1965, 30 ans auparavant : Jeanne Calment avait alors 90 ans. Le notaire est mort en 1996.

Protection policière la plus coûteuse
On évalue le coût global de la protection de Salman Rushdie, l'écrivain britannique condamné à mort par une « fatwa » de l'imam Khomeiny pour avoir écrit *Les Versets sataniques*, à 8 milliards de F. Pendant les 5 premiers mois de sa mise au secret, il aurait déménagé près de 50 fois.

Sauveur le plus efficace
On estime que le diplomate suédois Raoul Wallenberg a réussi à sauver de l'extermination 100 000 juifs, à Budapest, Hongrie, de juillet 1944 à janvier 1945.

◄► EXIL LE PLUS LONG
L'écrivain russe Alexandre Soljenitsyne, qui avait dû quitter son pays en 1974, déchu de sa nationalité soviétique, est retourné en Russie après 20 ans d'exil, le 27-05-94.

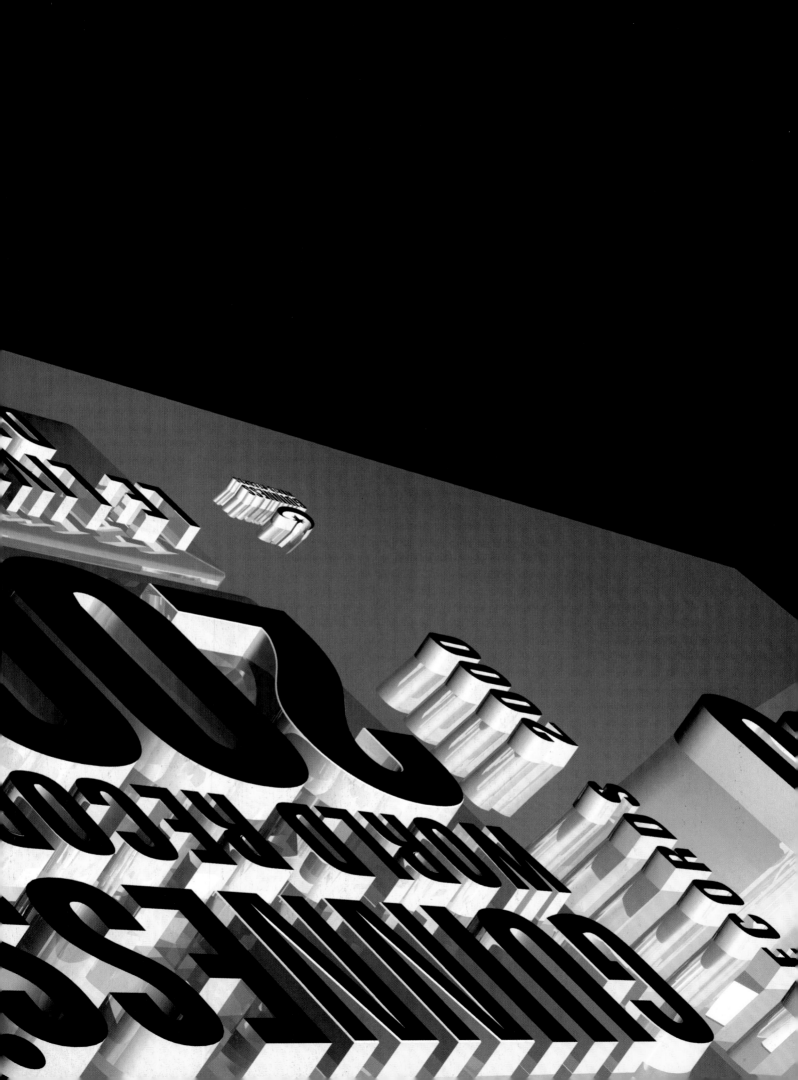

Insolite

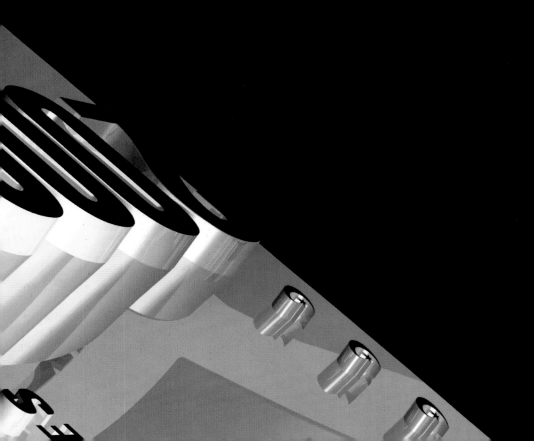

Hercules

Divers

<u>Abdominaux</u> • Bol de 40 kg retenu par contraction abdominale, Gioi-Trung Tran, exercice de Qi-gong, 21-06-96, Paris.
• 5 361 crunchs (redressements assis partiels), 1 h, soit 90/min, Stéphane Richer, 17 ans, Valley Field, Québec, 18-09-97.

<u>Cartes à jouer</u> • Paquet de 120 cartes déchiré, Georges Christen, Luxembourg, Fest. de Pépinster, Belgique, 06-89.

<u>Clous</u> • 368 clous de 7 mm de diamètre et de 21 cm de long pliés en U, 1 h, Georges Christen, Mondorf-les-Bains, Luxembourg, 18-03-89.
• Un clou de 7,2 mm de diamètre et 21,6 cm de long cassé en deux, 39 s 66, Guy Revelle, de Narbonne, Aude, 18-06-93.

<u>Cou</u> • 235 kg soulevés à 15 cm de haut, Bernard Rouleau, Matane, Québec, 22-07-95.
• Camion de 5 560 kg tiré sur 11,37 m, Bernard Rouleau, Matane, Québec, 22-07-95.

<u>Démolition</u> • Maison de 10 pièces, à coups de pied et de poing, 3 h 6 min 50 s, 15 membres de l'Aurora Karaté Club, Prince-Albert, Saskatchewan, Canada, 11-05-96.

<u>Grimper de cocotier</u> • Cocotier de 9 m, nu-pieds, 4,88 s, Fuatai Solo, Sukana Park, Fidji,

22-08-80. Après avoir été déclaré vainqueur, il s'est de nouveau élancé au sommet afin de saisir la récompense de 100 $ (600 F) avec sa bouche.

<u>Grimper de corde</u> • 20 m, corde accrochée à une grue de 21 m, 44 s, Stéphane Delaune, Bretteville-sur-Odon, Calvados, 28-09-97.

<u>Levers de barres</u> • 55 levers de 51 kg, soit 2,805 tonnes, 1 min, Jean-François Huette, Eppeville, Somme, 28-05-94.

Barre fixe

<u>1 min</u> • 37 tractions, Jean-François Huette, Fest. des Records de la Tour Blanche, en Dordogne, 24-08-96.
<u>30 min</u> • 318 tractions, Jean-François Huette, La Châtre, Indre, 9-08-96.
<u>1 h</u> • 587 tractions, Jean-François Huette, Dury, Somme, 20-09-96.
• Francis Lewis, USA, a établi en 1914 un record qui n'a jamais pu être égalé. Se tenant à une barre fixe par le majeur de la main gauche, il a effectué 7 tractions, touchant à chaque traction la barre avec le menton.

Force basque

• Pierre de 301 kg soulevée, Inaki Perrurena, Leiza, Espagne, POPB, 6-03-87.

• Pierre de 250 kg soulevée 3 fois successivement, Joseph Goïcoextea, de Biriatou, Pyrénées-Atlantiques, POPB, 6-03-87.
• Tronc de hêtre de 1,81 m de circ., coupé à la hache à 13,80 m du sol, 5 min 25 s 60, José Vicondoa Ibarra, Mauléon-Soule, Pyrénées-Atlantiques, 15-08-96.

Livre Guinness des Records

• Le 8-04-95, à Morlaix, Finistère, Gilles Le Lay a réussi à porter 92 exemplaires du *Livre Guinness des Records*, soit 125 kg.
<u>LGR à 1 bras</u> • 1 h 35 min, Jean-François Huette, Fest. des Records d'Ailly-sur-Noye, Somme, 8-10-95.
<u>Femme</u> • 1 h 08 min 30 s, Sabine Hemery, Bacouël, Somme, 8-12-95.
<u>LGR à 2 bras</u> • 2 h 15 min, Jean-François Huette, Fest. des Records de Pelhrimov, République tchèque, 8-06-96.
<u>Femme</u> • 1 h 50 min 2 s, Julie Bislaux, Bacouël, Somme, 8-12-95.

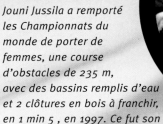

PORTER DE FEMMES

Jouni Jussila a remporté les Championnats du monde de porter de femmes, une course d'obstacles de 235 m, avec des bassins remplis d'eau et 2 clôtures en bois à franchir, en 1 min 5 , en 1997. Ce fut son 5e succès dans ce concours annuel, qui se déroule à Sonkajärvi, Finlande. Le gagnant remporte une quantité de bière équivalant au poids de sa femme, qui n'est d'ailleurs pas nécessairement sa femme, mais doit avoir au moins 17 ans et porter un casque antichoc.

Mâchoire

• Autobus de 12,38 tonnes tiré sur 28,50 m, Georges Christen, Esch-sur-Alzette, Luxembourg, 2-07-89.
• Le 23-08-87, il a empêché, par la seule force de ses dents, le décollage d'un avion Cessna de 110 ch (moteur à pleine puissance).
• En 1979, lors de l'émission télévisée *The Guinness Spectacular Show*, à Los Angeles, John Hercule Massis (1940-1988), d'Oostakker, Belgique, a empêché, les pieds attachés au sol, un hélicoptère de décoller en utilisant un harnais avec mors.
• Semi-remorque de 16,15 tonnes tiré sur 13 m, John Massis, 27-06-84.
• John Massis a tiré 2 wagons de chemin de fer sur une distance de 7 m, le long d'une voie ferrée, avec ses dents,

Traction par les cheveux

Le 23-04-94, Bernard Rouleau, de Matane, Québec, a tiré, sur une distance de 3,27 m, un camion Ford de 2 351 kg relié à ses cheveux par une corde, tout en portant une barre de 117,5 kg à bout de bras. Tout ça revêtu d'une panoplie de Popeye.

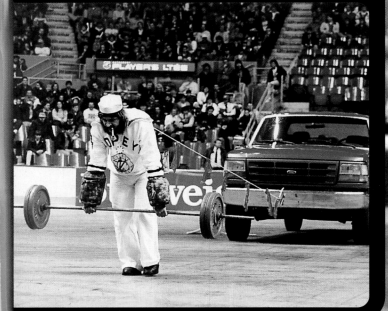

ANNUAIRES

- Le 27-09-96, à St-Laurent-du-Médoc, Gironde, Jean-François Huette a déchiré en deux 54 annuaires de 1 256 pages chacun, en 10 min.
- Le 8-06-97, il a aussi déchiré 280 annuaires de 944 pages en 1 h, à Croix-Moligneaux, Somme.
- Le 20-06-97, Jean-François Huette a déchiré avec ses 2 mains un annuaire de 1 952 pages, à Roisel, Somme.

à Shcherbinka, Moscou, Russie, le 21-07-92. Les wagons étaient accrochés l'un à l'autre et pesaient en tout 21,9 tonnes.

Position assise à 90°

- L'Indien Rajkumar Chakraborty est resté dans une position insupportable, le long d'un mur, pendant 11 h 5 min, à Rourkela, Inde, le 22-04-94.
- Le 23-10-82, afin de démontrer qu'on peut s'asseoir sans chaise, 10 323 employés de Nissan se sont assis en cercle sans support, au stade Komazawa de Tokyo.

France • Le 12-09-98, le Parisien Patrick Bancel a tenu la position assise à 90° sans chaise, dos au mur, pendant 30 min 4 s.

Puissance pulmonaire

Le 26-09-94, Nicholas Mason, de Cheadle, GB, a gonflé un ballon météorologique standard de 1 kg et d'un diamètre de 2,44 m, en 45 min 2 s 5, à l'occasion du show télévisé de la BBC « Record Breakers ».

Tracters

Avion • Le 15-10-97, David Huxley a tiré d'une main un Boeing 747-400, de la compagnie Qantas, pesant 187 tonnes, sur une distance de 91 m, sur la piste de l'aéroport de Sydney, Australie, il bat ainsi son précédent record de 54,70 m. Huxley a également tracté un Concorde de 105 tonnes sur 143 m et un HMAV Bounty de 387 tonnes sur une distance de 25 m.

- Le 23-04-88, Kanellos Kanelopoulos mène à la seule force de ses mollets son avion à hélice d'une envergure de 34,10 m entre la Crète et l'île de Santorin, Grèce, parcourant 119 km en 3 h 56 min. Malgré un atterrissage un peu brutal, il est le premier Grec

à avoir réalisé le rêve de voler de ses propres ailes.
- Une équipe de 60 personnes a tiré un Boeing 747 pesant 205 tonnes sur une distance de 100 m en 61 s à l'aéroport d'Heathrow, Londres, le 25-05-95.

Éléphant • L'Iranien Khalil Oghaby a tiré un éléphant sur le sol grâce à un harnais et à une plate-forme de 2 tonnes, au cirque Gerry Cottle, GB, en 1975.

Poids-lourd • Le 11-02-96, à Seraing, Belgique, Christian Fouarge a tracté avec les bras un semi-remorque de 26 480 kg sur 20 m.

Train • Le 4-04-96, Grant Edwards a tiré d'une seule main sur 36,80 m un train de 201 tonnes sur une voie ferrée à Thirlmere, Australie.

- Le 25-05-96, Jurac Barbaric a tiré d'une seule main un train de 360 tonnes sur 7,70 m sur une voie ferrée à Kosice, Slovaquie.

Traction par buste

- Le 17-12-94, au Morne-Rouge, Martinique, Christian Fouarge a retenu, les pieds attachés au sol, pendant 2 min, un catamaran équipé de deux moteurs 120 ch lancés à plein régime.

Traction par la barbe

- Le 21-03-96, à Matane, Québec, Bernard Rouleau a tracté une automobile de 938 kg reliée à sa barbe par une corde, pendant 1 min 12 s sur une distance de 38 m.

Traction par les cheveux • Le 26-07-93, Driss Gourad, Taza, Maroc, a halé, assis sur une chaloupe à moteur, un bateau

de 15 tonnes, relié à ses cheveux par une corde, sur 265,84 m.
- Le 22-01-93, il avait aussi tiré avec ses cheveux une Mercedes de 1 370 kg, sur une route goudronnée horizontale,

sur une distance de 21 m, en 4 min.
Traction par les épaules • Le 4-12-93, Christian Fouarge, Le Morne-Rouge, Martinique, a tracté une Renault 4L de 640 kg sur 18 km en 4 h 24 min 41 s.

CASSE AU KARATÉ

Objets cassés	Dimensions	Coup/Temps	Membre casseur	Nom	Lieu	Date
10 barres de glace	37 kg	1	Tranchant main droite	Jean-Irénée Grondin	Paris	19-04-91
12 barres de glace	10 cm d'épaisseur	1	Avant-bras et coude	Lilian Froidure	Toulouse	4-12-94
144 plaques de béton en feu	5 cm d'ép. chacune	23 s 47	Tranchant de la main	Jean-Yves Mulot	Soullans	23-01-98
105 tuiles pesant 178,6 kg		9 s 60	Coude	Henri Baldin-Bressot	Prapoutelle-les-Sept-Laux	9-07-95
200 tuiles de 1,3 cm d'épaisseur		50 s 28	Tranchant de la main	Christian Fouarge	Morne-Rouge	19-05-95
3 bouteilles de saké		5 s 20	Paume de la main	David Demerin	Laon	3-12-94
20 battes de base-ball		32 s 35	Tibia	Stéphane Anière	Bondy	15-03-97
40 bordures de béton empilées	1 m x 20 cm	1	Coude	Franck Portillo	Lévignac	15-08-95
48 bordures de trottoir	36,2 kg	40 s	Talon	Denis Chatelain	Fréjus	27-05-96
Planche à 2,40 m du sol		1 sans élan	Pied	Stéphane Héyère	Trappes	3-02-96
3 plaques de plâtre	24 kg, 45 x 18 x 5 cm	1	Tête	Dorian Caroff (7 ans ½)	Fréjus	27-05-96

POMPES

- Le 4-06-98, Steve Baker, de Thetford Mines, Québec, a battu son propre record en effectuant 85 pompes sur le bras droit en 1 min.
- Parmi les autres recordmen – sur 2 bras –, on compte Jean-Yves Priol, de Brest, Finistère, avec 199 pompes en 1 min, le 5-06-97.

Ainsi que Jérôme Audisio, de Pas-de-la-Case, Andorre, qui a battu le record en 30 min avec 2 330 pompes, le 30-03-98.

Sans oublier Jean-François Huette, d'Amiens, Somme, qui détient depuis le 12-06-98 le record en 1 h, avec 2 559 pompes.

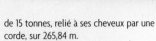

Cirque

CIRQUES

Cirques les plus grands
• Le Circus Circus de Las Vegas, Nevada, inauguré le 18-10-68, a coûté 15 millions de $ et s'étend sur 12 000 m² recouverts d'un chapiteau en Plexiglas de 28 m de haut.
• Le plus grand cirque itinérant est le cirque Vargas, aux USA, qui peut accueillir 5 000 personnes sous son grand chapiteau.

Numéros de cirque
• Le plus grand nombre de participants à un numéro était de 263 artistes plus 175 animaux, de la troupe du cirque Barnum & Bailey pendant sa tournée aux USA en 1890.
• Le record pour un cirque dépourvu d'animaux est de 61 participants, pour « Fascination », par le Cirque du Soleil, pendant sa tournée au Japon en 1992.

Parade
Sully-sur-Loire, Loiret, a fait défiler, le 16-07-95, une parade longue de 2 km, à laquelle participait le cirque Pilar, avec ses 622 artistes et 100 animaux exotiques (tigres, ours, panthères...).

ACROBATIES

Trapèze volant
Altitude • Le 10-08-95, Mike Howard s'est produit à 6 200 m d'altitude, suspendu à une montgolfière, à Glastonbury, GB.
• Le 16-05-86, le Britannique Ian Ashpole a effectué des exercices au trapèze, suspendu à une montgolfière, à 5 000 m d'altitude.
France • Jean-Pierre Mercier a travaillé à 2 500 m, au-dessus de Reims, Marne, le 31-07-89. Jacky Beaudière dirigeait la montgolfière.
Appuis sur un talon sur une barre en mouvement • Angela Angélique Revelle, Australie, 1977.
Figures • 305 figures acrobatiques avec un seul bras, Janet Klemke, USA, Medina Shrine Circus, Chicago, Illinois, 21-01-38.

Sauts sur une corde raide
521 volte-face consécutives, Walfer Guerrero, Colombie, Circus Carré de Haarlem, Pays-Bas, le 1er-06-95.

Double saut périlleux avec triple vrille
Tom Edelston et le rattrapeur John Zimmerman, Circus World, Floride, 20-01-81.

Quadruple saut périlleux
Plus jeune personne à l'avoir réussi • Pak Yong-Suk, 15 ans, Corée du Nord, troupe du cirque de Pyongyang, Festival de Monte-Carlo, 02-97.

Quadruple saut périlleux arrière
Miguel Vázquez, Mexique, et le rattrapeur Juan Vázquez, Cirque Barnum & Bailey, Tucson, Arizona, 10-07-82.

Triples sauts périlleux arrière
Le plus grand nombre • 135 réussis consécutivement, Jamie Ibarra, Mexique, et Alejandro Ibarra (rattrapeur), entre le 23-07 et le 12-10-89, USA.

Trampoline
Septuple • Saut périlleux arrière vrillé, réception sur trampoline : Marco Canestrelli, Floride, 5-01-79.
Quintuple • Saut périlleux arrière vrillé, réception sur épaules : Marco Canestrelli, au Madison Square Garden, New York, 5-01 et 28-03-79 (rattrapeur Belmonte Canestrelli).
Triple • Saut périlleux arrière triple vrille, Richard Tison, France, à Berchtesgaden, Allemagne, 30-06-81.

Perche souple
• Double saut périlleux vrillé sur une perche de 5 cm de diamètre : Roberto Tabak, 11 ans, à Sarasota, Floride, en 1977.
• Triple saut périlleux vrillé : Corina Mosoianu, 13 ans, au Madison Square Garden, New York, 17-04-84.

Pyramides humaines
• 12 personnes (3 niveaux, 771 kg) sur un seul porteur, troupe Hassani, à Birmingham, GB, 1979.
• 9 personnes l'une sur l'autre (12 m), avec tout en haut Josep Lozano, 10 ans, à Valls, Espagne, 25-10-81.

JONGLAGE

12 anneaux
Anthony Gatto (USA), 1985.

11 balles
Bruce Sarafian (USA), 1992.

10 balles
Enrico Rastelli (Italie), 1896-1931 ; Albert Lucas (USA), 1984 ; Tim Nolon (USA), 1988.

8 assiettes
Enrico Rastelli (Italie), 1920 ; Albert Lucas (USA), 1984.

7 massues
Albert Petrovski (URSS), 1963 ; Sorin Munteanu (Roumanie), 1975 ; Jack Bremlov (Tchécoslovaquie), 1985 ; Albert Lucas (USA), 1985 ; Anthony Gatto (USA), 1988.

7 torches
Anthony Gatto (USA), 1989.

7 balles de ping-pong avec la bouche
Tony Ferko, Tchécoslovaquie, 1987.

5 massues
Anthony Gatto (USA), 5 massues pendant 45 min 2 s, 1985.

5 balles
Le 3-10-75, Ashrita Furman a jonglé 100 000 fois de suite avec 5 balles.

Rotation de balles
François Chotard, de Mûrs-Érigné, fait tourner 9 balles simultanément sur sa main.

Durée : 3 objets
Le Britannique Terry Cole, pendant 11 h 4 min 22 s, 1995.

Diabolo
Le 7-04-90, Olivier Spinelli, 13 ans, de Rennes, Ille-et-Vilaine, a joué au diabolo pendant 10 h 1 min, à 7 200 lancers à l'heure.

Football-jonglage
Distance • 18,106 km, en 4 h 29 min 3 s, avec un ballon aux pieds, sans que celui-ci ne touche le sol, Spartak Hamiti, Tirana, Albanie, 10-09-92.
Contacts • 51 155 contacts consécutifs (coups de pied donnés à un ballon de foot sans qu'il ne touche le sol), Ted Martin, Mount Prospect, Illinois, 29-05-93.
En double • 123 456 contacts consécutifs, Gary Lautt et Tricia George, Chico, Californie, 11 et 12-11-95.
En 5 min • 1 017 contacts, Andy Linder, Malta, Illinois, 29-03-96.
Non-stop • Le 24-07-98, à Antibes, Alpes-Maritimes, Jonathan Tortorici, âgé de 10 ans, a réalisé 3 617 jonglages, sans surface de rattrapage, du seul pied gauche et sans que le ballon ne touche terre, pendant 39 min 1 s.
Avec la tête • 201 jonglages en 1 min, Fabrice Sanchez, Labastide-Saint-Pierre, Tarn-et-Garonne, 13-01-96.

ÉQUILIBRES

Sur une chaise
Le funambule Henry's a réussi, le 13-06-96, à rester en équilibre sur les 2 pieds arrière d'une chaise, eux-mêmes en équilibre sur des verres posés sur une 2ᵉ chaise. Le tout sur l'extrême bord de la terrasse de l'aiguille du Midi, à Chamonix, Haute-Savoie, à 3 842 m d'altitude.

Balles de golf
Le 9-02-80 à Charlotte, Caroline du Nord, Lang Martin a maintenu 7 balles de golf en équilibre à la verticale sur la tête.

Bouteilles de lait
Distance • Terry Cole, de Walthamstow, Londres, a parcouru, les 4 et 5-06-96,

Équilibre sur la tête

Le 19-07-97, Laurent Bienaimé s'est tenu en équilibre sur la tête, sans appui sur les mains, au sommet de la grande roue du Jardin des Tuileries, à Paris.

À LA CONQUÊTE DE L'OUEST

Fin 1996, pour fêter ses 60 ans de spectacle, le funambule Henri Rechatin, dit Henry's, pratiquait son fameux équilibre sur 2 chaises à Glenn Canyon, à 500 m au-dessus du Colorado. Il réitéra l'exploit dans la foulée en s'attaquant au Grand Canyon. Enfant de la balle, Henry's (n.12-03-31) commença une carrière solo dès 1957 avec un tour de France sur échasses. Après avoir appris à maîtriser toutes les disciplines (jonglage, équilibre, sauts périlleux, voltige, trapèze, fil de fer...), il est aujourd'hui considéré comme le plus grand funambule du monde. Il a réalisé plusieurs de ses exploits en collaboration avec sa femme Janyck Roy.

 ### LES PIERRODI'S

Parents d'Henry's, les Pierrodi's, acrobates sur échasses, firent leurs débuts en 1900. Dès 1936, leur fils les rejoignit sur la piste. À l'âge de 5 ans, il était le plus jeune jongleur du monde.

une distance de 115,87 km en 25 h, avec une bouteille de lait en équilibre sur sa tête.

Équilibre • Terry Cole a tenu en équilibre sur son menton 29 bouteilles de lait pendant 10 s, le 16-05-94.

Cageots • John Evans, de Marlpool, Derbyshire, GB, a maintenu en équilibre sur sa tête 94 cageots vides de bouteilles de lait (pesant chacun 1,36 kg), pendant 16 s, le 2-10-96, à Guernesey.

Courses d'œuf

Marathon • Au Fest. de La Tour Blanche 1990, le Français Éric Mallet a parcouru 42,195 km en 3 h 59 min 4 s, avec une petite cuiller où était posé un œuf bien frais de poule.

Distance • Le 23-05-92, Isabelle Van Grozier, de Tours, a parcouru, en marchant sur terrain plat et régulier, 412 m, avec, dans la bouche, une cuiller à café avec un œuf cru de poule.

Équilibre • Le 23-09-90, Kenneth Epperson, de Monroe, Géorgie, a réussi à faire tenir en équilibre 210 œufs sur une surface plane. Le record en équipe est de 467. Il est détenu par les élèves d'une classe de la Bayfield School, Colorado, depuis le 20-03-86. On a longtemps pensé que l'on pouvait réussir l'exploit de faire tenir des œufs crus sur une de leurs extrémités le 1er jour du printemps, bien que les astronomes affirment qu'il n'y a aucune raison pour que cela marche particulièrement. En 1996, une équipe de scientifiques confirma que si un œuf tient debout un jour d'équinoxe il peut le faire n'importe quel jour.

Vitesse sur 100 m • Le 25-07-93, lors du Fest. de Baie-Comeau, Canada, Simon Hébert a parcouru 100 m en 27 s 15 avec un œuf frais déposé dans une cuiller à dessert maintenue dans la bouche.

Cuiller sur nez

Distance • Le 3-04-95, Boris Humez a parcouru 522 m avec une cuiller à café en équilibre sur son nez à Clermont-Ferrand, Puy-de-Dôme.

Durée • David Benkafouf a maintenu une cuiller à café sur son nez durant 2 h 10 min 30 s, le 31-04-95, à Clermont-Ferrand, Puy-de-Dôme.

Verres

• Le Canadien Alain Ferland a pu empiler 40 verres à vin sur sa main gauche et les maintenir en équilibre, le 1er-04-93, à Laval, Canada.

• Le 18-05-96, Ashrita Furman, de Jamaica, USA, a réussi à maintenir en équilibre sur son menton 57 verres d'une pinte pendant 11 s 9.

Funambulisme

Altitude • Le Français Michel Menin a marché sur le plus haut fil du monde, à 1 000 m d'altitude, au-dessus des chutes Angel, au Venezuela, soit à 1 979 m d'altitude, le 1er-03-88. Il réitéra cet exploit le jour suivant.

• Henry's, à pied puis sur sa moto, a traversé sur un fil le vide de 2 000 m, long de 40 m, entre les 2 plates-formes du sommet de l'aiguille du Midi (3 842 m) à Chamonix, Haute-Savoie, le 13-06-96.

Camping aérien • La funambule charentaise Janyck Roy, partenaire d'Henry's, est restée pendant 67 jours, du 1er-11-90 au 6-01-91, sur une plate-forme accrochée à un câble tendu à 50 m du sol, à Albert, Somme.

Célébrissime • Le plus grand funambule du XIXe siècle fut le Français Jean-François Gravelet, dit Charles Blondin (1824-1897), qui traversa le premier les chutes du Niagara, sur une corde de 7 cm de diamètre, longue de 335 m et suspendue à 49 m au-dessus des chutes, soit à 96 m, le 30-06-1859. Il fit également une traversée en portant sur les épaules Harry Colcord, qui était son agent confiant, le 15-09-1860.

Distance • Le 1er-11-85, Ashley Brophy, de Neilborough, Australie, a parcouru 11,5 km en 3 h 30 min sur un câble de 45 m tendu à une hauteur de 10 m.

Endurance • Le record du monde d'endurance en équilibre sur un câble

appartient à Jorge Ojeda-Guzman, d'Orlando. Il s'est maintenu en équilibre sur un câble à 10,70 m du sol pendant 205 jours, du 1er-01 au 25-07-93. Son logement était une cabane en bois de 91 x 91 cm située à un bout de la corde.

France • Henry's a marché sur un câble de 120 m situé à 25 m au-dessus du sol, à Saint-Étienne, Loire, pendant 185 jours, du 28-03 au 29-09-73. Sa faculté de dormir sur le câble surprenait les médecins.

Le plus âgé • William Baldwin (1866-1953) traversa le canyon South Boulder, Colorado, sur un câble de 98 m tendu à 38 m de hauteur, le jour de son 82e anniversaire, le 31-07-48.

Concert en équilibre • Le groupe BCBG, de Saint-Étienne, a donné un concert rock dont la scène était suspendue à un câble à 25 m de hauteur, à Saint-Martin-la-Plaine, Loire, le 12-09-93.

Gullivers

Album photo 90 x 111 cm, 120 pages, 6 000 photos, Institut St-Remacle, Marche-en-Famenne, Belgique, 19-05-95.

Bilboquet 2,50 m, 180 kg, Angel Jimenez, Fest. de La Tour Blanche 1996.

Boomerang 9,40 m de haut, 90 cm de large, 2 tonnes, Patrice Castel, Fleurance, Gers, 13-06-98.

Bouteilles 2,72 m de haut, 1,81 m de circ., 750 litres, 850 kg pleine, Comité de promotion du Languedoc-Roussillon, Montpellier, Hérault, 16-10-86.

Vide • 2,80 m de haut, 0,80 m de diam., 250 kg, capacité de 800 litres, Rueil-Malmaison, Hts-de-Seine, 19-11-93.

Briquet Zippo, 1,10 m de haut, 86 kg, Christian Danis, Rébénacq, Pyrénées-Atl., 3-07-94,.

Bulles soufflées Bubble-gum • 58,4 cm de diam., Susan Montgomery Williams, Fresno, Californie, 19-07-94. Savon • 32 m de long, en utilisant une baguette, du liquide-vaisselle, de la glycérine et de l'eau, Alan McKay, Wellington, Nlle-Zélande, 9-08-96. Mur en bulle de savon • 47,70 m de long, 376,1 m², Fan-Yang, de Mississauga, Canada, à Seattle, Washington, 11-08-97.

Carte d'entrée 99,6 x 68,1 cm, 220,9 g, imprimée en 2 000 ex., Sté carnavalesque d'Aldringen, Belgique, 23-01-98.

Cerf-volant 1 034,45 m de long, 4 min 3 s de vol, A. Vieu, M. Trouillet, F. et Ph. Bertron et P. Agniel, Millau-Larzac, Aveyron, 1990.

Chaînes D'acier • 417 m, 4 170 maillons, réalisation à chaud et à la main, 6 forgerons de St-Martin-la-Plaine, Loire, 11 et 12-05-96. De bois • 12,98 m, 236 maillons de 55 x 40 mm, sans colle ni raccord, M. David, Beslon, Manche, 24-07-94. D'élastiques • 7,012 km de long non étirée, lieutenant-colonel Ihidopé, Cazaux, Gironde, Téléthon, 5-12-97. De trombones • 35 km, 1,3 million de trombones, 2 500 élèves de l'école

St-Genès, Bordeaux, Gironde, 12-04-96.

De T-shirts • 889 m, composée de maillots représentant chacun un club sportif suisse, 889 enfants, Lausanne, Suisse, 16-09-98. Cette chaîne constituait les 5 anneaux olympiques, symbole de Lausanne, capitale olympique.

Chapelet de prière 9,98 m de long, 220 h de travail, Gilles Maille, Val-Barette, Canada, 5-08-95.

Châteaux de sable Le plus long • 26,37 km de long, 10 000 personnes, Myrtle Beach, Caroline du Sud, 31-05-91.

Le plus haut • 17,12 m de haut, 2 000 personnes, Kaseda, Japon, 26-07-89.

Chèque 10 x 4,62 m, Banque régionale de l'Ouest, Orléans, Loiret, 15-06-97.

Clou 5,55 m de long, 650 kg, 200 h de travail, Georges Marquet et Bernard Piante, St-Martin-la-Plaine, Loire, 10 et 11-05-97.

Colonne acoustique 7,58 m de haut, pour salle de sport, Jean-François Sailly, Cambrai, Nord, 17-09-95.

Drapeaux drapeau tibétain, 124,90 x 92,70 m, 1 542 kg, Maison des Himalayas, Berthen, Nord, 6-06-98. France • drapeau français, 144 x 70 m (10 080 m²), funambule Henry's, Sté Coquard et le peintre Gilles Ranc, 1990.

Échasses 25 pas sans se tenir aux fils de sécurité avec des échasses en aluminium de 12,43 m de haut, Eddy Wolf, dit « Eddy l'équilibriste », Loyal, Wisconsin, 3-08-88.

Écritures miniatures version anglaise du *Notre-Père* (56 mots) avec une pointe en diamant sur un verre de 0,04 x 0,02 mm, Alfred McEwen, 1926.

• 11 660 caractères (un discours de Churchill) sur un timbre-poste de 19,69 x 17,82 mm, Xie Shui Lin, Jiangxi, Chine, 10-93.

• 395 caractères chinois du proverbe « L'amitié est comme la santé, sa valeur est rarement reconnue avant qu'elle ne soit perdue », sur un cheveu humain de 2 cm

PAQUETS GÉANTS

Cadeau • 3,10 x 3,08 m, 3 m haut, comité d'animation Voltaire-Joffre, Narbonne, Aude, 15-12-97.

Biscuits • 1 m de circ., 3 m long, 245 kg de biscuits, Biscuiterie Poult, Montauban, Tarn-et-Garonne, 7-04-95.

de long, Pan Xixing, Wuxi, Chine, 04-95.
• 1 749 caractères sur un grain de riz, Surendra Apharya, Jaipur, Inde, 19-05-91.

Fermeture Éclair 2 851 m de long, 2 565 900 dents, créée par Yoshida, posée dans la ville de Sneek, Pays-Bas, 5-09-89.

Ficelle Pelote de 3,80 m de diam., 12 m de circ., 10 tonnes, enroulée par Francis Johnson, Minnesota, entre 1950 et 1978. France • Pelote de 1,02 m de circ., 1,95 tonne, Marcel Brault, Fest. de Beslon, 23-07-95. Bobine de ficelle, 3,28 m de circ., 6,2 kg, 30 h, 13 km de fil, Ass. Attention Joueurs, Étampes, Essonne, Téléthon, 4 et 5-12-98.

Jouets Serpent en peluche • de 420 m de long, élèves de l'école Veien, Honefoss, Norvège, 06-94. Pique-nique pour ours en peluche • 33 573 ours et leurs propriétaires, Zoo de Dublin, Irlande, 24-06-95.

Lego Ville constituée de 60 000 pièces et 45 000 briques, 2 592 h de travail, Pascal François, Valras-Plage, Hérault, 3-03-89.

Lettres Au Père Noël • 57,80 x 0,80 m, remise en mains propres au Père Noël, 400 enfants, Quié, Ariège, 9-12-97.
La plus longue • 25 707 mots, 59 pages,

adressée au Ministre de l'Environnement, Poste et village de Cardet, Gard, du 15-05-97 au 8-08-97.

Mobilier géant et miniature
Chaises • 20 m haut, 910 kg, Olivier Bierkorff, Italie. France • 2,30 m haut, iroko massif, M. Riboulet, Fest. La Tour Blanche, 08-90.
Cuiller à absinthe • 2,40 x 0,60 m, 28 kg, tôle d'acier, forme de tour Eiffel, Jean-Claude Duménil, Montivilliers, Seine-Mar., 01-97. Oreiller • 6 x 3 m, Nathalie Talon, Bourg-de-Péage, Drôme, 29-04-95.
Plumier • 2 étages, 96 x 18,5 cm, bois de sapin, Claude Bourbon, Fest. de Beslon, Manche, 27-07-97.

Outils et instruments géants
Boîte à onglet avec scie • 1,75 m long, 31 cm haut, scie de 1,83 m de long, Marc Picque, Beslon, Manche, 27-07-97.
Cageot • 4 x 2,33 m, 79,5 cm haut, 8 fois l'original, bois de peuplier, Claude Bourdon, Beslon, Manche, 26-07-98.
Enclume de couvreur • 1,80 m long, 5 fois l'original, en fer, Alain Ladroue, Beslon, Manche, 26-07-98.
Marteau de couvreur • 1,80 x 1,18 m, 5 fois l'original, Alain Ladroue, Beslon, Manche, 26-07-98.
Taloche de plâtrier • 1,80 x 0,60 m, 40,5 cm haut, Bernard Tessières, Beslon, Manche, 27-07-97. Tenailles • 1,07 m long, Charles Ozenne, Beslon, Manche, 27-07-97.
Père Noël 16,97 m haut, 250 kg, gonflable, sté Y. Services, Bruxelles, Belgique, 12-98 et 01-99.
Pliage Cocotte géante • 35,7 m envergure, 16 m haut, habitants du district de Gunma, Maebashi, Japon, 28-10-95.
Cocotte miniature • Réalisée avec un carré de 2 x 2 mm, Philippe Dupuis, Cruas, Ardèche, 5-11-96.
Raquettes Ping-pong • 15 x 9 m, 81 m², Louis-Marie Delvaux, 6-05-95.
Tennis • 10,15 x 3,80 m, Michel Poignon, Nouméa, Nlle-Calédonie, 12-05-93.
Tickets Tapisserie • 25 000 tickets de la Française des Jeux sur les murs de son café, Jean-Luc Bidet, St-Cornier-des-Landes, Orne.

Coupe du monde

Ballon • 3,15 m de diamètre, 55 kg, J.C.E. d'Albi, Tarn, 2-12-97.

Logo humain • 34 x 30 m, représentant Footix, la mascotte de la Coupe du monde, 2 500 enfants, stade de Sesquières, Toulouse, Hte-Garonne, 24-05-97

Maillot • 47,25 x 5,45 m, soit 1 650 m², 350 kg, Sté Bingo, Cherbourg, Manche, 11-02-98.

Euro • Pièce de 1 Euro de 6,60 ha, 290 m de diamètre,
911 m de circonférence, Association Land'Art,
Enveloppe • 4,40 x 2,20 m, 2,6 kg, timbre à l'échelle, adressée à « Allez
les Bleus ! » 55 700 Stenay, postiers de Stenay, Meuse, 23-05-98.

Tirelire 4,70 m x 2,64 m, 6,52 m circ.,
en forme de cochon rose, surnommée
« Maximillion », Banque impériale
du commerce du Canada, 11-95.
France • 3,24 m x 2,80 m, 5,05 m³, Crédit
mutuel de Bar-sur-Aube, Aube, 23-04-96.
Tricot 11,27 km de long, Ted Hannaford,
Sittingbourne, GB, achevé le 5-04-97.
Tronçonneuse 6,98 x 1,83 m, surnommée
« Big Gus », entreprise de métallurgie Moran,
Onaway, Michigan, 1996.

Ustensiles de cuisine géants

Allume-gaz • 1,75 x 0,21 m, 58 cm circ.,
longueur du manche : 87 cm, Gérard Barbier,
Beslon, Manche, 23-07-95.
Couteau à fromage • 2,25 m long, 10 fois
l'original, manche en peuplier de 1,19 m
de long, Gérard Barbier, Fest. de Beslon,
Manche, 26-07-98.
Fourneau à raclette • 173,134 m, 700 raclettes
servies par plus de 35 racleurs, Sierre, Suisse,
22-08-98. Ouvre-boîtes • 1,92 x 0,16 m,
en hêtre, Gérard Barbier, Beslon, Manche,
27-07-97. Plateau à fromage • 3,45 x 2,115 m,
10 fois l'original, Jean-Luc Ozenne, Fest.
de Beslon, Manche, 26-07-98.
Rouleau à pâtisserie • 3,57 m long, 33 cm
diam., M. Feuerer, Huttenheim, Bas-Rhin,
18-04-93.

Vêtements et accessoires

Bavoir • 4 x 3 m, Anne-Marie Canches,
Aurillac, Cantal, 04-95.
Bonnet de nuit • 13,13 m, Martine Timbeau,
Amilly, Loiret, 29-03-95.
Botte de pompier • 115,50 cm long, 46 cm
large, 131 cm haut, Raymond Wathlé,
Betschhoffen, Bas-Rhin, 7-09-97.
Casquette • 9,42 m circ., visière de 1 m,
Géant de Fenouillet, Hte-Garonne, 8-04-95.
Chaussette • 137 m long, 2 m circ., crochetée,

Didier Pargade, Bagnères-de-Bigorre, Htes-
Pyrénées, 1996. Chaussons • 99 x 42,60 cm,
paille de blé, Gaston Beaufils, Fest.
de Beslon, Manche, 27-07-97.
Cravate • 318,51 m long, 200 kg,
en patchwork, Bernadette Montangerand,
Buxy, Saône-et-Loire, 6-12-96.
Culotte • 1,5 kg, 14 m de broderie anglaise,
16 m de satin, Sylvie Chazel, Toulouse,
Hte-Garonne, 20-05-95.
Gant de toilette • 4,50 x 3,20 m,
Danièle Baldetti, Fontaine, Isère, 6-04-95.
Guêpière • 1,65 x 1,37 m, taille 425 C,
jarretelle de 39 cm, Chantal Augère, Revel,
Hte-Garonne. Képi de pompier • 79,30 cm
long (avec visière), 66,50 cm diam., 33 cm
haut, Thérèse Tesnières, Beslon, Manche,
028-07-96. Robe de mariée • 13 m diam.,
tulle et soie enroulés autour d'une armature
en forme de tour Eiffel, garnie de 1 500 m
de ruban, traîne de 6,50 m pesant 218 kg,
styliste Gianni Molaro, Naples.
Soutien-gorge • 21,20 m tour de poitrine,
à balconnets, en satin, boutique Danielle-
Lingerie, Lyon, Rhône, 15-06-90.

SAC DE COUCHAGE ▐▌◖

*Le plus grand mesure 12,20 m
de long et 5 m de large (fermé).
Il a été confectionné par Lestra
Sports SA, à Amboise, Indre-et-
Loire, à l'occasion du Téléthon,
le 6-12-97.*

Associés

Arbres de Noël Décorations • Le 17-12-95, l'Ass. La Table Ronde de Charleroi, Belgique, a organisé une vente de boules. On pouvait en compter 4 501 sur le sapin de 10 m, le plus décoré du monde.
Illuminations • À Noël 1995, les commerçants d'Erstein, Bas-Rhin, ont présenté l'arbre le plus illuminé du monde. Il brillait de 20 424 lampes.
En Meccano • La sté Meccano a construit un sapin de Noël géant composé de 26 800 pièces, le 15-12-95, face à la tour Eiffel, à Paris.
Feu de joie Bûcher pyramidal de 40 x 29,30 m, 2 700 tonnes, 9 600 h de travail, Patrick Leyder et la Jeunesse de Rienne, Belgique, 15-03-97. Le feu a brûlé 3 jours.
Guirlandes 5 944 m de long, 65 384 anneaux, Comité des Fêtes, Beslon, Manche, 23-07-95.
Bouteilles en plastique • 1 850 m de long, Colons de Maubourg, Saint-Maurice-de-Lignon, Hte-Loire, 26-07-97.
De Noël • 6 224 m de long, scintillante, Pepitos Show Animation, Toul, Meurthe-et-Moselle, 20-12-98.
Lego Pyramide de 25,05 m de haut, 800 personnes, Taïpeï, Taïwan, 18-05-96.
Logo 21 756 verres à pied, châssis de 11,40 x 11,40 m, 130 m², Hypermarché Continent, Caen, Calvados, 7-06-96.
Mobilier géant et miniature
Assiette en faïence • 3,40 m diam., 1,2 tonne, mosaïque de faïence, Office municipal de la culture et population de Vertou, Loire-Atlantique, 6-06-96.
Bolée de cidre • 2,50 x 1,60 m, 7,85 m circ., 1,2 tonne, recouverte de faïence, commerçants de Châteaubriant, Loire-Atlantique, 11-96.
Couettes • 41 x 26 m, 7 000 habitants du Dakota du Nord, 1989, célébration du centenaire de leur État.

France • 13,80 x 8,90 m (123,23 m²), 62 kg de duvet d'oie, 275 m² de tissu, Manufacture de plumes de Tournus, Saône-et-Loire, 10-89.
Couverture • 6 564 m², 73 000 carrés de laine de 30 x 30 cm, 6 tonnes, bénévoles de la commune de Bourbon-l'Archambault, Allier, initiative de Marie-Josèphe Duchet, 28-04-96. Drap de bain • 4,90 x 2,45 m, Flora Anastase et Jeanine Belthose, Géant Boissy 2, Val-de-Marne, 5-05-95.
Hamac • 44,40 m long, pouvant accueillir 21 personnes, tissé par les artisans d'Aboland, Finlande, 07-88. Lustre • 5 m haut, 3 m diam., 7 954 pièces de cristal, 230 lumières pour fêter ses 230 ans, cristallerie Baccarat, dévoilé le 1er-02-95 aux Galeries Lafayette, Paris. Tables • 3 km long, 12 000 convives, équipe de basket américaine Libertas Scavolini, Pesaro, Italie, 20-06-88.
France • 241,41 m long (plateau), 268 pieds, 16 artisans, Le Pont-de-Beauvoisin, Isère, 24-07-93. Tabouret • 4,68 m haut, 649 kg, 100 h de travail, Ass. Le Tabouret, Barchain, Moselle, 12-07-98. Traversin • 25 x 0,70 m, 220 kg, Lestra Sport, Amboise, Indre-et-Loire, 5-01-98. Vases • 5,66 m haut, poterie, Ray Sparks, compagnie Creative Clay, Esk, Australie, 10-02-96.
France • 3,90 m haut, 6,340 tonnes, Ch. et L. Schmitter, Betschdorf, Bas-Rhin, 07-95.
Message Message d'amour et d'amitié, 25 banderoles de 2,50 x 1,20 m (62,50 m de long, soit 700 messages), Annie Schwartz et la population du quartier Duchère, Lyon, Rhône, du 23-06 au 1er-07-95.
Patinette 11,89 m, testée avec 13 personnes, Mairie de Sannois, Val-d'Oise, 9-12-89.
Planche à roulettes 5,86 x 1,50 m, P. Ozenne, J. Pervers, G. Lainé et P. Bicanabe, Fest. de Beslon, Manche, 27-07-97.

Savon de Marseille 1 tonne, établissements Marius Fabre, Arles, Bouches-du-Rhône, 22-11-97.
Scoubidou 253,5 m long, élèves de 4e et 3e, Lycée Notre-Dame, La Guerche-de-Bretagne, Ille-et-Vilaine, Téléthon, 6-12-96.
Skis 6,44 m, utilisés par 5 skieurs ensemble sur 300 m, Jean-Philippe Berra, Morgins, Suisse, 20-02-96.
Timbre Reproduction du timbre de la Coupe du monde de football 98, 13 x 10 m, 320 fois l'original, André Sautière et Jean-Marc Leiendeckers, avec le concours de La Poste, Montpellier, Hérault.

👤 ATTELAGE D'ÂNES

Le 6-12-98, à Allauch, Bouches-du-Rhône, le groupe Saint-Éloi allauchien a fait défiler dans les rues du village un attelage de 46 ânes à une seule charrette.

Vêtements et accessoires
Béret • 4,50 m, 6 kg, Ass. Gardarem Lou Berret, Fête du béret, Pont-du-Casse, Lot-et-Garonne, 5-11-95.

Guirlandes

Le 6-12-97, à Rœux, Pas-de-Calais, dans le cadre du Téléthon, les habitants de la ville ont confectionné une guirlande de 6 804 m de long, composée de 22 500 ballons.
La plus longue de toutes les guirlandes mesurait 11 km de long. Confectionnée à l'aide de 300 000 bouchons, à l'initiative de Gilbert Hubert, elle fut étirée entre Pierreclos, Serrières et Bussières, Saône-et-Loire, le 28-01-95.

◧ PYRAMIDE

La pyramide de bouteilles de champagne la plus haute mesure 7,20 m. Constituée de 23 200 bouteilles, elle a été érigée le 6-12-97 par la société C.A.V.E., à Épernay, Marne.

👤 BD GÉANTE / CHAÎNE HUMAINE

• *Le 1er-06-97, 20 jeunes dessinateurs de l'Espace Bernier, à Waterloo, Belgique, ont dessiné une planche de BD de 30 m².*
• *Le 23-08-97, la société Offshore, de Neuilly-sur-Seine, Hauts-de-Seine, a rassemblé 350 000 personnes qui ont formé une ronde sans coupure autour de Paris de 36 km pendant 1 min. Cette manifestation eut lieu à l'occasion de la venue du pape en France.*

<u>Caleçon</u> • 20 m haut, 20 m tour de taille, Bernadette Montangerand et les élèves du lycée Lavoisier, Buxy, Saône-et-Loire, 6-12-97.
<u>Casquette</u> • 9,42 m circ., visière de 1 m, Géant de Fenouillet, Hte-Garonne, 8-04-95.
<u>Chaussure</u> • 2,65 m long, Ass. du Musée de l'Industrie, Saint-André-de-la-Marche, Maine-et-Loire, 1er-06-95.
<u>Chemise</u> • 6,67 m, 65 m² de tissu, 8 boutons de 18,5 cm diam., 35 ouvrières du Comptoir des chemises de Limoges, Hte-Vienne.
<u>Foulard scout</u> • 50,90 x 23,60 m, 250 kg, Scouts de France de Lyon, Rhône, 11-01-97.
<u>Grenouillère</u> • 6,20 x 6,20 m, Rallye et section couture du lycée Jean-Moulin, Saint-Brieuc, Côtes-d'Armor, 29-03-95.
<u>Pull-over</u> • 3,91 m haut, 5,70 m tour de taille, 19,2 kg, 384 pelotes, Kiabi, Le Pontet, Vaucluse, 25-11-97.
<u>String avec porte-jarretelles</u> • 1,18 m haut, 2,53 m tour de taille, Rallye, Rennes, Ille-et-Vilaine, 31-03-95.

Animateurs

COURSE EN PALMES

Son influx remarquable et sa puissance de propulsion ont permis à Fabien Roy, de Craponne, Rhône, de parcourir la piste de 30 m en seulement 5 s 01, le 22-06-96.

Course de canards

Le 26-05-97, 100 000 canards en plastique jaune ont concouru sur 1 km, sur l'Avon, à Bath, GB. Les canards, tous chargés dans un container, sont déversés dans la rivière au signal du départ, donné par un coup de canon. Le canard n° 24 359, appartenant à Chris Green de Dauntsey, a gagné en 2 h 15 min. Sachant que la moitié des canards concouraient pour 1 £ chacun, la course a rapporté 50 000 £, reversés à une œuvre pour la protection de l'eau.

RECORDS DE CRACHERS

Un cracher est la propulsion, par la bouche avec la seule aide du souffle et des muscles des joues, d'un objet dont la matière peut varier indistinctement du mou au dur. Le candidat prendra garde à bien remiser sa langue de manière à ce qu'elle ne vienne pas entraver la trajectoire du projectile. Les résultats, dans les championnats de cracher, dépendent de la qualité de la salivation, de l'absence de vent de travers, de la position des bras et de la coordination des mouvements du cou et du dos. Un élan de 2 m est autorisé. En cas de vent arrière, le record ne peut en aucun cas être homologué.

Châtaigne
8,20 m, avec 2 m d'élan, Dominique Deces, Villefranche-du-Périgord, Dordogne, 18-10-98.

Grain de raisin
9,04 m, Laurent Petitot, Chenôve, Côte-d'Or, 14-04-94.

Lentille
7 m, lentille pesant 1,50 g exactement, Gilbert Gil, Vatan, Indre, 16-09-95.

Noyau d'abricot
15,52 m, Serge Fougère, Fest. de la Tour-Blanche, Dordogne, 22-08-87.

Noyau de cerise
• 28,98 m, Horst Ortmann, Langenthal, Allemagne, 27-08-94.
• 15,82 m, une femme désirant garder l'anonymat, Championnat de noyau de cerise, Saint-Aubin, Suisse, 9-07-95.
France • 27,12 m, Serge Fougère, Fest. des Records de Rébénacq, Pyrénées-Atlantiques, 3-07-94.

Noyau de mirabelle
10,59 m, Jean-François Bramard, Decize, Nièvre, 20-08-95.

Noyau d'olive
19,36 m, Serge Fougère, Fest. de La Tour Blanche, Dordogne, 24-08-96.

Noyau de prune
17,81 m, Serge Fougère, Fest. de La Tour Blanche, Dordogne, 24-08-96.

Noyau de pruneau
13,15 m, Daniel Colin, magasin Casino de Montceau-les-Mines, 14-04-94.

Noyau de quetsche
10,90 m, Robert Schwartz, Fête du Krach, Diebling, Moselle, 1er-10-95.

Pépin de melon
22,91 m, Jason Schayot, De Leon, Texas, 12-08-95.

Pépin de pomme
8,94 m, Jacques Dodinet, Trieuères, Loiret, 19-10-97.

Tabac
15,07 m, bourre de tabac, David O'Dell, Apple Valley, Californie, lors du 19e Championnat de chique, à Calico Ghost Town, Californie, 26-03-94.

FESTIVALS DES RECORDS
Beslon
Arrêter de tracteur • 100 ch, 2 roues motrices, au moyen d'un tir à la corde, 28 habitants de Beslon.
• 100 ch, 4 roues motrices, au moyen d'un tir à la corde, 56 habitants de Beslon.
Cartouche • 1,88 m de longueur totale, 60 cm de diamètre, Artisans de Beslon.

Corde • 38,90 m de longueur totale, 3 cm de diamètre, Gaston Beaufils.
Crémaillère • 3,49 m de long, 16,5 cm de large, en fer forgé, Charles Ozenne.
Déboucher de bouteille • 15 s, 75 cl, à l'aide d'une ficelle, Léon Dolley.
Épluche légumes • 3,148 m de longueur totale, Serge Laine, Patrick Ozenne et Jacky Periers.

LÉCHEUSE DE TIMBRES LA PLUS RAPIDE

Diane Sheer, de Londres, a léché et collé 225 timbres sur des enveloppes en un temps record de 5 min, le 3-08-97. Selon les règlements du Livre Guinness des Records, *chaque timbre doit être collé solidement en haut à droite de chaque enveloppe. Les timbres collés dans un autre angle seront tout de même pris en compte. Ceux qui auront été collés à l'envers seront éliminés.*

Punaise d'architecte • 100,3 cm de diamètre extérieur, pointes de 28 cm de long, Gérard Barbier.
Rouler de cigarettes • 31 cigarettes avec 40 g de tabac en 10 min 15 s, Bernard Roussin.
Tour de pressoir • diamètre extérieur : 31,2 cm, diamètre des roues : 12 cm, longueur du plus grand bras : 22 cm, en bois de hêtre, Roger Beaufils.

Rébénacq, 7-07-96
Amphore en terre cuite • 5,10 x 1,27 m, 1,2 tonne, 4 800 litres, Jean Serres.
Carillon d'attelage • 1,20 x 0,26 m, 15 kg, Jacques Bernardets.
Cruche en argile • 5 m de haut, 1,27 m de diamètre, 1,2 tonne, Jean Serres.
Parapluie de berger • 4,10 m de haut, 7,50 m de circonférence, 41,72 m² de surface, 37 kg, Fernand Hourqueig.
Rouleau de pièces • 120 m de long, 273 kg, 50 000 pièces de 50 centimes, Institut Convergence pour l'Institut Pasteur.
Sablier • 1,20 m de haut, 53 cm de circonférence, 60 kg, Robert Barbau.

La Tour Blanche, 24 et 25-08-96
Ce festival, créé en 1985, aura lieu désormais tous les 2 ans. Il a fêté sa 14e édition en 1998. Entre-temps, un musée a été inauguré le 29-06-96, qui abrite 24 objets records.
Bouchon de cognac • 3 m de haut, 600 kg, 2 m de diamètre pour le corps et 2,70 m pour la tête, Comité du Festival et Bouchages Delage, de Cognac, Charente.
Corde • 108,91 m de long, fabriquée artisanalement avec 5 ficelles, Roger Sutour, Saint-Jory-la-Bloux, Dordogne.
Sabot miniature • 14 mm de long, 6 mm de haut, intérieur creusé 8 mm, taillé dans un noyau d'olive, Daniel Maspeyrot, La Chapelle-Montabourlet, Dordogne.
Tableau • 1,22 x 0,37 m, sur le thème de la nature, peint par 73 artistes en 6 h 30 min.

COURSES D'OISEAUX

Les autruches sont les oiseaux les plus rapides sur terre et peuvent atteindre des vitesses de 70 km/h pendant une demi-heure sans arrêt. Les courses d'autruches sont le fleuron du Rocky Mountain Ostrich Festival qui se tient annuellement dans le Colorado.

Cuisine 1

Biscuits

Apéritif • 51 m de long, Roger Quemeneur, Brest, Finistère, 7-04-95.

Bretzel • 14,27 m, Alain Gurtner, Hayange, Moselle, 1er-05-90.

Canapé cocktail • 21,8 kg, France Cocktail, Estillac, Lot-et-Garonne, 21-10-94.

Cookie • 24,9 m diam., 2,5 tonnes chocolat, Christchurch, Nouvelle-Zélande, 2-04-96.

Palet breton • 68 kg, 1,15 m diam., Rallye, Morlaix, Finistère, 30-03-95.

Boissons

Cocktail • 25 963 litres, Taverne de Buderim, Queensland, Australie, 19-10-96.

Citron pressé • 405 litres, 10 125 citrons, École primaire, Wavre, Belgique, 26-06-95.

Vin chaud • 1 155 litres, chaudron de 2 m diam., Comité des fêtes, Maison Grand Marnier et Vignerons des Côtes du Ventoux, Megève, Haute-Savoie, 6 et 7-03-96.

Brioches

Au chocolat •238 kg, Géant Casino, Exincourt, Doubs, 30-03-95.

Aux grattons • 260 kg, 35 m, Continent, Montluçon, Allier, 6-04-95.

Chausson pommes • 2,27 m, Le Toullec, Hennebont, Morbihan, 10-06-94.

Croissant • 78,5 kg, 8,7 m long, Ass. Gâteau Club, Le Vésinet, Yvelines, 5-02-91.

Charcuteries

Andouille • 13 kg, 6,87 m long, 14 cm circ., Gilbert Delsaut, Bousies, Nord, 30-08-98.

Andouillettes • 540 kg, 392 m long, Gérard Rousselet, Chablis, Yonne, 5-02-95.
• 890 kg, 10,65 m, André Boyer/Foire, Amplepluis, Rhône, 10-07-94.

Boudin blanc • 1 350,61 m, J.-M. de Blaton, Belgique, 27-09-87.

Boudin noir • 1 235 m, Institut Sainte-Ursule, Namur, Belgique, 22-12-95.

Fromage de tête • 504,25 kg, Bouchers charcutiers, Champagnole, Jura, 3-12-94.

Jambon cuit • 230 kg, 1,90 m circ., Fleury Michon, Pouzauges, Vendée, 12-12-95.

Jambon persillé • 357,1 kg, Association des fabricants, Dijon, Côte-d'Or, 9-11-91.

Mortadelle • 720 kg, 4 m, 47 cm diam., Sté Berni, Verdun, Meuse, 29-09-98.

Pâté • 1 288 kg, Artisans charcutiers, Nantes, Loire-Atlantique , 8-05-92.

Pâté berrichon « à l'œuf » • 300 kg, 113,24 m, A.F.L.M./Les Mousquetaires, Issoudun, Indre, 20-09-98.

Pâté en croûte • 9 tonnes, Denby Dale, GB, 3-09-88.

France • 201 kg, 12 m de long, Salaisons Bolard Frères, Saint-Amour, Jura, 7-10-94.

Mortadelle • 430 kg, 2,50 m de long, Berni, Verdun, Meuse, 25-03-92.

Salami • 545 kg, 18,70 m de long, Bologna, Kutztown, Pennsylvanie, 13-08-89.

Chocolat

Boîte • 857 kg, 17 748 chocolats, 5 x 3,50 m, Chocolats Cemoi, Chambéry, Savoie, 1er-09-97.

Chocolat chaud • 300 litres de lait, 160 kg de chocolat, A. P. F., Lyon, Rhône, 23-03-96.

Cloche • 237,5 kg, 8,7 m, 2,12 diam. base, Casino de Pornichet/M. Le Mauff, Pornichet, Loire-Atlantique, 21-03-97.

Euro • 491 kg, 5 m diam., 15,71 m circ., Maison de l'Europe, Avignon, Vaucluse, 10-05-97.

Mousse • 90 kg, 200 litres, Pâtissiers, Grenoble, Isère, 23-03-97.

Œufs de Pâques • 4,7 tonnes, 7 m de haut, Cadbury Red Tulip, Australie, 9-04-92.

France •1,52 tonne, 6,18 m de haut, O. Lachmann, I. Windstein et D. Mazuy, Otrott, Bas-Rhin, 28-03-96.

Poisson • 60 kg, 1,50 m de long, Institut des métiers et des techniques, Grenoble, Isère, 1er-04-97.

SUCETTE À LA MENTHE

Le 4-12-93, à Chemillé, Maine-et-Loire, Bruno Delaunay et Tony Petit ont présenté leur sucette géante de 543,80 kg et 7,5 m (sans le manche).

Rocher • 340 kg, 1,85 m circ., Marquise de Sévigné, Paris, 18-09-96.

Tablette • 4 tonnes, 13 x 8,5 x 2,5 m, École de pâtisserie, Barcelone, Espagne, 02-91.

Truffe • 780 kg, 1,50 m diam., École Lenôtre, Plaisir, Yvelines, 10-10-97.

Confiseries

Berlingot • 56,75 kg, Foire de Carpentras, Carpentras, Vaucluse, 3-12-92.

Bêtise de Cambrai • 220 m, François Campion, Cambrai, Nord, 17-09-95.

Bonbon • 135 kg, 1,45 m de long, Bonbons Skendy, Paris, 18-09-96.

Calisson • 225,5 kg, 1,74 x 0,23 m, René Roy, Aix-Les Milles, B.-du-Rhône, 9-04-94.

Carambar • 212 kg, 4,05 m de long, Vandamme-La Pie Qui Chante, Wattignies, Nord, 12-02-93.

Nougat • 150 kg, 12,45 m, Boyer, Sault, Vaucluse, 3-07-87.

Nougatine • 206,2 kg, 18,91 m, Foyer rural, Darcey, Côte-d'Or, 23-08-92.

Sucette • La plus grosse de toutes, arôme citron et chocolat, pesait 6,36 tonnes. Elle a été fabriquée par le Police Children's Club, de Sisimiut, Groenland, le 21-03-93.

Fromages

Brie • 518 kg, Ass. Foire aux Fromages et aux Vins, Compiègne, Oise, 27-04-94.

Cheddar • 26,09 tonnes, Loblaws Supermarkets Ltd et Agropur Dairies, Granby, Québec, 7-09-95.

Chèvre Selles/Cher A.O.C. • 486 kg, 1,40 m diam., Comité des fêtes et fromagerie Jacquin, 30-06-96.

Gruyère • 459,8 kg, Claude Mercier et Géant Casino, Albertville, Savoie, 16-04-94.

Morbier • 36,4 kg, 2,05 m circ., Laiterie du Revermont, Lons-le-Saunier, Jura, 15-04-95.

Saucisses géantes

Le 27-07-97, le Comité des Fêtes et les Ets Millet, de Ferrières-sur-Sichon, Allier, ont dévoilé la plus longue et la plus lourde saucisse aux choux du monde (photo) : 723 m, pour un poids de 750 kg.

Depuis les débuts de la Grande Cuisine, le record absolu de la plus longue saucisse, toutes catégories confondues, est détenu par le Britannique Keith Boxleg, de Wombourne, avec un spécimen de 21 km, présenté le 18-06-88. Le record français appartient à Thierry Lemeunier, de Cordes-sur-Ciel, Tarn, avec une longueur de 1,4 km. Elle fut déroulée le 6-12-97.

Tartare (dans sa boîte) • 154 kg, 70 cm diam., 30 cm haut, Fromarsac, La Tour Blanche, Dordogne, 24-08-96.

Tomme vaudoise • 24,5 kg, 101 m circ., Nutrilait S.A., Genève, Suisse, 23-10-97.

Gâteaux et desserts

Gâteau le plus gros • 70 tonnes, 2,5 km long, Fête nationale, Émirats arabes unis, 1996.

Gâteau le plus haut • 17,8 tonnes, 22,50 m haut, Miralda et Démosthène, Beghin-Say, Paris, 17-06-89.

Bavaroise • 449 kg, 8,10 m long, Westland Center, Bruxelles, Belgique, 9-11-96.

Breton • 1 700 kg, 36 x 1,04 m, Auray, Morbihan.

Broyé • 100 kg, 13 x 1 m, Augereau, Poitiers, Vienne, 14-05-93.

Bûches • 5 074,5 kg, 375,01 m, Sébastien Ros, Épernay, Marne, 23-12-89.
• 1,37 tonne, 2 877 m, Gélaucourt, Meurthe-et-Moselle, 13-06-88.

Cake • 18,04 m, Lemarié, Chaumont-en-Vexin, Oise, 9-09-88.

Charlotte au chocolat • 1 399 kg, 2,60 m, Levallois, Hauts-de-Seine, 30-10-96.

Crêpes • 15,01 m diam., Rochdale, Greater Manchester, GB, 3-08-91.
• 5,5 tonnes de pâte, 8,04 m diam., mairie Brebières, P.-de-Calais, 17-06-94.

Éclair • 402,27 m, Commerçants, Gy, Haute-Saône, 30-04-95.

Flan • 5,10 m diam., Triel-sur-Seine, Yvelines, 24-09-95.

Forêt-noire • 308,5 m, Carrefour, Chambéry, Savoie, 3-04-93.

Fraisier • 1 680 kg, 16 m, Géant Casino, Amilly, Loiret, 15-04-94.

Framboisier • 294 kg, 4,85 x 3,55 m, 17,22 m², 1 296 parts, Yves-Marie Fromentin, Le Coudray, Eure-et-Loir, 6-12-97.

Galette des rois • 980 kg de farine, 145 m circ., La Panéria, Marseille, Bouche-du-Rhône, 20-01-95.

Gaufre • 3,17 x 1,9 m, Hautmont, Nord.

Glace • 20,2 tonnes, Laiterie Palm, Edmonton, Canada, 24-07-88.
• 120 kg, Miko, Saint-Dizier, Haute-Marne, 2-06-93.

Kouign aman • 45 kg, 1,15 m diam., Rallye, Morlaix, Finistère, 4-04-95.

Macaron • 120 kg, 2,40 m circ., Gérard Darnois, Sionviller, Meurthe-et-Moselle, 27-01-97.

Millefeuille • 504,40 m, Pâtissiers, Romans et Bourg-de-Péage, Drôme, 19-06-88.

Omelette norvégienne • 908 kg, 151,50 m, Didier Bedard, Pleucadeuc, Morbihan, 26-09-96.

Petits Suisses (boîte de 6) • 360 kg (6 x 60 kg), 609 litres, 51 x 39 cm, 122,4 cm circ. Laiterie de Saint-Malo, Ille-et-Vilaine, 30-04-98.

Yaourt • 670 kg, La Fermière/Géant Casino, Marseille La Valentine, Bouches-du-Rhône, 16-04-94.

Pains au chocolat

Le plus long • 52,18 m, Jean-Pierre Canevarolo, La Tour-Blanche, Dordogne, 25-08-96.

Le plus grand • 5,30 x 0,30 m, Verslype, Ardres, Puy-de-Dôme, 3-12-94.

Pain aux raisins • 10 m, Rallye, Fontaine, Isère, 8-04-95.

Pains d'épice

Le plus long • 6,24 x 1 m, Boulangers du Pays-Haut, Piennes, Meurthe-et-Moselle, 9-12-95.

Le plus lourd • 123,130 kg, Boulangerie Daudin, Rumilly, Haute-Savoie, 21-07-96.

Paris-Brest • 19,75 m circ., Lycée Roberval, Breuil-le-Vert, Oise, 12-05-95.

Quatre-quarts • 200 kg, 2 x 2 m, Association Les Métais, Saint-Lyphard, Loire-Atlantique., 23-07-95.

Saint-Honoré • 4,75 m diam., 65 kg de crème, Boulangers et pâtissiers, Vals-les-Bains, Ardèche, 19-12-93.

Salade de fruits • 336 kg, Mammouth, Castres, Tarn, 22-09-95.

Saucisses

Chorizo • 120 kg, 150,21 m, Les Roches Blanches, Cany-Barville, Seine-Maritime, 10-06-91.

Merguez • 283 kg, 1 017 m, Gérard Magré, Rieux, Morbihan, 5-06-98.

Montbéliard • 72 m, Géant Casino, Exincourt, Doubs, 16-04-94.

Morteau • 7,33 kg, 4,96 m, Rallye, Morlaix, Finistère, 30-03-95.

Percheronne • 250 kg, 507,7 m, Jean-Marie Lefèvre, Lorgny-au-Perche, Orne, 1er-05-95.

Saucisson • 100 kg, 150 m, Les Roches Blanches, Cany-Barville, Seine-Maritime, 31-08-88.

Tartes

Aux cerises • 115 kg, 70 kg de cerises, Fabrice Metry, Le Plessis-Grammoire, Maine-et-Loire, 19-06-94.

Aux fraises • 1,4 tonne, 7,59 m diam., Continent, Ponts-sous-Avranches, Manche, 22-06-96.

Aux framboises • 504 kg, 10,65 x 1,60 m, Stoc, Moncé-en-Belin, Sarthe, 6-06-98.

Au fromage • 2,40 m long, Philippe Rivier, Montamisé, Vienne, 15-04-95.

Aux pruneaux • 706 kg, 6,20 m circ., Bureau du pruneau, Agen, Lot-et-Garonne, 16-07-96.

Aux quetsches • 680 kg, 6,55 m diam., Confrérie de la quetsche, Farébersviller, Moselle, 24-09-95.

À la rhubarbe • 3 m diam., 65 kg de rhubarbe, 30 kg de pâte, 24 litres de lait, 180 œufs, 6 kg de sucre, 8 kg de crème, Morfontaine, Meurthe-et-Moselle, 9-06-96.

Tatin • 370 kg, 2,50 m diam., Claude Bisson, Lamotte-Beuvron, Loir-et-Cher, 26-09-87.

SAUCISSON ROSETTE

Le 1er-08-97, Bernard Bonzom, charcutier à Saillagouse-Llo, Pyrénées-Orientales, achevait la réalisation du plus long saucisson rosette : 10,98 m, suspendu par un bout pour qu'on puisse l'admirer.

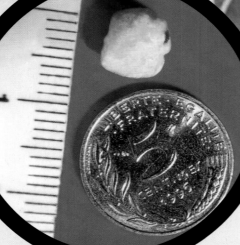

PAIN AU CHOCOLAT

Le plus petit du monde pèse seulement 0,1 g. Il est l'œuvre de Pascal Hue et Thierry Sturm, de Longeville-lès-Metz, Moselle, qui l'ont soigneusement confectionné le 10-01-97.

Aux fruits • 496 kg, 18,56 m, Rudy Lassine, Uzès, Gard, 27-07-94.

Aux poires • 1,3 tonne, 600 kg de poires, Géant Casino, Fenouillet, Haute-Garonne, 8-04-95.

Aux pommes • 12,33 m diam., Fest. de la Pomme, Rougemont, Québec, 25-08-91.
• 336 kg, 55,18 m, Centre de formation de la Chambre des métiers/L. Mainguet, Nouméa, Nouvelle-Calédonie, 17-09-97.

Aux pommes couverte • 13,5 tonnes, 12 x 7 m, Glynn Christian, Hewitts Farm, Kent, GB, 25-08-82.

Cuisine 2

Ingrédients

Beurre (plaquette) • 831 kg, Rallye de St-Brieuc, St-Brieuc, Côtes-d'Armor, 9-04-94.

Coulée de tir d'érable • 1 km, Ste-Marie de Beauce, Québec, 27-03-94.

Crème fraîche • 360 litres, Jean-Michel Berthou, Aurillac, Cantal, 5-04-95.

Pains

Le plus lourd • 1,4 tonne, Équipe de Sasko, Johannesburg, Afrique du Sud, 18-03-88.

Le plus long artisanal • 9,2 km, Roseca de Reyes, Acapulco, Mexique, 6-01-96.

•14,58 m, Maison de la Culture, Gauchy, Aisne, 27-05-90.

Aux céréales • 51 kg, 2,30 m de long, Géant Casino, Salon-de-Provence, B.-du-Rhône, 7-04-95.

Au levain • 95 kg, Rallye, St-Nazaire, Loire-Atl., 30-03-95.

De seigle • 195 kg, Boulangerie Roger d'Andres, Martigny, Suisse, 4-08-93.

De semoule • 113 kg, Géant Casino, Marseille La Valentine, B.-du-Rhône, 1er-04-95.

Banette • 54 m long, Jean-Pierre Canevarolo, La Tour Blanche, Dordogne, 24-08-96.

Pain complet • 192 kg, 1,76 x 1,34 m, Malik Boukerma, La Valette-du-Var, Var, 6-11-98.

Pain paillasse • 40,33 m long, Boulangerie Pouly Aimé, Genève, Suisse, 9-11-96.

Pâtes

• 1 050 kg crues, Ass. Gymnique, Roche-la-Molière, Loire, 7-07-96.

Longueur • 453 m long, Univers, Montauban, Tarn-et-Garonne, 16-04-94.

Lasagne • 4 322 kg, 8,75 x 8,75 m, Vamos, Wanze, Belgique, 31-08-95.

Tagliatelles • 910 m long, Rezoli, Marseille La Valentine, B.-du-Rhône, 7-04-95.

Pâtés

De grattons • 216 kg, Géant Casino, Valence, Drôme, 29-03-95.

De pommes de terre • 93,64 x 25 m, Sté des Fêtes, Darvoy, Loiret, 6-09-92.

Plats traditionnels

Anchoïade • 3,62 m circ., 1,64 m haut, J.-Baptiste Huyard, Gevry, Jura, 21-04-90.

Bouillabaisse • 1,8 tonne, 11 variétés, Patrons pêcheurs, Sanary, Var, 24-06-90.

Cassolette d'escargots • 250 kg, 8 100 escargots, Ph. Bonnet, Daniel Bernon, et Denis Petit, Aube, 28-05-95.

Cassoulet • 2 tonnes, Salon de la Restauration, Toulouse, Hte-Garonne, 11-08-85.

Choucroute • 2 tonnes de chou, 600 kg de saucisses, 300 kg de poitrine, Carrefour, Illzach, Ht-Rhin, 28-11-95.

Couscous • 1,5 tonne de semoule, 200 poulets, 20 moutons, 750 kg de légumes, Agadir, Maroc, 17-02-90.

Farci poitevin • 242 kg, 87 x 45 x 70 cm, Club de développement, Chef-Boutonne, Deux-Sèvres, 10-07-97.

Ficelle picarde • 51,58 m, 400 kg de farine, 300 œufs, 4 jambons, Lycée privé Sacré-Cœur, Péronne, Somme, 21-05-89.

Fougasse • 300 kg, 6 m diam., Lycée hôtelier, Monaco, 8-02-97.

Gratin dauphinois • 1,4 tonne, 29,40 m², Union commerciale, Montalieu-Vercieu, Isère, 6-10-91.

Hamburger • 2,5 tonnes, 6,4 m diam., Outgamie County, Wisconsin, 5-08-89.

Nem • 30 kg, 1,42 m, Jacques Steinman, Paris, 4-04-95.

Omelette • 8 tonnes, 44 m circ., 100 800 œufs, 154 m², 14,20 m large, Ass. Vivre à Malo Est, Dunkerque, Nord, 5-04-98.

Paëlla • 20 m diam., 100 000 personnes, Juan Carlos Garbis, Espagne, 8-03-92.

France • 200 kg, 8,23 m circ., Robert Bertrand, Toulouse, Hte-Garonne, 19-08-97.

👤 FONDUES

Britchon (photo) • 2 476 kg (732 kg fromage, 518 kg vin, 1 162 kg pain), J.-Claude Baudoin/Dynafrom S.A., Neuchâtel, Suisse, 1er-03-98.

Jurassienne • 984,38 kg, Cora et Arnaud, Choisey, Jura, 4-11-95.

Savoyarde • 720 kg fromage, 480 litres vin, 1 tonne pain, Bel, Lons-le-Saunier, Jura, 7-08-95.

Pain surprise • 528 kg, Philippe Bazin, Cambrai, Nord, 7-12-96.

Pan bagnat • 17,16 m, André Lorenzi et Jacques Paquet, Roquebrune-Cap-Martin, Alpes-Mar., 21-08-93.

Paupiette • 171 kg, 1 380 escalopes, Rallye/Loïc Rouze, St-Martin-des-Champs, Finistère, 1er-04-94.

Pot-au-feu • 1,5 tonne, Artisans bouchers-charcutiers, Aurillac, Cantal, 19-10-95.

Potée • 900 kg, Bouchers charcutiers, Cambrai, Nord, 17-09-95.

Quenelle • 163,3 kg, 1,50 m long, Georges Delangle, Lyon, Rhône, 8-12-96.

Quiche • 1 298 œufs, 119 litres de lait, 4,80 m de large, Alain Marcotullio et 30 cuisiniers, Paris, 11-97.

Raclette • 2 fromages de 100 kg, 1 m diam., Tefal, Praz-de-Lys, Hte-Savoie, 20-04-87.

Ratatouille • 414 kg, 2,01 m diam., Alain Gemaz, Salon-de-Provence, B.-du-Rhône, 19-07-98.

Raviole • 126 kg, 2,62 x 1,70 m, Géant Casino, Valence, Drôme, 16-04-94.

Rouleau de printemps • 9,98 m, Huong-Thuy Jacqemettaz, Morges, Suisse, 2-12-94.

Sandwich • 532,60 m long, Promotion des métiers, Chambéry, Savoie, 17-06-95.

Pizzas

La plus grosse pizza jamais imaginée avait la taille d'un terrain de football. La société australienne Gold Coast, Queensland, la présenta le 31-07-96.

France • La plus longue mesurait 100,40 m. La Toque angevine, Troyes, Aube, l'acheva le 29-03-95.

• La plus grosse (photo) est l'œuvre des sociétés By International Pizza et Freddy'Pizz, d'Orléans, Loiret, le 15-06-97. La pizza pesait 850 kg, pour un diamètre de 6,50 m et une circonférence de 2,041 m.

Taboulé • 510 kg, Sylvie Le Sanquer, Brest, Finistère, 27-06-92.

Soupes

Au chou • 5 570 kg, Chandon, Loire, 31-08-86.

Aux légumes • 2 454 litres, 10 800 portions, Centraide Québec, Beauport, Québec, 26-09-96.

À l'oignon • 1 430 litres, Avenir de Viabon, Viabon, Eure-et-Loir, 29-09-96

Au pistou • 2 230 litres, Ste-Maxime, Var, 4-06-88.

Tourtes

Au porc • 185 kg, 11,12 m circ., Commune de Tournon, Tournon-d'Agenais, Lot-et-Garonne, 6-12-97.

Au poulet • 10,06 tonnes, 3,66 m diam., KFC, New York, USA, 18-10-95.

À la viande • 275 kg, 4,22 x 1,52 m, Jean-Pierre Muel, Cirey-sur-Vezouze, M.-et-Moselle, 15-09-96.

Viandes

Carpaccio viande • 250 kg, 150 m², Bistro Romain, Piau-Engaly, Htes-Pyrénées, 19-01-92.

Civet de lapin • 380 kg, Filière Cunicole/Crête d'Or Entreprise, St-Denis, la Réunion, 21-06-97.

Côte de bœuf • 245,75 kg, Chambre des Métiers, Tours, Indre-et-Loire, 13-05-95.

Steak haché • 450 kg, Maxime Vergnes, Lucien Couix, 19-06-94.

Tournedos • 44 kg, Géant Casino, Aix-les-Bains, Savoie, 15-04-95.

Broche (viandes à la)

Bison • 320 kg, MM. Jacoby et Cros, Pousthomy, Aveyron, 25-06-95.

Bœuf entier • 986,5 kg, Y.-J. Grenet et C. Falco, Hérault, 1er-04-95.

Bœufs • 1 800 kg, Géant Casino, Poitiers, Vienne, 10-04-94.

Brochettes • 630 m long, Namibian Children's Home, Namibie, 21-09-91.

• 956,7 kg, 105,45 m, CCJA, Précy-sous-Thil, Côte-d'Or, 12-08-90.

Méchoui (52 moutons) • Villiers-Charlemagne, Mayenne, 22-08-93.

DIVERS

Banquet le plus long

En mars 1998, une équipe de traiteurs fit venir 15 000 personnes pour participer au banquet le plus long. La table s'étendait sur 5 km le long du tout nouveau pont Vasco-de-Gama à Lisbonne – le plus long

🧍 RÔTIS LES PLUS GROS

De bœuf farci (photo) • 22,90 m, Syndicat de la Boucherie de Troyes, Aube, 30-11-97.

De veau • 435,60 kg, 49,85 m, Boucherie de Rezé, Loire-Atlantique, 10-03-91.

De porc • 1 302 kg, 170 m, Casino de Bron, Rhône, 25-11-95.

De bœuf • 265,770 kg, 42,02 m, Atac de Mondésir, Gironde, 25-05-96.

d'Europe, avec une longueur de 18 km. Les organisateurs avaient dû louer 200 bus pour amener les convives jusqu'à leurs sièges.

Boîte de caviar la plus grosse

Le 17-07-96, à l'occasion du 30e anniversaire du Montreux Jazz Festival, la société suisse Caviar House & Seafood a fabriqué sur mesure une boîte de caviar de 46 cm de diamètre, contenant 30 kg de caviar iranien Classic Grey à 1 950 F le kilo, soit une valeur de 58 500 F.

Caviar le plus cher

Il s'agit du caviar Almas, fait à partir d'œufs jaunes d'esturgeon beluga albinos. Les 50 g coûtent 6 250 F.

Épices les plus chères

• Un gramme de ginseng sauvage (racine de

Panax quinquefolium), provenant des montagnes Chan Pak, en Chine, valait 2,5 millions de F, à Hong Kong, en novembre 1979.

• 625 mg de safran coûtent 25 F.

Fruit le plus cher

En 1977, à Dublin, le restaurateur Leslie Cooke acheta aux enchères 453 g de fraises pour la somme de 530 £ (5 300 F).

Repas individuel le plus cher

En septembre 1997, au restaurant Le Gavroche, à Londres, 3 personnes ont dîné pour une addition salée de 130 910 F : 2 160 F en nourriture, 8 450 F en cigares et alcools, et 120 300 F investis dans 6 bouteilles de vin.

Restaurant le plus grand

Mang Gorn Luang (Le Dragon royal) à Bangkok, Thaïlande, emploie 1 200 personnes et a une capacité d'accueil de 5 000 places. Les 541 garçons circulent en patins à roulettes pour servir 3 000 repas/h sur une surface de 1,6 ha.

Truffes les plus chères

• Une truffe noire géante de 1,14 kg a été découverte par un chien à Tricastin, dans le midi de la France, en décembre 1997. Elle est estimée à 9 000 F.

• La truffe la plus chère du monde est la *Tuber magmatum pico*, truffe blanche rarissime trouvée à Alba, Italie, et vendue 53 000 F/kg. Les scientifiques sont incapables de cultiver ce champignon. Seuls les cochons et les chiens les dénichent.

BOÎTE DE RAVIOLI LA PLUS GROSSE

En 1949, Buitoni lançait en France le 1er ravioli en boîte, marquant un tournant dans l'histoire de la marque fondée en 1827 par Giulia Buitoni, mamma italienne très appréciée pour ses pâtes exceptionnelles. Le 25-03-99, le Ravioli Buitoni a fêté son 50e anniversaire et a créé l'événement en réalisant la boîte de ravioli la plus grosse du monde (50 kg). Aujourd'hui encore, le Ravioli Buitoni demeure le plus consommé et le plus célèbre des ravioli, en France, où sa notoriété atteint 81 % de citations spontanées.

Collectionneurs et cinglés

Abeilles, Manteau 343 000 abeilles, 36,3 kg, Jed Shaner, 29-06-91, Staunton, Virginie, USA.

Basket-Lancers francs 41 lancers francs consécutifs, Bruno Bonfiglioli, Montauban, Tarn-et-Garonne, 31-03-95.

Bilboquet Lancers en 1 h • 3 003 lancers « vertical simple », Franck Forgeau, Féd. internationale, 8e Tournoi, Sophia-Antipolis, Alpes-M., 5-05-96.

Lancers en 1 min • 27 lancers « vertical simple » et 36 lancers « circulaire simple », Damery Prache et Rémi Germain, 7e Tournoi, Valbonne, Alpes-M., 14-05-95.

Bûcheronnage Aizkolari • Taille d'un arbre sur pied de 110 cm de circ. à 10 m de hauteur, yeux bandés, 13 min 46 s 98, José Vicondoa, Aussurucq, Pyrénées-Atlantiques, 31-05-98.

Grimpers • Au sommet d'un sapin de 30,50 m pour en scier le faîte en 53 s 35, escalade comprise, Guy Germen, Albany, Oregon, 07-89.

Grimper de poteau avec accessoires • Montée et descente d'un poteau de 10 m avec ceinture et éperons, 12 s 75, Mario Bolduc, Baie-Comeau, Québec, 22-07-94.

Sciage • 53 rondelles sciées à la main, 5 min, tronc d'épicéa de 15 cm diam., José Archambeau, Sprimont, Belgique.

Carré magique 3 001 cases de côté, de 1 à 9 006 001, Louis Caya, Ste-Foy, Québec, 1er-11-94. Le total des lignes, colonnes et diagonales est de 13 513 506 001. Avec ordinateur.

Chanson Extraits de 169 chansons, 13 min 33 s, Didier Kengen, Belgique, 9-10-92.

Coiffures Coupes en 1 h • 18 coupes (dont une en 2 min 20 s), Trevor Mitchell, Wembley, Londres, 27-10-96.

Pose de bigoudis en 1 h • 392 bigoudis, Franck Alary, coiffeur à Montauban, Tarn-et-Garonne, 5-04-95.

Courses et marches à reculons 100 m • 14 s, Ferdie Adoboe, Amherst, USA, 28-07-83.

France • 100 m en 28 s, Emmanuel Javal, de Paris, à Val-d'Isère, Savoie, 24-01-92 .

Distance • 12 875 km, de Santa Monica, Californie, à Istanbul, Plennie Wingo, d'Abilene, Texas, du 15-04-31 au 24-10-32.

En 24 h • 135,2 km, Anthony Thornton, Minneapolis, Minnesota, 31-12-85.

Avec un plateau • 265 km de Zagora à Foumguid, Maroc, Didier Prud'homme, Trouville, Calvados, du 11 au 20-04-92.

Danse Marathon • Le plus terrible marathon de danse fut remporté par Mike Ritof et Edith Boudreaux, qui dansèrent 5 148 h 28 min 30 s (pour 20 000 $), au Merry Garden Ballroom de Chicago, du 29-08-30 au 1er-04-31. Un repos de 20 min/h était accordé, puis 10, puis 5, et aucun. Le film *On achève bien les chevaux*, de Sydney Pollack (1969), évoque leur calvaire.

Claquettes • 28 claquettes/sec, Michael Flatley, Palos Park, Illinois, 9-05-89.

COLLECTIONS

Catégorie	Quantité	Nom	Date
Aimants de frigo	17 000	Louise J. Greenfarb, USA	05-96
Ampoules	60 000	Hugh Hicks, USA	1998
Autographes	5 488	Robert Levieuge, Château-du-L., Sarthe	12-97
Autocollants	51 420	Solenne Drouin, Quatzenheim, Bas-Rhin	07-95
Bagues de cigares [1]	198 525	Joseph Hruby, USA	
Billes	40 000	Sam McCarthy-Fox, Worthing, GB	1998
Billets de loterie	221 490	Jean-Guy Lirette, Québec, Canada	11-94
Boîtes d'allumettes	3 159 119	Ed Brassard, USA	03-95
	172 807, de 254 pays	Gérard Deleplace, France	09-96
	2 011, de fab. française	Michel Chauveau, Teloché, Sarthe	07-93
(étiquettes)	712 118, de 150 pays	Teiichi Yoshizawa, Japon	depuis 1925
Boîtes de fer-blanc	28 830	Yvette Dardenne, Belgique	06-97
Boucles d'oreilles	24 167 paires	C. Mc Fadden, USA	07-97
Bouteilles de bière [3]	8 131, de 110 pays	Peter Brœcker, Allemagne	
Bouteilles Coca 1/4	1 574, de 154 pays	Michel Houche, Avignon, Vaucluse	03-94
Bouteilles Coca	2 100, de 168 pays	Michel Houche, Avignon, Vaucluse	07-98
Bouteilles de Cognac	367 pleines	Michel Gillet, Montréal, Québec	08-98
Bouteilles miniatures	31 804	Georges E. Terren, USA	05-92
	11 742 whisky miniatures	David L. Maund, GB	11-96
	323 Guinness	David L. Maund, GB	11-96
(mignonnettes)	1 970	M. Lewandowski, Wambrechies, Nord	10-97
Bouteilles de whisky	5 502	Edoardo Giaccone, Italie	
Boutons	1 000 000	École primaire de Rolling Hills, USA	01/06-95
Briquets publicitaires [4]	58 259	Francis Van Herle	06-96
Calendriers des postes	137, de 1860 à 1996	Eugène Lougarre, Toulouse, Hte-Garonne	05-96
Canettes de bière	75 000	W.-B. Christiensen, USA	1994
Canettes de soda	14 258	Paul et Tom Bates, USA	
	2 079	Frédéric Bonnet, France	10-95
Capsules de bouteilles	82 169, de 179 pays	Paul Hœg Poulsen, Rœdovre, Dk	depuis 1956
Cartes de crédit	1 397	Walter Cavanagh, USA	1998
Cartes téléphoniques	17 118, de 218 pays	Camille Brose, Ampsin Amay, Belgique	08-96
Casquettes	11 448	Pascal Jourdain, Québec, Canada	07-93
Chaussures (paires)	8 320, de 172 pays	Robert E. Kaufman, USA	04-89
	12 000	Imelda Marcos, Philippines	1990
Chaussures miniatures	500	Salvatore Mobilia, Belgique	06-97
Chewing-gum (paquets)	1 712	Th. et V. Martins, Allemagne	1998
Cigarettes (paquets)	130 620, de 268 pays	Claudio Rebecchi, Italie	
Clés	1 206, XVIIIe siècle à nos jours	Roger Eckkhout, Épinay/Seine, Seine-St-Denis	11-97
Collections	285 collections	Sauveur Fitoussi, Peypin, B.-du-Rhône	05-94
Cravaches	748	Jacques Dunoguiez, France	04-92
Cravates	10 624	Tom Holmes, GB	04-97
Enveloppes NPAI	5 106 retournées	Gilbert Fillardet, Colombier-Saugnieu, Rhône	11-98
Étiquettes d'agrumes	1 500	Michel Trèves, Paris	05-95
Étiquettes d'alcool	4 239	Ian Boasman, GB	04-97
Étiquettes de bière	424 868	Jan Solberg, Norvège	06-95
Étiquettes camembert	3 460	Carine Combes, Puygouzon, Tarn	06-97
Étiquettes fruits et lég.	2 750	Martine Janin, Le Vésinet, Yvelines	12-98
Étiquettes sachets thé	5 681	Felix Rotter, Allemagne	1998
Étiquettes de vin [5]	72 000	Yves Jault, Suisse	
Gnomes et lutins	2 010	Anne Atkin, GB	1998
Gommes	1 819	Julie Clody, Limoges, Hte-Vienne	10-93
Grenouilles (dont 2 vivantes)	2 031	Chantal Joubert, Mondoubleau, Loir-et-Cher	03-98
Jaquettes de films	5 797	Em. Wambre, Harnes, P.-de-Calais	05-97
Jeux de cartes	2 562, de toutes formes	Joseph Opferglet, Belgique	10-92
Journaux	9 500	François Mans, Ste-Colombe, Rhône	01-97
Lampes de mineur	240, de 11 pays	Pierre Pronier, Grenay, P.-de-Calais	10-93
Lampes à pétrole	130	Ali Salah, St-Étienne, Loire	11-96
Marteaux	1 174	Marcel Dietz, Reims, Marne	12-93
Mèches de cheveux (de célébrités défuntes)	16 000, 100	Galip Körükçü, Turquie	08-96
	100	John Reznikoff, USA	1998
Médailles	2 408, de 1493 à 1998	J. Corvaisier, Château-du-L., Sarthe	13-05-98
Menottes	412 paires	Chris Gower, GB	1998
Montres Swatch	3 562	Fiorenzo Barindelli, Italie	1998
Nids de guêpes	288	G. Gagnon, Laverlochère, Canada	01-93
Papier à cigarettes	5 100 paquets	A. Segarra Dalmases, Espagne	09-94
Parcmètres	292	Lotta Sjölin, Suède	07-96
Petites cuillers souvenirs	18 000	René Martin, Terrebonne, Canada	05-97
Photos dédicacées	2 700	Philippe Ploix, France	01-94
Photos famille royale	30 000	Julia McCarthy-Fox, GB	1998
Photos posées avec des vedettes	200, dont 50 dédicacées	Jérôme Monard, Belgique	07-97
Pièges à souris	2 334, de 66 pays	Reinhard Hellwig, Allemagne	depuis 1964
Porte-clefs [6]	6 850	Jacques Guilhauma, Canada	05-97
Pots de chambre	9 400	Manfred Klauda, Allemagne	1998
Quilles	1 230	Lin Kessler, France	
Rondelles de hockey	2 320	Pierre Riopel, Canada	01-92
Sacs plastique/papier	60 000	Schmidt-Bachens, Allemagne	depuis 1975
	3 400	Nicole Lacome, Maisoncelles, S.-et-Marne	12-95
Serviettes papier	8 712	Chantal Terrasson, Châtellerault, Vienne	01-96
Signets	594, de 14 pays	Marie-Jeanne Gagnon, Montréal	07-93
Soldats de plomb	300 000	Édouard Pemzec, France	
Sous-bocks [7]	150 125, de 165 pays	Leo Pisker, Langenzersdorf, Autriche	1997
Sous-vêtements	500 soutiens-gorge noirs,	Imelda Marcos, Philippines	
(années 70)	200 slips en nylon,	Robert Corlett et Mary Ann King, GB	1998
Stylos image mobile [8]	3 400	Mahfoud Zanat, St-Étienne, Loire	11-98
Stylos publicitaires	7 052, 64 pays	Hugh Hughier, Pont-Péan, Ille-et-Vilaine	11-96
Sucres emballés	909	Danielle Sortais, Benodet, Finistère	02-99
Tasses	516	Aldéa Gaudréault, Canada	
Taille-crayons	1 407	Agathe Burelle, Canada	12-91
Trèfles	Total de 53 749 trèfles	Pierre Schwartz, Rive-de-Gier, France	05-98
	dont 42 915 à 4 feuilles + 9 965 à 5 f. + 731 à 6 f. + 130 à 7 f. + 7 à 8 f + 1 à 9 f.		
Vallauris	220	Jocelyne Ayella, Bordeaux, Gironde	06-99
Verres	1 153	J.-François Huette, Amiens, Somme	12-97

1 Les collectionneurs de bagues de cigares sont des vitolphilistes. **2** Étiquettes, des cumyxaphistes, boîtes d'allumettes, des philuménistes. **3** Bière ou de tout ce qui s'y rapporte , des tégestophiles. **4** Briquets, des pyrophiles. **5** Étiquettes de vin, des œnosémiophilistes. **6** Porte-clefs, des copocléphiles. **7** Sous-bocks de bière, des tégestologues. **8** Stylos à image mobile sont des simsophiles. Une collection s'entend avec des pièces toutes différentes.

Flamenco • Solero, de Jérez, Espagne, est le plus rapide du monde. En 1967, à Brisbane, Australie, à 17 ans, comme pris de transe, il a donné 16 taconeos en 1 s.
Hoola hoop • 2 h 26 min 7 s, Amandine et Mathieu Boulangé, La Tour Blanche, 08-93.
Swing • 4 min 56 s, sur un tempo de 258 à la noire (258 temps/min), Pierre Serres et Séverine Oxaran, de Dax, Landes, 14-12-97.
Discours Entre le 26 et le 27-08-98, Luis Colet est resté posté pendant 24 h en gare de Perpignan, Pyrénées-Orientales, pour prononcer sans relâche et en catalan un discours en hommage à Salvador Dali, qui avait lui-même, bien avant, rendu hommage à la gare de cette ville.
Doigts claqués 50 claquements secoués en 8 s 50, André Decouty, St-Junien, Hte-Vienne.
Écaillers • 100 huîtres en 2 min 20 s, M. Raczm, Nlle-Zélande, 16-07-90.
• 1 429 huîtres en 1 h, Marcel Lesoille, Meyzieu, Rhône, 24-11-95.
• 398 huîtres en 1 h, dans le dos, Marc Bardier, Montréal, Québec, 10-02-98.
• 3 000 huîtres en 4 h, M. Narquet, Montrouge, Hts-de-Seine.
Échasses Endurance • En 1891, le Français Sylvain Dornon avait marché sur des échasses de Paris à Moscou, soit 2 945 km.
Vitesse et distance • Le record sur longue distance est détenu, depuis 1982, par M. Garisoain, de Bayonne, Pyrénées-Atl. Il a parcouru en 42 min la distance Bayonne-Biarritz (8 km) à une moyenne de 11 km/h.
Énoisage 4,9 kg de cerneaux de noix cassées extraits en 1 h, Madeleine Montaret, Sarlat, Dordogne, 20-04-96.
Escalades de tours Tour Eiffel • Le 21-07-80, J.-Claude Droyer, de Paris (n.8-05-46), et Pierre Puiseux, de Pau, Pyrénées-Atl. (n.2-12-53), en 2 h 18 min 15 s.
• Le 4-05-89, Jean-Michel Casanova, 23 ans, a escaladé les 150 m qui séparent le 2e du 3e étage de la tour en 20 min.
Lavage de vitres À Blois, Loir-et-Cher, François Vermond a lavé 60 m^2 de vitres de la tour St-Gobain en 6 min 49 s, le 22-06-88.
Lavage de voitures Du 26 au 27-11-94 à Courcelles, Belgique, Didier Delforge et Dominique Bigonville ont savonné et rincé à la main, en 24 h, 456 voitures.
Limbo Sur patins à roulettes, 13 cm, détenu par Denise Culp, de Rock Hill, Caroline du Sud, le 22-01-84.
Marche Le 21-01-96, Ashrita Furman, de Jamaïca, New York, est monté 2 574 fois en 1 h sur le même banc d'exercice de 38 cm de haut, au Holiday Inn Garden Court de Durban, Afrique du Sud.
Marche sur les mains Distance • En 1900, l'Autrichien Johann Hurlinger a parcouru 1 400 km sur les mains, de Vienne à Paris en 55 étapes, en 10 h, à la moyenne de 2,5 km/h.
Vitesse • Mark Kenny, Norwood, USA, avec 50 m en 16 s 93 le 19-02-94.
Monocles - capsules Le 29-04-95, Boris Humez a maintenu 2 capsules de bouteille en monocles sur ses yeux pendant 1 h 33 min 59 s, à Clermont-Ferrand, P.-de-Dôme.
Papier hygiénique Momie • Le 31-03-95, Carole Mariani, de Marseille, B.-du-Rhône, a entièrement enroulé un adulte de papier hygiénique en 1 min 12 s 35.
Patinage Sous glace • Avec un équipement de plongée, Lise Desbiens, de Val-d'Or, Québec, a patiné tête en bas sous la glace au lac Wyeth pendant 65 min.
Saut de tonneaux • Le record de saut sur patins à glace est de 8,97 m, par-dessus 18 tonneaux, par le Québécois Yvon Jolin, de Terrebonne, le 25-01-81.
• Le record féminin, détenu par Marie-Josée Houle, St-Bruno, Québec, est de 6,84 m, saut exécuté par-dessus 13 tonneaux, le 2-03-87.
Peintres • André Roger, n.1934, de Mascouche, Québec, le 1er-04-86, à New York, a peint 60 toiles de 50 x 60 cm en 57 min. Le 9-09-87, il peint une toile de 2,74 x 1,82 m en 4 min 34 s.
France • En décembre 1990, Paul Lomré a peint en 10 min un paysage de 2,40 x 1,40 m. Le 26-01-91, il a peint à l'envers un tableau de 2,40 x 1,40 m en 14 min, qui, aux enchères, fut vendu 7 000 F.
Pelote basque Le 7-09-97, la commune de Cambo, Pyrénées-Atl., a présenté une pelote basque de 45,5 cm de circonférence.
Pelures et rondelles - Épluchage
Copeau de bois • 10,88 m de long, d'un seul tenant, taillé au rabot à main, Franck Fogliata, Montrabé, Hte-Garonne, 5-09-93.
Crayon • pelure de 79,3 cm, Dana Ververkova, La Tour Blanche, août 1992.
• 51,8 kg d'oignons épluchés en 30 min, J.-Michel Bussard, Quétigny, Côte-d'Or, 19-06-93.
Pommes • Pomme de 567 g, 11 h 37 min, 52,51 m d'un seul tenant, Kathy Wafler, New York, 16-10-76.
• Pomme de 504 g, 10 h 53 min 32 s, 51,35 m, Maurice Delafosse, Condé-sur-Noireau, Calvados, 26-10-86.
• 6,99 m de long, 13 min, Joaquim Dacosta, St-Étienne, Loire, 7-04-94.
Pommes de terre • 500 kg, 4 h 30 min, Frédéric Laroche, Sillery, Canada, 29-05-87.
• 160 kg, 45 min, 5 personnes de Clair-Frites, Rungis, Val-de-Marne, 15-04-89.
• 11,48 m, épluchure avec pulpe, Régis Poinard, St-Alban-d'Ay, Ardèche, 11-08-96.
Pinces à linge Hérisson • 975 pinces à linge ont été placées sur les vêtements et la peau d'Anthony Salmone à Morlaix, Finistère, le 13-04-94.
Pipes Concours de fumeurs • William Vargo a gardé une pipe allumée (3,3 g de tabac) pendant 2 h 06 min 39 s en n'utilisant qu'une seule allumette, à Swartz Creek, Michigan, en 1975.
Planche humaine Le Chinois Wang Yubao, 43 ans, a flotté le 1er-10-95, dans une piscine de Nankin, durant 7 h 53 min 51 s, battant le précédent record (allemand) de 1 heure.
Pose de tuiles Le 30-06-95, le Français Dominique Jolivet a recouvert 78 m^2 en 18 min avec des tuiles provenant de l'usine de Domazan, Gard.
Puces, jeu de Saut le plus haut • La hauteur record atteinte est de 3,49 m. Le record a été battu le 21-10-89, par Jones, Smith et Wynnle, du Club de saut de puce de Cambridge, GB.
Saut le plus long • Un saut de 9,52 m a été réussi par Ben Soares, du Club de la St Andrews Tiddlywinks Sty, janvier 1995.
Dans un pot • Le record du nombre de puces atterrissant dans un pot est de 41 en 3 min. Il est détenu par l'équipe Barrie, Inglis, Myers et Purvis, du Club de saut de puce de Cambridge, les 21-10-89 et 14-01-95.
Pyramides et piles
Ananas • 5,10 m haut, 3 732 pièces, Continent de Trans-en-Provence, Var, 23-06-95.
Annuaires • 5 525 pièces, Pionniers de Pintendre, Québec, 7-10-95.
Assiettes • pile de 3,15 m de haut, 1 486 pièces, Jean-Michel Morel, Troyes, Aube, 5-04-95.
Barils de lessive • 6 m de haut, Christophe Bonjus, Amilly, Loiret, 29-03-95.
Boîtes de conserve • 6,80 m de haut, Géant d'Amilly, Loiret, 6-04-94.
• 6 201 pièces, 2 équipes de 10 personnes (1 pyramide chacune), parc Tamokutekihiroba Ouike, Tokai, Japon, 1er-09-96.
Bouteilles d'eau • 6 m de haut, bouteilles d'eau de 1/2 litre, Eddy Grosset, Villard-sur-Doron, Savoie, 10-04-95.
Bouteilles de champagne • 7,20 m de haut, 23 200 pièces, CAVE, Épernay, Marne, 6-12-97.
Bouteilles de vin • 4,94 m de haut, 2 475 bouteilles, Fabrice Lesourd, Fontaine-lès-Dijon, Côte-d'Or, 6-04-95.
Canettes • 4,48 m de haut, 10 660 canettes vides, école Parc-Malou, Bruxelles, 27-04-96.
Capsules de bouteilles • 400 995 pièces, équipe de 750 personnes dirigée par Oleg et Vadim Goriunov, Musée polytechnique de Moscou, Russie, du 25-12-95 au 19-02-96.
Cassettes vidéo • 4,60 m de haut, 60 000 cassettes vidéo, Cora, Perrigny-lès-Dijon, Côte-d'Or, 6-06-94.
Châteaux de cartes • 5,85 m de haut, 100 étages, Bryan Berg, de Spirit Lake, USA, 10-05-96, à Copenhague, Danemark.
France • 4,58 m de haut, Maurice Guéguen, août 1992.
Chaussures • 18 000 chaussures, esplanade du Trocadéro, Paris, 23-09-95.
Dominos • 708 dominos sur une base d'un seul, Daniel Urlings, Luxembourg, 21-05-96.
Fontaine de champagne • 8,50 m de haut, 50 étages, 14 444 flûtes traditionnelles, Pascal Leclerc-Briant, pavillon Baltard, Nogent-sur-Marne, Val-de-Marne, 18-03-88.
Mignonnettes • 2 408 mignonnettes, Bourg-de-Péage, Drôme, 29-04-95.
Morceaux de sucre • 3,51 m de haut, 39 371 pièces, base 50 x 50 cm, Dominique Hessel, Casino de Fontaine-lès-Dijon, Côte-d'Or, 16-04-94.
• 2,88 m de haut, base 10 x 10 cm, Frédéric Augé, Clermont-Ferrand, Puy-de-Dôme, 8-04-95.
Oranges • base de 1,50 x 1,50 m, 10 025 oranges, équipe fruits et légumes du Géant Massena, Paris, 4-04-95.
Pains plats • 6,10 m, base de 7 x 7 m, 1 tonne, 2 000 pains rectangulaires, Boulangers de La Rochelle, Charente-Mar., 6-09-98.
Pamplemousses • base de 3,53 x 3,53 m, 19 019 pamplemousses, Patrick Lasalle, Boucheville, Québec, 3-02-97.
Papier hygiénique • 6,20 m de haut, composée de rouleaux, Salvatore Borsellino, Fontaine, Isère, 7-04-95.
Pièces en colonnes • 870 pièces de monnaie sur la tranche d'une pièce tenant verticalement seule sur une pièce placée sur une table, Hamidi, Muzaffarpour, Inde, 16-03-93.
• 253 pièces de 1 roupie sur la tranche d'une pièce de 5, Syal, Yamuna Nagar, Inde, 3-05-91.
• 10 pièces de 1 roupie et 10 pièces de 10 paises horizontalement et verticalement en une seule colonne, alternativement, Dipak Syal, Yamuna Nagar, Inde, 1er-05-91.
Piles • 780 piles R6, Matthieu Dassonville, Issy-les-Moulineaux, Hts-de-Seine, 17-01-96.
Planchettes • 14,60 m de haut, 2 500 planchettes, Léon de Cotret et Martin Lambert, Broment, Québec, 11-12-95.
Pogs • pile de 63 cm de haut, 612 pogs, Évelyne Lefébure, Étalle, Belgique, 28-03-96.
Sacs de lentilles • 1,09 m de haut, 100 sacs sur une base de 30 x 25 cm, Anthony Depy, Vatan, Indre, 13-09-98.
Rasage • Le record du plus grand nombre de personnes rasées au coupe-chou en 1 h est de 278, par Tom Rodden, de Chatham, GB, le 10-11-93. Il a passé en moyenne 12 s 9 par visage, ne coupant que 7 fois.
• Le 19-06-88, à Herne Bay, GB, Denny Rowe a rasé 1 994 hommes en 1 h avec un rasoir de sûreté, passant 1 s 8 avec chaque volontaire et ne faisant couler le sang que 4 fois.
France • Achille Clo d'Airoll a rasé avec les pieds un sujet en 4 min 10 s.
• Gérard Burges, coiffeur à Prades, Pyrénées-Or., les yeux bandés, a rasé un client, le 12-08-85.
Repassage Le record de rapidité est détenu par la Française Éliane Léveillé, qui a repassé et plié 100 mouchoirs en 17 min 30 s (10 s 5 par mouchoir) au Fest. de Beslon, Manche, le 26-07-87.
Reptation Pendant 15 mois, jusqu'au 9-03-85, Jagdish Chander, 32 ans, a rampé sur 1 400 km, d'Aligarh à Jamma, Inde, afin de s'attirer les grâces de la déesse Mata.
Ricochet À St-Rambert-d'Albon, Drôme, Pierre Barjon a réussi le 3-09-95 un ricochet sur l'eau de 68,75 m de long.
Sifflette Alain Gil réussit en 1981 à émettre un sifflement mélodieux par le nez.
Sitting En signe de protestation contre le remembrement autoritaire, Simone Caillot, d'Angoville-sur-Ay, Manche, a vécu 2 ans et demi dans une voiture, sur la place publique de St-Lô, du 19-07-90 au 19-01-93.
Stylites Sur un pied • Amresh Kumar Jha est resté 71 h 40 min en équilibre sur un pied entre les 13 et 16-09-95, à Bihar, Inde.
• Glen Boyden est resté 54 jours, du 8-06 au 1er-08-96, dans un tonneau de 682 litres au sommet d'un poteau à Sherwood Park, Alberta, Canada.
• Swami Maharij est resté debout, sans jamais s'asseoir ni se coucher, pendant 17 ans pour accomplir une pénitence, de 1955 à novembre 1973, à Shahjahanpur, Inde. Pour dormir, il s'adossait à une planche. Il mourut en septembre 1980, à l'âge de 85 ans.
Immobilité totale • L'Indien Radhey Prajapati est resté immobile pendant 18 h 5 min et 50 s, à Bhopal, du 25 au 26-01-96.
Tresses de légumes
Ail • 252 m, Valérie Tézier, Centre Leclerc, Bourg-lès-Valence, Ain, 13-09-97.
Échalotes • 50,30 m, 3 018 échalotes, Cédico d'Aire-sur-la-Lys, P.-de-Calais, 7-11-92.
Oignons • 124 m, Amélia Da Silva, tresseuse professionnelle, Clermont-Ferrand, Puy-de-Dôme, 6-10-95.
Tremplin • Le 28-02-88, à Tampa, Floride, Todd Seeley a sauté 75 m à moto.
• En voiture, le record est de 74,70 m, détenu par Kevin Major au volant d'une Ford Escort, à Enstone Airfield, GB, le 30-10-89.
Vélo d'appartement
Distance en 1 min • Du 19 au 20-10-97, le Français Philippe Brunet, de Blaisy-Bas, Côte d'Or, a battu son propre record du monde de la plus grande distance parcourue en 1 min après 23 h 59 min de course, avec 1,7 km. Il avait déjà parcouru 1 256 km.
Distance en 1 h • Le 24-08-96, à Pouilly-lès-Feurs, Loire, Richard Griffon a parcouru 91 km en 1 h sur home-trainer.

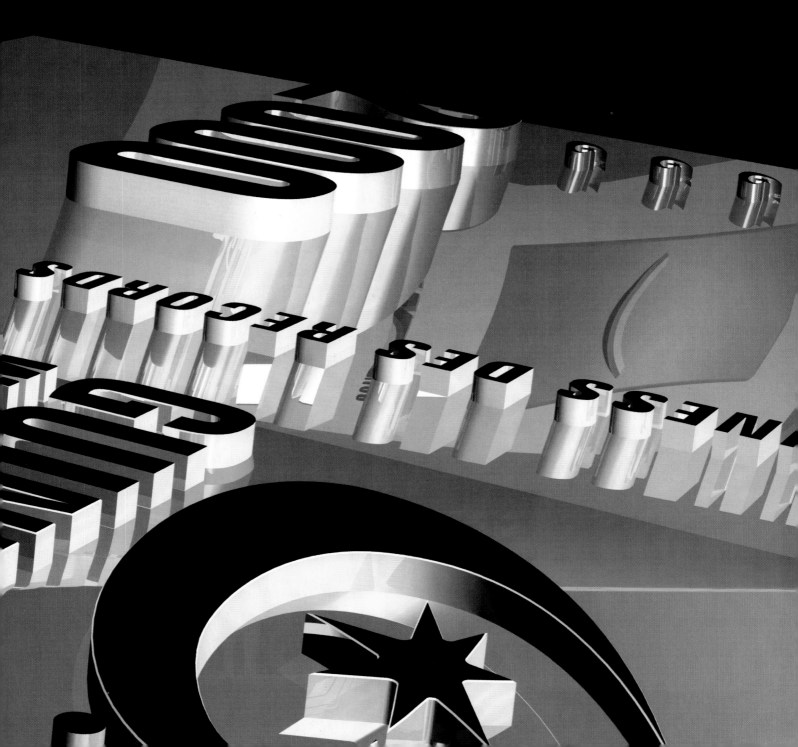

Argent

Richissimes

Homme le plus riche

Pendant de nombreuses années, le sultan de Brunei fut l'homme le plus riche du monde. En 1998, il a été dépassé par Bill Gates, dont la fortune dépend de la valeur des actions Microsoft, mais la différence de patrimoine entre eux deux reste minime. Bill Gates (n.28-10-55), cofondateur de Microsoft avec Paul Allen – dont le système MS-DOS a permis à 72 millions d'ordinateurs de fonctionner – est le P.D.G. et le particulier le plus riche du monde. À 20 ans, en 1975, il crée son entreprise et devient milliardaire en 11 ans. Sa fortune est aujourd'hui estimée à 51 milliards de $ (306 milliards de F). Ses logiciels équipent 85 % des micro-ordinateurs de la planète. En 1998, les revenus de Microsoft se sont élevés à 14,5 milliards de $. La société emploie plus de 28 000 personnes dans 58 pays. Au cours des dernières années, Bill Gates a fait don de plus de 3 milliards de $ à des œuvres caritatives concernant l'éducation, les questions sociales et l'accès à la technologie.

Femme la plus riche

La Française Liliane Bettencourt, fille d'Eugène Schueller, fondateur de L'Oréal, dont elle possède 26 %, ainsi que 3 % de Nestlé, est la femme la plus riche. Sa fortune a été évaluée en 1999 à 11,4 milliards de $ (68,4 milliards de F).

Monarques les plus riches

Homme • Le plus riche est Hassanal Bolkiah Muizzaddin Waddaulah (n.07-46), sultan de Brunei, minuscule État (5 765 km²) de la côte nord-ouest de l'île de Bornéo. Il s'est lui-même nommé premier ministre, ministre des Finances et ministre de l'Intérieur le 1er-01-84. Sa fortune, évaluée en 1999 à 36 milliards de $ (216 milliards de F), provient des gisements de pétrole et de gaz.

Femme • C'est la reine Beatrix (n.31-01-38), des Pays-Bas, avec une fortune estimée à 4,7 milliards de $ (28,2 milliards de F) en 1998. Elle accéda au trône le 20-04-80, suite à l'abdication de sa mère, la reine Juliana. Ses possessions varient de l'immobilier au commerce en passant par l'intérim ou la bière Heineken.

Dictateur le plus riche

La fortune de Saddam Hussein pèse 5 milliards de $. Elle est réputée pour être le résultat du monopole de son fils sur les importations dans le pays.

P.D.G. gagnant le plus

• En 1998, Millard Drexler, le P.D.G. de Gap, a gagné 116,8 millions de $ (700,8 millions de F). Sur la période 1995-99, il a gagné en tout 215,2 millions de $ (1,29 milliard de F).
• Stephen C. Hilbert, le P.D.G. de Conesco, a gagné 277 millions de $ (1,6 milliard de F) sur la période 1992-96. En 1979, il avait fondé cette société de construction avec un prêt de 10 000 $ (60 000 F) : elle vaut actuellement 7 milliards de $ (42 milliards de F).

Familles les plus riches

Les Walton • Selon Forbes, la famille américaine Walton est la plus riche de la planète. Sam Walton ouvrit son 1er magasin discount dans une petite ville de l'Arkansas en 1962. Aujourd'hui, la société Wal-Mart (137,6 milliards de $ de ventes), qui compte 3 600 enseignes, est le 1er distributeur des USA. Wal-Mart ne lésine pas sur les moyens publicitaires. Seul le gouvernement américain le surpasse en matière de budget consacré à l'information du public. Hélène, la veuve de Sam Walton, et ses 4 enfants cumulent une fortune de 48 milliards de $ (288 milliards de F).

Les Mars • Les Mars, qui ont bâti leur empire financier sur les barres chocolatées, arrivent en 2e position, avec 14 milliards de $.

Les Du Pont • On pense que la valeur totale des actifs contrôlés par les quelque 1 600 membres de la famille Du Pont est d'environ 150 milliards de $. La famille Du Pont quitta la France pour s'établir aux USA le 1er-01-1800. Le capital de Pierre Du Pont (1730-1817) permit à son fils Éleuthère Irénée Du Pont de créer sa société américaine d'explosifs.

Adolescent le plus riche

Le prince Abdul Aziz Bin Fahd, d'Arabie saoudite, a reçu 300 millions de $ (1,8 milliard de F) en 1987, pour son 14e anniversaire. Son père, le roi, avait entendu dire qu'il dépensait plus que les (généreuses) sommes qui lui étaient déjà allouées.

Entreprise familiale la plus grande

À 64 ans, l'Américain Whitney Macmillan est à la tête de la plus importante entreprise familiale des USA. Cargill, sa société, traite toutes les matières premières alimentaires. Elle emploie 70 000 personnes dans 54 pays et contrôle le marché alimentaire mondial.

Les premiers jeunes millionnaires

• L'acteur Jackie Coogan (1914-1984) a été la personne la plus jeune à posséder 1 million de $. Il partageait avec Charlie Chaplin (1889-1977) le rôle principal du film The Kid (1921).
• Shirley Temple (n.23-04-28) avait accumulé une fortune de plus de 1 million de $ avant l'âge de 10 ans.

Bénéfice le plus gros

Lawrence Coss, P.D.G. de la compagnie financière Green Tree, a récolté un bénéfice de 102 millions de $ (612 millions de F) en 1996, le plus élevé selon le rapport annuel de Forbes. Le bénéfice se montait presque à un quart de son salaire et augmenta son revenu

total sur les 5 dernières années à 216 millions de $ (1,3 milliard de F), dont 95 millions de $ (570 millions de F) en actions.

Directeur de banque gagnant le plus

John Reed, de Citicorp, a touché 46 millions de $ (276 millions de F) de revenus en 1996, et 70 millions de $ (420 millions de F) sur les 5 dernières années.

Avocat gagnant le plus

En 1995, selon le magazine Forbes, qui publiait une étude sur les avocats les mieux payés, William Lerach gagnait la somme record de 7 millions de $ (42 millions de F). À l'époque, il dirigeait le bureau de la firme Melvyn Weiss à San Diego, Californie.

L'empire Virgin

Richard Branson était le 14e homme le plus riche du Royaume-Uni en 1998 selon le Sunday Times, avec une fortune de 1,7 milliard de £ (17 milliards de F). Il quitta l'école à 16 ans, et fonda son label de disques, Virgin Records, en 1973. Virgin a donné son nom à une compagnie aérienne, à une compagnie ferroviaire, à une marque de jeans, à un soda, et à une société matrimoniale.

Écrivain la mieux payée

Mary Higgins Clark commença à écrire pour subvenir aux besoins de ses 5 enfants. Son 1er roman à suspense, Où sont les enfants ? (1992) lui rapporta 100 000 $ (600 000 F) de royalties. En 1996, elle signa un contrat de 12 millions de $ (72 millions de F) avec Simon & Schuster pour chacun de ses 3 prochains romans.

Dot la plus importante

En 1929, Elena Patino, fille du magnat bolivien de l'étain Simón Iturbi Patino (1861-1947), reçut 8 millions de £ de dot. La fortune de son père était alors évaluée à 125 millions de £.

Fortune perdue et retrouvée

En 1989, Donald Trump (ci-contre devant sa maison de Palm Beach, Floride) possédait 2 casinos, une compagnie aérienne, des immeubles à New York, et un yacht de 85 m de long, soit, ajoutés à ses autres biens, une fortune de 1,7 milliard de $ (10,2 milliards de F). Le choc de la récession et l'effondrement du marché immobilier, survenus à la fin des années 80, lui ont fait accumuler une dette de 8,8 milliards de $ (52,8 milliards de F). Aujourd'hui, selon le magazine Forbes, ses biens représentent 1,5 milliard de $ (9 milliards de F), mais, selon Trump lui-même, ils s'élèvent à 5 milliards de $ (30 milliards de F). En 1998, le milliardaire s'est offert l'immeuble GM, à New York.

📊 LES N° 1

- *Bernard Arnault, P.D.G. de LVMH, l'empire du luxe, qui a dégagé un CA de 45,5 milliards de F en 1998.*
- *François Pinault, P.D.G. de Pinault-Printemps-Redoute, est l'homme le plus riche de France : le groupe a réalisé un CA de 108 milliards de F en 1998.*
- *Le sultan de Brunei, à la tête d'une fortune de 36 milliards de $ (216 milliards de F), est le monarque le plus riche du monde, après avoir longtemps été l'homme le plus riche de la planète.*
- *Beatrix, reine des Pays-Bas, cumule une fortune de 4,7 milliards de $ (28,2 milliards de F).*
- *La fortune personnelle de Bill Gates, P.D.G. et cofondateur de Microsoft, est estimée à 51 milliards de $ (306 milliards de F) en 1999, ce qui en fait le P.D.G. et le particulier le plus riche du monde.*
- *La plus grosse fortune britannique appartient à Richard Branson, P.D.G. de Virgin : 1,7 milliard de £ (17 milliards de F).*

Partis de rien

Le citoyen qui s'est le plus enrichi est John Kluge, âgé de 79 ans, qui détient 95 % de la Metromedia, USA. Ayant commencé comme serveur à la cantine de la Columbia University, il est aujourd'hui à la tête d'une fortune estimée en 1994 à 8,8 milliards de $.
France • De la petite scierie familiale d'Ille-et-Vilaine, François Pinault, du groupe Pinault-Printemps-Redoute, a bâti un conglomérat au CA de 108 milliards de F en 1998, grâce à un prêt de 100 000 F qui lui a été accordé il y a plus de 30 ans.
• Pierre Fabre, un pharmacien de Castres, Tarn, imagine, en 1960, dans son arrière-boutique, une potion magique à base d'extrait de houx qu'il appelle le Cyclo 3 et qui fera le tour de la planète. En 1989, il rachète Cachou Lajaunie, qu'il revendra ensuite. Son groupe réalisait en 1995 un CA de 5,5 milliards de F.
• Gérard Bourgoin (n.1939), patron du groupe alimentaire BSA à Chailley, Yonne, emploie 4 200 personnes et réalise en 1995 un CA de 4,7 milliards de F. Apprenti boucher en 1966, il rachète la boucherie familiale. En 1990, il lance le poulet Duc, 1re marque de poulet certifié.

MILLIARDAIRE LA PLUS JEUNE 📊

Athina Onassis Roussel, petite-fille de l'armateur Aristote Onassis, a hérité en 1988, à l'âge de 3 ans, de l'empire de son grand-père, estimé à près de 5 milliards de $ (30 milliards de F), ainsi que de l'île grecque de Skorpios. Elle en disposera en 2003, à sa majorité.

Argent

Résidences

Propriétés les plus chères

• En 1997, Wong Kwan, dirigeant de la société Pearl Oriental Holdings, a acheté 2 propriétés à Hong Kong pour respectivement 70,2 millions de $ (420 millions de F) et 48,9 millions de $ (290 millions de F). Une autre maison y a été vendue pour 98,88 millions de $ (590 millions de F). À près de 187 000 F le m², il s'agit de la maison la plus chère au monde.
• *Voir aussi photo.*

Îles les plus chères

• L'île de Niihau, Hawaii, d'une superficie de 161,88 ha, est la plus grande île privée. Estimée à 100 millions de $ (600 millions de F), elle est la propriété de la famille Robinson.
• La plus chère du marché est l'île d'Arros, aux Seychelles. Cet atoll de 242,8 ha comporte un lagon privé, un terrain d'aviation et 3 maisons. Elle est en vente à 21 millions de $ (126 millions de F) en 1998.

Hôtels les plus chers

En 1996, la suite Galactic Fantasy, à l'hôtel Crystal Palace de Nassau, Bahamas, coûtait 125 000 F/nuit. Des grondements de tonnerre ainsi que des colonnes à vibration produisant des éclairs, par la chaleur corporelle, permettent de recréer une atmosphère orageuse.
France • Au Ritz, à Paris-Ier, la suite Impériale (sur la place Vendôme) coûtait 49 500 F/jour, en 1999.

Immeuble le plus cher

Le siège de la Kong Shanghai Bank est le bâtiment le plus cher au monde. Construit entre 1982 et 1985, il a coûté 645,4 millions de $ (3,9 milliards de F), plus 387 millions de $ (2,2 milliards de F) pour le terrain. L'immeuble, de 52 étages et 179 m de haut, possède 23 ascenseurs express et 63 escalators. Ses systèmes de climatisation et de chasses d'eau utilisent de l'eau pompée dans la mer.

Bureaux en France

• Le record du prix de vente au m² est de 160 000 F, pour l'achat par Mitsukoshi de l'immeuble Lanvin, l'un des hôtels des maréchaux, place de l'Étoile-Charles-de-Gaulle, à Paris. Le montant total de la transaction (pour 1 625 m²) s'éleva, en août 1989, à 260 millions de F.
• Le record en masse globale concerne l'immeuble Shell, 29, rue de Berri, Paris-VIIIe. Acheté 2,7 milliards de F, en février 1989, par Indosuez et Kaufman & Broad, il a été revendu après rénovation 3,73 milliards de F à un consortium japonais dont le chef de file était Kowa, en septembre 1989. Pour 54 100 m², le prix au mètre carré était relativement modeste : environ 70 000 F.

Loyers les plus élevés

• Selon le World Rental Levels (niveau des loyers dans le monde) de Richard Ellis, Londres, les loyers les plus élevés payés pour des bureaux étaient de 9 780 F le m² par an en décembre 1995 à Bombay, Inde. Si l'on prend en compte les charges, le coût s'élève à 10 643 F/m².
• Les loyers les plus élevés jamais payés pour des bureaux étaient de 12 469 F le m² par an, en juin 1991 à Tokyo, Japon.

Location d'espace

En janvier 1994, le Kazakhstan annonça qu'il était prêt à louer le centre spatial de Baïkonour à la Russie, pour la somme de 650 millions de F/an, pendant 20 ans.

Villes les plus chères

Corp. Resources Group de Genève étudie le coût, à critères égaux, des hôtels de luxe dans 100 villes du monde, sur la base d'une chambre individuelle, attribuant l'indice 100 à New York. En 1997, c'est à Moscou (107,95) que l'hôtellerie est la plus chère. Puis Hong Kong (105,83), New York (100), Londres (94,76) et Bruxelles (87,97). Paris (79,92) est 14e, et c'est à Colombo, au Sri Lanka (28,66), que l'hôtellerie est la moins chère.

🖥 MAISON BATLLÒ

La plus forte vente est celle de la maison Batllò, construite en 1887 par l'architecte Antoni Gaudi dans le centre de Barcelone, Espagne. Elle a été vendue 500 millions de F en 1992.

Ranch Hearst

La maison individuelle la plus chère à la construction fut le ranch Hearst, à San Simeon, Californie, avant que celle de Bill Gates ne la détrône. Le magnat de la presse William Hearst (1863-1951) servit de modèle à Orson Welles pour *Citizen Kane*. Il fit bâtir son ranch entre 1922 et 1939 pour 30 millions de $. Il possède 165 pièces meublées et décorées d'antiquités et d'œuvres d'art, 2 grandes piscines, quelques hectares de splendide jardin, des courts de tennis, un zoo et une écurie. À l'époque où William Hearst y vivait, 60 personnes étaient engagées à temps plein pour entretenir la maison.

La propriété que l'homme le plus riche du monde s'est fait construire sur les rives du Lac Washington, près de Seattle, Washington DC, a été estimée par les services du comté à une valeur de 53 392 000 $ (320 millions de F). Bill Gates l'estime, lui, à la moitié.

Appartement

Le plus grand des 4 appartements situés à Rutland Gate, Kensington, Londres, a été livré en 1988 et mis en vente pour 6 millions de £ (60 millions de F à l'époque). Il possède 7 pièces et une piscine.

Parc d'attractions le plus cher

Disney aurait dépensé 1 milliard de $ (6 milliards de F) pour la conception et la réalisation de son *Royaume des animaux*, en Floride. On peut y rencontrer des créatures fabuleuses, participer à un vrai safari, ou se lancer sur les montagnes russes. L'attraction centrale de ce parc, ouvert le 22-04-98, est *l'Arbre de vie*, visible depuis chacun des 160 ha du parc.

Jet privé le plus luxueux

Le Gulfstream V est l'avion de transport de passagers volant le plus haut après le Concorde. Il vaut 35 millions de $ (210 millions de F), et peut parcourir 12 000 km à la vitesse du son. Diana, princesse de Galles, et Dodi Al-Fayed utilisaient l'un de ces jets.

Yacht le plus cher

Le *Prince Abdul-Aziz*, qui appartient à la famille royale d'Arabie saoudite et dont la construction a coûté 109 millions de $, est le plus cher de tous les temps. Long de 147 m, il possède un équipage de 60 personnes. Amélioré en 1984 à Vospers Yard, Southampton, GB, il est notamment équipé d'une piscine modulable en piste de danse.

Paquebot le plus luxueux du monde

The World of ResidenSea sera lancé en l'an 2000. Ses 250 appartements ont été mis en vente pour des prix variant de 1,3 à 5,8 millions de $ (8 à 35 millions de F). Long de 304 m, construit en Allemagne, il coûtera 529,7 millions de $ (3,2 milliards de F). Avec ses 500 membres d'équipage, il comptera 7 restaurants, des bars, un cinéma, un casino, un night-club, des thermes romains, un lieu de culte, une bibliothèque, des musées, un centre d'affaires avec des secrétaires et un agent de change. Sur 3 des 15 ponts se trouveront des magasins, un supermarché, une piscine, un golf, un terrain de tennis et un héliport. Il suivra la course du soleil, de telle sorte que ce sera toujours l'été à bord. Les passagers seront débarqués pour assister à divers événements, comme les JO 2000 de Sydney, le Grand Prix de Monte-Carlo, et fêtera le changement de siècle en passant 2 jours sur la ligne de changement de date.

MUSÉE LE PLUS CHER

Le centre Getty, à Los Angeles, a coûté 1 milliard de $ (6 milliards de F) à construire. Le complexe, d'une surface de 90 000 m², a été conçu par Richard Meier & Partners. 15 000 m² de verre extérieur, 225 000 m³ de béton, 125 000 m² de montants d'acier et 295 000 pièces de traversine italienne ont été utilisées.

Enchères 1

Accessoires

Briquet en or 18 carats • 1,6 kg, représentant un phare sur une île d'améthyste, vendu par Alfred Dunhill, 37 500 £, Londres, 1986.

Canne en ivoire de baleine • octogonale, décorée par Scrimshanders en 1845, 24 200 $, Sotheby's, New York, 1983.

Casque de cérémonie des Indiens Tlingits • XVᵉ, acquis par le musée d'État de l'Alaska, 66 000 $, 1981.

Boîte à musique • construite pour un prince persan en 1901, 20 900 £, Sotheby's, Londres, 23-01-85.

Boîte de nécessaire à maquillage • construite à partir d'un fragment d'acier égyptien, 189 000 $, Christie's, New York, 17-11-93.

Armes

Revolver, colt calibre 45 • n° de série 1, 1873, ayant appartenu à l'armée américaine, 242 000 $, Christie's, New York, 14-05-87.

Art

Collage • dessin pour le président des USA, de Robert Rauschemberg, collection de Jacqueline Kennedy-Onassis, 220 000 $, Sotheby's, New York, 23-04-96.

Bijoux

Bague en or • ornée d'un diamant de 16 carats, 7,5 millions de F, Paris.

Boucle de ceinture et pendentif • en forme de masque chinois, 396 000 $, Sotheby's, New York, 6-12-83.

Boucles d'oreilles • piriformes en diamants de 58,6 et 61 carats, 3,1 millions de £, Sotheby's, Genève, 14-11-80.

Broche • en diamants de Bulgari (1958), 1 182 022 $, Christie's, Rome, 27 et 28-05-98.

Chevalière d'homme en or • ornée d'un rubis de 10,35 carats, 10 millions de F, 19-07-88.

Montre à gousset • Patek Philippe *Calibre 89*, 4,95 millions de FS (20,8 millions de F), acheteur sud-américain anonyme, Habsburg Feldman, Genève, 9-04-89. Cette montre est aussi la plus compliquée : 1 728 pièces, dont 126 rubis, 184 roues dentées et 24 aiguilles. Elle dispose de l'équation de temps, l'heure sidérale, la représentation du mouvement du ciel à la latitude de Genève.

Montre-bracelet • Patek Philippe *Calatrava* (1939), 2,9 millions de FS (11,5 millions de F), Genève, Suisse, 20-04-98.

Montre-bracelet érotique • 240 000 F, créée en 1997, intitulée *La Grande Complication érotique*, Genève, 11-97.

Ornement de corsage • Belle Époque, 1912, collection Cartier, 15 524 190 F, Christie's, Genève, 6-05-91.

Pendentif • diamant bleu et diamant jaune, 15,7 millions de F, Christie's, 15-11-90.

Billard

Queue • La société américaine Joe Gold Cognoscenti Cues a fabriqué une queue comprenant un tube serti de 18 diamants montés sur de l'or 14 carats, d'une valeur de 22 000 $ (132 000 F). Achevée en septembre 1997, sa fabrication a duré 9 mois. C'est la queue la plus sophistiquée imaginée par Joe Gold. Elle fut achetée par Keith Walton.

Table • *The Golden Fleece* (*La Toison d'Or*) vaut 100 000 $ (600 000 F) : c'est la table de billard la plus chère du monde sur le marché. Sculptée, recouverte de feuilles d'or 23 carats, et protégée avec un vernis spécial, c'est une pièce absolument unique. Elle a été conçue

📇 PETITE VOITURE

Une Matchbox Mercedes Benz 230SL, fabriquée par Lesney en 1968, a atteint 4 100 £ (41 000 F), lors d'une vente le 20-01-99, à Londres. À l'époque, elle ne valait pas plus de 15 pence. Il semblerait que ce soit le seul et dernier exemplaire au monde recouvert de cette peinture verte.

et fabriquée par Andee Atkisson et sa femme Gil, qui possèdent l'une des plus importantes fabriques de tables de billard.

Boîtes de bière

Une canette de bière Rosalie Pilsner et une de Tiger ont été chacune vendue 6 000 $ (33 000 F) aux USA en avril 1981. Une collection de 2 502 boîtes et bouteilles fermées de 103 pays a été achetée 25 000 $ (137 500 F) par le club Downer ACT, Australie, lors d'une vente aux enchères le 23-03-90.

Divers

Affiches originales • de *The Mummy* (1932), des studios Universal, 453 000 $ (2,7 millions de F), Sotheby's, New York, 03-97. Le prix de l'affiche, sur laquelle apparaît Boris Karloff, la star du film, est le double de celui du précédent record : 198 000 $ (1,2 million de F). Seules 2 affiches de ce film existent.

• de *The Invisible Man* (1933), 36 700 £, Christie's, Londres, 09-98.

Objets cultes

• 256 œuvres d'art tirées du *Roi Lion*, succès record de Walt Disney, se sont vendues 2 000 000 $, chez Sotheby's, à New York, le 11-02-95. Celle représentant Simba se moquant de Zazu a atteint 4 312 $ (25 872 F).

• En avril 1994, une affiche originale du cartoon *Alice's Day At Sea* (USA, 1924), dessin animé de Walt Disney, avait été vendue pour la somme de 23 100 £, chez Christie's, à Londres.

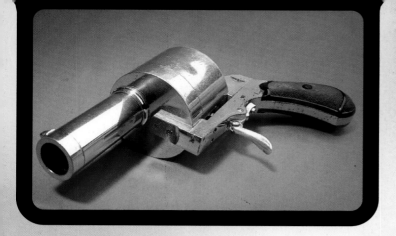

 ESPIONNAGE

Un appareil photographique d'espionnage type « revolver de poche »
Enjalbert, pièce rarissime datant de 1882, a été vendue 55 775 £
(557 750 F), chez Christie's, Londres, le 31-08-95.

• de *King Kong* (1933), 28 750 £, Christie's, Londres, 03-98.

• de *Metropolis* (1927) de Fritz Lang, signée Boris Bilinsky, 131 000 F, Hôtel Drouot, Paris, 8-12-89.

Carte téléphonique • 1ʳᵉ carte éditée au Japon, 280 000 F, 1992.

Objets extraterrestres • Morceau de 2 x 2 x 4 mm d'une météorite martienne, 0,28 g, 1958, trouvé au Brésil, 7 333 $ (plus de 1 000 fois son poids en or), Philipps, New York, 05-98.

• Pierre de lune, 0,33 g, 442 000 $, Sotheby's, 1996.

Poste de radio • récepteur à tuner multiple de Marconi, 15 997 £, Philipps, Londres, 11-05-93.

Réplique de la Coupe du monde de football • gagnée par l'Angleterre en 1966, 254 500 £, Sotheby's, Londres, 07-97.

Golf

Balle • 1849, 19 250 £, Philipps, Allemagne, 14-07-92.

Club • écossais, 1700, 92 400 £, Sotheby's, Espagne, 13-07-92.

Instruments

Astrolabe en cuivre • hollandais, doré, 34 cm, signé Walter Arsenius, 1559, 385 000 £, Christie's, Londres, 29-09-88.

Globe terrestre • copie du *Cosmographia* de Ptolémée, 1 925 000 $, Sotheby's, New York, 31-01-90.

Instrument chirurgical • scie allemande, XIXᵉ siècle, 34 848 £, Christie's, Londres, 19-08-93.

Lanterne magique • signée Newton & Co, 1880, 33 000 £, Christie's, 17-01-96.

Jeux et jouets

Carte • 1717, utilisée au Canada comme monnaie, achetée par le Suédois Lars Karlson à Yasha Beresimer, 5 000 £, 1990.

Jeu de cartes • achat du Metropolitan Museum of Art de New York, 143 352 $, Sotheby's, Londres, 6-12-83.

Jouet mécanique • fer-blanc, dévidoir « Charles », peint à la main, 231 000 $, Christie's, New York, 14-12-91.

Ours en peluche • fabriqué par Steiff, Allemagne, 1904, vendu à Yoshihiro Sekiguchi, 110 000 £, Christie's, Londres, 5-12-94.

Poupée • Bébé Thuillier (1879), 17 250 £, Christie's, Londres, 05-98.

Poupée en biscuit • de Kämmer & Reinhardt, 1909, 90 200 £, Sotheby's, Londres, 16-02-89.

Figurine • représentant Rudolf Hess, 3 375 £, Londres, 23-04-91.

Petites voitures • camionnette de livraison verte de 2ᵉ type série 28, inscription Bentall's Department Store, toit blanc, seul exemplaire connu, 12 650 £, Christie's, Londres, 14-10-94.

• Buick roadmaster ivoire au toit corail, Dinky Toys France, 38 000 F, Étude Darmancier et Heitz, 3-04-99.

Soldat de plomb • de 7 cm, représentant le colonel des gardes gallois, 1 200 £, Philipps, Londres, 9-09-87.

ROBE DE MARIÉE

Sabrina Battaglia, l'heureuse élue, pose dans une robe d'une valeur de 6 millions de $,
décorés de 6 000 diamants, confectionnée pour son mariage, le 7-12-98, à Naples.
Après la cérémonie, la robe fut vendue au profit d'une œuvre de charité.
La robe la plus chère jamais créée coûtait 7,3 millions de $. Elle était l'œuvre d'Hélène
Gainville, décorée des bijoux d'Alexander Reza et fut présentée à Paris le 23-03-89.

Enchères 2

Mobilier

Couverture • Indiens Navajos, vers 1841-1850, 522 000 $ (environ 4 millions de F), Sotheby's, New York, 28-11-89.

Lampe • Art Nouveau, en forme de 3 fleurs de lotus signée Daum & Majorelle, 1,78 million de $ (10 millions de F), Sotheby's, New York, 2-12-89.

Miroir XVIIIᵉ siècle • bois plaqué de corne verte, écaille brune, argent et vermeil, travail d'Augsbourg, 5 833 200 F, Jacques Tajan, Monaco, 11-11-84.

Mobilier Chippendale • ensemble de mobilier de la famille Hollingsworth, 1765-1775, 2 972 500 $ (environ 18 millions de F), Christie's, New York, 16-01-98. Record pour une série de meubles de Philadelphie.

Tapis • Louis XV, Manufacture royale de la Savonnerie, 1 321 500 £ (13,215 millions de F), Christie's, Londres, 6-07-44.

Tapis persan • 8 m x 4 m, 1590, achat du Metropolitan Museum of Art de New York, 1 million de $ (6 millions de F), New York, 1946.

Tapisserie • fragment d'une tapisserie suisse tissée près de Bâle, 1430, 638 000 £ (6,38 millions de F), Christie's, Londres, 3-07-90.

• Roses, de René Lalique, vers 1913, 409 500 $ (2,5 millions de F), Christie's, New York, 31-03-98. Record pour une pièce de Lalique en vente publique.

Monnaie

Billets • Le 1ᵉʳ billet jamais émis à Hong Kong, un titre de 1 $ portant le numéro de série 0001 et datant de 1872, a été vendu aux enchères pour l'équivalent de 500 000 F. Il faisait partie d'un lot de 300 pièces et billets provenant de Chine.

• Le 14-02-91, lors d'une vente aux enchères organisée par Phillips, à Londres, GB, Richard Lobel a acquis, pour le compte d'un consortium, un lot de billets au prix de 240 350 £ (environ 2 millions de F).

Il s'agissait de 17 millions de billets de l'armée britannique qui furent découverts dans une cachette à Berlin.

Pièce • Un dollar en argent de 1804, l'un des 15 derniers, estimé à 500 000 $ (2,8 millions de F), a été vendu aux enchères 1,815 million de $ (10,89 millions de F) le 8-04-97, à New York, USA. Cette pièce faisait partie de la collection de Louis E. Eliasberg Sr, banquier de Baltimore, seule personne à avoir jamais possédé un exemplaire de toutes les pièces de monnaie frappées aux USA.

Collection de pièces • La collection de pièces américaines et coloniales de la famille Garrett, rassemblées entre 1860 et 1942, a été vendue pour la somme de 25 235 360 $ (125 millions de F) les 28 et 29-11-79 et les 25 et 26-03-81, à Wolfeboro, New Hampshire, USA.

Papeterie

Machine à écrire • 1890, Guhl & Harbeck, 9 900 £ (99 000 F), Christie's, Londres, 10-08-89.

Stylo à plume • Voir photo.

Presse-papiers en verre • forme d'un panier sans anse, fabriqué par Clichy Millefiori en 1840, 258 500 £ (environ 2,6 millions de F), Sotheby's, New York, 26-06-90.

Sculptures

Bas-relief • assyrien, 883-859 av. J.-C., 7 701 500 £ (environ 78 millions de F), Christie's, Londres, 6-07-94.

Céramique • cheval en céramique de la dynastie Tang (618-906), 3,74 millions de £ (37,4 millions de F), Sotheby's, Londres, 12-12-89.

Service de table

Argenterie • collection George Ortiz, 15,3 millions de $ (91,8 millions de F), Sotheby's, New York, 13-11-96.

Bouteille bleu de cobalt • signée Isabella Glassworks, 1860, 26 400 $ (264 000 F), Boston, Massachusetts, 7-12-89.

Cuillère en argent • signée J. Hoffmann, 1905,

👤 TABLE LA PLUS CHÈRE

Une table à thé américaine style Chippendale, qui avait été achetée pour la somme de 1 million de $ en 1990, a été remise aux enchères et a atteint 3 millions de $, à la Frank H. Boos Gallery Inc, commissaire-priseur américain. Elle valait 200 $ à l'origine, et fut vendue pour la 1ʳᵉ fois dans les années 50 pour 1 000 $.

17 600 £ (176 000 F), Sotheby's, Londres, 28-04-83.

Paire de plats ovales en argent • Thomas Germain, 123 500 $ (1,235 millions de F), Sotheby's, New York, 13-11-96.

Plat circulaire en argent • signé Paul de Lamerie, 1736, 1,4 million de £ (14 millions de F), Christie's, Londres, 22-05-91.

Plat en porcelaine tendre • de Florence, provenant des ateliers des Médicis, 9 635 600 F, Hôtel Drouot, Paris, 6-05-94.

Seaux à rafraîchir en vermeil • gravés aux armes royales d'Angleterre sur une face, poinçonnés par l'orfèvre Paul Storr, 1807, 1 443 000 F, Jacques Tajan, Monaco, 15-03-93.

Terrine en argent • de Thomas Germain, service Penthièvre-Orléans 10 287 500 $ (environ 100 millions de F), Sotheby's, New York, 13-11-96.

Tasse romaine en verre • 17 cm de diam., 10 cm de haut, IIIᵉ siècle, 572 000 £ (5,72 millions de F), Sotheby's, Londres, 4-06-79.

Bouteille • bouteille coréenne rare Punch'ong, 376 500 F (3,765 millions de F), Christie's, New York, 17-11-93.

Tabac

163 cigares • 1850, 17 600 £ (176 000 F), Christie's, Londres, 6-12-96.

Timbres

• Timbre suédois jaune de 3 skilling, de 1855, unique, vendu en 1990 pour 1 877 500 FS. Il a été revendu à Zurich, le 8-11-96 par David Feldman SA pour la somme de 2 870 000 FS (12 millions de F).

• L'« enveloppe de Bordeaux », adressée en 1847 à un marchand de vin de Bordeaux, affranchie de 2 timbres de l'île Maurice – les 2 timbres les plus renommés en philatélie – émissions « Post Office », l'un bleu de 2 pence, l'autre rouge de 1 penny. C'est la seule pièce qui porte ces 2 timbres. Elle a été vendue 5 750 000 FS à Zurich, le 3-11-93. Des timbres identiques, seuls, ont été vendus, en novembre 1993, 1 700 000 FS pour le bleu et 1 600 000 FS pour le rouge.

Trésor disparu le plus cher

La Chambre d'ambre, composée de panneaux d'ambre sculptés, de chaises décorées, de tables et d'ornements en ambre, fut offerte à Catherine II la Grande, impératrice de Russie, par Frédéric-Guillaume Iᵉʳ, roi de Prusse, en 1716, et installé dans le palais de Catherine à Tsarskoïe Selo, près de Saint-Pétersburg. Décrite comme la « 8ᵉ merveille du monde », elle fut le trophée le plus précieux d'Hitler pendant la Seconde Guerre mondiale. Avant l'invasion

Reliques

Une plaque et un drapeau récupérés sur un canot de sauvetage après le naufrage du *Titanic* en avril 1912. Ces 2 objets ont atteint 79 500 $ (480 000 F) chez Christie's, New York, le 9-06-98. Depuis la sortie du film en 1997, la demande concernant tout ce qui se rapporte au paquebot a considérablement augmenté.

MONT BLANC

Un Parker Swastika model 53 USA s'est vendu 187 000 F, à Genève, le 25-04-1992. Baptisé « Meisterstück Solitaire Royal », il est le plus cher au monde. En or massif, incrusté de 4 810 diamants rappelant l'altitude du mont Blanc, sa réalisation nécessite 6 mois de main-d'œuvre. Il peut être livré pour 630 000 F.

allemande, il avait voulu faire démonter la chambre, mais les Russes l'en empêchèrent, et enfouirent les panneaux dans les jardins du palais. Pourtant, Hitler ordonna à des centaines de soldats de les déterrer et de les expédier au château de Königsberg, à l'est de la Prusse. En 1945, la chambre fut cachée dans un entrepôt en raison de l'avancée de l'armée russe, et disparut par la suite. Un panneau retrouvé en Allemagne en 1997 redonna l'espoir de reconstruire la chambre. En attendant, 22 artisans russes recréent soigneusement la chambre à partir de photographies prises avant la guerre. Un total de 60 tonnes d'ambre sont utilisées, pour un coût de 164 millions de $ (984 millions de F). Le travail a commencé en 1982 et ne sera pas achevé avant au moins 15 ans.

Véhicules

Aston Martin DB5 • de James Bond, 250 000 $, Sotheby's, New York, 28-06-86.

Vins

Bordeaux • Château-lafite 1787 (portant les initiales de Thomas Jefferson), 105 000 £ (1 millions de F), Christie's, Londres, 4-12-85. En novembre 1986, son bouchon, rendu très sec par l'exposition à la lumière, tomba dans le vin, le rendant inconsommable.
• Château-margaux 1784, 180 000 F, Christie's, Bordeaux, 06-87.
• Château-lafite-rothschild 1846, 57 000 F, Paris, 2-10-96.
• Mouton-rothschild 1946, 23 000 F, Monte-Carlo, 11-89.
Champagne • Krug collection 1969 et 1973, 10 500 F, Bordeaux, 26-07-87.
Porto • Cuinta do Noval Nacional 1931, 5 900 $ (35 400 F), Bahamas, 08-89.
Bouteilles de collection • Château-d'yquem (1858-1984), 950 000 F, Monte-Carlo, 6-05-90.
Verre de beaujolais • Chaque année, une nouvelle compétition a lieu lors de la découverte du beaujolais nouveau : acheter aux enchères le « droit de goûter le vin le premier ». En 1994, Didier Tollet, de Bruxelles, a remporté, le 17-11-94, un verre de beaujolais-villages de Jean-Charles Pivot pour la somme de 12 633 F.

Vinaigre le plus cher

Le vinaigre balsamique de Modène, Italie, est le plus cher du monde. En 1997, chez Fauchon, épicerie fine de Paris, le hors âge était vendu 9 600 F. Il existe du 150 ans d'âge quasiment introuvable.

ŒUF LE PLUS CHER

Le joaillier russe Fabergé créa 56 œufs Impériaux entre 1885 et 1917. Le plus cher est décoré de 3 000 diamants. Il a atteint 5 587 308 £ (55 873 080 F) chez Christie's, à Genève, en novembre 1994.

Shopping

Magasins de vente au détail les plus grands

Le magasin de mode Del Amo, à Torrance, Californie, est le plus spacieux du monde. Il couvre une surface de 278 700 m².
France • La Samaritaine, à Paris, a une surface de 50 206 m².

Centres commerciaux les plus grands

Monde • Le centre commercial West Edmonton, à Alberta, Canada – qui a coûté 1,1 milliard de $ – est ouvert depuis 1981 et a été agrandi 4 ans plus tard. Il s'étend sur 483 000 m² sur un site de 49 ha. Il abrite plus de 800 magasins, 11 grands magasins, et accueille 20 millions de visiteurs/an, qui peuvent bénéficier d'un parking de 20 000 places.

Europe • Bluewater, dans le Kent, GB, est ouvert au public depuis mars 1999. Ce centre s'étend sur une superficie de 155 669 m², dont 139 400 m² consacrés à la vente et répartis en 201 boutiques, 3 grands magasins, 3 galeries marchandes et 3 pôles de loisirs. Les visiteurs ont accès à un parking de 13 000 places, ainsi qu'à un parc et à un lac.

France • Le centre commercial de la Part-Dieu, à Lyon, Rhône, couvre une superficie totale de plancher de 220 000 m², sur 5 niveaux, dont 110 000 m² de surface de vente. Il compte 260 commerces et reçoit 60 000 clients/jour.

Centre commercial souterrain

Le record mondial est détenu par la galerie marchande du métro de Toronto, Canada. Elle atteint 27 km de long et abrite un total de 1 100 magasins et restaurants, sur une surface de 371 600 m².

Distribution alimentaire

Le n° 1 mondial est Sears Roebuck, de Chicago, qui possède 206 000 magasins à travers le monde.

France • Carrefour est le n° 1 français de la distribution, avec un CA, en 1998, de 204 milliards de F. Le groupe compte 354 magasins dans 20 pays et un effectif total de 144 200 personnes.

Chaînes de grands magasins

En nombre de détaillants • Le 28-01-96, la chaîne de magasins Woolworth Corporation of New York, USA, avait 8 178 points de vente au détail dans le monde. Le fondateur de la société, Frank Winfield Woolworth, a ouvert son 1er magasin, The Great Five Cent Store (Tout à 5 cents), à Utica, État de New York, en 1879. La multitude des magasins est disséminée dans le monde entier, à l'exception des USA, où il ne reste plus aucun magasin.

En termes de CA • La société Wal-Mart Store, fondée par Sam Walton à Bentonville, Arkansas, en 1962, avait totalisé, le 31-01-96, 2,74 milliards de $ (16,4 millions de F). En juin 1998, la société avait vendu pour 117,9 milliards de $ (704,4 milliards de F) sur 3 487 concessions dans le monde et 800 000 employés.

Grand magasin le plus vaste

Sur une surface de 198 500 m², Macy's est le magasin le plus vaste du monde. Ses 11 étages occupent un pâté de maisons entier dans Herald Square, à New York. Macy's est non seulement une chaîne de grands magasins, mais aussi l'un des 1ers grands détaillants à s'être installé dans des centres commerciaux. L'étoile rouge du logo est inspirée d'un tatouage porté par Rowland Macy, le fondateur.

Nombre de visiteurs dans un magasin

C'est dans le grand magasin Nextage, à Shanghaï, qu'a été comptabilisé le plus grand nombre de visiteurs en une journée : 1,07 million de personnes, le 20-12-95.

👤 RUE COMMERÇANTE LA PLUS CHÈRE

De futurs acheteurs font la queue devant Tiffany & Co., bijouterie mythique de la 5e Avenue à New York, la rue commerçante la plus chère du monde : 37 670 F/m²/an. Suivent la 57e Rue, toujours à New York, avec des tarifs de 32 510 F/m², et Oxford Street, à Londres, pour laquelle la location s'élève à 25 940 F/m².

Magasin duty free le plus grand

Le plus grand magasin duty free du monde a été ouvert par l'organisateur de voyages indonésien PT Sona Topas à Bali, en 1998. PT Sona Topas représente 60 % du marché hors taxe indonésien. Il possède des emplacements de 1er choix dans la plupart des aéroports du monde.

Magasins de jouets

Toys 'R' Us, dont le siège est à Paramus, New Jersey, totalise 1 000 magasins sur 4 millions de m² dans le monde. Le plus grand des magasins de la chaîne Toys 'R' Us est celui de Birmingham, GB, avec 6 040 m².
France • Le magasin Toys 'R' Us de la Défense, Paris, a une superficie de 6 700 m², où sont exposés 15 000 jouets différents.

Jouet le plus vendu

La poupée Barbie, créée par Mattel en 1959, est le jouet le plus répandu dans le monde, et détient un taux de notoriété de 99 %. Deux poupées Barbie sont vendues chaque seconde dans le monde. Depuis sa création, il s'en est vendu 1 milliard d'unités. Selon le *Financial World Magazine*, la valeur marchande de la marque serait de 2,2 milliards de $. Elle se classe au 18e rang des marques les plus cotées dans le monde.
France • Au total, il se vend chaque année en France 6 millions de poupées, soit 685/h,

Galeries marchandes

Le Forum Shops, galerie marchande du Caesar's Palace, gigantesque complexe hôtel-casino de Las Vegas, Nevada, attire 20 millions de visiteurs/an. C'est aux USA qu'il y a le plus grand nombre de galeries marchandes (conformément à la définition suivante : implantation d'un grand magasin et d'autres boutiques sur un espace minimum de 37 160 m²). Leur nombre s'élève à 1 897 sur l'ensemble du pays, et à 42 048 si l'on tient compte des centres commerciaux alimentaires et des solderies.

16 438/jour ou plus d'une toutes les 6 s. En 1997, Barbie a enregistré une part de marché de 76,7 %. On a calculé que 96 % des petites filles françaises de 3 à 10 ans possèdent au moins une Barbie. Chaque petite fille en possède en moyenne 7.

Supermarché du cheval

Créés par Franky Mulliez, le cousin de Gérard Mulliez (patron d'Auchan et de Décathlon), les magasins Horse Wood proposent 6 000 produits pour les fans d'équitation, sur une surface de 750 m². Il en existe 4 en France.

Chaîne de magasins de charité

Oxfam ouvrit son 1er magasin de charité en 1948 et possède actuellement 862 boutiques en Grande-Bretagne et en Irlande, ce qui en fait la 1re chaîne caritative du monde. En 1997, la société – qui lutte contre la faim, les maladies, l'exploitation et la pauvreté dans le monde entier sans considération des races et des religions – dégage un revenu de 27,36 millions de $ (164 millions de F) grâce à ces boutiques.

Emplacement de vente le plus rentable

Le record de rentabilité d'un espace de vente, calculé au m², est détenu par Richer Sounds plc, la chaîne de magasins de hi-fi. Ses ventes dans le magasin de London Bridge Walk ont atteint 1 630 £/m² (16 630 F) entre le 31-01-93 et le 31-01-94.

Transaction la plus élevée par carte de crédit

En 1995, le collectionneur d'art Eli Broad, de Los Angeles, a acheté le tableau de Roy Lichtenstein intitulé *I...I'm Sorry* (1965-66) pour la somme de 2,5 millions de $ (15 millions de F). Réglée par American Express, cette transaction record lui a permis de gagner 2,5 millions de miles (4 millions de km) en avion.

Titulaire de cartes de crédit

L'Américain Walter Cavanagh, de Santa Clara, Californie, possède 1 397 cartes de crédit différentes. Elles lui permettent de s'endetter à hauteur de 1,65 million de $ (10 millions de F). Cette considérable collection est conservée dans le plus grand porte-cartes du monde. Il mesure 76 m de long et pèse 17,5 kg.

Première galerie d'art-supermarché

Du 9-12-97 au 10-01-98, le supermarché Leclerc du Cannet, Alpes-Maritimes, a installé une vraie galerie d'art dans une aile du bâtiment, afin de dynamiser le marché de l'art local. Les œuvres de 17 artistes étaient exposées et vendues au seul profit de leurs créateurs. Le supermarché ne prenait aucune commission au passage. Pendant cette période, les visiteurs du supermarché pouvaient remplir leurs chariots de peintures, sculptures et lithographies, emballées et étiquetées de codes-barres, prêtes à passer en caisse. Les 1 700 articles étaient compris dans une fourchette de prix allant de 85 F à 25 000 F. 185 articles ont été vendus, pour la somme de 33 300 F. L'un des artistes et organisateurs de cette vente, Yvon Guidez, a déclaré que l'art devait être ouvert à tout le monde, et donc traité comme n'importe quel produit de consommation courante.

CHAÎNE DE PRÊT-À-PORTER

Gap Inc. compte 2 400 magasins distribuant ses articles de mode prêt-à-porter au Canada, en France, en Allemagne, au Japon, en Grande-Bretagne et aux USA. La société, fondée en 1969 à San Francisco, Californie, a totalisé des ventes pour un montant de 6,5 milliards de $ (39 milliards de F) en 1998. Gap se classe à la 174e place sur la liste des 500 fortunes mondiales. La marque s'est particulièrement développée ces dernières années, grâce à des campagnes publicitaires représentées par Kylie Minogue et Iggy Pop.

Joueurs

GÉNÉRALITÉS

Pays le plus joueur
L'Australie compte plus de parieurs que n'importe quel autre pays. En moyenne, un Australien parie plus de 2 700 $ (16 200 F)/an, 3 fois plus qu'un citoyen américain moyen.

Industrie du jeu aux USA
L'industrie du jeu dans ce pays pèse 40 milliards de $ (240 milliards de F) annuellement. Dans tous les États, sauf Hawaii et l'Utah, tous les paris légaux existent. Les types de jeux les plus populaires sont les loteries, les courses de chevaux, le bingo et les galas de charité. Les casinos sont autorisés dans 23 États, tout comme les jeux de Loto.

COURSES DE CHEVAUX

Opérateurs de paris
Le PMU français est au 4e rang mondial, avec 34,02 milliards de F de CA en 1996.

Nombre de gagnants
Le tiercé du 31-03-84, à Enghien, Val-d'Oise, a été touché par 2 729 727 parieurs, dans l'ordre et dans un ordre différent. L'ordre était 9-6-4.

Gains pour une course de chevaux
Les Britanniques Anthony Speelman et Nicholas Cowan ont touché 1 627 084 $ (9,8 millions de F), avec un pari de 64 $ (384 F) sur un cumul de 9 chevaux à Santa Anita, Californie, en 1987.
France • Le 4-07-91, à Évry, l'arrivée 14-15-9 rapporta 232 648,20 F pour une mise de 6 F.
Quarté plus • Le record est de 4 020 974,40 F, pour 8 F, à Auteuil, le 18-04-93. Un seul gagnant avait prévu le classement final (19-17-22-7).
Quinté plus • Le 3-04-90, un parieur de Bordeaux, Gironde, a touché la plus grosse somme jamais versée dans l'histoire du PMU : 14 221 690 F. Il avait trouvé l'ordre exact d'arrivée du quinté plus, à Vincennes (Prix Baucis), 17-7-2-10-8, en jouant 100 F.

Chevaux les plus rentables
Sur un an • En 1996, Cigar a gagné 4 910 000 $ (29,50 millions de F).
Sur une carrière • Le même Cigar a remporté sur l'ensemble de sa carrière, qui s'est achevée en 1996, 9 999 815 $ (60 millions de F).
Pouliche • Fin 1996, Hishi Amazon est celle ayant remporté le plus d'argent sur une carrière : 8 300 000 $ (49,8 millions de F) au Japon.

Jockeys ayant gagné le plus d'argent
Sur un an • En 1996, Yutaka Take, Japon, a gagné la somme de 3 133 742 000 ¥ (142 millions de F).
Sur une carrière • L'Américain Christopher Mc Carron a gagné au cours de sa carrière, de 1974 à 1996, la somme record de 192 millions de $ (1,15 milliard de F).

Propriétaires ayant gagné le plus d'argent
Sur un an • En 1996, Allen Paulson a gagné 9 086 629 $ (54,5 millions de F) aux USA et à Dubai.
Sur une saison • En 1994, le Sheikh Mohammed bin Rashial al Makhoum, Dubai, a gagné 2 666 730 £ (23 millions de F) en une saison.

Entraîneurs ayant gagné le plus d'argent
Sur un an • En 1988, l'Américain Darrel Wayne Lukas a été l'entraîneur qui a remporté le plus de succès : il a gagné 17 842 358 $ (17,8 millions de F).
Sur une carrière • Le même Lukas a également gagné plus de 155 millions de $ (930 millions de F) sur l'ensemble de sa carrière.

LOTO ET JEUX INSTANTANÉS

La Française des Jeux
• En 1998, le CA de la Française des Jeux s'est élevé à 35,7 milliards de francs.
• Aujourd'hui, il existe 17 jeux différents.
Jeux informatisés (on-line) • Loto ; Loto foot ; Keno ; Bingo ; Rapido.
Jeux de grattage • Millionnaire ; Tac O Tac ; Banco ; Black Jack ; Morpion ; Goal ; Solitaire ; Île au trésor ; Top Départ ; Pile et Face ; Bingo ; Astro.

Loto
Depuis sa création, le 19-05-76, 18 milliards de bulletins ont été validés en France, soit 255 bulletins toutes les 15 s.
En 1996, un Français sur deux joue au moins une fois par an au Loto. Les numéros les plus souvent sortis depuis mai 1976 sont : le 38, sorti 320 fois, et le 6, sorti 309 fois.

Gains les plus élevés
La cagnotte la plus élevée de tous les temps est de 111,24 millions de $ (667 millions de F). Les heureux gagnants furent Leslie Robbins et Colleen DeVries, de Fond du Lac, Wisconsin, à l'occasion du tirage du Powerball Lottery, le 7-07-93. Ils recevront annuellement 1,5 million de $ (9 millions de F) net pendant les 20 prochaines années.
Jackpot • Le jackpot le plus élevé de tous les temps pour une loterie est de 118,8 millions de $ (713 millions de F), en Californie, le 17-04-91. Il y eut 10 gagnants.
Europe • Le 6-02-99, un joueur de Tarente, dans le sud-est de l'Italie, a touché la somme record de 300 millions de F en trouvant les 6 bons numéros du Superloto.

France • Le record du gain le plus élevé jamais gagné au Loto appartient depuis le 16-01-98, à un joueur de Clamart, Hauts-de-Seine. Il a touché 75 085 410 F.
• Voir aussi photo.

Loto sportif
Le record est détenu par un joueur de Grasse, Alpes-Maritimes : 14 464 721 F le 3-08-86 pour un bulletin à 1 080 F (16 matches).

Jeux instantanés
37 milliards de F ont été récoltés par la Française des Jeux pour le Millionnaire, jeu favori des Français lancé le 30-09-91 et vendu à 22 millions d'exemplaires chaque semaine, soit 3,7 milliards de billets émis au total.

Tac O Tac
En mai 1999, on comptait 17 gagnants à 2 millions de F.

CASINO

Casino le plus grand
Le Foxwoods Resort, Connecticut, est le plus grand du monde, avec une aire de jeu de 17 900 m², un total de 3 854 machines à sous, 234 tables de jeu et 3 500 sièges de bingo.

Casino le plus haut
Le Stratosphere Hotel Casino, à Las Vegas, est le plus haut du monde. La tour de 350 m de haut et 100 étages a ouvert ses portes en avril 1996. Elle a coûté 550 millions de $ (3,3 milliards de F). C'est le plus grand observatoire panoramique gratuit du monde. Elle mesure 47,50 m de plus que la tour Eiffel. Le casino couvre 9 300 m² et compte plus de 2 000 machines à sous et de stations de vidéo poker.

Jackpot : machine à sous
Au Nevada, la machine à sous Megabucks a dépassé la barre des 15 millions de $ (90 millions de F) en avril 1998. Ce jackpot, qui n'a pas encore été gagné, sera le plus gros de tous. Le record actuel, 12,51 millions de $ (75 millions de F), a été gagné par Suzanne Henley, au

Mise au poker la plus grosse

Le 16-05-96, Huck Seed, joueur professionnel de Las Vegas, gagna une mise de 2,3 millions de $ (14 millions de F) contre le Dr Bruce Van Horn, d'Ada, Oklahoma. C'est la plus grosse mise dans l'histoire de ce jeu. Seed poursuivit sur sa lancée en remportant le World Series Poker Title, championnat mondial de poker.

LA FRANÇAISE DES JEUX

SUPER LOTO
100.080.791 F
Chez : Madame AVEZOU / LIBOURNE
le vendredi 13 mars 1998

New York Hotel & Casino, Las Vegas, le 14-04-97. Âgée de 46 ans à l'époque, elle déclara, à propos de la machine à poker, qu'elle « avait juste un pressentiment ». Elle avait fait la queue plus d'une heure pour tenter sa chance.
France • Le 8-01-94, le casino de Divonne-les-Bains a remporté le record européen des jackpots progressifs, en réglant à une cliente la somme de 8 609 559,50 F pour une mise de 15 F.

Jackpot : vidéo poker
En avril 1998, une vieille dame de San Francisco gagna un jackpot de 839 306 $ (5 millions de F) sur le *Five Duck Frenzy*, au Las Vegas Club, Nevada.

« Baleine » la plus grosse
Le plus gros joueur du monde, ou « baleine » (terme désignant les personnes jouant des sommes énormes dans les casinos), est le magnat de la presse australien Kerry Packer, dont la fortune personnelle est estimée à

SUPER LOTO

Le 13-03-98, Gilles et Geneviève, de Libourne, Gironde, décrochaient 100 080 791 F, au moyen d'un ticket flash porte-bonheur. C'est le 2ᵉ gain le plus important jamais gagné. En effet, le 20-03-97, un seul joueur a trouvé les 6 bons numéros et a perçu la somme de 150 077 770 F. Resté anonyme, on sait juste que son bulletin a été validé à Asnières, Hauts-de-Seine.

1,5 milliard de $ (9 milliards de F). Tous les casinos voulant bien admettre Packer lui accordent immédiatement une ligne de crédit de 20 millions de $ (120 millions de F). En 1997, il a acheté son propre casino en Australie, après avoir gagné 22 millions de $ (132 millions de F) dans 2 casinos de Las Vegas. Il a aussi gagné la somme de 26 millions de $ (156 millions de F) en 7 mains de blackjack au MGM Grand Casino, Las Vegas, Nevada. Sa mise favorite est de 1 million de $ (6 millions de F).

MISE RECORD SUR UN CHEVAL EN FRANCE

Pour le Prix d'Amérique à Vincennes, en 1989, 7,2 millions de F ont été joués en pari simple sur le cheval Ourasi, vainqueur des 4 précédents Prix d'Amérique.

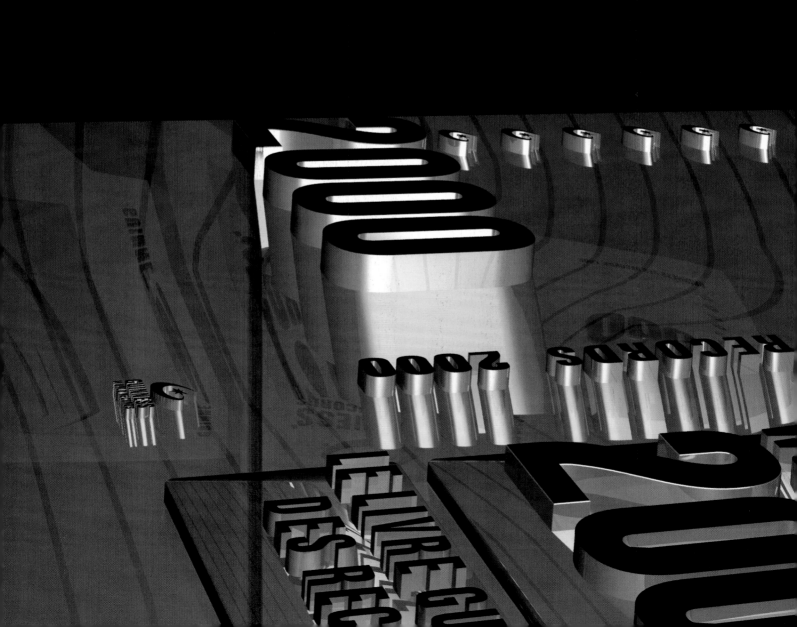

Sagas

Ciné stars

RÉALISATEURS ET ACTEURS

Carrières

• Le Texan King Vidor (1894-1982) pratiqua son art pendant 65 ans. Il débuta en 1915 avec *Hurricane in Galveston* ; son dernier film fut un court-métrage sur la peinture intitulé *The Metaphor* (1980). On lui doit quelques classiques hollywoodiens comme *La Grande Parade* (1925), *The Champ* (1931) ou *Duel au soleil* (1946).

• À l'âge de 81 ans, le réalisateur portugais Manoel De Oliveira (n.1908) est toujours en activité. Son dernier film, *La Lettre*, a reçu le prix spécial du jury au Festival de Cannes 1999. France • Le Français Abel Gance (1889-1982) a réalisé des films pendant 60 ans, depuis la *Digue* (1911) jusqu'à *Bonaparte et la Révolution* (1971), à 81 ans.

• Éric Rohmer (n.1920) a débuté sa carrière en 1959, avec *Le Signe du lion*. Son dernier film en date, *Conte d'automne*, sorti en 1998, marque ses 40 ans de carrière, à l'âge de 79 ans.

Générations d'acteurs

La famille américaine Barrymore, connue sous le nom de « Fabulous Barrymores », compte 4 générations d'acteurs. Les 3 enfants de Maurice Barrymore et de Georgiana Drew, Ethel, Lionel et John Barrymore (1882-1942), ont tous fait de brillantes carrières à l'écran ainsi que leurs enfants. Drew Barrymore, la petite-fille de John, a débuté à 7 ans dans *E.T.* en 1982 et 15 ans plus tard elle tient un des rôles principaux du film de Woody Allen *Tout le monde dit I love you* (USA, 1997). France • La famille Brasseur compte 3 générations de comédiens depuis 1920. Parmi les plus connus, Pierre Brasseur, Odette Joyeux et leur fils Claude Brasseur.

Acteur le plus incarné par d'autres

Charlie Chaplin a été incarné 8 fois à l'écran, la 1re fois en 1916 dans un film satirique anglais et la dernière fois en 1992, dans *Chaplin*, de Richard Attenborough.

Plus grand nombre de premiers rôles

John Wayne (1907-1979) a joué dans 153 films, de 1927 à 1976. Il a tenu le 1er rôle 142 fois.

Travail d'acteur le plus impressionnant

Daniel Day Lewis a passé de nombreuses nuits sans dormir dans une fausse cellule pour préparer son rôle dans *Au nom du Père* (Irlande/GB/USA, 1993), tandis que pour *Le Dernier des Mohicans* (USA, 1992) il vécut dans des conditions de survie qui lui permirent d'apprendre à chasser et tuer des animaux, et à construire des canoës.

Gain de poids pour un rôle

Robert De Niro a pris 27,21 kg pour son rôle du boxeur poids lourd Jake La Motta dans *Raging Bull* (USA, 1980).

Pertes de poids pour un rôle

• Les efforts de Gary Oldman pour perdre du poids afin d'incarner la star du punk Sid Vicious dans *Sid and Nancy* (GB, 1986) furent si concluants qu'il fallut l'hospitaliser afin de le traiter pour malnutrition.

• Jennifer Jason Leigh ne pesait plus que 39 kg pour son rôle d'adolescente anorexique dans le téléfilm américain *The Best Little Girl in the World* (USA, 1981).

Différence d'âge jouée pour un film

Dustin Hoffman avait 33 ans lorsqu'il incarna le rôle-titre de *Little Big Man* (USA, 1970), dans lequel on le voit évoluer de 17 à 121 ans.

Doublure corps la plus célèbre

Shelly Michelle est apparue à l'écran en tant que doublure des plus célèbres actrices d'Hollywood, dont Julia Roberts dans *Pretty Woman* (USA, 1990) et Kim Basinger dans *J'ai épousé un extra-terrestre* (USA, 1988) et *Sang chaud pour meurtre de sang-froid* (USA, 1992). Elle a aussi doublé Barbra Streisand et Madonna.

N° 1 au box-office la plus jeune

Shirley Temple avait 7 ans quand elle devint n° 1 au box-office, en 1935.

HOLLYWOOD

Hollywood Boulevard

Kirk Douglas, héros de *Spartacus* (USA, 1960) fut le 1er à laisser sa trace sur Hollywood Boulevard, à Los Angeles, quand l'empreinte de ses pieds fut moulée dans le béton en 1962. Son fils Michael, star de *Basic Instinct* (USA, 1992) fut invité à laisser sa marque en septembre 1997. La famille Douglas est la 1re à compter 2 générations ayant laissé leurs empreintes dans le ciment.

Star délinquante

Errol Flynn, héros de *Robin des Bois* (USA, 1938) et de *La Charge fantastique* (USA, 1941), a été incarcéré plus que n'importe quelle autre star de Hollywood. Dans les années 20, il fut condamné à 2 semaines de prison en Nlle-Guinée pour avoir frappé un homme qui s'était adressé à lui en ne l'appelant pas « Monsieur ». En 1929, il fut inculpé pour meurtre puis acquitté par manque de preuves. En 1933, il fut emprisonné en Somalie pour avoir frappé un officier des douanes, et quelques années plus tard il écrasa les pieds d'un policier qui lui avait fait quitter la route près de New York et demandé un autographe d'une façon jugée menaçante. Il fut emprisonné une nuit.

Rivalité la plus grande

Peter Sellers et Orson Welles se détestaient si intensément que lorsqu'ils durent jouer une scène ensemble, autour d'une table de jeu dans *Casino Royale* (GB, 1967), ils se rendirent sur le plateau à tour de rôle, en utilisant un double pour partenaire.

Cimetière le plus grand

Le Forest Lawn Memorial Park, à Glendale, Hollywood, couvre 135 ha et contient 3 églises. Walt Disney, Errol Flynn, Nat King Cole, Clark Gable et Jean Harlow sont tous enterrés à cet endroit.

GROSSES MACHINES

• *Réalisateur des paris impossibles, James Cameron est l'auteur de* Terminator *ou de* Titanic. *Il devrait lancer la machine hollywoodienne sur un autre défi : adapter à l'écran le manga* The Ghost in the Shell.

• *7 parmi les 10 films ayant fait le plus d'entrées au monde ont été réalisés par Steven Spielberg (n. 1947). Ils ont rapporté collectivement plus de 2,17 milliards de $ (12 milliards de F) de recettes. Spielberg a remporté son 1er Oscar du meilleur réalisateur pour* La Liste de Schindler *en 1993.*

Mythe

Norma Jean Baker (1926-1962), dite Marilyn Monroe, est la star qui a donné le plus matière à écrire : 40 livres racontent son destin tragique, ainsi que 9 téléfilms, 1 film et 1 pièce de théâtre. Ci-contre, sur le tournage de *The Misfits* (USA, 1961), de John Huston, dans lequel elle donna la réplique à celui qu'elle considérait comme son père spirituel, Clark Gable. Un an plus tard, sa mort tragique interrompait le tournage de *Something Got to Give*, de George Cukor, son dernier film resté inachevé.

ASCENSION FULGURANTE

À 21 ans, l'actrice américaine Cameron Diaz bénéficie des faveurs du public pour son 1er grand rôle dans Mary à tout prix (1998), qui se classe dans les 20 plus grosses recettes de cette année. Née d'un père cubain et d'une mère allemande, elle a entamé une carrière de mannequin avant de se lancer dans le cinéma. Après un passage remarqué aux côtés de Jim Carrey dans The Mask, elle n'obtient qu'un petit rôle dans le film Mortal Kombat I (1995).

SALAIRES DE STARS

• L'acteur de cinéma le plus riche est Harrison Ford, dont la fortune a été estimée à 58 millions de $ pour l'année 1998.
• Jack Nicholson, rien que pour son rôle de Joker dans *Batman* (USA, 1989), a touché 60 millions de $ sous forme de pourcentage sur les recettes.
• Marlon Brando a perçu la somme de 18,5 millions de $ pour une apparition de 9 min dans *Superman* (1978).
• Kevin Costner a été en 1991 l'acteur le mieux payé au monde, il a gagné 60 millions de $ avec *Danse avec les loups* (où il était à la fois acteur et réalisateur) et il a touché un cachet de 8 millions de $ pour *Robin des bois*.
• Le comique américain Jim Carrey (n.1962) a perçu le cachet de 20 millions de $ pour *The Cable* (*Disjoncté*) en 1996.
Femme • En 1996, Demi Moore toucha un cachet de 15 millions de $ (90 millions de F) pour jouer dans le film *Striptease*... qui ne fut pas un succès. Avec un cachet exigé de 12,5 millions de $ (75 millions de F) par film, Demi Moore est l'une des actrices les plus chères actuellement. Née Demetria Guynes en 1962, elle commença sa carrière à l'âge de 20 ans, dans un show TV appelé *General Hospital*. Elle a maintenant 26 films à son actif.
Enfant • Macaulay Culkin (n.28-08-80) a touché 1 million de $ à l'âge de 11 ans, pour le film *My Girl* en 1991. En 1992, pour *Maman, j'ai encore raté l'avion*, il a perçu 5 millions de $ (plus un pourcentage sur les recettes).

Stars françaises les mieux payées

Homme • Gérard Depardieu, nominé aux Oscars pour *Cyrano de Bergerac* (France, 1990) et lauréat de 10 Césars, est l'acteur français le mieux payé aujourd'hui. En 1992, son rôle pour *Christophe Colomb* (GB/USA/France/Espagne) lui rapporta 1,89 million de $ (9,5 millions de F). Il reçut également un cachet de 1,32 million de $ (6,5 millions de F) pour 2 spots de la marque de pâtes Barilla.
Femme • Isabelle Adjani détient le même record la même année pour le film *Toxic Affair*.

Acteurs les plus populaires

Les films avec Louis de Funès (1914-1982) ont été vus par 321,6 millions de spectateurs depuis 1956.

Divorce le plus cher

Le réalisateur Steven Spielberg a dû débourser 500 millions de F pour divorcer de sa femme, l'actrice Amy Irving.

NOIR ET BLANC

Men in Black (USA, 1998) révéla au grand public une nouvelle star, Will Smith. Chanteur, acteur et humoriste, il reprend pour les Mystères de l'Ouest le personnage mythique de Robert Conrad. Autre révélation de la décennie, Leo DiCaprio conquiert le cœur du public grâce au film le plus plébiscité de l'Histoire (20,8 millions d'entrées) : Titanic.

Lauréats

César d'honneur 1999

Johnny Depp (n.1963) a reçu un César d'honneur récompensant l'ensemble de sa carrière. Rescapé des séries télé, il apparaît au cinéma pour la 1re fois en 1984 dans *Les Griffes de la nuit*, de Wes Craven. En marge des circuits hollywoodiens, il travaille aujourd'hui presque exclusivement avec des auteurs indépendants, tels que Tim Burton (*Edward aux mains d'argent*, 1990 ; *Ed Wood*, 1994), Emir Kusturica (*Arizona Dream*, 1992) ou Jim Jarmush (*Dead Man*, 1995). En 1997, il réalise son 1er film, *The Brave*, auquel Marlon Brando participe.

THE WINNER IS...

L'Oscar de la meilleure actrice a récompensé Gwyneth Paltrow, pour son interprétation dans Shakespeare in Love, *de John Madden, meilleur film de l'année.*

tant que meilleur acteur et meilleur second rôle. Les autres acteurs à avoir été récompensés 2 fois sont Spencer Tracy pour *Capitaines courageux* (USA, 1937) et *Des hommes sont nés* (USA, 1938), Fredric March pour *Dr Jekyll et Mr Hyde* (USA, 1932) et *Les Plus Belles Années de notre vie* (USA, 1946), Gary Cooper pour *Sergeant York* (USA, 1941) et *Le train sifflera trois fois* (USA, 1952), Marlon Brando pour *Sur les quais* (USA, 1954) et *Le Parrain* (USA, 1972), Dustin Hoffman pour *Kramer contre Kramer* (USA, 1979) et *Rain Man* (USA, 1988) et Tom Hanks pour *Philadelphia* (USA, 1993) et *Forrest Gump* (USA, 1994).

Nominations aux Oscars

Richard Burton a été nominé 6 fois, pour *Ma cousine Rachel* (USA, 1952), *La Tunique* (USA, 1953), *L'Espion qui venait du froid* (GB, 1965), *Qui a peur de Virginia Woolf ?* (USA, 1966), *Anne des mille jours* (GB, 1970) et *Equus* (GB, 1977), sans jamais être lauréat.

Actrices les plus jeunes récompensées

• Tatum O'Neal (n.5-11-63) est la plus jeune actrice à avoir remporté un Oscar, pour son rôle dans *Paper Moon* en 1974, à 10 ans.
• Shirley Temple (n.3-04-28), obtint un Oscar spécial en 1934, à l'âge de 6 ans.

Actrice la plus âgée récompensée

Jessica Tandy (1909-1996) reçut un Oscar pour *Miss Daisy et son chauffeur*, en 1990, à 80 ans.

Films les plus primés

• Le 1er film le plus récompensé a été *Ben Hur* (1959), de William Wyler, qui remporta 11 Oscars.
• Trente-huit ans plus tard, *Titanic* (USA, 1997), produit par la Paramount et réalisé par James Cameron, a lui aussi remporté 11 Oscars, égalant ainsi *Ben Hur*.

Réalisateur le plus primé

Le réalisateur le plus primé a été John Ford, avec 4 Oscars (1935, 1940, 1941 et 1952).

Oscars français

Deux actrices françaises ont obtenu un Oscar : Simone Signoret, pour *Room at the Top* (*Les Chemins de la haute ville*), en 1960, et Juliette Binoche, qui a réédité cet exploit en 1997 en remportant un Oscar du meilleur second rôle féminin pour *Le Patient anglais*. Charles Boyer a été nominé 4 fois, en 1937, 1938, 1944 et 1961.

Discours de remerciement le plus long

L'actrice irlandaise Greer Garson (n.1908), très émue en recevant son Oscar pour *Mrs Miniver* (1942), a prononcé un discours

de plus de 5 min 30 s.
On a pu constater par la suite que les discours de remerciement étaient soigneusement minutés. Depuis 1990, le temps est passé à 45 s : après 25 s, une lumière rouge s'allume et, si le gagnant ne s'interrompt pas, une musique vient couvrir ses paroles.

Oscars 1999

<u>Meilleur film</u> • *Shakespeare in Love*, de John Madden.
<u>Meilleure actrice</u> • Gwyneth Paltrow, dans *Shakespeare in Love*.
<u>Meilleur acteur</u> • Roberto Benigni, dans *La vie est belle*.
<u>Meilleur réalisateur</u> • Steven Spielberg pour *Il faut sauver le soldat Ryan*.
<u>Meilleur film étranger</u> • *La vie est belle*, de Roberto Benigni.

CÉSARS

Réalisateur le plus primé

Bertrand Tavernier a été nominé 11 fois comme meilleur réalisateur et a obtenu le César 2 fois : en 1977 pour *Que la fête commence*, puis en 1997 pour *Capitaine Conan*. Il a en outre été récompensé 3 fois au titre de meilleur scénariste, ou coscénariste, pour un scénario original ou une adaptation : *Que la fête commence* (1976), *Le Juge et l'Assassin* (1977) et *Un dimanche à la campagne* (1985). En tout, il a donc obtenu 5 Césars.

Acteurs les plus primés

<u>4 Césars</u> • Isabelle Adjani a reçu 4 fois le César de la meilleure actrice, avec *Possession* (1982), *L'Été meurtrier* (1984), *Camille Claudel* (1989) et *La Reine Margot* (1995).
<u>3 Césars</u> • Michel Serrault, 3 fois meilleur acteur, avec *La Cage aux folles* (1979), *Garde à vue* (1982), *Nelly et M. Arnaud* (1996).

Films les plus primés

Les films les plus primés sont *Le Dernier Métro*, de François Truffaut, et *Cyrano de Bergerac*, de Jean-Paul Rappeneau, qui ont obtenu 10 Césars, respectivement en 1981 et 1991.

Acteurs les plus nominés

• Gérard Depardieu a été nominé 13 fois.
• Miou-Miou a été nominée 7 fois et a obtenu le César 1 fois (*La Dérobade*, 1980).

Césars 1999

<u>Meilleur film</u> • *La Vie rêvée des anges*, d'Érick Zonca.

OSCARS

Le plus primé

C'est Walt Disney (1901-1966), qui, avec 20 statuettes et 12 plaques ou certificats (certains posthumes), a reçu le plus de récompenses.

Acteurs les plus primés

<u>4 Oscars</u> • Katharine Hepburn (n.1907) est la seule à avoir remporté 4 Oscars, pour *Morning Glory* (1933), *Devine qui vient dîner* (1967), *Un lion en hiver* (1968) et *La Maison du lac* (1981). Elle fut nominée 12 fois.
<u>3 Oscars</u> • Helen Hayes (1900-1990) a reçu l'Oscar de la meilleure actrice pour *The Sin of Madelon Claudet* (1932), puis 2 fois l'Oscar du meilleur second rôle féminin pour *Anastasia* (1956) et *Airport* (1969). Elle est par

ailleurs détentrice d'un Emmy (Télévision), d'un Tony (Théâtre) et d'un Grammy (Disque).
<u>2 Oscars</u> • Quinze acteurs ont reçu 2 Oscars du meilleur acteur. Les plus récents sont Jodie Foster (1989 et 1992) et Tom Hanks (1993 et 1994).

Nombre d'Oscars du meilleur acteur

Jack Nicholson, qui remporta l'Oscar du meilleur acteur pour *Vol au-dessus d'un nid de coucou* (USA, 1975) et *As Good as It Gets* (USA, 1997), est l'un des 7 acteurs à avoir été récompensés 2 fois. En 1998, ABC News reconnut la star – qui abandonna l'école et grandit en croyant que sa grand-mère était sa mère, et que sa mère était sa sœur – comme l'une des plus fortes personnalités de Hollywood. Il a été nominé 11 fois en

 ## CÉSAR DU MEILLEUR ACTEUR

Le César 1999 du meilleur acteur a été attribué à Jacques Villeret, pour son rôle dans Le Dîner de cons (1998), de Francis Veber. Celui du meilleur acteur dans un second rôle est revenu à Daniel Prévost, partenaire de Jacques Villeret. Le Dîner de cons a connu un succès phénoménal et se classe aujourd'hui en 10ᵉ position sur la liste des 10 best-sellers français (1956-98), avec 8,61 millions d'entrées depuis sa sortie.

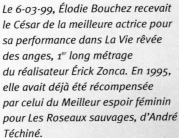

Meilleure actrice • Élodie Bouchez, dans *La Vie rêvée des anges.*
Meilleur acteur • Jacques Villeret, dans *Le Dîner de cons.*
Meilleur réalisateur • Patrice Chéreau pour *Ceux qui m'aiment prendront le train.*
Meilleur film étranger • *La vie est belle*, de Roberto Benigni.
Meilleur acteur dans un second rôle • Daniel Prévost dans *Le Dîner de cons.*
Meilleur actrice dans un second rôle • Dominique Blanc dans *Ceux qui m'aiment prendront le train.*
Meilleur espoir masculin • Bruno Putzulu pour *Petits désordres amoureux.*
Meilleur espoir féminin • Natacha Régnier pour *La Vie rêvée des anges.*
Meilleure première œuvre de fiction • *Dieu seul me voit*, de Bruno Podalydès.

FESTIVAL DE CANNES

Créé en 1939, le Festival international du film de Cannes devait connaître sa 1ʳᵉ édition en septembre, mais l'inauguration en fut reportée pour cause de guerre. Il commença vraiment en 1946, xfut annulé en 1948 et 1951 pour cause de restrictions budgétaires et interrompu en mai 1968. C'est ce qui explique que l'on a fêté en 1999 son 52ᵉ anniversaire. C'est le plus grand marché mondial du film.

CÉSAR DE LA MEILLEURE ACTRICE

Le 6-03-99, Élodie Bouchez recevait le César de la meilleure actrice pour sa performance dans La Vie rêvée des anges, 1ᵉʳ long métrage du réalisateur Érick Zonca. En 1995, elle avait déjà été récompensée par celui du Meilleur espoir féminin pour Les Roseaux sauvages, d'André Téchiné.

Cannes 1999
Palme d'or • *Rosetta*, de Luc et Jean-Pierre Dardenne.
Grand Prix • *L'Humanité*, de Bruno Dumont.
Prix de la mise en scène • *Tout sur ma mère*, de Pedro Almodovar.
Meilleure actrice ex æquo • Émilie Dequenne dans *Rosetta*, et Séverine Caneele dans *L'Humanité.*
Meilleur acteur • Emmanuel Schotté, dans *L'Humanité*, de Bruno Dumont.
Prix spécial du jury • *La Lettre*, de Manoel De Oliveira.

Pop stars

Groupe le mieux payé

Les Rolling Stones sont le groupe le plus riche du monde, avec des revenus s'élevant à 57 millions de £ (570 millions de F), pour l'année 1998 seulement. Formé en avril 1962 à Londres, ils devinrent les seuls rivaux des Beatles dès 1964.

Groupe de filles le mieux payé

Les Spice Girls atteignent la 20e place du classement du magazine *Forbes*, avec des revenus de 49 millions de $ en 1998.

Couvertures de « Rolling Stones »

Mick Jagger, le chanteur des Rolling Stones, a fait la couverture du magazine *Rolling Stones* à 16 reprises.

Nombre de Grammys sur 1 an

En 1984, Michael Jackson a remporté le nombre record de 8 Grammy Awards. Né le 29-08-58 à Gary, Indiana, il commença sa carrière à 5 ans avec les Jackson Five, le groupe de ses frères aînés. Il lança sa carrière solo en 1979 avec l'album *Off The Wall*, et 3 ans plus tard il sortit *Thriller*, qui, à ce jour, s'est vendu à 48 millions d'exemplaires à travers le monde.

Nombre de Brit Awards

• Annie Lennox, ex-chanteuse du groupe Eurythmics, a été récompensée par 7 Brit Awards durant sa carrière, plus que n'importe quel artiste. Le dernier, celui de la meilleure artiste féminine britannique, date de 1996.
• Le groupe anglais Blur détient le record sur une année, avec 4 récompenses en 1995.

Madonna

Née Madonna Louise Ciccone à Rochester, Michigan, le 16-08-58, la « reine de la controverse » explosa en 1984 avec *Like a Virgin*. Elle a vendu depuis 100 millions de disques à travers le monde et compte une cinquantaine de tubes. Elle a aussi connu le succès en tant qu'actrice, avec *Recherche Susan désespérément* (1985) et *Evita* (1996).

Maniaque du shopping

La star qui dépense le plus d'argent en achats en tous genres est Elton John, avec un montant mensuel moyen de 250 000 £ (2,5 millions de F). Ses factures les plus mémorables comprennent 38 000 £ (380 000 F) pour un mois d'achats au rayon fleuriste de Bloomingdales, New York, et 200 000 £ (2 millions de F) pour une seule visite chez le bijoutier Theo Fennell, à Londres.

Don à une vente de charité

En 1996, Pulp, dont le leader est Jarvis Cocker, remporta le *Mercury Prize* devant les favoris Oasis, et fit don du chèque de 25 000 £ (250 000 F) à une œuvre s'occupant des enfants victimes de la guerre.

D'autres vainqueurs de ce prix agirent de la même manière, comme Suede en 1993, M People en 1994 et Roni Size en 1997.

Contrats les plus gros

• Le 20-03-91, Sony Music a annoncé qu'elle avait conclu avec Michael Jackson un contrat de 1 milliard de $, soit 6 milliards de F.
• Le groupe américain REM, dont le leader est Michael Stipe, a signé, en septembre 1996, un contrat de 80 millions de $ (480 millions de F) pour 5 disques avec la firme Warner, dont 20 millions de $ (120 millions de F) d'avances sur droits.

Droits les plus élevés pour une pub

Microsoft a offert 8 millions de $ (48 millions de F) aux Rolling Stones

JOHNNY HALLYDAY

En 1993, à l'occasion de son 50e anniversaire, Johnny Hallyday sortait un coffret de 40 CD, comprenant 730 titres. Il a vendu 80 millions de disques à travers le monde, un record pour un artiste français. En septembre, il a attiré au Stade de France un record de 240 000 spectateurs.

pour que leur tube *Start me up* devienne la bande-son de la campagne Windows 95.

Contrat publicitaire le plus gros à être refusé

En 1987, Bruce Springsteen a refusé la somme de 12 millions de $ (144 millions de F) pour une publicité. Le constructeur automobile américain Chrysler lui offrait cette somme pour utiliser sa chanson *Born in the USA*, afin d'augmenter ses ventes de voitures.

Bataille pour un contrat d'enregistrement

George Michael intenta un procès qui dura 9 mois, en 1993 et 1994, dans le but de mettre fin à son contrat avec Sony Music. Il perdit, et cela lui coûta 3 millions de $ (18 millions de F).

Paroles de chanson les plus chères

En février 1998, le manuscrit autographe de *Candle in the Wind* (version 1997) a été vendu aux enchères pour la somme de 442 500 $, à Los Angeles, Californie. Réécrite par Bernie Taupin, cette chanson – qui s'adressait à l'origine à Marilyn Monroe – fut interprétée par Elton John lors des funérailles de Diana, princesse de Galles, en septembre 1997.

Vente de vêtements de star

Les 2 dernières ventes de vêtements d'occasion issue de la garde-robe scandaleuse d'Elton John ont rapporté 530 000 £ (5,3 millions de F), destinés à être reversés à sa fondation de lutte contre le sida. Pour une des ventes, il dut louer une boutique afin de liquider plus de 10 000 tenues, estimées avoir coûté 2,5 millions de £ (25 millions de F) à l'achat.

Fan clubs

On compte plus de 480 fan clubs d'Elvis Presley à travers le monde – plus que pour n'importe quelle autre star. Cela est particulièrement étonnant étant donné qu'il n'a enregistré que dans sa propre langue, excepté pour quelques B.O.F., et n'a donné qu'un seul concert hors des USA, en 1957, au Canada.

Promotion la plus spectaculaire

Lors de la sortie de l'album de Michael Jackson *HIStory* (1995), une statue gonflée de 9,10 m de haut représentant la star fut placée au sommet de la Tower Records à Hollywood, un symbole géant veillait sur Times Square, à New York, et une autre statue flottait sur une péniche dérivant sur la Tamise, à Londres. Sony, sa maison de disques, a dépensé 40 millions de $ (240 millions de F) pour le lancement de l'album aux USA, en GB, en Italie, en Australie, au Japon, en Afrique du Sud et aux Pays-Bas.

POP STAR LA MIEUX PAYÉE

Née le 30-03-68, à Charlemagne, Québec, Céline Dion a rempli le Stade de France en juin 1999. Selon le magazine Forbes, *Céline Dion atteint la 12ᵉ place du classement des 40 artistes du show business les plus riches, avec des revenus de 55,5 millions de $ en 1998, qui en font la pop star la mieux payée de l'année. Classée n°1 dans les charts du monde entier, sa carrière a éclaté, notamment grâce à son interprétation de* My Heart will go on, *thème du film* Titanic. *En 1995, avec plus de 5 millions d'albums vendus dans le monde, dont 3,5 millions rien qu'en France,* D'eux *(écrit par Jean-Jacques Goldman) a détenu le record des ventes d'albums. En octobre 1996, son album* Falling into You *a connu la consécration américaine en se classant n° 1 aux USA. Plus de 25 millions d'exemplaires s'en sont vendus à travers le monde. Il a, en outre, été récompensé par 2 Grammy Awards (Album de l'année et Meilleur album pop).*

POP STAR LA PLUS RICHE

David Bowie est à la tête d'une fortune estimée à 150 millions de £ (1,5 milliard de F). En 1997, il a recueilli 33 millions de £ (330 millions de F) en émettant des titres boursiers, qu'il a ensuite vendus à la compagnie Prudential Insurance. Parmi les stars qui, paraît-il, suivent son exemple figurent certains membres des Rolling Stones.

Stars TV

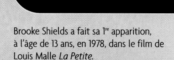

Présentateurs : endurance

• Jean-Claude Narcy (n.16-01-38) a présenté 5 000 journaux télévisés, sur toutes les chaînes, depuis le 16-04-61.

• Yves Mourousi a présenté 4 200 journaux télévisés sur TF1 entre le 6-01-75 et le 8-03-88, soit pendant 13 ans et 2 mois.

Contrats les plus gros

En mars 1994, Oprah Winfrey, la reine américaine du talk-show, a signé un contrat avec la King World Corporation garantissant à sa société Harpo une rémunération de 300 millions de $ (1,8 milliard de F) pour des émissions jusqu'au 31-12-2000, soit 46,15 millions de $ (280 millions de F)/an pendant 6 ans et demi. Elle a gagné 803 millions de F en 1994-1995.

Le « Oprah Winfrey Show » est retransmis par 200 stations de télévision aux USA et par 117 chaînes dans le monde.

France • L'animateur-producteur de France 2 Jean-Luc Delarue a signé le plus gros contrat français, avec un montant global de 409,5 millions de F pour 3 ans.

Présentateurs de JT les mieux payés

Christiane Amanpour, reporter de guerre pour CNN et CBS, est la présentatrice de JT la mieux payée après une surenchère sans précédent entre plusieurs chaînes. À l'issue de cette compétition, elle a finalement signé 3 contrats, le 1er d'un montant de 2 millions de $ (12 millions de F) avec NBC, le 2e d'un montant de 1,5 million de $

(9 millions de F) avec CNN et le 3e d'un montant de 500 000 $ (3 millions de F) avec CBS pour 60 min d'émission. Elle a ainsi couvert les événements de la guerre de Bosnie et de celle du Golfe.

France • Les présentateurs français du journal du soir sont les mieux payés d'Europe. Parmi eux, Patrick Poivre d'Arvor sur TF1 et Guillaume Durand sur Canal + sont en tête, avec un salaire mensuel de plus de 150 000 F.

Meilleure audience TV pour un acteur

George Clooney, dans le rôle du pédiatre Doug Ross dans la célèbre série *Urgences*, est la star la plus regardée dans le monde. Il touche 147 200 $ (883 200 F)/épisode. L'audience moyenne s'élève à 20,78 millions de spectateurs par épisode aux USA, et à 3,45 millions de spectateurs en Grande-Bretagne. Clooney est également apparu au cinéma au côté de Quentin Tarantino, Harvey Keitel et Juliette Lewis dans *From Dusk Til Dawn* (USA, 1996), avec Michelle Pfeiffer dans *One Fine Day* (USA, 1996) et avec Uma Thurman et Alicia Silverstone dans *Batman et Robin* (USA, 1997).

Meilleure audience TV pour une actrice

Brooke Shields est l'héroïne de la série américaine *Suddenly Susan*. Regardée par 20 millions de téléspectateurs en 1996-97, elle détient le record de la plus grande audience mondiale pour une série dont le personnage principal est une femme.

Brooke Shields a fait sa 1re apparition, à l'âge de 13 ans, en 1978, dans le film de Louis Malle *La Petite*.

Acteur de télévision le mieux payé

Jerry Seinfeld, héros de la sitcom *Seinfeld*, a été la mieux payée des stars de télévision, et est ainsi devenu l'acteur de télévision le plus riche du monde, avec une fortune estimée à 94 millions de $ (564 millions de F). Ses cachets s'élèvent à 66 millions de $ (396 millions de F).

Jerry Springer

Jerry Springer, qui avait travaillé dans l'état-major de campagne du sénateur américain Robert F. Kennedy et était devenu l'un des plus jeunes maires des USA à 33 ans, en 1971, a acquis une renommée internationale après avoir lancé son « Jerry Springer Show », un talk-show d'une heure, en 1991. Aujourd'hui, son émission est regardée dans plus de 30 pays. En 1996, Springer a signé un contrat pour continuer cette émission pendant encore 6 ans, et en 1997 son show commença à être diffusé 2 fois/semaine à la télévision américaine. Son succès tient à ce que plus de la moitié des émissions se terminent en combat généralisé, encouragé par les spectateurs présents. C'est pour cette raison que de nombreux vigiles sont toujours sur le plateau. Les invités sont obligés de verser jusqu'à 80 000 $ (480 000 F) s'ils venaient à mentir. En 1998, le show était classé 2e en audience derrière Oprah Winfrey, la femme ayant obtenu le plus de succès de l'histoire de la télévision.

Animatrice d'émission gastronomique la mieux payée

La cuisinière anglaise Delia Smith a amassé une fortune de 24 millions de £ (240 millions de F). Elle occupe la 837e place sur la liste

des fortunes de Grande-Bretagne. Cette « chef » a animé 6 séries d'émissions télévisées et écrit 13 livres de recettes.

Contrat TV le plus rapide

Le 20-06-97, la société de production King World a signé un contrat avec l'actrice Roseanne Barr (héroïne de *Roseanne* de 1988 à 1997) pour une nouvelle émission de talk-show. Cinq jours plus tard, l'émission mise au point a vu 5 chaînes de télévision se porter candidates pour la diffusion, et le jour suivant toutes les autres chaînes se sont montrées intéressées. Cet enthousiasme est sans précédent dans l'histoire de la télévision.

Refus de cachet

En décembre 1997, le comédien Jerry Seinfeld a refusé le contrat le plus élevé de l'histoire de la télévision. La maison de production NBC lui offrait pas moins de 5 millions de $ (30 millions de F) par épisode pour imaginer la suite de *Seinfeld*, dont il est à l'origine, et qui est une des séries les plus célèbres aux USA. En mai 1998, un tiers de la population américaine était rivée devant la télévision pour suivre le dernier épisode de la série. La minute de publicité pendant les 75 min de l'épisode coûtait plus de 1,66 million de $ (10 millions de F).

Meilleure audience pour un présentateur britannique

Michael Aspel, présentateur de « This is your Life », qui consacre les carrières des célébrités, a obtenu une audience moyenne de 10 millions de téléspectateurs en Grande-Bretagne, pour l'année 1998.

Meilleure audience pour une animatrice britannique

Cilla Black est l'animatrice de l'émission « Blind Date » (« Rendez-vous aveugle »), actuellement la plus regardée au Royaume-Uni.

Série TV culte

Gillian Anderson, l'agent Scully de *X-Files*, est une des stars les plus populaires des années 90, et a été élue, en 1996, femme la plus sexy du monde par le magazine américain *FHM*. Elle touche 58 000 $ (348 000 F)/épisode. En juin 1997, elle a signé un contrat de 6,6 millions de $ (39,6 millions de F) pour être l'héroïne de l'adaptation cinématographique de la série.

⊡ PRÉSENTATRICE

Oprah Winfrey, âgée aujourd'hui de 44 ans, a commencé ce métier en 1973, à l'âge de 19 ans. En 1976, elle a été engagée pour animer les talk-shows « Baltimore's WJZ-TV Chat Show » et « People Are Talking ». En 1984, elle s'est installée à Chicago pour animer une émission appelée « A.M. Chicago ». En 1985, elle est apparue dans La Couleur pourpre, de Steven Spielberg, pour lequel elle a reçu l'Oscar du meilleur second rôle. L'émission « A.M. Chicago », qui porte maintenant son nom, a été relancée avec succès en 1986, et Oprah Winfrey a monté sa société de production, Harpo Productions, qui a racheté l'émission et ses droits à la maison de production Capital Cities/ABC.

Produite depuis 1984, cette émission a retenu durant les années 1997-98 l'attention d'une moyenne de 9,1 millions de téléspectateurs/diffusion. En 1997, Cilla a été décorée de l'ordre de l'Empire britannique, par la reine Elizabeth II en personne, pour ses loyaux services d'animatrice.

**Meilleure audience
pour une star de TV brésilienne**
Regina Duarte, qui entama sa carrière à la télévision il y a 33 ans, a remporté les plus grands succès lors de ses apparitions dans de nombreux téléromans brésiliens. Surnommée « Namoradinha do Brasil » (Petite amie du Brésil), elle est la plus appréciée des stars de la télévision dans ce pays.

**Meilleure audience
pour un présentateur japonais**
George Tokoro, actuellement présentateur des 2 meilleures émissions japonaises, « Ichiokuninn no Daihitsumon » et « Tokoro-san no Kaitaishinasho », est la plus appréciée des stars de la télévision japonaise. Dans « Ichiokuninn no Daihitsumon », Tokoro se promène dans les différentes régions de son pays, et déguste les plats locaux. Alors que dans « Tokoro-san no Kaitaishinasho » il aborde des questions thématiques historiques. Il est aussi comédien et chanteur, et est apparu dans de nombreuses campagnes de publicité japonaises.

MEILLEURE AUDIENCE POUR UN PRÉSENTATEUR FRANÇAIS ⊡

Patrick Poivre d'Arvor, présentateur du JT sur TF1, est la personnalité la plus regardée de la télévision française. Le 2-12-97, le journal télévisé qu'il présentait à 20 h sur TF1 a atteint le record de 15,02 millions de téléspectateurs.

⊟ ASSASSINAT D'UNE JOURNALISTE

Jill Dando, présentatrice de l'émission de télévision « Crimewatch » sur la BBC, est assassinée sur le pas de sa porte en mai 1999. Devant les hésitations de l'enquête, les théories les plus diverses sur ce « fait divers » qui touche une star des médias se mélangent aux considérations sur la moralité de l'information et des émissions.

Superstars du sport

AUTOMOBILE

Transfert le plus gros

Avec ses revenus publicitaires (dont ceux de Nike, qui lui verse 18 millions de F), Schumacher a empoché 190 millions de F en 1996. Il est l'un des trois seuls Européens du classement des grandes fortunes sportives, avec deux autres pilotes de F1 : l'Anglais Damon Hill (34e, 47 millions de F) et l'Autrichien Gerhard Berger (40e, 43 millions de F). *Voir aussi photo.*

France • À 33 ans, Jean Alesi est le sportif français le mieux payé. Il occupe la 41e place du classement mondial, avec 35 millions de F de gains en 1996.

BASKET

Salaire

Avec 30,14 millions de $ (180 millions de F) versés par son club pour la saison 1996-97, la star des Chicago Bulls Michael Jordan détient le record du plus gros salaire annuel de l'histoire du sport. Il faut y ajouter 240 millions de F de revenus publicitaires. L'essentiel de cet argent provient d'un contrat de plus de 100 millions de F avec Nike. L'addition des deux sommes fait de Jordan le 2e sportif le mieux payé du monde en 1996 : 420 millions de F, soit près de 1,15 million de F/jour pour « His Airness ».

Couvertures

Le 1er-02-98, Michael Jordan est apparu sur la couverture de *Sports Illustrated* (magazine au lectorat hebdomadaire de 23 millions de personnes) pour la 42e fois. Le record précédent était de 34, pour le boxeur Mohammed Ali.

Contrat

Le plus gros a été signé par Shaquille O'Neal : en juillet 1996, le pivot des Orlando Magic est passé aux Los Angeles Lakers pour un salaire de 123 millions de $ sur 7 ans (740 millions de F). À 23 ans, O'Neal a gagné 150 millions de F en 1996, contrats

publicitaires inclus, ce qui le place au 4e rang mondial, toutes disciplines confondues.

Reconversion dans la musique

Shaquille O'Neal, joueur des Los Angeles Lakers, s'est aussi lancé avec succès dans une carrière musicale. Son 1er album, *Shaq Diesel* (1993) est sorti alors qu'il était âgé de 21 ans. En 1997, Twism *(The World is Mine)*, son label de disques, s'est associé à A&M afin de produire un 4e album.

BOXE

Seconde record

Plus jeune champion du monde des lourds de l'Histoire, l'Américain Mike Tyson est remonté victorieusement sur le ring le 19-08-1995, face à Peter McNeeley. Ses 89 s de combat lui ont rapporté 40 millions de $ (25 pour le combat, 15 en bonus) selon le magazine *Forbes*. Soit un revenu à la seconde de 2,7 millions de F.

Année record

En 1996, le boxeur américain Mike Tyson a gagné 75 millions de $ (450 millions de F) pour 3 combats. Cette année-là, il a amassé plus d'argent que n'importe quel autre sportif en un an. En 1986, à l'âge de 20 ans et 144 jours, Tyson était devenu le plus jeune champion du monde de boxe poids lourds après avoir battu son compatriote Trevor Berbick au championnat WBC à Las Vegas, Nevada. Il ajouta le titre WBA à ses réussites en battant James « Bonecrusher » Smith le 7-03-87, à l'âge de 20 ans et 249 jours, et devint champion universel le 2-08-87 en battant l'Américain Tony Tucker pour le titre IBF. En juin 1997, un 2e combat face à

👤 SPORTIVE LA MIEUX PAYÉE

En avril 1998, la star de tennis allemande Steffi Graf avait gagné 20,18 millions de $ (120 millions de F) en tout. On estime qu'à la fin de la saison 1998 elle aura dépassé les gains de carrière de Navratilova. Cependant, Navratilova conservera le record si on tient compte de ses contrats de licence et de sponsoring.

Holyfield lui a encore rapporté 30 millions de $ (180 millions de F). Selon *Forbes*, Tyson est 1er au classement des sportifs les mieux payés en 1996.

• Les boxeurs professionnels sont, de tous les sportifs, les mieux payés en rapport à leur activité. Aux 6e et 12e places du Top 40 de la fortune sportive, on trouve deux autres boxeurs : le même Evander Holyfield (95 millions de F) et Roy Jones Jr (75 millions de F). En combattant 4 fois en 1996 sur HBO (chaîne Time Warner), Jones a gagné 17,5 millions de F/combat.

• Juste derrière apparaît le phénomène Oscar de la Hoya, 23 ans, jugé comme le meilleur boxeur de la planète. De la Hoya est à la 17e place en 1996, en ayant empoché 65 millions de F. Sa victoire sur le Mexicain mythique Julio Cesar Chavez lui a rapporté à elle seule 50 millions de F.

Bourse record

Pour sa victoire, par disqualification, sur Mike Tyson le 28-06-97 à Las Vegas, l'Américain Evander Holyfield a empoché une bourse de 35 millions de $ (210 millions de F).

FOOTBALL

Salaire record

France • Après Jean Alesi, Éric Cantona est le sportif français le plus riche : avec le salaire délivré par Manchester United et les revenus publicitaires (Sharp, Nike, Bic), l'attaquant des Red Devils a gagné 15 millions de F en 1996. Marcel Desailly (Milan AC) aurait signé pour la saison 1997-98 un contrat lui assurant un salaire annuel de 16 millions de F.

Transferts

• L'indemnité de transfert officielle la plus élevée a été réglée par le club italien de l'Inter Milan : 276 millions de F pour Christian Vieri, acheté à la Lazio Rome en juin 1999.

• En termes non officiels, Gianluigi Lentini serait passé du Torino au Milan AC en 1992 pour une somme estimée entre 160 et 300 millions de F.

• Transféré du PSV Eindhoven (Pays-Bas) au FC Barcelone (Espagne) pour 100 millions de F à l'été 1996, le Brésilien Ronaldo se retrouva un an plus tard à l'Inter de Milan. Le montant de la clause de résiliation du contrat (environ 160 millions de F) constitue en lui-même un record en la matière. En septembre, l'Inter devait verser un complément estimé à 80 millions de F, pour officialiser la transaction.

Le plus jeune

Vincenzo Sarno, jeune joueur du Calcio napolitain, a été repéré par l'A.C. Torino à l'âge de 10 ans. Surnommé « Baby Maradona », l'enfant prodige a failli être le plus jeune joueur à signer avec un club. L'équipe de Turin l'avait réservé pour la somme de 400 000 F. Un contrat avorté en

Contrats records

En 1997, Shaquille O'Neal, Alonzo Mourning (ci-contre en train de marquer contre les Boston Celtics) et Juwan Howard, basketteurs de l'équipe des Hoopsters, ont chacun signé des contrats de plus de 100 millions de $ (600 millions de F) – les 1ers contrats à 9 chiffres de l'histoire du sport.

CHAMPION DE F1 LE MIEUX PAYÉ

En signant en 1996 chez Ferrari, l'Allemand Michael Schumacher, double champion du monde de F1, a bénéficié du plus gros transfert de l'histoire de ce sport. En 1997, la Scuderia lui a versé 150 millions de F, soit un salaire de 410 000 F/jour. Grâce à ce contrat, il est passé 3e au palmarès des sportifs les mieux payés au monde selon Forbes.

NOMBRE DE PRIX SUR UNE SAISON

En 1998, l'Américaine Marion Jones a réussi l'une des plus belles saisons pour un athlète, homme ou femme, en remportant 35 des 36 événements sportifs auxquels elle participa, et resta invaincue sur le 100 m et le 200 m. Ce succès lui a rapporté 633 333 $ (3,79 millions de F).

raison de la nostalgie qu'éprouvait Vincenzo et d'une dispute financière entre le club et le père de l'enfant, qui réclamait plus d'argent.

Joueur de football le mieux payé
Le Brésilien Ronaldo Luis Nazario, dit Ronaldo, a été transféré de l'équipe de Barcelone à l'Inter de Milan, pour la somme de 28,8 millions de $ (173 millions de F), à l'âge de 20 ans, en 1997. Il gagne actuellement 160 000 $ (1 million de F)/semaine, ce qui fait de lui le footballeur le plus riche du monde. Ronaldo, qui figurait dans l'équipe brésilienne gagnante de la Coupe du monde 1994, a aussi remporté une médaille de bronze avec l'équipe olympique brésilienne en 1996. Dès le moment où il a rejoint l'Inter de Milan, la vente de tickets de l'équipe a augmenté de 40 % pendant la saison. En 1998, l'Inter de Milan a gagné la Coupe de l'UEFA, Ronaldo marquant le 3e but amenant l'équipe à une victoire de 3-0 sur la Lazio, un autre club italien. À 22 ans, Ronaldo faisait déjà partie des plus grandes stars du monde du sport.

GOLF
Record de gains
Carrière • L'Australien Greg Norman détient le record de gains en carrière sur les tournois de la PGA (Professionnal Golf Association) : 10,6 millions de $ (64 millions de F) de 1976 au 27-05-97.

Millionnaire le plus rapide
En 1996, le joueur de golf américain Tiger Woods dépassa le record d'Ernie Els, en gagnant 1 million de $ (6 millions de F) en un nombre de tournois minimum. Woods, 20 ans, n'a eu besoin que de 9 jeux. Au terme de sa 1re saison, il avait gagné 5 tournois et récolté plus de 2 millions de $ (12 millions de F). En 1997, il était le joueur le mieux payé et le 2e joueur le mieux payé pour les contrats de licences : il gagnait 2,1 millions de $ (12,6 millions de F) en salaire et prix, et 24 millions de $ (144 millions de F) en licences. En 1995, il signa un contrat de 40 millions de $ (240 millions de F) avec Nike pour devenir le mannequin d'une ligne de vêtements pour le printemps 1998.
• L'Américain Hale Irwin a gagné la somme record de 2,34 millions de $ (14 millions de F) en 1997 sur le circuit américain seniors PGA.
• Le Britannique Nick Faldo a gagné un total de 1,56 million de £

(15 millions de F) sur les circuits mondiaux en 1992.
• Le record absolu pour le revenu le plus élevé au cours d'une carrière de joueur de golf est de 8,58 millions de $ (51 millions de F), pour l'Allemand Bernhard Langer, de 1976 à 1997.

TENNIS
Record de gains
Homme • En avril 1998, l'Américain Pete Sampras avait totalisé 32,3 millions de $ (194 millions de F) de prix au cours de sa carrière. En 1997, il a reçu 8 millions de $ (48 millions de F) pour ses plus gros contrats de licences avec Nike et Wilson. Sampras détient aussi le record masculin de gains en une saison : 6,5 millions de $ (39 millions de F) en 1997.
Femme • En avril 1998, la joueuse de tennis américaine Martina Navratilova a conservé son record du revenu le plus élevé pour une sportive, malgré un arrêt en 1994, après

une carrière de 14 ans. Elle a gagné 20,34 millions de $ (122 millions de F) de prix uniquement et totalise un montant inégalé de 167 victoires en simple et 165 en doubles.
Saison • L'Américain Pete Sampras a gagné 5,41 millions de $ (31 millions de F) lors de l'année 1995.
Femme • L'Espagnole Arantxa Sanchez Vicario a gagné 2,94 millions de $ (18 millions de F) pendant l'année 1994.

Millionnaire la plus jeune
En 1997, à 16 ans, la star du tennis Martina Hingis devint la plus jeune sportive à avoir gagné 1 million de $ (6 millions de F). En avril 1997, la n° 1 mondiale avait gagné 3 millions de $ (18 millions de F) et en septembre, en l'espace de 6 mois, elle avait déjà enchaîné 37 victoires successives. La seule femme dans l'histoire de l'Open à avoir réussi une année spectaculaire fut l'Allemande Steffi Graf, qui aligna 45 victoires en 1987. Hingis est devenue la 1re femme à dépasser 4 millions de $ (24 millions de F) de revenus en une seule saison. En plus de l'argent que les prix lui rapportent, ses contrats de sponsors sont estimés à 5 millions de $ (30 millions de F)/an.

Top models

Top model la mieux payée

Selon le magazine *Forbes*, Claudia Schiffer gagne 10,5 millions de $/an (63 millions de F) – plus que tous les autres tops. Sa fortune personnelle, estimée à 34 millions de $ (204 millions de F), en fait le top le plus riche d'Europe. En 1995, *Paris Match* la consacra « plus belle femme de monde ».

Cachets de défilés

• Naomi Campbell a touché 800 000 F pour un défilé à Libreville, Gabon ; son cachet habituel pour se produire est de 100 000 F.
• L'un des principaux instigateurs du phénomène des top models a été l'Italien Gianni Versace, qui payait, à la fin des années 80 et au début des années 90, ses modèles jusqu'à 50 000 $ (300 000 F) pour un défilé de 30 min, à la condition qu'elles lui accordent cette exclusivité. Cela semble avoir été à l'origine du groupe de filles, composé de Christy Turlington, Naomi Campbell et Linda Evangelista, qui dominait les magazines de mode au début des années 90.

Contrat de promotion de cosmétiques le plus juteux

En 1993, Claudia Schiffer a signé le contrat de produits de beauté le plus gros jamais conclu, d'un montant de 6 millions de $ (36 millions de F), pour devenir le « visage » de Revlon. Elle a fait des campagnes de mode pour tous les grands couturiers, et elle est le modèle favori de Karl Lagerfeld. Elle a aussi produit sa propre vidéo d'aérobic et fait ses débuts au cinéma en 1998 avec le film *The Blackout*. Elle possède en copropriété le Fashion Café de Londres, avec Naomi Campbell et Christy Turlington.

Contrats les plus longs

• Isabella Rossellini a symbolisé jusqu'au début de l'année 1995 la marque française de cosmétiques Lancôme : au total, 12 années de collaboration.
• L'Américaine Christy Turlington a représenté Calvin Klein pendant près de 10 ans, un record dans cette industrie.

CARRIÈRE LA PLUS LONGUE / AGENCE

• *Découverte à l'âge de 13 ans, Christy Turlington commença à travailler comme top à plein temps à 17 ans, en 1987. En 1988, elle fit la promotion du parfum* Eternity, *et avait signé un contrat de 800 000 $ (5 millions de F) avec Maybelline, pour 12 jours de travail.*
• *Elite, n° 1 mondial, gère la carrière de 35 tops, dont Karen Mulder (ci-dessus), Claudia Schiffer, Cindy Crawford et Amber Valletta. L'agence facture plus de 600 millions de F chaque année. Créée en 1971 à Paris par John Casablanca, elle a ouvert des bureaux dans 23 villes à travers le monde, dont New York, Milan, Munich, Londres et Tokyo.*

Madonna top model

Sur les traces de Bette Davis et de Liz Taylor, Madonna devient, en avril 1999, le nouveau visage du géant américain des cosmétiques Max Factor. Elle incarne une star de cinéma dont la couleur du rouge à lèvres est d'une importance vitale pour le baiser qu'elle doit donner à son partenaire masculin.

Elle a, par 2 fois, transgressé les règles habituelles en signant de gros contrats sans clause d'exclusivité. Elle abandonna les défilés internationaux en 1995, et travaille maintenant pour Max Mara et Calvin Klein.

Top model la plus jeune concluant un contrat de promotion de cosmétiques

Nikki Taylor avait 13 ans lorsqu'elle remporta un concours de « nouvelles têtes », doté de 500 000 $ (3 millions de F) de prix, organisé en 1989 par une agence new-yorkaise. Ce montant était le plus important gagné dans un concours de ce type par une jeune fille qui devait devenir un top model. Elle signa ensuite avec L'Oréal, pour le produit Cover Girl, devenant ainsi la plus jeune fille à remporter un important contrat de promotion de cosmétiques. Devenue millionnaire à 16 ans, elle dirige sa société, Nikki Inc.

Couvertures de magazines

L'Allemande Claudia Schiffer, remarquée dans un night-club en Allemagne à 17 ans, n'a pas cessé de travailler depuis. Elle a figuré sur 550 couvertures de magazines, dont *Vanity Fair*, malgré sa ligne éditoriale opposée à la publication de photos de top models en couverture.

Top model la plus grande

L'Australienne Elle MacPherson, surnommée « The Body », en raison de ses mensurations (91-61-89) considérées comme parfaites, mesure 1,85 m. Elle, qui a fait ses débuts au cinéma dans *Sirènes* (1994), poursuit actuellement une carrière d'actrice. Elle est propriétaire d'une des lignes de lingerie les plus populaires d'Australie, avec un CA annuel estimé à 200 millions de F.

Top model la plus petite

Kate Moss, découverte en 1990 par Sarah Doukas, pour l'agence Storm, à New York, mesure 1,70 m. Elle semblait ne pouvoir devenir un top, mais elle a persévéré, et a révolutionné la mode, en ouvrant la voie à une nouvelle génération de modèles et en popularisant le grunge. Le 1er couturier à l'utiliser fut Calvin Klein, avec qui elle signa, en 1991, un contrat de 2 millions de $ (12 millions de F).

Top model la plus grosse

Sophie Dahl, petite-fille du romancier britannique Roald Dahl, fut découverte par la journaliste de mode Isabella Blow, qui trouvait qu'une beauté possédant ces mensurations (102-76-102 cm) ressemblait à une fille de *Playboy*.

Jambes les plus longues

Les jambes de l'Allemande Nadja Auerman mesurent 1,15 m de long pour une taille de 1,79 m. Son heure de célébrité vint en 1993, lorsque la vogue du grunge prit fin au profit d'un renouveau du glamour. En 1994, elle faisait la couverture de *Harpers* et des versions américaines et anglaises de *Vogue*, et travaillait pour des maisons de couture prestigieuses comme Versace et Prada. Moins connue que sa consœur, la Russe Adriana Slenarikova se juche sur des jambes de 1,24 m, pour une taille de 1,81 m.

Mannequin la plus âgée

L'Italienne Anna Dell'Orifice (n.1931) exerce son métier depuis 1951. À 68 ans, elle est toujours demandée dans le monde entier. Récemment, elle a notamment défilé pour Jean-Paul Gaultier et figuré dans un spot publicitaire pour l'un de ses parfums.

DÉBUTS FRACASSANTS

Découverte sur une plage de Corse à l'âge de 15 ans, Lætitia Casta connaît une ascension fulgurante dans le milieu de la mode. Plus de 200 magazines du monde entier lui ont consacré leur couverture. Polyvalente, Lætitia Casta a commencé sa carrière d'actrice de cinéma en interprétant le rôle de Falbala pour le film Astérix et Obélix contre César en 1999.

CRÉATEUR LE PLUS RICHE

Ralph Lipschitz, ici avec Bill Clinton, détient une fortune personnelle de 1,7 milliard de $ (6 milliards de F), la plus importante parmi les créateurs de mode. L'empire Ralph Lauren pèse aujourd'hui 3 milliards de $ (18 milliards de F). Voir aussi la rubrique Haute couture.

Chefs d'État

MONARQUES

Numéros d'ordre les plus élevés

Le numéro le plus élevé pour désigner le membre d'une famille royale fut 75, attribué au comte allemand Heinrich LXXV Reuss zu Schleiz de 1800 à 1801.

France • Le numéro le plus élevé est 18, pour le roi Louis XVIII (1755-1824).

Roi le plus âgé

Aujourd'hui, le souverain le plus âgé est Jean Taufa'ahau, du Tonga, n.1918.

Roi le plus jeune

Le roi du Swaziland, Mswati III, 67e fils du roi Subhusa II, a été couronné le 25-04-86, à l'âge de 18 ans et 6 jours.

Plus grand nombres de poignées de main

• Le 14-01-96, Yogesh Sharma serra les mains de 31 118 personnes en 8 h pendant la foire de Gwalior, Madhya Pradesh, Inde.

• Le président Théodore Roosevelt (1858-1919) donna 8 513 poignées de main le 1er-01-07 à Washington, au cours du Nouvel An de la Maison Blanche.

PRÉSIDENTS DE LA RÉPUBLIQUE

Constitution la plus ancienne

Les USA possèdent la plus ancienne Constitution du monde toujours en vigueur. Elle fut adoptée le 21-06-1788 et entra en vigueur le 4-03-1789.

Chefs d'État les plus âgés

• Alessandro Pertini (1896-1990), président de la République italienne élu en 1978, démissionna en 1985, à 88 ans et 9 mois.

• Rafael Caldera, 76 ans, est président du Venezuela depuis 1993. Il avait déjà occupé ce poste entre 1969 et 1974.

France • Philippe Pétain (1856-1951) devint chef de l'État français à 84 ans et 2 mois le 10-07-40.

Plus âgé aujourd'hui

Nouhak Phoumsavan (n.9-04-14), président du Laos, est le chef d'État le plus âgé encore en exercice.

Chefs d'État les plus jeunes

Le 26-07-94, le lieutenant Yaya Jammeh prit les fonctions de président du conseil provisoire et chef d'État de la Gambie à l'âge de 29 ans. À son élection le 27-09-96, il était donc âgé de 31 ans.

France • Louis-Napoléon Bonaparte (n.20-04-1808), fut élu président de la IIe République le 10-12-1848, à 40 ans et 7 mois ; 4 ans plus tard, il était empereur.

Chefs d'État femmes

• Isabel Perón (n.1931), 3e épouse de Juan Perón, fut la 1re femme au monde à être portée à la présidence d'un pays (Argentine, le 1er-07-74). Elle fut renversée le 24-03-76.

• Vigdis Finnbogadottir (n.1930), présidente de la République d'Islande depuis le 30-06-80, est la 1re femme à avoir été élue démocratiquement. Elle a été réélue en 1988.

Service le plus long

François Mitterrand (1916-1996) a exercé tous les mandats électifs des institutions françaises : parlementaire 35 ans, 11 fois ministre, il était en 1947, à 31 ans, le plus jeune ministre de la IVe République, conseiller municipal, conseiller général, maire. Élu président de la République le 10-05-81 et réélu le 8-05-88. François Mitterrand détient le record de durée avec 2 septennats, soit 14 ans et 243 jours.

Rassemblement de chefs d'État

Le 24-10-95, à l'occasion du 50e anniversaire de l'ONU, une réunion commémorative organisée à New York, a réuni 200 personnes, incluant 128 chefs d'État ou de gouvernement.

Président ayant passé le moins de temps dans son pays

Valdus Adamkus, élu président de la Lituanie en 1998, retourna dans la république en 1997, après un séjour de plus de 50 ans à Chicago. Il y occupait le poste de chef de l'Agence pour la protection de l'environnement (EPA)

 CIBLE

Charles de Gaulle (1890-1970) président de la République de 1958 à 1969, a été la cible du plus grand nombre de tentatives d'assassinat sur un chef d'État. Il a survécu à 31 tentatives entre 1944 et 1966, certaines contrecarrées avant terme.

du Midwest. Ses opposants affirment qu'il parle lituanien avec l'accent américain.

Président le plus lettré

Dramaturge et poète, Vaclav Havel est l'homme politique jouissant de la plus grande renommée littéraire. Ses œuvres furent interdites pendant les 20 ans qui suivirent l'invasion soviétique en 1968. Il devint président de la Tchécoslovaquie en 1989, puis accéda à la présidence de la République tchèque en 1993.

Président le plus népotiste

Jusqu'en 1995, Barzan Ibrahim, demi-frère du président irakien Saddam Hussein, était ambassadeur auprès des Nations unies et contrôlait la fortune familiale. Un autre demi-frère, Watban Ibrahim, était ministre de l'Intérieur, et un 3e, Sabaoni Ibrahim, dirigeait la sécurité. Le gendre de Saddam, Saddam Kamal Hussein, fut commandant de la garde présidentielle jusqu'en 1995, lorsqu'il prit la fuite pour la Jordanie. Les fils du président, Udday et Qusay, remplissent diverses fonctions étatiques. D'abord chargé de la sécurité, Qusay fut remplacé par l'un de ses beaux-frères.

PREMIERS MINISTRES

Premiers ministres les plus jeunes

Le Dr Mario Frick (n.8-05-65) est devenu premier ministre du Liechtenstein le 15-12-93, à l'âge de 28 ans.

France • Laurent Fabius (n.20-08-46) était âgé de 37 ans et 11 mois lorsqu'il fut nommé premier ministre le 19-07-84.

Premier ministre le plus accessible

À l'exception de certains chefs de mini-États, Poul Nyrup Rasmussen est le plus facilement joignable. Le numéro de téléphone de ce Premier ministre danois ne figure pas sur liste rouge. Rasmussen répond souvent personnellement aux questions de ses concitoyens par téléphone.

Traitements les plus élevés

• Ryutaro Hashimoto, qui occupe le poste de premier ministre du Japon depuis 1996, perçoit un traitement annuel de 343 000 $, indemnités et primes mensuelles comprises. De nombreux hommes politiques sont mieux rémunérés que Hashimoto, mais les avantages et autres sources de revenus sont pris en compte.

Dictateur

Né le 29-08-41, Slobodan Milosevic accède à la présidence du parti socialiste serbe en 1988.

Il lança sa politique de la « Grande Serbie » en 1992 et fut massivement suivi par suite de la guerre civile de 1991. Dictateur moderne, ses positions l'opposent au reste du monde depuis mars 1998.

En mai 1999, il devient le 1er chef d'État en activité de l'Histoire à être condamné par un tribunal international.

William Jefferson Clinton (n.19-08-46, à Hope, Arkansas), président démocrate des USA depuis le 20-01-93, fut le gouverneur le plus jeune de l'histoire du pays. Il restera dans la mémoire collective autant pour ses performances politiques (dont la remise en question de la constitution quant à la possession d'armes à feu), que pour ses aventures galantes avec Paula Jones, Kathleen Willey et Monica Lewinsky. L'affaire Lewinsky, ou « Monicagate », aura défrayé la chronique, faisant de Bill Clinton le seul homme politique à avoir été mis en accusation par un tribunal public pour une affaire d'ordre strictement privé.

• Les membres de la Chambre des représentants et ceux de la Chambre des conseillers perçoivent, tout inclus, un traitement de 23 633 565 yens annuel, soit 100 000 F/mois.

USA • Le président des USA recevait en 1996 un traitement annuel imposable de 200 000 $ (100 000 F/mois), et une pension annuelle de 138 900 $ (833 400 F).

Discours les plus longs

• Le discours le plus long de l'histoire du Sénat américain fut celui du sénateur Wayne Morse (1900-1974), originaire de l'Oregon, qui les 24 et 25-04-53 parla pendant 22 h 26 mn sans regagner son siège.

• Le sénateur du Texas, Bill Meier, prononça un discours sur les problèmes de la non-révélation des accidents industriels aux USA sans s'interrompre, pendant 43 h, en mai 1977.

• Le discours que prononça à Cuba, le 25-02-98 – devant les 595 députés venus le confirmer pour un nouveau mandat de 5 ans – le président de Cuba, Fidel Castro (n.13-08-27), dura 7 h 15 mn, sans aucune pause. À 71 ans, cela tient de l'exploit physique.

Mandat de maire

André Cornu a été maire de Bazolles, Nièvre, pendant 72 années consécutives, de 1915 à sa mort.

Femme • Manon Dumoulin est en 1999 maire de Neuville-sur-Ailette, Aisne, pour la 8ᵉ fois, soit 6 fois consécutives de 1959 à 1983 et 2 fois depuis 1991.

Mandat le plus court

Daniel Petitcolas a été maire d'Arrancy-sur-Crusne, Meuse, une demi-heure, le 23-06-95.

Candidats

Aux élections cantonales de Villeneuve-sur-Lot, Lot-et-Garonne, le 17-09-94, il y eut 89 candidats.

Maire le plus vieux de France

En 1998, à l'âge de 98 ans, Louis Philipon est le plus vieux maire de France. Élu pour la 1ʳᵉ fois conseiller municipal en 1926, et ensuite maire de Juvigny, Aisne, depuis 1929. Il compte à ce jour 69 années de mandat.

Maire le plus jeune de France

Bernard Michelet a été élu maire de Gouise, Allier, le 19-03-83, à l'âge de 21 ans.

ÉLECTIONS

Résultats les plus truqués

À l'issue des élections présidentielles de 1927 au Liberia, le président Charles King (1875-1961) fut proclamé vainqueur du scrutin l'opposant à Thomas Faulkner, avec une majorité de 234 000 voix. Cela représentait une majorité 15 fois plus importante que le corps électoral tout entier.

Vote in extremis

Georges Collot est mort soudainement à l'âge de 70 ans après avoir glissé son bulletin dans l'urne, lors de l'élection présidentielle le 23-04-95.

Électeur le plus jeune de France

Vincent Gautier (n.22-04-77) a voté au 1ᵉʳ tour de l'élection présidentielle à 18 ans et 18 h.

INDESTRUCTIBLE

Boris Nikolaïevitch Eltsine (n.1ᵉʳ-02-31) fut membre du Parti Communiste 30 années durant. Chef du gouvernement russe, il dirige le ministère de la défense, celui de l'intérieur et le KGB. Homme d'État le plus malade, il souffre des intestins, d'une hernie discale, d'une cirrhose du foie, d'une probable tumeur au cerveau, d'hypertension, d'ischémie du myocarde et a eu les doigts arrachés en jouant avec une grenade. Eltsine a cependant dépassé de 8 ans l'espérance de vie d'un Russe.

Memorabilia

Ali, Mohammed
Paire de gants • portée lors de son combat contre Zora Folley en 1967, 29 900 $ (179 400 F). Acheteurs anonymes.
Peignoir blanc • porté lors de son combat victorieux contre George Foreman, pour le titre de champion du monde des poids lourds, en 1974, 140 000 $ (840 000 F), Christie's, Los Angeles, 10-97.

Astor of Hever, lord
13 cuillères Henri VIII • manche décoré d'une figure d'apôtre, 120 000 £, Christie's, Londres, 24-06-81.

Baudelaire, Charles
Livre • Un volume des *Fleurs du mal* (1857) dédicacé au peintre français Eugène Delacroix et illustré de dessins de Baudelaire et d'aquarelles de Lucien Lévy-Dhurmer, 1 437 900 F, Jacques Tajan, 20-03-85.

Beaufort, duc de
Meuble tiroirs *Badminton* • XVIIIe siècle, 8,58 millions de £, Christie's, Londres, 5-08-90.

Bogart, Humphrey
Statuette • du *Faucon maltais*, 398 500 $, Christie's, New York, 6-12-94.
Buick Phaeton 1940 • du film *Casablanca*, 211 500 $, Christie's, New York, 28-06-95.

Brahms, Johannes
Manuscrits • 2 partitions datant de 1895, 441 500 £ (4,4 millions de F), Sotheby's, Londres, 12-97.

Breton, André
Manuscrit • de *Nadja*, 25 pages, avec photos narratives inédites, 350 000 £ (3,5 million de F), Sotheby's, Londres, 3-12-98.

Brynner, Yul
2 boîtes de cigares • Don Candido (1960), achetées à Dunhill, 6 380 £, Christie's, Londres, 6-12-96.

Bottes • mexicaines en cuir noir à piqûres et passepoil rouge et vert, 32 000 F, Drouot-Montaigne, Paris, 16-09-96.
Chapeau • utilisé pour *Les Sept Mercenaires*, 73 000 F, Drouot-Montaigne, Paris, 16-09-96.
Colt • utilisé pour *Les Sept Mercenaires*, 58 000 F, Drouot-Montaigne, Paris, 16-09-96.

Chanel, Coco
Vêtements et bijoux • issus de sa garde-robe, 80 080 $, Christie's, Londres, 2-12-79.

Chaplin, Charlie
Chapeau et canne • 148 500 $, Christie's, Londres, 11-12-87.

Coluche
Moto • de marque Yamaha, 155 000 F.

Du Barry
Cheminée • du salon du pavillon de Louveciennes, 5 millions de F, Jacques Tajan, Paris, 5-12-89.

Einstein, Albert
Manuscrit • *Théorie de la relativité* (1913), 51 pages, 398 500 $, Christie's, New York, 1996.

Elizabeth Ire
Dé à coudre en or • XVIe siècle, 20 070 £, Philipps, Londres, 13-12-92.

Frédéric II le Grand
Tabatière en or • ornée de diamants, rubis et émeraudes, 1 155 250 £, Sotheby's, Genève, 17-11-92.

Gable, Clark
Oscar • de *New York-Miami* (1934), 607 500 $, Christie's, Los Angeles, 14-12-96.
Scénario relié de cuir • d'*Autant en emporte le vent*, utilisé sur le tournage, 30 000 $, Christie's, Los Angeles, 12-96.

Garbo, Greta
Lettres autographes • 66 lettres adressées à son amie la scénariste Salka Viertel, 26 450 £ (264 500 F), Sotheby's, Londres, 8-06-93.

 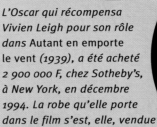

Garland, Judy
Escarpins • rouges ornés de rubis portés dans *Le Magicien d'Oz* (USA, 1939), 165 000 $ (825 000 F), Christie's, New York, 2-06-88. C'est l'objet le plus cher issu d'un film.
Chien empaillé • Toto, partenaire de Judy Garland dans *Le Magicien d'Oz*, 2 300 £, 1996.

Givenchy, Hubert de
Lustre en argent massif • maison de Hanovre, 20 millions de F, Christie's, Monaco, 4-12-93. Sa collection rapporta 156 millions de F en moins de 3 h. Deux records mondiaux furent établis : un lustre en argent massif de 1736 signé Balthazar Friedrich Behrens, pour George II, fut adjugé pour 20 millions de F. Un bureau plat de Boulle en ébène, marqueterie et bronze doré, a atteint 18,8 millions de F, record pour cet ébéniste. C'est le meuble français le plus cher au monde, après le coffret à bijoux de Marie-Antoinette (23,6 millions de F).

Guillaume III
Baromètre • fabriqué pour lui en 1760, 341 000 £, Christie's, Londres, 5-12-91.

Hergé
Dessin à l'encre de Chine • signé, illustrant la couverture de *L'Île noire* publié par Casterman, 510 000 F, Hôtel Drouot, Paris, 4-06-94.

Jackson, Michael
Gant blanc • 16 500 £ (165 000 F), 12-91.

John, Elton
48 000 disques • collection personnelle, 1,6 million de F, Londres, 1996.

Kafka, Franz
Manuscrit • du *Procès*, 1 million de £ (10 millions de F), Sotheby's, Londres, 1988.

Kennedy-Onassis, Jacqueline
Humidificateur de cigares • offert par le collectionneur Milton Berle, 520 500 $, Sotheby's, New York, 23-04-96.
Mètre en argent • à ses initiales, 42 500 $, Sotheby's, New York, 23-04-96.
Diamant « Lesotho » • 40 carats, offert par Onassis pour leurs fiançailles, 2,58 millions de $, Sotheby's, New York, 23-04-96.
Chaise haute XIXe • 75 000 $, Sotheby's, New York, 23-04-96.

Cheval à bascule • ayant appartenu à Caroline Kennedy, 75 000 $, Sotheby's, New York.

Kennedy, John F.
11 fers Ben Hogan • 387 500 $, Sotheby's, New York, 23-04-96.
Chaise à bascule • 442 500 $, Sotheby's, New York, 23-04-96.
Clubs en bois Mc Gregor • 772 900 $, Sotheby's, New York, 23-04-96.
Piano à queue • 150 000 $ (750 000 F), Sotheby's, New York, 23-04-96.
Putter • 65 000 $, Sotheby's, New York, 23-04-96.
Caleçons longs • 2 caleçons, achetés 3 450 $ (20 700 F) par Richard Wilson, Guernsey's, New York, 03-98. Beaucoup des objets mis en vente provenaient de la collection Kennedy de Robert White, cédée en 1995 par Evelyn Lincoln, sa secrétaire. Elle sauva presque tout ce qui a appartenu au président ou à sa famille. Les lunettes de soleil portées le jour de son assassinat se sont vendues 46 000 $ (276 000 F) et un peigne en plastique de 25 cents a atteint 1 265 $ (7 590 F).

Khrouchtchev, Nikita
Télégramme • envoyé à Youri Gagarine le 12-06-61 pour le féliciter d'être le 1er homme dans l'espace, 68 500 $, Sotheby's, New York, 11-12-93.

Lacan, Jacques
Divan • 98 000 F.

Lennon, John
Rolls Royce • *Phantom V*, John Lennon, 1965, 2 299 000 $, Sotheby's, Londres, 29-06-85.

Lincoln, Abraham
Lettre autographe • écrite le 8-01-1863, interdisant de critiquer la proclamation d'émancipation de l'esclavage, 748 000 $ (4 200 000 F), Christie's, New York, 5-12-91.

Louis XIII
Fusil à pierre • fabriqué pour Louis XIII, vers 1615, 125 000 £, Sotheby's, Londres, 21-11-72.

Marie-Antoinette
Coffret à bijoux en bois de rose • époque Louis XV, orné de 9 plaques de porcelaine de Sèvres, estampillé Carlin, 23 687 000 F, Jacques Tajan, Paris, 7-11-91.

Jimi Hendrix

• Une des guitares ayant appartenu à Jimi Hendrix, la Fender Stratocaster (photo), a été vendue aux enchères 198 000 £, chez Sotheby's, à Londres, le 25-04-90.

• Le 18-05-94, une guitare acoustique ayant successivement appartenu à David Bowie, Paul McCartney et George Michael s'est vendue 220 000 £, chez Christie's, à Londres.

RIMBAUD

L'un des rares et célèbres portraits d'Arthur Rimbaud a atteint la somme de 210 623 F, lors de la vente du 17-11-98, à Drouot-Montaigne, Paris.

MADONNA

En mai 1994, un corset signé Jean-Paul Gaultier, ayant été porté sur scène par Madonna, s'est vendu 12 100 £ (121 000 F), chez Christie's, à Londres.

McCartney, Paul
Manuscrits • de *Getting Better* (1967) de Paul McCartney, 161 000 £, Sotheby's, Londres, 14-09-95.
Certificat de naissance • 9 millions de ¥, Tokyo, 03-96.

Mendelssohn
Violon • Stradivarius (1720) lui ayant appartenu, 902 000 £ (9 millions de F), Christie's, Londres, 21-11-90. Prix le plus élevé payé aux enchères pour un instrument de musique.

Napoléon Ier
Chaussettes en soie • noires, portées lors de sa captivité à Sainte-Hélène, 2 990 £, Sotheby's, Londres, 14-05-96.
Lettre d'amour • adressée à Joséphine le 30-03-1796 lors de la campagne d'Italie, 650 000 F, Drouot, Paris, 19-11-97.

Nicolas II
Œuf de Fabergé • représentant l'hiver, sculpté dans un cristal de roche serti de plus de 3 000 diamants, offert par le tsar Nicolas II à sa mère, 5 587 308 $ (29,7 millions de F), Christie's, Genève, 16-11-94.

O'Sullivan, Maureen
Costume de « Jane » • porté dans *Tarzan*, 10 925 $, Hollywood, 1996.

Parker, Charlie
Saxophone • de marque Grafton, 93 500 $ (500 000 F), Christie's, Londres, 8-09-94.

Reagan, Ronald
Lettre autographe • faisant l'éloge de Frank Sinatra, 12 500 $ (70 000 F), galerie Hamilton, 22-01-81. Prix le plus élevé jamais payé pour une lettre signée du vivant de son auteur.

Redford, Robert
Batte de base-ball • utilisée dans *The Natural*, 5 462 $, Sotheby's, New York, 1996.

Rimbaud, Arthur
Manuscrits • *La Lettre du voyant*, préempté 3 millions de F par la BNF, Drouot, Paris, 20-03-98.
• *Une Saison en enfer*, préempté 3,214 millions de F par la BNF, Drouot-Montaigne, Paris, 17-11-98.
• *Ophélie*, poème manuscrit, 1,33 million de F, Drouot-Montaigne, Paris, 17-11-98.

Senna, Ayrton
Combinaison • portée lors de sa 1re saison en Grand Prix, 25 300 £, Londres, 12-96.

Welles, Orson
Luge *Rosebud* • utilisée pour *Citizen Kane*, 233 500 $, Christie's, Los Angeles, 12-96.

Windsor, duc et duchesse de
Bijoux • duchesse de Windsor (1896-1986), 320 millions de F, Sotheby's, Genève, 3-04-87.
Épée d'officier de la marine royale • du duc de Windsor, offerte par George V en 1913, 823 045 £, Sotheby's, Genève, 3-04-87.
Part de gâteau • de leur mariage, 29 900 $ (179 400 F), Sotheby's, New York, 02-98.

TRAVOLTA

L'inoubliable costume 3 pièces blanc qui immortalisa John Travolta dans le monde entier pour sa prestation dans La Fièvre du samedi soir, s'est arraché 145 500 $, chez Christie's, à New York, le 28-06-95.

Fans

Guerre des étoiles

• *La Menace fantôme* (*Star Wars : Episode I*) restera comme le film le plus attendu de l'Histoire avec un exercice de patience de 16 ans pour ses fans. Avant sa sortie, le film avait déjà rapporté 4 millions de $ en produits dérivés. Dès sa sortie aux USA, le 19-05-99, ce nouveau *Star Wars* battit les records de 1993 établis par *Jurassic Park*, avec 28,5 millions de $ pour le 1er jour et 102,7 millions de $ pour la 1re semaine. La réalisation nécessita la mobilisation des 250 000 m² de décor des studios Kavesden, GB. 400 000 m de pellicule ont été utilisés pour 65 jours de tournage. Le film comporte seulement 300 plans en images réelles contre 2 200 plans en effets visuels (soit 3 fois plus que pour *Titanic*). La scène finale a nécessité une année entière de réalisation et la création d'une batterie de nouveaux logiciels.

• En 1998, un groupe d'amis californiens a réalisé un court-métrage de 10 min représentant des scènes de la *Guerre des étoiles* (USA, 1977). Les troupes, dirigées par Kevin Rubio, ont joué la mort de *Luke Skywalker's Aunt Beru et d'Oncle Owen*, qui ont inspiré la mission pour sauver la galaxie. Il existe un site *Guerre des étoiles* (www.theforce.net). George Lucas et Mark Hamill font partie des fans.

Cinéphiles les plus enthousiastes

• *Voir photo.*

• Gwilym Hughes, de Gwynedd, GB, a vu son 1er film en 1953, lors d'un séjour à l'hôpital. Il a, depuis, fait la liste des 22 990 films qu'il avait vus jusqu'au 28-02-97. Aujourd'hui, la plupart sont des vidéos.

« Théâtrophiles » les plus enthousiastes

• Le Dr H. Howard Hughes, du Wesleyan College, Texas, a été spectateur de 6 136 pièces de théâtre entre 1956 et 1987.

• L'Anglais Edward Sutro a assisté à un record de 3 000 premières de théâtre entre 1916 et 1956, et à plus de 5 000 pièces en 60 ans.

Gerbes de fleurs

Entre le 1er et le 8-09-97, de 10 000 à 15 000 tonnes de fleurs ont été déposées devant les palais de Kensington, St James et Buckingham, en hommage à Diana, princesse de Galles. La presse a parlé de 5 millions de bouquets.

Amateur de trains

L'Anglais Bill Curtis est le détenteur du titre de champion du monde (après Richard Grice, le 1er champion qui a gardé son titre de 1896 à 1931). Il a recensé 60 000 locomotives, 11 200 engins de chemins de fer électriques et 8 300 diesel en 40 ans de voyage à travers le monde.

Ornithologue recenseur

• L'Américaine Phoebe Snetsinger, du Missouri, a observé 8 040 des 9 700 espèces d'oiseaux recensées depuis 1965, soit 82 % des espèces existant dans le monde.

• 342 espèces d'oiseaux observées en 24 h, c'est le record détenu par les ornithologues kénians Terry Stevenson, John Fanshawe et Andy Roberts lors de la 2e journée de la réunion du Birdwatch, au Kenya, en 1986.

Nombre d'oiseaux bagués

Entre 1953 et le 26-02-97, Óskar J. Sigurósson, bagueur d'oiseaux de l'Institut d'histoire naturelle islandais, en a bagué 65 243.

Photographies aériennes

Le photographe anglais David Neal a passé 10 ans à réaliser des photographies aériennes de son pays natal. De ses débuts, où il photographiait à partir de pylônes électriques, à janvier 1998, ce jeune homme de 22 ans a pris plus de 3 000 photos depuis 524 bases aériennes. Il estime à 10 000 la quantité totale de photos nécessaires pour atteindre son ambition, qui est de couvrir entièrement son pays.

Nombre de pubs visités

Depuis 1960, l'Anglais Bruce Masters s'est rendu dans 29 203 pubs et 1 568 autres bars pour y déguster des bières locales.

Nombre de restaurants visités

L'Américain Fred Magel, critique gastronomique de Chicago, a testé 46 000 restaurants dans 60 pays depuis 1928. Il affirme que l'hôtel Zehnder de Frankenmuth, Michigan, sert les plus grosses portions. Ses plats préférés sont le homard sud-africain et la mousse de fraises fraîches anglaises. France • En 1997, le critique et auteur gastronomique parisien Claude Lebey avait testé au cours d'une carrière de 30 ans, 20 280 restaurant de Paris, soit 676 repas/an.

Nombre de cartes de Noël envoyées

Le record est détenu par l'Américain Werner Ehard, de San Francisco, avec un total de 62 824, envoyées depuis décembre 1975.

Nombre de lettres écrites

Uichi Noda, ancien secrétaire d'État au Trésor et ministre de la Construction du Japon, a écrit, lors de ses voyages d'affaires à l'étranger depuis juillet 1961 et jusqu'à sa mort en mars 1985, 1 307 lettres à sa femme Mitsu. Publiées dans un recueil de 25 volumes, elles totalisent 12 404 pages et 5 millions de caractères.

Journal intime le plus assidu

Ernest Loftus, colonel à Harare, Zimbabwe, a commencé à écrire son journal intime le 4-05-1896, à l'âge de 12 ans, et l'a tenu quotidiennement jusqu'au jour de sa mort, le 7-07-87, à l'âge de 103 ans et 178 jours.

Poupée la plus populaire du monde

Le 13-05-98, un groupe de fans de Barbie a parcouru les rues de Westchester, à Los Angeles, pour une campagne visant à obtenir la représentation de leur idole sur un timbre postal américain à l'occasion de la célébration du xxe siècle sur des timbres.

Film culte

Sal Piro, président du fan club américain du *Rocky Horror Picture Show*, a vu le film du même nom (GB, 1975, Jim Sharman) près de 1 000 fois. Inspiré de la pièce de Richard O'Brien – jouée pour la 1re fois à Londres en 1973 et qui rencontra un succès mondial – ce film inclassable est à l'affiche d'une centaine de cinémas américains, et de beaucoup d'autres dans le monde depuis sa sortie. Ses adeptes assistent aux projections travestis sous les traits de leurs personnages préférés, et participent en jetant du riz dans la salle, en faisant griller du pain et en chantant. Rituel incompréhensible pour les néophytes. En France, le film est projeté en permanence au Studio Galande, Paris-Ve.

• Sur la route de Ploulay à Cholet, pendant le Tour de France, un inconditionnel de la petite reine a entièrement recouvert sa maison de maillots et de photos de cyclistes.

• Michel Brolliat, de Firminy, Loire, est un adorateur de Johnny Hallyday. En mai 1998, il possédait 2 500 magazines et livres consacrés à son idole, ainsi que 15 programmes de concert.

STAR TREK

La série télévisée Star Trek, *diffusée depuis 1966 dans une centaine de pays, a obtenu un succès exceptionnel. Des rassemblements de fans ont lieu presque tous les week-ends quelque part dans le monde. Il existe 350 sites Star Trek sur Internet et 500 publications de fans-clubs. Après plus de 400 000 demandes de fans, la Nasa a baptisé l'un de ses engins spatiaux Enterprise.*

En avril 1998, on annonça la mise en compétition de l'image de la Barbie originale parmi 30 autres sujets différents présélectionnés pour représenter les années 60. Barbie, dont le nom complet est Barbara Millicent Roberts, est née le 9-03-58. Depuis, elle est devenue la femme dont on parle le plus au monde. On a estimé qu'une petite fille type de 3 à 10 ans possédait en moyenne une dizaine de Barbie. La passion portée à la poupée Barbie, fabriquée par Mattel, a donné naissance à des milliers de clubs de fans et à une quantité considérable de conventions (réunion de collectionneurs) dans le monde entier. En 1995, la 1re Cybervention Barbie (rassemblement de fans sur Internet) a été organisée à Seattle. Lors des célébrations des 20 ans de Barbie, des poupées ont été placées dans des capsules scellées destinées à être ouvertes pour l'anniversaire des 100 ans de la poupée.

Personnage le plus imité

On estime à 48 000 le nombre de sosies d'Elvis Presley à travers le monde.

En 1998, la 1re Église presleyrienne a été créée aux USA, sous le nom de Church of Elvis the Divine. À Londres, Paul Chan distrait ses clients, dans son restaurant appelé le Gracelands Palace, en imitant Elvis. Connu sous le nom de « l'Elvis chinois », Chan a été jusqu'à changer son nom pour celui de son héros.

Animaux stars

CHATS

Chats les plus grands et les plus lourds
• Kato, un chat de Sogndal, Norvège, est le plus gros chat vivant au monde. En février 1998, il pesait 16,7 kg, et mesurait 36 cm au collet.
• Le plus gros chat de tous les temps, Himmy, était un mâle tigré castré appartenant à Thomas Vyse, de Cairns, Australie. À sa mort, le 12-03-86, à l'âge de 10 ans et 4 mois, il pesait 21,3 kg pour 96,5 cm de longueur totale, avait un tour de taille de 84 cm et un tour de cou de 38 cm. Il fallait une brouette pour le transporter.
France • Poussy, mâle appartenant à Patrick Dubourq, de Margny-lès-Compiègne, Oise, était le plus gros chat français. En mai 1994, à 9 ans, il pesait 18 kg pour 90 cm de long. Il est décédé en 1996.
• Poupette, appartenant à Aurore Dubois, Gray, Hte-Saône, pesait 16,2 kg en janvier 1997, à 2 ans et demi.

Chats les plus vieux
Puss, tigré, appartenant à Mme Holway, de Clayhidon, GB, célébra ses 36 ans le 28-11-39 puis mourut le lendemain.
France • Mitsou (n.09-65), chat de gouttière roux, est décédé en septembre 1995, juste avant son 30e anniversaire. Il appartenait à Ginette Bernaben, de La Turballe, Loire-Atlantique, qui le nourrissait sur la fin de poisson, car il n'avait plus de dents.

Portée
Le 7-08-70, Tarawood Antigone, birmane chocolat de 4 ans, a eu une portée de 19 chatons. Malgré une césarienne, 4 d'entre eux étaient mort-nés.

Reproductrice
À Bonham, Texas, Dusty (n.1935), femelle tigrée, a mis bas 420 chatons au cours de sa vie. Sa dernière portée eut lieu le 12-06-52, à 17 ans.

Chats souriciers
Towser (n.21-04-63), femelle écaille de tortue appartenant à la distillerie Glenturret de Crieff, Écosse, a attrapé durant sa vie 28 900 souris, soit 3 souris/jour jusqu'à sa mort, le 20-03-87.
France • Entre le 1er-08-92 et le 10-03-94, Foxette et Tiggy, chattes appartenant à Llorel Ball, de Saverne, Bas-Rhin, ont attrapé 481 souris.

Chats, les meilleurs pisteurs
En avril 1996, Balthazar, âgé de 4 ans, a parcouru 800 km, entre Sens, Yonne, et Aiguefonde, Tarn, en 28 jours, pour rejoindre ses maîtres à Aiguefonde.

Chat le plus riche
En décembre 1996, Blackie a reçu un legs de 15 millions de £ (120 millions de F) de son propriétaire Ben Rea.

Chat le plus résistant
Le 9-10-94, Oscar est sorti indemne et parfaitement propre d'un séjour dans un lave-linge. Stéphanie Lefèvre, 4 ans, de Widnes, GB, l'y avait mis pour le débarrasser de la boue dont il était couvert.

Mariage le plus somptueux
En septembre 1996, 2 chats rares « aux yeux de diamant », Phet et Ploy, ont été mariés à la Phoebus House, plus grande discothèque thaïlandaise. Ce mariage coûta à leur propriétaire, Wichan Jaratarcha, 16 241 $ (100 000 F), plus une dot de 23 202 $ (140 000 F). Phet est arrivé en Rolls Royce, dans un smoking rouge, et Ploy, déposée en hélicoptère dans sa robe de mariée blanche.

Chiens géants
• Le chien le plus lourd : Alcama Zorba de La Susa (photo), mastiff anglais (n.26-09-81), appartenant à Chris Eraclides, de Londres. En novembre 1989, il mesurait 94 cm au garrot pour 155,58 kg (tour de poitrail : 1,49 m, tour de cou : 95 cm, longueur : 2,53 m (queue incluse).
• Le plus grand chien fut le dogue allemand Shamgret Danzas (n.1975), appartenant à Keith Comley, de Milton Keynes, GB. Avant sa mort, le 16-10-84, il mesurait 1,05 m au garrot (1,06 m le poil hérissé) pour 108 kg.

 SALON DE L'AGRICULTURE 1999

• *Le prix de la meilleure vache laitière de race prim'Holstein (race la plus performante en production de lait) a été attribué à Guyanne, appartenant à Jean Lecointre. Elle a produit 54 871 litres de lait en 5 lactations, soit une moyenne annuelle de 10 974,2 litres.*
• *La vache la plus lourde s'appelle Harmonie. De race blonde d'Aquitaine, elle pèse 1 296 kg et appartient à Renée Garrigues, Tarn.*
• *Jardin, taureau de race maine-anjou, avec 1 701 kg a été élu taureau le plus lourd. Il appartient à l'EARL Daillère, Seiches-sur-Loir.*
• *Le prix record de ventes aux enchères a été atteint par Oasis, génisse prim'Holstein. Elle a été acquise pour 39 000 F, le 1er-03.99.*

CHIENS

Chiens les plus lourds
Voir photo.
France • Le plus gros chien homologué est Farouk des Bories (n.1er-01-91), charplaninatz (berger yougoslave) appartenant à Bernard Mur, d'Argentière, Haute-Savoie. Il mesure 68 cm au garrot pour 80 kg (tour de taille : 110 cm, tour de tête : 70 cm).

Chiens les plus grands
Voir photo.
France • Ness (n.1978), dogue allemand noir, mesure 92 cm au garrot pour un poids de 80 kg. C'est le plus grand chien français.

Chiens les plus petits
Les yorkshires nains, les chihuahuas et les caniches toys sont les plus petits chiens du monde.
• Le plus petit de tous était un yorkshire terrier pas plus gros qu'un walkman. Il appartenait à Arthur Marples, de Blackburn, GB. Il mesurait 6,3 cm au garrot, et 9,5 cm de long, du museau à la queue. Il ne pesait que 113 g. Il est mort à l'âge de 2 ans, en 1945.
• Big Boss (n.7-12-94), yorkshire terrier appartenant à Chai Khanchanakom, de Bangkok, est le plus petit chien vivant. Il mesurait, le 7-12-95, 13 cm de long, 12 cm au garrot et pesait 481 g.

Chien le plus vieux
Pataud (n.11-62), bâtard de griffon noir, est décédé à 29 ans et 5 mois en avril 1991. Il appartenait à J.-Claude Le Moal, de Rai, Orne.

Chienne la plus prolifique
Diana, dogue allemand appartenant à Joël Canapale, de Tancua, Jura, a eu, le 25-05-91, une portée de 23 chiots.

Reproducteur le plus zélé
Low Pressure-Timmy (n.09-57), lévrier de concours appartenant à Bruna Amhurst, de Londres, avait engendré 2 414 petits (et 600 chiots officieux), de décembre 1961 à sa mort, le 27-11-69.

Chien le plus cher
En 1907, Ch'èrh of Alderbourne, pékinois, « coûta » 250 000 F à sa maîtresse Clarice Cross, GB, qui déclina l'offre d'achat du magnat américain John Pierpont Morgan. Il ne se découragea pas et lui adressa un chèque en blanc, qui lui fut retourné.

Héritier
Le legs le plus important fait en faveur d'un chien est de 15 millions de £

L'espèce la plus grande est le géant des Flandres (ci-dessous), qui a un poids moyen de 10 kg, et les plus petits sont les lapins nains polonais et néerlandais qui pèsent, adultes, 1 kg au mieux. En 1975, un spécimen croisé fut pesé à 397 g. Le plus gros lapin de tous les temps était une lapine française à oreilles pendantes de 5 mois, pesant 12 kg, qui fut exposée à la foire de Reus, Espagne, en avril 1980.

En 1987, un chat pailleté de Californie fut vendu 24 000 $ (150 000 F). Cette race a été créée par le scénariste Paul Casey, qui croisa plusieurs espèces domestiques pour en créer une nouvelle proche d'une race sauvage. Il en existe moins de 200 au monde.

(120 millions de F), que Mlle Ella Wendel, de New York, laissa en 1931 à son caniche Toby.

Chien ratier
En 1820, Billy, bull-ratier de 11 kg, tua 4 000 rats en 17 h. Record d'autant plus incroyable qu'il était borgne.
Son plus bel exploit fut de tuer 100 rats en 5 min 30 s, le 23-04-1825, dans Tufton Street, Londres.
Il est mort le 23-02-1829, à 13 ans.

Pisteurs
En 1923, le colley Bobbie, en vacances avec ses maîtres à Wolcott, Indiana, se perdit. Il revint chez lui 6 mois plus tard, après avoir parcouru 3 200 km.
France • Beethoven, qui s'était perdu durant l'été 1998 à Carpentras, Vaucluse, a été retrouvé le 4-03-99, à Nomeny, Meurthe-et-Moselle, à 70 km de la maison de ses maîtres. Il avait parcouru 700 km et a pu être sauvé grâce à son tatouage.

Chiens les plus titrés
La femelle berger allemand Altana's Mystique (n.1987), entraînée par James Moses, d'Alpharetta, Géorgie, a remporté, en 1995, 275 titres de championne, toutes catégories.
France • Djumbo du Pré des Chaumes, étalon dogue bleu allemand, appartenant à Nicole Dantand, de Thonon-les-Bains, Haute-Savoie, possédait 25 titres de champion au 7-01-95.

Chiens les plus rares
En 1988, on ne comptait plus que 70 chinooks (terriers américains sans poils), 68 d'entre eux appartenant à Willie et Edwin Scott, de Trout, Louisiane.

Chien top model le plus populaire
Magic Star Francky est un caniche français qui ne quitte pas son panier pour moins de 1 000 F/jour. Âgé de 7 ans, il mesure 62 cm de haut et pèse 24 kg. Il a participé, avec Karen Mulder, à des défilés de Jean-Paul Gaultier, et joué un rôle dans *Prêt-à-Porter* (USA, 1994), de Robert Altman.

Chien écrivain le mieux payé
En 1991, l'épagneul Mildred « Millie » Kerr a gagné plus de 4 fois ce que gagnait son maître, le président des USA de l'époque, George Bush, avec son « autobiographie », vendue à 400 000 exemplaires. « Dicté » à la « first lady » Barbara Bush, son livre était décrit comme une vision de la famille du président Bush de « dessous la table ». Il a rapporté 900 000 $ (5,4 millions de F).

Chien-star de TV le plus populaire
Moose, le terrier qui incarne Eddie dans la sitcom américaine *Frasier*, est, selon le magazine *Entertainment Weekly*, « le plus terrible cabot qu'on ait lâché sur les ondes ». Il a fait la couverture de *Life* et *TV Guide*, et joué dans de nombreux spots de pub.

LAPINS

Lapin le plus gros
Le plus gros lapin domestique (*Oryctolagus cuniculus*) est le géant des Flandres. Adulte, il pèse de 7 à 8,5 kg ; lorsqu'il est étiré, sa longueur totale est de 90 cm. On a enregistré des poids dépassant 12 kg.

Oreilles de lapin
Toby II, lapin anglais noir aux oreilles pendantes, élevé par Phil Wheeler, de Barnsley, GB, a des oreilles de 74,3 cm de long et 18,7 cm de large.

OISEAUX

Oiseaux les plus bavards
Puck, la perruche de Camille Jordan, de Petaluna, USA, avait un vocabulaire de 1 728 mots lorsqu'elle mourut le 31-01-94.

Assistance à des funérailles
En 1920, 10 000 personnes ont assisté aux obsèques de Jimmy, un canari du New Jersey. Son propriétaire, le cordonnier Edidio Rusomanno, avait placé son corps dans un panier blanc. Le cortège était composé de 2 attelages et d'un orchestre de 15 musiciens.

Oiseau le plus cher
Le 13-08-91, le Belge Jean-Luc Van Roy, habitant à Ronse, près de Tournai, au sud de la Belgique, a vendu 850 000 F son meilleur pigeon, nommé Play-Boy.

La série Dallas, *avec Larry Hagman et Patrick Duffy (à gauche et à droite sur la photo), débuta en 1978. En 1980,* Dallas *fidélisait 83 millions de téléspectateurs américains chaque semaine, avec un record d'audience de 76 %. D'avril 1978 à mai 1991, les 356 épisodes furent diffusés dans 130 pays.*

AUDIENCE

La série américaine Alerte à Malibu *(Baywatch) est le programme le plus regardé au monde. En juin 1997, on a estimé l'audience à 1,1 milliard de téléspectateurs/semaine dans 142 pays.*

lundi au vendredi, la tranche 20 h-21 h 30, avec 42,5 % d'audience.

Nombre de chaînes

Les USA ont le record, avec 1 241 stations sur les 8 250 existant dans le monde.

France • En France, on peut avoir accès à 12 chaînes hertziennes (7 nationales et 5 locales) auxquelles s'ajoutent 50 chaînes câblées.

• En 1997, 14 millions de foyers français ne reçoivent que les chaînes hertziennes et 4,2 millions sont abonnés à Canal +.

• Au 31-03-97, 2,2 millions de téléspectateurs sont abonnés à 15 chaînes et 1,5 million à plus de 15 chaînes.

• 1,4 million sont reliés à une antenne parabolique.

Réseau TV le plus puissant

CNN International est le seul réseau global de télévision au monde. Diffusé par 15 satellites, CNN est regardé par 184 millions de foyers dans plus de 210 pays.

Écrans géants

Sony a présenté en 1985 un écran géant de 40 x 25 m, le Jumbotron, qui fut l'une des curiosités de l'Exposition de Tsukuba, près de Tokyo.

France • En décembre 1992, André Allouche et la société France Production Évènement ont mis au point un écran géant de 2,47 x 1,86 m et 3,08 m de diagonale.

Récepteurs les plus petits

• Le plus petit modèle est le Casio CV-1, sorti en juillet 1992 ; il mesure 9,1 x 6 x 2,4 cm et pèse 168 g avec sa batterie.

• L'écran du bracelet-montre-télévision de Seiko, lancé en 1982 au Japon, mesure 3 cm et ne pèse que 80 g. Avec le récepteur et l'écouteur, l'appareil en noir et blanc pèse 320 g.

Mur d'écrans le plus grand

Le plus grand mur d'écrans se trouve au Futuroscope de Poitiers, et comprend 850 écrans couvrant une surface de 162 m².

Écran sphérique

Au Futuroscope de Poitiers, un écran de 600 m² (24,5 x 24,5 m) a été installé dans une salle pouvant accueillir 400 spectateurs. C'est la plus grande salle à écran sphérique du monde : 9 projecteurs et 9 écrans synchronisés couvrant une surface de 272 m² offrent un champ de vision à 360°.

Vidéos les plus vendues

55 millions de copies du dessin animé *Le Roi Lion*, de Walt Disney (1994), ont été vendues dans le monde, et 2,8 millions en France, depuis sa sortie jusqu'en août 1997. Ce dessin animé, le 32e produit par Disney, était le 1er sans personnage humain et le 1er basé sur une histoire originale.

France • *Titanic*, de James Cameron, a pulvérisé le record du *Roi Lion* en se vendant à 1 million d'exemplaires (150 millions de F) le 14-10-98, jour de sa sortie, contre 250 000. Le budget de la campagne de lancement s'est élevé à 35 millions de F.

Vidéo la plus louée

• La location des cassettes vidéo de la nouvelle version de la trilogie de *la Guerre des étoiles*, de George Lucas, a rapporté un record de 270,9 millions de $ (1,6 milliard de F).

• *E.T.* (USA, 1982) a détenu ce record pendant 14 ans, rapportant au total 228,16 millions de $ (1,4 milliard de F).

COÛTS

Programme le plus cher

En janvier 1998, la chaîne américaine NBC a accepté de payer 13 millions de $ (78 millions de F) pour chaque épisode d'une heure d'*Urgences*. Elle payait auparavant 1,6 million de $ (10 millions de F)/épisode. Cette série est n° 1 des émissions de prime time aux USA, avec une audience de 32 millions de téléspectateurs/semaine. Le contrat avec la Warner, créateur d'*Urgences*, lui rapportera 873,68 millions de $ (5,2 milliards de F) pour 22 épisodes.

Productions TV les plus chères

La mini-série américaine de 4 épisodes *War and Remembrance* est la plus chère. Elle coûta 110 millions de $ (550 millions de F) pour un tournage de 3 ans. Elle fut diffusée sur ABC en 2 saisons, en novembre 1988 et mars 1989.

France • La mini-série *Le Comte de Monte-Cristo* produite par TF1 en 1997 a coûté 95 millions de F pour 4 épisodes, soit 23,75 millions de F par épisode.

Droits de diffusion TV

La European Broadcast Union (EBU) a payé 250 millions de $ (1,3 milliard de F) pour les droits de diffusion des JO d'Atlanta de 1996. Aux Jeux de Barcelone, en 1992, 160 millions de F seulement avaient été versés.

Pour un film • La Fox a payé 82 millions de $ (500 millions de F) pour acquérir les droits de diffusion télévisée de *Jurassic Park : Le monde perdu*, en juin 1997, avant sa diffusion internationale.

Production la moins chère

La production la moins chère de la télévision française est « Questions pour un champion », sur France 3, avec 3 333 F/min.

Coût moyen en France

Le coût moyen en 1997 d'une heure de fiction produite en France est de 400 000 F, tandis qu'une heure de fiction achetée à une production américaine coûte en moyenne 50 000 F.

Vidéo clips

Clip le plus cher

C'est pour leur hit *Scream* (1995) que Michael et Janet Jackson collaborèrent sur la réalisation du clip vidéo qui coûta la bagatelle de 7 millions de $ (42 millions de F) et fut réalisé par Mark Romanek. Tourné sur 7 plateaux, le clip présente de nombreux effets de morphing sur fond de guitare éléctrique. *Scream* remporta le MTV Award du vidéo-clip, section Dance, en 1995, et le Grammy Award du clip vidéo en 1996.

Clips les plus longs

• Le clip vidéo réalisé pour le single *Ghosts* (1996) est en fait un petit film de 35 min, créé d'après un concept original signé de Stephen King, l'écrivain considéré comme le maître de l'horreur. Michael Jackson campe 5 rôles dans ce clip réalisé par Stan Winston.
• Le clip légendaire *Thriller* (1983), de Michael Jackson, et celui de Snoop Doggy Dogg, *Murder Was the Case* (1994), durent tous deux 18 min. Le clip de Snoop fut réalisé par son ami rappeur Dr Dre, qui fit appel à Ice Cube, Jewell et Jodeci.

Clips les plus courts

• VIVA TV, la chaîne de télévision allemande, a réalisé un clip pour accompagner le single *The Kill* (1992) de Napalm Death, d'une durée totale de 10 s.

EFFETS SPÉCIAUX LES PLUS CHERS

Le clip de la chanson What's It Gonna Be ? *de Busta Rhymes et Janet Jackson, réalisé par Hype Williams, a coûté 2,4 millions de $. Les effets de morphing ont largement contribué à cette somme. La chanson est extraite de l'album concept de Busta Rhymes pour le nouveau millénaire* E.L.E – The Final World Front.

• Le clip le plus court réalisé par une maison de disques s'intitule *Die Glatze*, par l'artiste allemand Klaus Beyer. Tourné en super 8, il dure 1 min 23 s.

Nombre de vidéos tournées pour une même chanson

• Il existe 5 clips pour le titre *Timber* (1998), du groupe anglais Coldcut : l'original, le EBN remix de New York, le LPC remix de Suède, le Clifford Gilberto remix d'Allemagne et le Gnomadic remix de Grande-Bretagne. Le groupe Coldcut est considéré comme pionnier dans la conception de remix,

depuis leur adaptation en hit mondial du titre *Paid In Full* (1987) des rappeurs Éric B et Rakim.
• Le groupe suédois The Cardigans a produit 3 clips pour son titre *Lovefool*, en 1996 : une version européenne et deux versions pour la Grande-Bretagne, dont l'une servit pour le film *Roméo et Juliette* (USA, 1996).

Chanson la plus jouée sur MTV Europe

Smells Like Teen Spirit (1991) du groupe grunge Nirvana reste le titre le plus diffusé sur MTV Europe. Ce titre fut classé 1er du Top 10 des singles pour la décennie 90.

Plus grande chaîne musicale

MTV est reçue par près de 281,7 millions de foyers dans 79 pays de par le monde, ce qui signifie qu'elle peut réunir au mieux 1/4 de l'audience totale télévisuelle. MTV commença sa carrière en 1981 et ajouta à son panel 3 autres chaînes le 1er-07-99, ce qui lui permit de doubler sa production. Ces 3 nouvelles chaînes sont : MTV Base (pour le rap, la dance et le rhythm'n blues), MTV Extra (principalement sur les titres issus de MTV Grande-Bretagne et d'Irlande) et VH1 Classic (présentant de grands classiques comme Abba ou Éric Clapton).

MTV Awards

En 1998, Madonna a remporté 6 MTV Awards pour *Ray of Light*, réalisé par Jonas Okedrlund : vidéo, réalisation, clip pour une chanteuse, conception, chorégraphie. *Frozen*, réalisé par Chris Cunningham, a recueilli le Prix des meilleurs effets spéciaux. Ci-contre, Madonna à la cérémonie des Grammys, le 24-02-99.

Robbie Williams a gagné deux Brit Awards du meilleur vidéo clip. Le 1er en 1994, avec son groupe Take That, pour le clip de la chanson Pray *(1993). En 1999, de retour en solo, il a de nouveau obtenu le prix avec son pastiche de James Bond pour le clip de sa chanson* Millennium. *Le clip montre le chanteur portant une tenue inspirée de celle portée par James Bond dans le film* Thunderball *(1965) et la chanson comporte des samples de la musique du film.*

Vidéos les plus demandées sur The Box

• The Box est une chaîne de vidéo clips diffusée partout dans le monde. Les téléspectateurs contactent la hotline jukebox de la chaîne pour réclamer la diffusion de la vidéo de l'artiste qu'ils ont choisi. Entre l'année de sa création (1998) et juillet 1999, la chaîne enregistra une demande record pour le thème du film *Titanic* chanté par Céline Dion (*My Heart Will Go on*, 1997), soit 60 474 requêtes.

• La plus forte demande pour un artiste disparu, sur la chaîne The Box, concernait *Changes*, le rap de Tupac Shakur (tué en septembre 1996). Il s'agissait d'une reprise samplée du *The Way It Is* chanté par Bruce Hornsby and the Range en 1986. La chanson de Tupac Shakur fut diffusée pour la 1re fois en février 1999. Dans les 18 semaines qui suivirent cette diffusion, The Box enregistra 21 380 demandes de rediffusion.

Rassemblement de genres musicaux différents sur un même vidéo-clip

Pour commémorer l'anniversaire de la BBC, la chanson de Lou Reed *Perfect Day* fut réenregistrée au profit d'une œuvre de charité et rassembla 27 artistes de 18 genres musicaux : jazz (avec Courtney Pine), country (avec Tammy Wynette et Emmylou Harris), reggae (avec Burning Spear), blues (avec Dr John), pop music (avec Boyzone), rap (avec les Fun Lovin' Criminals) ou encore la musique classique (avec Lesley Garrett). Lou Reed fait une apparition dans le clip.

Avance sur droits la plus importante faite à un poète pour un vidéo-clip

En juin 1997, Murray Lachlan Young, poète inconnu de 26 ans, signa un contrat de 416 500 $ (2 499 000 F) pour la réalisation de près de 100 vidéos poétiques de 90 s. Il signa également un contrat de 1,83 million de $ (près de 11 millions de F) avec EMI pour 2 albums. Le travail de Young se veut très provocant, avec des morceaux de choix comme Casual Sex, MTV Party et The Closet Heterosexual.

Chute libre la plus longue dans un clip

Le clip du groupe danois Laidback's, pour sa chanson *Bakerman* (1990) montre le groupe réalisant une chute libre dans le ciel pendant toute sa durée, soit 4 min 42 s.

Nombre de tartes à la crème lancées dans un clip

Les membres du groupe anglais Electrasy, avec le concours du fan club officiel de Laurel et Hardy, ont lancé 4 400 tartes à la crème pendant les 3 min du vidéo clip de leur chanson *Best Friend's Girl* (1998). Le groupe portait des protections spéciales Day-Glo, fabriquées pour le clip, qui a été réalisé par James Brown.

Variétés

Nombre d'enregistrements d'une chanson
Créée en 1968 par Claude François, Jacques Revaux et Gilles Thibaut, *Comme d'habitude* a fait le tour du monde sous le titre *My Way*. Au 27-04-93, elle avait été enregistrée 600 fois par les plus grands interprètes, dont Frank Sinatra, Elvis Presley, Nina Hagen, Ray Charles, les Platters, les Gipsy Kings, les Sex Pistols...

Albums les plus vendus
Groupe-premier album • *Spice* (1996), le 1er album des Spice Girls, est à la fois le 1er album d'un groupe britannique le mieux et le plus rapidement vendu. Il a atteint la 1re place des charts dans 14 pays et s'est vendu à 20 millions d'exemplaires dans le monde entier. C'est aussi l'album le plus vendu par un groupe féminin en GB et le 1er album le plus vendu en GB toutes catégories confondues, avec 3 millions de disques.

Groupe-plusieurs albums • Depuis la séparation des Beatles, en 1970, 4 Suédois forment le groupe le plus populaire du monde : Abba. Ils avaient vendu plus de 215 millions de disques et cassettes en mai 1995.

Chanteuse-plusieurs albums • La chanteuse noire américaine Whitney Houston (n.1963) a vendu le nombre record de 87 millions de disques (albums et singles confondus) : *I Will Always Love You* est le single d'une chanteuse le plus vendu.

• Mariah Carey, Américaine aux 5 octaves, totalise 80 millions d'albums vendus depuis ses débuts en 1990. Ses 5 premiers singles se sont classés n°1, fait sans précédent depuis les Jackson Five 20 ans auparavant.

Pour un groupe • Fleetwood Mac, avec plus de 21 millions d'exemplaires de leur album *Rumeurs* vendus en mai 1990, détient le record absolu pour un groupe.

Album en français le plus vendu
L'album de Céline Dion *D'eux* (1995), écrit par Jean-Jacques Goldman, a été vendu à plus de 8 millions d'exemplaires dans le monde entier, dont 4 millions rien qu'en France. Cet album est resté n° 1 des ventes pendant 44 semaines consécutives.

Album le plus vendu au Japon
L'album le plus vendu de tous les temps au Japon est *Review*, du groupe japonais Glay. Plus de 4,7 millions de copies se sont arrachées dans l'archipel.

Les 10 chansons les plus vendues du siècle (en millions d'exemplaires)

1. Elton John : *Candle in the Wind*	33
2. Bing Crosby : *White Christmas*	30
3. Bill Haley : *Rock Around the Clock*	25
4. BOF *Titanic*	20
5. The Beatles : *I Want to Hold your Hand*	12
6. Elvis Presley : *It's Now or Never*	10
7. W. Houston : *I Will Always Love You*	10
8. Paul Anka : *Diana*	9
9. The Beatles : *Hey Jude*	8
10. The Monkees : *I'm a Believer*	8

Single n° 1 le plus longtemps
Mariah Carey a été n° 1 aux USA pendant 26 semaines sur ses 33 semaines de classement, entre septembre 1995 et mai 1996, avec les singles *Fantasy* (8 semaines), *One Sweet Day* – enregistré avec Boyz II Men (16 semaines) et *Always Be my Baby* (2 semaines). Elle battait ainsi le record de 25 semaines établi par Elvis Presley en 1956.

Nombre de semaines n° 1 des charts radio
Don't Speak, du groupe No Doubt, est demeuré 16 semaines n° 1 des charts radio américains en 1997, mais n'a jamais été commercialisé comme single. Il n'est donc jamais rentré dans le Top 100 des meilleures ventes.

BOF la plus populaire
La bande originale de *Titanic* (1997) est la mieux et la plus rapidement vendue de tous les temps. Aux USA, 9 millions d'exemplaires se sont arrachés en 15 semaines. Classée n° 1 dans plus de 20 pays, c'est la 1re bande originale à avoir été classée n° 1 des ventes d'albums en France. Fin avril 1998, plus de 20 millions de disques avaient été vendus à travers le monde.

BOF de James Bond
Des 11 musiques de films de James Bond chantées par des femmes, 3 l'ont été par Shirley Bassey : *Goldfinger*, *Les diamants sont éternels* et *Moonraker*. Elle détient aussi le record de la plus longue carrière dans le Top 20 britannique, avec 40 ans et 9 mois.

Tubes les plus longtemps n° 1 au Top 50
• *Pour que tu m'aimes encore*, de Céline Dion, extrait de l'album *D'eux* est resté n° 1, en 1995, pendant 16 semaines consécutives.

• *Dur, dur d'être bébé*, de Jordy, est resté n° 1 pendant 15 semaines consécutives, du 17-10-92 au 29-01-93. Jordy a conquis tous les Tops européens à l'âge de 5 ans.

• La chanson qui a connu le plus grand succès dans les années 80 est *La Danse des canards*. Interprétée par le Belge J.-J. Lionel, elle fut écrite par des amateurs. Sorti en 1981 chez Déesse, le 45 t s'est vendu à 3,5 millions d'exemplaires.

N° 1 la plus âgée

Le 13-02-99, Deborah Harry, leader du groupe Blondie, est devenue la chanteuse la plus âgée à atteindre la 1re place des charts anglais avec le titre *Maria*, à 53 ans. Le record était précédemment détenu par Cher. Blondie est le seul groupe américain à s'être classé dans les charts anglais dans les années 70, 80 et 90.

ENTRÉES DIRECTES ⏸

Le groupe Take That est entré 8 fois directement n° 1 dans les charts anglais. Pour les filles, le record est détenu par les Spice Girls, avec 7 entrées à la 1re place. Pour les chanteurs, c'est George Michael qui l'emporte, avec 4 entrées à la 1re place. Robbie Williams (ci-contre), ex-membre des Take That, détient le record du plus grand nombre de nominations aux Brit Awards : 6, en 1999.

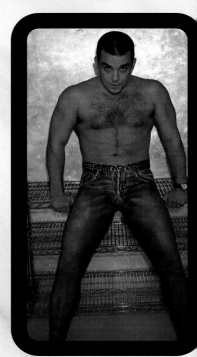

*Le 6-06-98, le groupe irlandais B*Witched est devenu le 1er groupe féminin à faire son entrée à la 1re place des charts anglais avec un 1er single : C'est la vie. Le groupe continua avec ses 2 singles suivants, qui se classèrent eux aussi n° 1. Un exploit qui, jusque-là, n'était détenu que par le duo Robson Green et Jerome Flynn.*

Auteurs à succès

Homme • Lionel Richie a écrit au moins un titre qui figure comme n° 1 dans les charts américains chaque année entre 1978 et 1987.

Femme • Le record revient à Barbra Streisand, avec 6 albums n° 1 et 43 albums classés de 1963 à octobre 1994. C'est la chanteuse qui a vendu le plus de disques au monde : 30 de ses albums ont dépassé les 500 000 exemplaires.

France • Vincent Scotto a composé 4 012 chansons. Parmi les contemporains, Pierre Delanoé est l'auteur français qui touche les droits les plus élevés depuis 20 ans.

Duo à succès

Aux USA, Daryl Hall & John Oates ont classé 22 de leurs singles dans le Top 20.

Carrière la plus longue

Barbra Streisand est entrée dans les charts américains pour la 1re fois en mai 1964. Elle y est restée sans arrêt jusqu'à son dernier hit, *I Finally Found Someone* (en duo avec Bryan Adams), 32 ans et 7 mois plus tard, en janvier 1997. Elle a créé en 1987 la Fondation Barbra Streisand, puis une chaire en cardiologie et une chaire en sexologie dans 2 universités américaines.

Chanson française la plus populaire en GB

She, de Charles Aznavour, est restée n° 1 en GB pendant 4 semaines, en 1974.

Chanson italienne la plus populaire dans le monde

Nel Blu Dipinto Di Blu (*Volare*), de Domenico Modugno, est restée 5 semaines n° 1, en 1958.

Chanson japonaise la plus populaire dans le monde

Sukiyaki (*Ue O Muite Aruko*), de Kyu Sakamoto, est restée 3 semaines n° 1 aux USA et a figuré dans le Top 10 britannique.

Vainqueur de l'Eurovision ayant eu le plus de succès

• La chanson *Waterloo*, du groupe Abba, qui remporta l'Eurovision en 1974, a atteint la 6e place des charts américains en 1974.

• La finaliste ayant eu le plus de succès aux USA est Vicky (Luxembourg), arrivée en 4e position en 1967 avec sa chanson *L'amour est bleu*. Elle a été reprise aux USA par Paul Mauriat et son orchestre, et a été classée n° 1 en 1968. C'est la chanson chantée en français ayant eu le plus de succès aux USA.

Nombre de victoires à l'Eurovision

L'Irlande a remporté le concours de l'Eurovision 7 fois, en 1970, 80, 87, 92, 93, 94 et 96. 2 victoires reviennent à Johnny Logan, en 1980 et 1987.

Disques de diamant 1998

Le SNEP (Syndicat national de l'édition phonographique) a décerné 12 disques de diamant (plus d'1 million d'exemplaires vendus).

Divers • *Notre-Dame de Paris.*
BOF • *Titanic.*
Céline Dion • *S'il suffisait d'aimer.*
Lara Fabian • *Pure.*
Florent Pagny • *Savoir aimer.*
Era • *Era.*
Céline Dion • *Let's Talk About Love.*
Jean-Jacques Goldman • *En passant.*
Jean-Jacques Goldman • *Singulier.*
Pascal Obispo • *Superflu.*
Patricia Kaas • *Scène de vie.*
Spice Girls • *Spice.*

Collections particulières pour un titre

• Le Français Michel Petit possède 320 versions du titre *Les Feuilles mortes* (*Autumn Leaves*) sous forme de CD, cassettes et 33 t.

• En 1994, Willy Wolters Van der Wey, de Bruxelles, possédait 126 versions de la chanson *Le Temps des cerises* de J.-B. Clément.

Droits d'auteur

Charles Aznavour (n.1924), a cédé, en 1996, l'intégralité de son catalogue à la firme EMI, pour un montant supérieur à 50 millions de F, ce qui représente une plus-value de 1 500 %.

SUCCÈS EXEMPLAIRE

Le record du plus grand nombre de singles successivement n° 1 pour un nouveau groupe appartient toujours aux Spice Girls (ci-contre, Mel G.), qui classa ses 6 premières chansons à la 1re place des charts anglais. Deux des 3 suivantes s'y classèrent aussi brillamment.

Rock

Titre le plus vendu

Rock Around the Clock, enregistré par Bill Haley en 1954 et inclus dans la bande originale du film *The Blackboard Jungle* (1955), demeura longtemps en tête du Billboard américain, puis des charts anglais, atteignant 25 millions d'exemplaires vendus, en tenant compte de sa réapparition dans le Top 20 en 1968 et 1974.

Albums les plus vendus

<u>Groupe-un seul album</u> • Les Eagles, avec plus de 25 millions d'exemplaires de leur compilation *Their Greatest Hits 1971-1975* vendus, détiennent le record absolu pour un groupe. C'est aussi le plus vendu aux USA, avec 24 millions d'exemplaires.

<u>Groupe-plusieurs albums</u> • En mai 1985, les Beatles, groupe de Liverpool composé de George Harrison (n.25-02-43), John Lennon (n.9-10-40, assassiné le 8-12-80), Paul McCartney (n.18-06-42) et Ringo Starr (n.7-07-40), avaient déjà vendu plus de 1 milliard de disques et de cassettes dans le monde (estimations EMI). C'est le groupe

Titre à rallonge

If You Tolerate This Your Children will be des Manic Street Preachers est la chanson au titre le plus long (sans parenthèses) à avoir été classée n° 1, en septembre 1998, dans les charts anglais.

qui détient le plus de disques multiplatine, avec un total de 13 sur 48 récompensés.
<u>Chanteuse-premier album</u> • Alanis Morissette a vendu 30 millions d'exemplaires de son 1er album, *Jagged Little Pill*, à travers le monde. C'est aussi la meilleure vente féminine d'un album aux USA.

Vente record

Be Here Now (1997), d'Oasis, s'est vendu à 345 000 exemplaires le jour de sa sortie. Le million fut atteint en 17 jours. À l'instar des 1ers albums du groupe, il est entré directement à la 1re place des charts, remportant ainsi le record du plus grand nombre d'albums consécutifs directement n° 1. Il s'est aussi classé n° 1 dans 9 autres pays la 1re semaine.

Débuts du disque compact

Le 1er disque compact qui dépassa le million d'exemplaires vendus fut *Brothers in Arms* du groupe Dire Straits, en 1986.

Albums de hard rock les plus vendus

• 17 millions d'exemplaires de *Led Zeppelin IV*, du groupe britannique Led Zeppelin, ont été vendus aux USA depuis 1971.
• L'album *Born in the USA* (1984) de Bruce Springsteen est la meilleure vente d'un Américain aux USA, avec 15 millions d'exemplaires.

Nombre d'albums de platine

Le groupe anglais Led Zeppelin a été récompensé par 81 albums de platine aux USA, un record pour un groupe de rock.

Album posthume le plus vendu aux USA

Kurt Cobain et son groupe Nirvana ont atteint la 1re place des charts américains avec *Unplugged*, album acoustique enregistré à New York, sur MTV, en novembre 1994, et avec *From the Muddy Banks of The Wishkah*, en octobre 1996.

Album le plus longtemps dans les charts

Dark Side of the Moon, des Pink Floyd, est entré dans les charts américains le 17-03-73, et y est toujours classé. Il est resté 741 semaines dans le Top 200, et 353 semaines dans le classement Pop Catalogue (04-98), accédant même à la 1re place de ce dernier pour sa 1 075e édition.

Entrée dans les charts

Le 5-10-91, l'album *Use your Illusion II*, des Guns' N Roses, est entré à la 1re place des charts US. *Use your Illusion I* était entré à la 2e place. Au total, les fans se sont arraché 4,2 millions d'exemplaires de ces 2 albums la 1re semaine. Le groupe détient aussi le record de la plus forte vente pour un album

américain : 14 millions de copies de leur *Appetite for Destruction* (1987).

Singles plusieurs fois n° 1

• *The Twist*, de Chubby Checker, a été n° 1 aux USA à 2 reprises, en septembre 1960 et janvier 1962.
• *Bohemian Rhapsody*, de Queen, a eu la même chance en Grande-Bretagne en novembre 1975 et décembre 1991.

Artistes n° 1

<u>Groupe</u> • Les Beatles sont le groupe qui a décroché le plus de n° 1, avec 20 titres sur 45 t et 13 sur 33 t. Leur dernier album, *Live at the BBC*, sorti le 29-11-94, a été classé n° 1 pendant une semaine en décembre. La reprise en 1995 du titre *Baby it's you*, enregistré il y a 32 ans et tiré de l'album *Live at the BBC*, les consacra pour la 26e fois n° 1 du Top 10, la 1re fois depuis 1982. Les Beatles ont vendu près de 1 milliard de disques et de cassettes.

<u>Chanteur</u> • Elvis Presley détient le record, avec 18 chansons et 9 albums classés n° 1 au Billboard US et 17 dans les charts anglais. Premier chanteur à avoir vendu 1 milliard de disques, 94 de ses chansons sont entrées dans les charts américains, et sa musique y est restée présente pendant 1 145 semaines.

Auteurs à succès

• Elvis Aron Presley (1935-1977) et Harry Lillis « Bing » Crosby Junior (1904-1977) sont en compétition pour ce titre. 149 des singles d'Elvis Presley sont entrés dans les Tops aux USA, ainsi que plus de 100 albums depuis 1956. Il partage avec les Beatles le record du plus grand nombre de n° 1, avec 17 chansons, et sa musique est restée pendant une durée record de 1 145 semaines dans les hits britanniques.
• 7 chansons de John Lennon (1940-1980) et Paul McCartney (n.1942) ont été classées n° 1 aux USA sur une seule année, en 1964 : *I Want to Hold your Hand*, *She Loves You*, *Can't Buy me Love*, *Love me do*, *A World Without Love*, *A Hard Day's Night* et *I Feel fine*. Elles furent n° 1 pendant 19 semaines au total.

Nombre d'albums n° 1 sur 1 an

Les Monkees ont eu 4 albums classés n° 1 aux USA en 1967 : *The Monkees*, *More of the Monkees*, *Headquarters* et *Pisces, Aquarius, Capricorn and Jones*.

Chanson rock ayant eu le plus de succès

(Everything I Do) I Do it for You, de Bryan Adams, est restée 16 semaines consécutives n° 1 en GB, et 7 semaines aux USA, en 1991.

Groupes les plus classés dans les charts indépendants

• Le 28-01-84, les Smiths tenaient les 3 premières places des charts indépendants en GB.
• Le 1er-07-95, Oasis avait 6 singles classés dans le Top 7 britannique indépendant.

Groupe le plus jeune à être récompensé d'un single de platine

Mmmbop, du trio américain Hanson, s'est classé n° 1 dans 20 pays en 1997, alors que le plus âgé des frères n'avait que 14 ans. Quand le single était n° 1 aux USA, leur plus jeune membre, le batteur Zachary, avait 11 ans et demi – soit un mois de plus que Michael Jackson à l'époque où les Jackson Five atteignirent la 1re place des charts américains avec *I Want You Back* en 1970. Hanson a vendu 6 millions d'exemplaires de *Middle of Nowhere* dans le monde.

Artistes les plus primées aux Brit Awards

<u>Britannique</u> • Annie Lennox a remporté 7 Brit Awards au cours de sa carrière.
<u>Étrangère</u> • L'Islandaise Björk est l'artiste solo ni britannique ni américaine à avoir été la plus primée, avec un total de 3 Brit Awards. Björk a enregistré son 1er album éponyme à l'âge de 11 ans, puis a fait partie des Sugarcubes pour quelques albums. En 1993, son album *Debut* l'a fait connaître dans le monde entier.

CONCERTS

Musiciens, le plus grand nombre

The Wall, des Pink Floyd, a rassemblé 600 exécutants à Berlin, le 21-07-90, sur une scène de 168 m. 200 000 personnes suivirent la construction et la démolition symbolique du mur de Berlin.

Tournée la plus fructueuse

Steel Wheels, la tournée des Rolling Stones à travers les USA, en 1989, a rapporté 310 millions de $ (1,5 milliard de F). Elle fut suivie dans 30 villes par 3,2 millions de spectateurs. Le groupe a de nouveau battu tous les records au cours de la saison 1995-1996 grâce à une lucrative tournée promotionnelle qui lui a rapporté 400 millions de $ (2 milliards de F).

Concert d'un artiste

<u>Gratuit</u> • Le concert de Rod Stewart à Copacabana, Rio de Janeiro, pour le nouvel an 1995, a attiré plus de 3 millions de spectateurs.

▶ VENTE RECORD / ÉCRAN GÉANT

• Bat out of Hell, de Meat Loaf (de son vrai nom Marvin Lee Aday), s'est vendu à plus de 2,1 millions de copies en Grande-Bretagne depuis 1978. En avril 1999, l'album avait passé 472 semaines dans les charts.

• En 1997, la scène du Pop Mart tour de U2, et son leader Bono (photo), était équipée d'un écran géant de 16,70 x 51,80 m qui retransmettait des animations et des vidéos d'art. Groupe de rock plutôt classique pendant de longues années, ils se sont adaptés aux nouvelles technologies (samplers...) dans les années 90.

Payant • En avril 1990, 195 000 personnes ont payé 100 F pour assister au concert de A-Ha au stade de Maracanã, pendant le Festival de Rio, Brésil.

• Pour un artiste solo, le record de la plus grande audience payante est détenu par Paul McCartney. Entre 180 000 et 184 000 personnes ont assisté au concert qu'il a donné le 21-04-90, à Rio de Janeiro.

Nombre de spectateurs à un festival

• 725 000 spectateurs ont assisté au Festival américain 1983, organisé par Steve Wozniak à San Bernardino, Californie.

• Le festival de Woodstock, à Bethel, État de New York, du 15 au 17-08-69, avait rassemblé 500 000 personnes. Woodstock 2 n'a rassemblé que 350 000 spectateurs les 13 et 14-08-94.

• Celui de l'île de Wight, GB, le 30-08-70, avait réuni 400 000 personnes.

Premier concert au Stade de France

Le 26-07-98, à l'occasion de la tournée des Rolling Stones Bridges to Babylon Tour, Mick Jagger a enflammé les 80 000 spectateurs du Stade de France de Saint-Denis. La pelouse était protégée par un tapis de 9 000 m² de Terraplast. La scène de 54 m de large était dominée par un écran géant rond de 160 m². La sono de 252 000 W, équivalant à 100 000 chaînes hi-fi, était un record absolu. C'était le soir des 55 ans de Mick Jagger.

3 continents en 1 jour

Le 23-10-95, le groupe Def Leppard est monté sur scène sur 3 continents à la suite. Chacun de ces concerts dura 1 h et fut suivi par au moins 200 personnes. Le 1er concert commença à 12 h 23 min au Maroc. Le groupe s'envola ensuite pour Londres, GB, pour le 2e concert et acheva sa tournée record à Vancouver, Canada, à 23 h 33 min le même jour.

Record de décibels

En août 1997, au Colossal Wonderland Amusement Park de Toronto, le groupe Hanson a poussé le son jusqu'à 140 décibels, ce qui représente le seuil de douleur sur l'échelle des niveaux acoustiques, soit plus qu'un avion gros porteur au décollage. Ils ont ainsi battu le précédent record des Who, qui avait infligé 126 décibels à leurs fans dans les années 60.

Nombre de morts pendant un concert

11 fans des Who furent piétinés à mort lors d'un concert à Cincinnati, en 1979.

Pop show le plus durable

Le show de la BBC Top of the Pops fut présentée pour la 1re fois par Jimmy Saville le 1er-01-64. Parmi les invités figuraient les Rolling Stones et les Beatles, débutants à l'époque. Le 1er-05-98 était diffusée la 1 782e émission.

Enregistrement le plus rare

Il n'existe que 2 copies originales de l'album The Freewheelin' Bob Dylan, de Bob Dylan (Columbia CS-8796, en stéréo), parce que ce dernier a été réédité avec 4 chansons en moins. Des copies excellentes pourraient se vendre entre 20 000 et 30 000 $ (entre 120 000 et 180 000 F).

Musée du rock le plus grand

Paul Allen, le cofondateur de Microsoft et 8e homme le plus riche du monde, a fait don de dizaines de milliers d'objets se rapportant à Jimi Hendrix au nouveau musée Experience Music Project de Seattle, plus grand musée du rock au monde, avec une superficie de 12 000 m². Guitariste, auteur et chanteur légendaire, Jimi Hendrix est mort en 1970 à l'âge de 28 ans. Le 14-09-97, plus d'un quart de siècle après, il est la 1re star du rock dont la carrière est célébrée par une plaque commémorative officielle posée sur la façade de son ancienne maison du 23 Brook Street, à Londres.

ENTRÉE DIRECTE

Aerosmith, et son chanteur Steven Tyler, est le seul groupe de rock à être entré directement à la 1re place des charts single US avec le titre I Don't Want to Miss a Thing, en septembre 1998.

Dance

Albums les plus vendus

Chanteur-un seul album • En mars 1996, Michael Jackson (n.29-08-58 à Gary, Indiana) avait déjà vendu plus de 47 millions d'exemplaires de son album *Thriller* à travers le monde.

Chanteuse-un seul album • Madonna (Madonna Louise Veronica Ciccone, n.16-08-59), qui a vendu plus de 11 millions d'exemplaires de son album *True Blue*, a été n° 1 dans 28 pays. En 1986, elle devint la 1re femme à occuper la tête des hit-parades (45 t et albums), loin devant tous les autres chanteurs. Madonna a vendu 100 millions de disques à travers le monde depuis ses débuts en 1983. 20 de ses singles ont été classés dans le Top 20 américain et 10 albums dans le Top 10. Elle a eu 24 titres au Top 50, dont *La Isla bonita*, qui y est resté 27 semaines et fut n° 1 du 11 au 25-07-87.

BOF la plus vendue

La BOF du film *La Fièvre du samedi soir*, interprété par John Travolta, avait dépassé les 30 millions d'exemplaires en mai 1987.

Album dance le plus vendu aux USA

La bande originale de *Purple Rain*, par Prince and The Revolution, est resté en tête des charts 24 semaines durant et s'est vendu à plus de 13 millions de copies depuis 1985.

Album dance le plus vendu en GB

Bizarre Fruit (1994), du groupe britannique M People, s'est vendu à plus de 1,5 million d'exemplaires en Grande-Bretagne, soit plus que n'importe quel autre album. Il contient notamment les hits *Sight for Sore Eyes*, *Open your heart* et *Search for the Hero*.

Plus grand nombre de hits dans un album

Le 20-04-96, tous les titres (10) de l'album de Prodigy étaient classés dans le Top 100 en Grande-Bretagne. Les 9 titres précédents du groupe s'étaient classés dans le Top 15 anglais, mais le *Firestarter*, sorti en mars 1996, décrocha la 1re place.

Succès français

• Daft Punk, duo qui n'a jamais dévoilé son visage, a vendu plus de 250 000 exemplaires de son album éponyme en France, et plus d'1,5 million dans le monde.

• Mr Oizo (alias Quentin Dupieux) et sa bestiole Flat Eric. Auteur du dernier spot pour Levi's, Mr Oizo a sorti un album, *Analog Worms Attack*, dont le 1er single, *Flat Beat*, est 2 fois disque de platine (Allemagne, GB), et 3 fois disque d'or (Italie, Danemark, Belgique).

Vente la plus rapide pour un album dance en GB

The Fat of The Land (1997) de Prodigy, s'est vendu à 317 000 exemplaires dès la 1re semaine en Grande-Bretagne. Aux USA, l'album atteignit les 200 000 exemplaires la 1re semaine. L'album a été n° 1 des charts dans 20 pays.

Titre le plus court du Top 10 américain

Le titre le plus court qui ait été relevé dans le Top 10 américain est un single de Prince, intitulé *7*, en 1992.

Single de R&B n° 1 le plus longtemps

Nobody's Supposed To Be Here, interprété par la chanteuse canadienne Deborah Cox s'est maintenu en tête des charts pendant 14 semaines, du 24-10-98 au 6-02-99.

Nombre de titres classés sans n° 1

James Brown a vu 44 de ses titres classés dans le Top 40 américain durant sa carrière. Aucun n'a accédé à la 1re place. D'autres artistes de R&B ont connu le même sort, dont Brook Benton (24 titres classés), Sam Cooke (24), Jackie Wilson (23) et Fats Domino (22).

Écart le plus long entre 2 titres classés

Le groupe de R&B The Isley Brothers entra pour la 1re fois dans le Top 100 américain avec la chanson *Shout*, en septembre 1959. La 2e fois qu'un de leurs titres fut classé, ce fut pour le single *Tears*, sorti en janvier 1997, 37 ans et 4 mois plus tard.

Chanteuse de R&B la plus classée dans les charts

Aucune chanteuse n'a eu plus d'entrées dans le Top 100 américain que la star du R&B Aretha Franklin qui, de 1961 à 1998, affiche 76 titres classés.

Duo féminin classé le plus longtemps

Brandy & Monica ont été n° 1 pendant 13 semaines avec leur single *Boy Is Mine*, à partir du mois de juin 1998.

Groupe le plus durable

The Four Tops a connu une longévité record. Depuis la formation du groupe en 1953, Levi Stubbs, Renaldo « Obie » Benson, Abdul Fakir et Laurence Payton ne se quittèrent plus, jusqu'à la mort de Payton, en 1997.

Frère et sœur les plus célèbres

Michael et Janet Jackson sont les seuls frère et sœur à s'être classés séparément dans les charts américains, catégories single et album. Michael compte 13 singles et 4 albums n° 1 ; Janet, 8 singles et 3 albums n° 1.

Chanteur le plus jeune dans les charts

Michael Jackson avait 11 ans et 5 mois quand il interpréta seul *I Want You Back* des Jackson Five, single n° 1 aux USA en 1970.

Boys band

Take That, le 1er « teen act » anglais des années 90, a vendu 4,5 millions de singles avant de se séparer en 1996. Séduisant son jeune public aussi bien par de la dance pure que par des ballades plus sentimentales, les 4 garçons ont réussi l'exploit de classer 16 singles consécutifs dans les charts. De leurs 9 derniers singles, 8 ont été n°1. Ce succès était à l'époque le plus gros de l'industrie du disque anglaise depuis les Beatles et les Rolling Stones.

Grammy Awards

Récompenses • Stevie Wonder, avec 17 distinctions, détient le record pour un compositeur.

• Michael Jackson a obtenu 8 Awards au cours de la seule année 1984.

Nominations • En 1999, Lauryn Hill a été nominée 10 fois aux Grammy Awards, pour son album *The Miseducation of Lauryn Hill* : un record pour une artiste féminine. Elle a été récompensée dans 5 catégories (autre record féminin) : album de l'année, meilleure révélation, meilleur album R&B, meilleure performance vocale et meilleure chanson R&B.

Concert d'un artiste

Payant • Michael Jackson a joué pendant 7 jours à guichets fermés au stade de Wembley, GB, attirant 504 000 personnes, en juillet et août 1988.

RAP

La culture hip-hop est née sur les trottoirs du Bronx, à New York, à la fin des années 70. Outre la musique rap, style vocal entre le scandé et le parlé appuyé sur des musiques fortement syncopées, issu du savoir-faire des DJ's jamaïcains, elle englobe la breakdance, le breakstyle (vestimentaire) ainsi que l'art du tag (graffiti) et du graph (peinture murale).

Premiers tubes rap

C'est le *Rapper's Delight*, du groupe Sugarhill Gang, sorti en 1979.

France • *Bouge de là*, de MC Solaar, a été en 1990 le 1er tube rap français.

Rap le plus rapide

Le 27-07-92, le groupe Rebel X.D. de Chicago, Illinois, a rappé 674 syllabes en 54 s 9, soit 12,2 syllabes par seconde, au studio d'enregistrement Hair Bear.

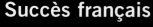

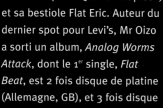

👤 NOMBRE DE SINGLES RAP N° 1

*Le rappeur L. L. Cool J. a classé 8 titres à la 1ʳᵉ place
du Billboard américain, parmi lesquels* I'm That Type of Guy,
Around the Way Girl, Loungin' *et* Father. *L. L. Cool J. est
distribué par le label Def Jam, qui détient le record du plus
grand nombre de singles rap à s'être classés à la 1ʳᵉ place
des charts américains, soit 15. Le label distribue également
Public Enemy, MC Serch et Boss.*

Plus belles entrées dans les charts
• Le seul artiste à être entré n° 1
dans les charts américains avec ses
3 premiers albums est le rappeur Snoop
Doggy Dogg. Les titres qui ont atteint
la 1ʳᵉ place sont *Doggy Style* (1993),
Tha Dogfather (1996) et *Da game
Is To Be Sold, Not To Be Told* (1998).
• Le seul artiste à avoir réussi le même
exploit avec ses 2 premiers albums
en l'espace d'un an est le rappeur DMX,
avec *It's Dark and Hell Is Hot* (06-98)
et *Flesh of My Flesh Blood
of My Blood* (01-99).

**Vente record pour un
album de hip hop aux USA**
*Please Hammer Don't Hurt
'Em* (1990) de MC Hammer et
Crazysexycool (1994) de TLC
se partagent le record de la
plus grosse vente d'un album
hip hop aux USA, avec
10 millions de copies vendues.
Album féminin le plus vendu
Chyna Doll, de la chanteuse Foxy
Brown est le 1ᵉʳ album rap d'une
artiste féminine à être classé n° 1
des charts américains, en février 1999.

AIR 🎹

*Moon Safari, du groupe Air, a été classé meilleure vente vinyle
en Grande-Bretagne. 700 000 copies se sont vendues
à l'étranger. Le disque a été album de platine en Irlande,
double disque d'or en Angleterre et disque d'or
en Australie et aux Pays-Bas. Ces musiciens
sont les 2ᵉˢ artistes français,
après Vanessa Paradis, à avoir participé
au mythique* Top of the Pops, *en mars 1998.*

127

Classique et jazz

MAURICE RAVEL

D'après la Sacem, le Français Maurice Ravel (1875-1937), grâce à son Boléro, *est le compositeur le plus populaire et dont l'œuvre connaît le plus d'interprétations au monde : on la joue 4 fois toutes les heures.*

OPÉRA

Opéra le plus long
Les Maîtres chanteurs de Nuremberg, de l'Allemand Richard Wagner (1813-1883), est le plus long des opéras du répertoire. En 1968, la compagnie Sadler's Wells l'a interprété en 5 h 15 min.

Opéra sans accord
Lulu (1937), composé par l'Allemand Alban Berg (1885-1935), est un opéra moderne à 12 tons, sans accord. Le compositeur a utilisé des formules mathématiques comme contraintes.

Chanteurs les plus âgés
Sur la scène du Théâtre du Bolchoï, Moscou, la basse Mark Reizen (n.3-07-1895), Ukraine, a interprété le rôle du prince Gremin dans *Eugène Onéguine*, opéra de Tchaïkovski (1840-1893), à l'occasion de son 90e anniversaire.

France • Lucien Fugère (1848-1935), qui créa à l'Opéra-Comique en 1890 le rôle du duc de Longueville dans *La Basoche* de Messager, a joué ce rôle jusqu'à l'âge de 83 ans.

Chanteuse la plus jeune
Ginetta La Bianca, n.12-05-34 à Buffalo, New York, interpréta le rôle de Rosine dans *Le Barbier de Séville* à l'Opéra de Rome, à 15 ans et 361 jours. Elle était apparue dans le rôle de Gilda de *Rigoletto* à Velletri, Italie, 45 jours plus tôt.

Notes les plus basses
• En 1997, Dan Britton a chanté la note la plus basse qu'une voix humaine ait jamais produite, d'une fréquence de 16,45 Hz, mesurée électroniquement, située sous la note *do*.

• La note la plus basse du répertoire classique se trouve dans l'air d'Osmin, de *L'Enlèvement au sérail*, de Mozart (1756-1791). Il s'agit d'un *ré* (73,4 Hz de fréquence).

France • Le 24-07-88, au Festival de Beslon, Manche, Chantal Tardieu a chanté du contre-*fa* dièse au *fa* dièse grave, soit 5 octaves.

Note la plus haute
La plus haute note du répertoire classique est un *sol*, dans l'opéra de Mozart *Alceste* (K 316).

Chanteur le plus riche
La fortune d'Enrico Caruso (1873-1921), le célèbre ténor italien, était estimée à 9 millions de $.

Les premiers best-sellers
• Le 1er enregistrement vendu à plus de 1 million d'exemplaires est l'*aria Vesti la giubba* de l'opéra *Paillasse*, de Ruggero Leoncavallo (1858-1919), interprétée par Enrico Caruso. La 1re version, avec accompagnement au piano, date du 12-11-1902.

• La chanson *Carry Me Back to Old Virginia* (*Ramène-moi dans la vieille Virginie*), interprétée par Alma Gluck sous la marque Red Seal Victor, fut la 1re à dépasser le million d'exemplaires.

Album le plus vendu
L'album *In concert* des 3 ténors José Carreras, Placido Domingo et Luciano Pavarotti – enregistré à l'occasion de la Coupe du monde de football 1990 – est l'album classique le plus vendu au monde. Cinq fois disque de platine, il s'est vendu à 13 millions d'exemplaires.

Spectateurs les plus nombreux
Ils étaient 500 000 spectateurs, le 26-06-92 à New York, venus pour admirer le grand ténor Luciano Pavarotti.

COMPOSITEURS

Compositeurs les plus féconds
• L'Allemand Georg Telemann (1681-1767) a publié son 1er opéra à l'âge de 12 ans et n'a cessé de composer jusqu'à sa mort. C'est la carrière la plus longue de l'histoire des musiciens. Il a écrit 2 000 œuvres, dont 1 000 suites d'orchestre et des opéras.

• Le compositeur autrichien Joseph Haydn (1732-1809) composa 104 symphonies, 68 quatuors à cordes, 60 sonates pour pianoforte, 14 messes, 47 lieder, 13 opéras italiens, 6 opéras allemands pour marionnettes.

• L'Autrichien Wolfgang Amadeus Mozart (1756-1791) a composé un millier d'œuvres, opéras, symphonies, sonates pour violon, divertissements, sérénades, motets, concertos, quatuors à cordes et autres pièces de musique de chambre, messes et litanies, dont seulement 70 furent publiés avant sa mort, survenue à l'âge de 35 ans. Mozart écrivit son opéra *La Clémence de Titus* (1791) en 18 jours. La *Symphonie n° 39* en mi bémol majeur, la *Symphonie n° 40* en sol mineur, et la *Symphonie n° 1*, « Jupiter », en *ut* majeur, auraient été composées en 42 jours, en 1788.

Compositeurs les plus vieux
Igor Stravinsky (1882-1971) composa jusqu'à l'âge de 89 ans. Verdi (1813-1901), quant à lui, écrivit *Otello* à 74 ans et *Falstaff* à 80 ans.

Lignée de musiciens
Soixante-seize des membres de la famille Bach furent connus en tant que musiciens. Le plus célèbre est le compositeur Jean-Sébastien (1685-1750).

ŒUVRES

Œuvre la plus controversée
Le Sacre du printemps, ballet composé par Igor Stravinsky (1882-1971), a provoqué des réactions violentes dans le public du Théâtre des Champs-Élysées à Paris, lors de la première, en 1913. Des rires fusèrent dans l'assistance, et dégénérèrent en émeute, le public protestant contre la complexité de la musique, défi contre les normes de l'époque. Le tapage était si fort que les danseurs ne pouvaient plus entendre l'orchestre. Stravinsky resta de marbre. *Le Sacre du printemps* fut finalement reconnu comme chef-d'œuvre, et son compositeur est considéré comme l'un des musiciens les plus importants du XXe siècle. Stravinsky détient aussi le record du compositeur le plus vieux : il composa jusqu'à 89 ans.

Symphonie la plus longue
La *Symphonie n° 3*, en *ré* mineur, de Gustav Mahler (1850-1911), composée en 1896, dure 1 h 40 min.

Silence le plus long
4 min 33 s, du compositeur américain John Cage (1912-1992), a été créé en 1952 par le pianiste David Tudor. Cette œuvre

Pavarotti recordman

Le best-seller
Luciano Pavarotti a fait ses débuts comme professionnel en 1961. Depuis cette date, il a vendu 60 millions d'albums à travers le monde. Chaque morceau de son répertoire de scène a fait l'objet d'un disque, et chaque enregistrement est un best-seller.

Le plus applaudi
Le 24-02-88, Luciano Pavarotti a été rappelé 165 fois et a été applaudi pendant 1 h 7 min après avoir joué le rôle de Nemorino dans *L'Élixir d'amour* de Donizetti, au Deutsche Opera de Berlin.

INTERPRÈTE LE PLUS JEUNE

Yehudi Menuhin (1916-1999) était âgé de 7 ans, le 29-02-24, lorsqu'il interpréta au violon solo Scènes de ballet *de Bériot à Oakland, Californie. À 9 ans, il interprétait le concerto de Beethoven à l'Opéra de Paris. En 1929, Albert Einstein déclarait, après l'avoir entendu : « Maintenant, je sais qu'il y a un Dieu dans les cieux. » Il est alors consacré mondialement. En 1961, il devient chef d'orchestre et, en 1963, fonde la célèbre Yehudi Menuhin School. Toute sa vie aura été vouée à l'amour de la musique.*

(un silence de 4 min 33 s), destinée à être jouée par n'importe quel piano, a fait l'objet de plusieurs enregistrements.

Vente de disques record
À l'occasion de l'anniversaire du bicentenaire de la mort de Mozart en 1991, Philips a enregistré 180 disques compacts rassemblant toutes les œuvres du compositeur et correspondant à environ 200 h d'écoute. En 1991, 40 000 exemplaires de l'Intégrale de Mozart ont été vendus à travers le monde, ce qui représente 7,2 millions de CD.

MUSICIENS
Grands orchestres
Le 14-07-96, un orchestre de 2 023 instrumentistes composé de plusieurs orchestres britanniques et dirigé par Frank Renton a donné un concert au stade Molineux, à Wolverhampton, GB.
France • En 1993, lors du concert final des 10es Orchestrades européennes de Brive, Corrèze, Marcel Landowski a dirigé un orchestre symphonique réunissant 1 107 jeunes musiciens et 159 choristes.

Orchestre militaire
Le 30-12-95, les Écuries royales du sultanat d'Oman ont réuni 1 000 musiciens pour former le plus grand orchestre militaire du monde. Ils ont joué en défilant pendant 30 min.

Accordéonistes
Le 21-07-96, lors du 10e Festival de l'accordéon d'Augan, Morbihan, 121 accordéonistes diatoniques et chromatiques ont interprété 3 airs imposés.

Flûtistes
Le 15-05-93, Jacqueline Bidon, responsable du groupe instrumental des écoles publiques de Cavaillon, Vaucluse, a réuni 190 flûtistes de 10-11 ans.

Guitaristes
423 guitaristes, élèves de René Gilbert, ont joué ensemble sur la scène du Palais des sports de Sherbrooke, Canada, en 1992.

Pianistes
Le 27-04-96, un concert a été donné sur 44 pianos par 88 pianistes jouant simultanément à la Settlement Music School de Philadelphie, Pennsylvanie.

Saxophonistes
1 048 saxophonistes du monde entier se sont réunis à Dinant, Belgique, le 5-11-94, pour célébrer le 100e anniversaire de la mort d'Adolphe Sax, l'inventeur du saxophone.

Chef le plus enregistré
L'Autrichien Herbert von Karajan (1908-1989) a dirigé l'Orchestre philharmonique de Berlin pendant 33 ans, de 1956 à sa démission, en 1989, peu avant sa mort. Au total, il a enregistré 800 œuvres majeures.

Chef le plus récompensé
Le chef d'orchestre d'origine hongroise Sir Georg Solti (1912-1997) a été récompensé par 31 Grammy Awards (dont 1 posthume).

Musiciens les plus âgés : organistes
• À 107 ans, en 1996, le plus âgé des musiciens encore en activité est une femme, Jennie Newhouse (n.12-07- 1889). Elle est depuis 1920 l'organiste de l'église St-Boniface, GB.
• Joseph Oules (n.2-02-10), est l'organiste de l'église du Moustiers, Saint-Yrieix-la-Perche, Haute-Vienne, depuis 1932. En 1996, il avait accompagné à l'orgue les services religieux pendant 64 ans.

Interprètes les plus jeunes
• Yehudi Menuhin (*Voir photo*).
• La jeune pianiste américaine Helen Huang, d'origine chinoise, s'est produite, en 1992, à l'âge de 9 ans, avec l'Orchestre de chambre d'Israël.

Cachets les plus importants
L'Américain Wladziu Valentino Liberace (1917-1987) gagnait 10 à 12 millions de F par saison. En 1954, il a touché le cachet record de 138 000 $ pour un concert au Madison Square Garden de New York.

JAZZ
Carrière la plus longue
Le Golden Gate Quartet, formation légendaire de jazz vocal, a été créé en 1934. Le 17-07-94, à Ramatuelle, Var, lors du Festival de jazz, la formation a fêté ses 60 ans de carrière.

Jazzman le plus populaire
Le trompettiste et compositeur Miles Davis (1926-1991) fut désigné musicien de jazz le plus populaire des USA, lors de sondages entre 1954 et le milieu des années 60. Cette faveur s'estompa dans les années 70, les puristes lui reprochant son penchant pour le rock. *Milestones* (1958) a été reconnu comme le meilleur album de l'histoire du jazz. Son seul rival est *Kind of Blue*, composé aussi par Miles Davis.

The First Lady of Song
Ella Fitzgerald (1917-1996) a été la chanteuse de jazz la plus célèbre du siècle. Imposant un style dynamique et chaleureux, loin du blues de Billie Holiday, ou de la sophistication de Sarah Vaughan. La petite fille pauvre de Harlem connaît ses 1ers succès dès 1939 avec l'orchestre de Chick Webb, et invente ce qui deviendra sa marque de fabrique : le scat, ou onomatopées swing. Mais c'est grâce au producteur Norman Granz qu'elle connaîtra ses lettres de noblesse et une audience internationale dans les années 50 et 60, en interprétant la presque totalité des *songbooks* (répertoires) des plus grands auteurs américains, passant aussi par la bossa-nova et les Beatles. Treize fois récompensée par les Grammy Awards, déclarée en 1990 par Ronald Reagan « trésor national », elle n'a peut-être pas été la reine des hit-parades, mais sa discographie, riche de 250 albums, constitue à elle seule un record.

MICHEL PETRUCCIANI

Michel Petrucciani (1962-1999) a participé à son 1er festival à l'âge de 13 ans. En 1983, il reçoit le Prix Django Reinhardt, et 2 ans plus tard devient le 1er artiste français à signer pour le label mythique Blue Note, à seulement 23 ans. En 1992, il revient en France sur le label Dreyfus Jazz, et reçoit, en 1996, son 1er Disque d'Or (100 000 ex.) pour son album Flamingo, *enregistré avec Stéphane Grapelli : distinction rarissime pour un artiste de jazz de son vivant. Il est à ce jour le seul à avoir reçu 5 Victoires de la Musique.*

Théâtre et danse

DANSE

BALLETS

Ballets les plus joués
Les trois ballets de Tchaïkovski (1840-1893) – *Le Lac des cygnes* (1876), *La Belle au bois dormant* (1890) et *Casse-Noisette* (1893) – sont les ballets qui ont été le plus joués en France depuis 2 siècles.

Nombre de danseurs
En 1962, le Coster Ballet de Londres, sous la direction de la chorégraphe Lillian Rowley, au Royal Albert Hall, a réuni sur scène 2 000 danseurs.

Danseur le mieux payé
Michael Flatley, de Chicago, star de *Lord of The Dance*, touche un salaire de 50 000 £ (500 000 F)/semaine. Âgé de 39 ans, il connut pour la 1re fois le succès pendant l'Eurovision, en 1994, à Dublin, dans le spectacle *Riverdance*.

ÉTOILES

Figures
• L'entrechat douze a été réussi en 0 s 71 par Wayne Sleep, pendant l'émission TV « Record Breakers », le 7-01-73.
• Le 28-11-88, Wayne Sleep a exécuté 158 grands jetés en 2 min à Gateshead, GB.
• Dans *Le Lac des cygnes*, de Tchaïkovski (1840-1893), il faut exécuter 32 fouettés ronds de jambe en tournant. Delia Gray (n.30-10-75),

AUDIENCE

Le 24-02-99, l'une des dates de sa tournée mondiale Dressed To Kill, *le comédien et comique britannique Eddie Izzard a joué devant 11 230 personnes au stade de Wembley, à Londres.*

de Bishop's Stortford, en a accompli 166 le 2-06-91 au Playhouse de Harlow, GB.

Rappels
Margot Fonteyn (1919-1991) et Rudolf Noureïev (1938-1993) ont été rappelés 89 fois à la fin du *Lac des cygnes* à Vienne, Autriche, en octobre 1964.

COMÉDIES MUSICALES

Les plus célèbres
• Le 19-06-97, *Cats*, composée par Andrew Lloyd Webber, est devenue la comédie musicale jouée le plus longtemps à Broadway. Jouée depuis le 7-10-82, la 6 138e représentation a eu lieu au Winter Garden Theatre, à New York. Le précédent record était détenu par *A Chorus Line*, jouée pour la dernière fois en avril 1990. Actuellement, 8,25 millions de spectateurs ont vu *Cats*, qui a rapporté 329 millions de $ (2 milliards de F) à Broadway seulement. En janvier 1996, le spectacle était

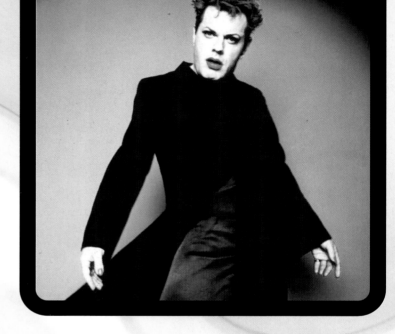

devenu celui le plus longtemps joué à Londres. Le 2-06-98, on fêtait le 7 315e représentation. À cette date, *Cats* avait rapporté 2 milliards de $ (12 milliards de F) dans le monde entier. 50 millions de personnes l'ont vu dans 250 villes à travers le monde.

Final le plus spectaculaire
Le 29-09-83, jour où *A Chorus Line* battit le record du spectacle le plus longtemps joué à Broadway, le final réunissait 332 danseurs coiffés d'un haut-de-forme.

THÉÂTRE

LIEUX DE REPRÉSENTATION

Théâtres les plus grands
Le Perth Entertainment Centre, à Perth, Australie, achevé en 1976, dispose d'une scène de 1 148 m² et peut accueillir 8 003 spectateurs.
France • La grande salle de l'Opéra Bastille (2 703 places), à Paris, a été inaugurée en 1989. Le théâtre s'élève à 48 m au-dessus du niveau de la rue et s'enfonce à 21 m sous le sol. L'Opéra possède aussi une salle modulable de 600 à 1 000 places. La scène, variable, peut atteindre 19,50 m de large.
Théâtre lyrique • La salle du Metropolitan Opera, au Lincoln Center de New York, qui fut achevée en septembre 1966 et coûta 45,7 millions de $, contient 4 065 places pour une profondeur de 137 m.
Théâtre classique (à l'italienne) • Le Châtelet, à Paris, compte 2 003 places. La salle actuelle date de 1862.

Théâtre lyrique (à l'italienne) • La création du Palais Garnier remonte à Louis XIV. L'édifice construit par Charles Garnier (1825-1898) fut inauguré le 5-01-1875. Il s'étend sur 11 237 m². Il comprend 5 dessous de scène et 12 étages de cintres pour une hauteur de 60 m. La salle compte 1 970 places sur 5 étages.

Théâtre le plus haut du monde
L'Opéra de Chicago, Illinois, est installé dans un immeuble de 42 étages, sur Wacker Drive.

Balcons
La Scala de Milan et le Bolchoï de Moscou ont tous deux 6 étages de balcons.

Scène la plus profonde
Celle de l'Opéra Bastille mesure 90 m.

Scènes géantes
• La scène du Metropolitan Opera, à New York, mesure 70 x 45 m.
• Celle du Ziegfeld Room, à Reno, Nevada, mesure 53,60 m de large. Elle est équipée de 3 ascenseurs qui peuvent hisser chacun 65,3 tonnes ou 1 200 figurants.
France • La scène du Palais Garnier, à Paris, mesure 48,50 x 26 m (ou 45 m si l'on ouvre le foyer de la danse).

PIÈCES ET INTERPRÈTES

Pièces les plus longues
Une représentation de *The Non-Stop Connolly Show* de John Arden, a duré 26 h 30 min, à Dublin, en 1975.
France • *Le Soulier de satin* (1943), de Paul Claudel, a été monté en 1987 par Antoine Vitez, pour des représentations d'une durée de 9 h 40 min.

Record d'affluence

Du 2-05 au 29-07-89, un public au nombre de 160 000 personnes assista au spectacle *1789* donné à Paris pour le bicentenaire de la Révolution française par le chorégraphe français Maurice Béjart.

Créée aux Noctambules en 1950, la Cantatrice chauve, d'Eugène Ionesco, est jouée sans interruption au Théâtre de la Huchette, à Paris, depuis 1957. Se donne aussi, depuis cette date, La Leçon, également de Ionesco, qui fut créée en 1951 au Théâtre de Poche.

Pièce la plus courte

Breath (1969), du romancier et auteur de théâtre irlandais Samuel Beckett, est la pièce la plus courte du monde : elle ne dure que 30 s.

Pièces les plus jouées

The Mouse Trap (*La Souricière*), d'Agatha Christie (1890-1976), fut représentée pour la 1re fois en 1952, au Théâtre des Ambassadeurs, à Londres. Après la 8 862e représentation, c'est le Théâtre de la Porte-Saint-Martin qui l'accueillit le 25-03-74. Le 1er-06-98, 18 944 représentations avaient été données. 9 millions de spectateurs l'ont vue, et elle a rapporté 20 millions de £ (200 millions de F). France • *Voir photo.*

Échecs et fours

• La 1re pièce de Marivaux, la tragédie *Hannibal*, abondamment sifflée, n'a pu être jouée que 3 fois à Paris en 1720 et n'a jamais été remontée depuis.

• *The Intimate Revue* a été jouée une seule fois en 1930, au Théâtre Duchess, à Londres.

Comédiens attachés à un rôle

Kanzaburo Nakamura (n.1909) a joué dans 806 pièces de kabuki entre 1926 et 1987. Il a donné 20 150 représentations.

France • Louis Seigner a interprété le rôle de M. Jourdain, du *Bourgeois gentilhomme* de Molière, 500 fois sur la scène de la Comédie-Française, entre 1951 et 1971.

Festivals

Le Festival Fringe d'Édimbourg, Écosse, qui se déroule chaque année depuis 1947, est le plus grand festival artistique du monde. En 1993, année record, 582 troupes ont donné 14 108 représentations de 1 643 spectacles.

France • Le Festival d'Avignon édition 1999 a prsenté 525 spectacles, 12 855 représentations et rassemblé plus de 450 000 spectateurs.

SUCCESS STORY 🗇

Notre-Dame de Paris, spectacle de Luc Plamondon et Richard Cocciante, a rencontré un succès phénoménal dès la sortie du single Belle, qui s'est vendu à 2,5 millions d'exemplaires. Auxquels s'ajoutent 3 millions d'albums, 900 000 albums live, 550 000 spectateurs entre septembre 1998 et janvier 1999 au Palais des Congrès, à Paris, 220 000 spectateurs au Canada et 500 000 albums vendus au Canada.

SYLVIE GUILLEM ❚▸

Venant d'être nommée 1re danseuse en 1984, la Française Sylvie Guillem a été nommée étoile de l'Opéra de Paris, à l'issue même du ballet Le Lac des cygnes, la même année. C'est la seule danseuse à avoir obtenu ce titre aussi rapidement.

Animation et BD

3D : nouvelle génération de dessins animés

John Lasseter, réalisateur de *Toy Story*, se perfectionne dans le long métrage animé en images de synthèse. Son nouveau film, 1001 pattes, de Disney et des studios Pixar, coréalisé avec Andrew Stanton et tiré de la légendaire fable La Cigale et la Fourmi, marque une nouvelle avancée technique avec l'utilisation du format cinémascope et la multiplicité de très gros plans. Le film a franchi le cap des 150 millions de $ de recettes aux USA.

Série la plus longue
Le 26-04-98, le 200e épisode des *Simpsons* a été diffusé aux USA. La série est actuellement entrée dans sa 9e saison et continue d'être diffusée en prime time. *Les Simpsons* sont suivis sur les chaînes de 70 pays.

Série de dessins animés parlants la plus longue
Popeye, de Max Fleisher, qui a été produit pour le cinéma entre 1933 et 1957, était une série de 233 films d'une bobine et un de deux bobines. 220 dessins animés supplémentaires de *Popeye* furent produits pour la télévision dans les années 70. Le personnage définitif de *Popeye* est né en 1929 sous le crayon du dessinateur américain Elzie Crisler Segar, et fête cette année ses 70 ans.

Jeux vidéo inspirés d'un dessin animé
Gundam, un dessin animé japonais sur des combattants pilotant en robots, a servi d'inspiration à Robotech et à un grand nombre de jeux PlayStation de Sony.

Crises nerveuses
En décembre 1997, 700 enfants japonais furent transportés d'urgence à l'hôpital, un épisode d'un dessin animé basé sur le jeu Nintendo Pocket Monsters leur ayant provoqué des convulsions.
208 enfants de 3 ans ou plus durent rester à l'hôpital après la diffusion, souffrant de symptômes épileptiques. La cause en était une scène d'explosion suivie de 5 s de brillants éclairs rouges dardés par les yeux du rat Pikachu.

Cellulos les plus chers
• Un des 150 000 cellulos de *Blanche-Neige* (USA, 1937) fut vendu en 1991 pour un prix record de 203 000 $ (1,2 million de F).
• Un dessin en noir et blanc de Walt Disney, tiré d'un dessin animé de 1934, représentant Donald recevant un coup de poing d'un orphelin, fut vendu aux enchères 280 000 $ (1,7 million de F) chez Christie's, en 1989.

Personnage de dessin animé le plus célèbre
Steamboat Willie (USA, 1928) fut projeté pour la 1re fois, le 18-11-28, au cinéma Colony, à New York, et marqua les débuts fracassants de Mickey Mouse. Le succès était dû à l'idée géniale qu'eut Walt Disney de faire sonoriser le film. En volant,

ANIMATION
Dessin animé le plus cher
La Belle et la Bête, de Walt Disney (USA, 1992), a coûté 35 millions de $ (210 millions de F). Le remake de *Fantasia*, qui devrait être achevé dans 2 ans, devrait coûter encore plus cher.

Recettes les plus importantes
Le Livre de la Jungle (USA, 1967) est le dessin animé ayant rapporté le plus d'argent. En tenant compte de l'inflation, il serait classé 8e de la liste des recettes jamais réalisées au cinéma. *Le Roi Lion* serait 23e.

Recettes en 1re diffusion
Le Roi Lion de Walt Disney (USA, 1994), a rapporté 766,15 millions de $ (4,6 milliards de F) à travers le monde. Il a été projeté dans plus de 60 pays. Une équipe de 600 personnes a passé 3 ans pour faire le film, qui utilise les voix de Jeremy Irons, James Earl Jones, Rowan Atkinson et Whoopi Goldberg. En 1995, la chanson du film, *Can You Feel the Love Tonight*, d'Elton John et Tim Rice, a remporté l'Oscar de la meilleure chanson de film.

Célébrités à l'affiche d'un dessin animé
Les Simpsons sont devenus un dessin animé régulier à la télévision depuis le 14-01-90. Plus de 120 personnes connues y ont participé, parmi lesquelles Gillian Anderson, Magic Johnson et Elizabeth Taylor.

ASTÉRIX

En 39 ans, de 1959 à 1998, 280 millions d'albums ont été vendus dans le monde, dont 95 millions en France. Les 30 titres des Aventures d'Astérix, *personnage le plus populaire d'Europe devant Mickey et Tintin, ont été traduits en 85 langues et dialectes.*
© *Extrait d'*Astérix et Cléopâtre, *éditions Dargaud, 1947.*

Où cela va-t-il nous mener?

 LES AVENTURES DE TINTIN

Les Aventures de Tintin, *du Belge Hergé (1907-1983), pseudonyme de Georges Rémi,* ont été vendues à 200 millions d'exemplaires à travers le monde – dont 100 millions en langue française – et traduites en 52 langues. Elles se composent de 22 albums en couleur – le 1er étant en noir et blanc – et d'un 24e resté inachevé.
© Extrait de Tintin en Amérique, éditions Casterman, 1947.

à l'époque, la vedette à son rival Félix le Chat, Mickey allait devenir le personnage de dessin animé le plus célèbre de tous les temps. Il souffle, cette année, ses 70 bougies.

BANDE DESSINÉE
Personnage de BD le plus adapté à l'écran
Zorro a fait l'objet de 69 adaptations cinématographiques à ce jour. Créé par Johnston McCulley, il est aussi le 1er personnage de BD à avoir fait l'objet d'un long métrage, *La Marque de Zorro* (USA, 1920), avec Douglas Fairbanks, sorti seulement un an après la BD. Zorro est ainsi le personnage de BD le plus rapidement adapté au cinéma.

BD la plus diffusée
Snoopy, de Charles Schulz, fut publiée pour la 1re fois en octobre 1950 aux USA. Cette BD apparaît maintenant dans 2 620 journaux dans 75 pays et en 26 langues.

Auteur de BD le plus prolifique
Paul S. Newman a dessiné plus de 4 000 histoires publiées de 360 héros, parmi lesquels Superman, Mighty Mouse, Prince Vaillant, Fat Albert, et Titi et Grosminet.

Manga le plus connu
Les mangas sont devenus populaires après que la BD *Akira* eut été adaptée au cinéma et diffusée en vidéo en 1991. Le Japon produit 2,3 milliards de mangas/an, soit 38 % de tous les livres et revues vendus dans l'archipel. L'industrie du manga représente un CA estimé entre 7 et 9 milliards de $ (entre 42 et 54 milliards de F) au seul Japon.

Comic le plus cher
Le comic le plus rare est le n° 27 de *Détective*, dans lequel Batman fait sa 1re apparition. Un exemplaire a été vendu aux enchères 85 000 $ (510 000 F).

Tintin
• *Voir légende.*
• *L'Île noire* est le seul album de BD à avoir connu 3 versions. La 1re, de 1938, était en noir et blanc ; la seconde, en couleurs, parut en 1943 ; la BD, enfin, fut entièrement redessinée par Hergé en 1965. La couverture de cet album détient aussi un record de prix aux enchères. *Voir rubrique Adjugé... Vendu !*

Astérix
• *Voir légende.*
• *Astérix chez les Belges* (1979), de René Goscinny et Albert Uderzo, Éditions Hachette, est l'ouvrage de BD qui a été le plus lu en France, avec 3,5 millions d'exemplaires vendus à la fin de 1994.
• Le dernier album, *La Galère d'Obélix*, est paru en 1996, avec un chiffre de lancement de 2,8 millions d'exemplaires, soit 141 tonnes. Il s'en est vendu 2 millions d'exemplaires au cours des 3 premiers mois.

Collection d'Astérix la plus grande
À 15 ans, le Français Marc Jalon avait réuni la plus grande collection concernant Astérix et son village d'irréductibles Gaulois 5 000 objets ou documents, l'essentiel de la production (albums) depuis 1959.

FOURMIZ

Fourmiz, des studios Dreamworks, concurrent de Pixar, réunit un superbe casting de doublage : Sharon Stone, Sylvester Stallone, Woody Allen, Christopher Walken et Gene Hackman.

Parcs d'attractions

Parcs d'attractions les plus grands

Disney World, à 32 km d'Orlando, Floride, s'étend sur 12 140 ha. Inauguré le 1er-10-71, il a nécessité un investissement de 400 millions de $ (2,4 milliards de F). Depuis son ouverture, il a accueilli 100 millions de visiteurs.

France • Disneyland Paris, ouvert le 12-04-92 à Marne-la-Vallée, s'étend sur un site de 1 943 ha, dont 57 ha pour le parc lui-même. Une équipe de 12 000 personnes gère la totalité du parc, dont 7 hôtels (taux d'occupation de 80,9 % en 1998) et un parking de 12 000 places. Il est le 1er ensemble de restaurants d'Europe (61 restaurants pour 150 000 couverts/jour) et détient aussi le record d'audience de la scène parisienne avec le dîner-spectacle Buffalo Bill Wild West Show (3 650 représentations, 3,5 millions de spectateurs). En 1998, le parc a accueilli 12,51 millions de visiteurs et réalisé un CA de 5,890 milliards de F. Ouverte au public depuis le 28-03-99, la nouvelle attraction (43 en tout), « Chérie, j'ai rétréci le public » — qui plonge simultanément 600 visiteurs dans un univers gigantesque grâce à une palette d'effets spéciaux inédits — est unique en Europe. Disneyland Paris est la 1re destination touristique globale en Europe.

Parc d'attractions le plus visité

En 1997, le Disneyland de Tokyo a reçu un total de 17,83 millions de visiteurs. Ouvert le 15-04-83, ce parc de 46,25 ha, qui propose des zones dédiées à la conquête de l'Ouest, à l'exploration tropicale, aux contes de fées, au voyage dans l'espace et au futur, peut recevoir jusqu'à 85 000 visiteurs en même temps.

Grandes roues

La plus ancienne en fonctionnement • C'est aussi la plus fameuse (cf. le film Le Troisième Homme, avec Orson Welles) des roues Ferris : la Riesenrad à Vienne, Autriche, fonctionne depuis 1897 et mesure 65 m de haut.

La plus grande • C'est la Cosomclock 21, à Yokohama, Japon, avec une hauteur de 105 m et un diamètre de 100 m. Elle comprend 60 wagonnets, chacun de 8 places.

Plus grand nombre de montagnes russes

12 montagnes russes dominent le ciel de Cedar Point, Ohio, parc surnommé « les montagnes russes d'Amérique ». À son ouverture, en 1892, le parc n'en possédait qu'une, qui transportait calmement ses passagers à 16 km/h. Actuellement, Cedar Point possède certaines des plus grandes, plus rapides et plus novatrices du monde. Pendant l'été 1997, 16,8 millions de visiteurs en ont profité.

Nombre de boucles

Celle qui a le plus grand nombre de boucles est la montagne russe Dragon Khan, de Port Aventure, Espagne, conçue par les Suisses Bolliger et Mabillard, qui détient le record du plus grand nombre de loopings. Les visiteurs se retrouvent la tête en bas 8 fois sur les 1 270 m de son parcours.

Montagnes russes les plus hautes

Avec une différence de 126 m entre son sommet et sa base, Superman The Escape a la plus longue descente de toutes les montagnes russes. Ouverte pour le 25e anniversaire de Six Flags Magic Mountain, Californie, le manège a été construit sur le flanc d'une montagne située dans le parc.

Montagnes russes les plus rapides

Le 4-01-96, Superman the Escape, montagnes russes en acier installées à Six Flags Magic Mountain, Californie, a dépassé le seuil psychologique des 160 km/h. Les passagers sont assis dans des voitures de forme aérodynamique — 15 au total — qui accélèrent à la vitesse maximale pendant 7 s à couper le souffle.

Manège stratosphérique

La Stratosphere Tower, 135 étages et 350 m de haut, ouverte à Las Vegas en avril 1996, comporte un grand nombre d'attractions vertigineuses, parmi lesquelles les montagnes russes Let it Ride. En mai 1996, l'attraction a été testée par 79 reines de beauté internationales qui profitaient des attractions de la ville avant de participer au concours de Miss Univers.

Sièges éjectables

En tout, les passagers de Superman The Escape sont propulsés en dehors de leurs sièges pendant 6,50 s. Ils sont d'abord éjectés en dehors de la Forteresse de la Solitude, une caverne cristalline. Ils se retrouvent ensuite en l'air lorsqu'ils montent en flèche vers le sommet pour finalement redescendre vers la base.

Chute libre la plus haute

Power Tower, une des dernières attractions de Cedar Point, Ohio, expédie ses passagers à 73,20 m de haut à une vitesse de 80 km/h. L'ascension, comme la chute libre, ne dure que 3 s. L'attraction, inaugurée le 10-05-98, est construite autour de 4 tours d'acier de 914 m de haut. Les passagers s'assoient dos aux tours, les jambes dans le vide.

Chute verticale

Oblivion, 1re attraction dotée d'une chute verticale de 87,5°, a été inaugurée le 14-03-98

🧍 LE PLUS FUTURISTE

Le Futuroscope, à Poitiers, Vienne – ouvert au public depuis juin 1987 – est le seul parc au monde réunissant les procédés audiovisuels les plus sophistiqués (écrans géants, cinémas en relief, cinéma circulaire, simulateur...), et, pour certains d'entre eux, uniques au monde.
Premier producteur européen de médias spéciaux, le Futuroscope est également équipé d'un parc de jeux virtuels (Internet...) d'une surface de 800 m².

Parcs de loisirs aquatiques

Le plus grand parc couvert est l'Ocean Dome (ci-dessous), à Miyazaki, Japon. Il est long de 300 m, large de 100 m et haut de 38 m. Bien qu'il ne soit pas situé directement sur la mer, on peut pourtant profiter de tous les plaisirs des vacances au bord de la mer sur sa plage longue de 140 m.

Europe • L'Aquaboulevard, à Paris, est le plus grand centre aquatique urbain d'Europe : 700 m² de bassins sur une surface totale de 6 ha.

aux tours Alton, GB. Long de 360 m, le voyage ne dure que 2 min, avec, pour point culminant, une chute à 110 km/h, de 55 m de haut, dans un tunnel sans éclairage à 30,50 m sous terre. À la sortie du tunnel, les passagers sont propulsés dans un virage à 90°. L'assemblage des pièces de ce manège aura nécessité 5 500 boulons.

Labyrinthe le plus ancien

La plus ancienne représentation d'un labyrinthe que l'on puisse dater se trouve sur une tablette en argile provenant de Pylos, en Grèce. Elle remonterait à 1220 av. J.-C.

Labyrinthes les plus grands

• Les labyrinthes imaginés par Isabelle de Beaufort et Bernard Ramus sont les plus grands du monde. En 1999, l'aventure prend de l'envergure : 5 parcs (17 labyrinthes, 40 ha de dédales, 30 km d'allées... Le Labyrinthus de Touraine, à Reignac-sur-Indre, Indre-et-Loire, reste le plus grand, avec une surface de 12 ha. Ouverts au public de juillet à septembre depuis 1996, les Labyrinthus ont déjà accueilli 500 000 visiteurs. On en attend 400 000 pour la seule saison 1999. L'entreprise emploie 160 personnes réparties sur 5 sites.

• Le plus grand labyrinthe permanent est le labyrinthe du Jardin des Ananas de Dole, Honolulu, Hawaii, construit en 1997 : 9 290 m² pour 2,73 km de dédales.

Parcs miniatures

• Le parc d'attractions Legoland, près de Billund, Danemark, ouvert en 1968, reproduit différents monuments construits à l'aide de 33,5 millions de briques Lego. La statue de la Liberté de New York se compose de 1,4 million de cubes. Le parc s'étend sur 10 ha et accueille 1 million de visiteurs par an. Les jouets Lego ont été créés en 1934 par le Danois Ole Christiansen.

• Le Parc du Monde, à Pékin, en Chine, a une surface de 47 ha et représente 106 monuments de 40 pays, dont la France, avec une tour Eiffel et un Arc de triomphe.

France • France Miniatures, à Élancourt, Yvelines, qui s'étend sur 20 ha, représente la France par une carte en relief, bordée de plans d'eau figurant les mers. On y trouve 2 000 maquettes à l'échelle 1/30, dont les Alpes, qui culminent à 9 m, et le château de Versailles sur 40 m².

Patinoire

La plus grande patinoire du monde fut inaugurée en 1995 au parc des glaces de la municipalité de Prévost, Québec, Canada. Sa superficie est de 11 500 m². Elle est entièrement faite de glace naturelle.

Piscines les plus vastes

Eau de mer • Le plus grand bassin au monde est l'Orthlieb Pool de Casablanca, Maroc.

Elle mesure 480 m de long, 75 m de large, pour une superficie de 3,6 ha.

Eau douce • Le Hyatt Regency Cerromar Beach Resort, à Porto Rico, a une piscine de 541 m de long pour une surface de 1,8 ha. Il s'agit en fait de 5 piscines reliées par des rampes, comprenant un jacuzzi souterrain, un paysage tropical et 14 chutes d'eau. Il faut 15 min pour flotter d'un bout à l'autre de la piscine.

Grand bassin • La plus grande piscine du monde a été conçue sur le lac Willow, à Warren, Ohio. Ses dimensions sont de 183 x 46 m.

Toboggans aquatiques

Depuis février 1990, les plus longs d'Europe se trouvent à Alpamare, plus grand parc nautique couvert d'Europe, à Pfäffikon, Allemagne. Il s'agit de 5 toboggans qui ont une longueur totale de 675 m, et 17 m de dénivellation. En tout, le parc offre 1 070 m de glissade.

RIDDLER'S REVENGE

C'est le nom des montagnes russes en acier sur lesquelles on se tient debout. Inaugurée le 4-03-98 à Six Flags Magic Mountain, Californie, Riddler's Revenge propulse ses passagers à une vitesse record de 105 km/h, la plus rapide pour ce type d'attraction. Ces montagnes russes comprennent 6 inversions, sections où les passagers ont la tête en bas, dont une boucle verticale de 360° à une hauteur record de 37,80 m.

Fêtes

Concert monumental

Le 6-09-97, à Moscou, sur l'invitation du maire Youri Liouchkov, Jean-Michel Jarre a réuni 3,5 millions de spectateurs pour son concert gratuit « Oxygène in Moscow », battant son propre record du 14-07-90 pour son concert à la Défense. Ce show multimédia marquait le 850ᵉ anniversaire de la capitale russe. Quelques chiffres : 27 semi-remorques, 60 tonnes de fret, 360 kwatt de son, 570 kwatt de lumière, 1 200 bombes d'artifices et un personnel de 250 personnes.

Club le plus florissant
The Ministry of Sound, à Londres, vaudrait 32 millions de $ (192 millions de F). Depuis son ouverture en 1991, le club a donné naissance à une maison de disques, à une marque de vêtements et à un magazine. La maison de disques vend 1 million de disques/an, des compilations de dance music pour la plupart.

Night-club le plus grand
Gilley's Club (l'ex-Shelly's), qui se trouve sur la Spencer Highway, à Houston, Texas, fut construit en 1955 et agrandi en 1971. Il reçoit jusqu'à 6 000 personnes, ce qui en fait le club jouissant de la plus grosse capacité d'accueil.

Destination la plus prisée des clubbers
Ibiza ne possède pas moins de 740 clubs, restaurants et bars et attire chaque année 1,5 million de visiteurs.

DJ le plus prospère
Propriétaire du label musical Perfecto, le DJ britannique Paul Oakenfold a vendu 1 million de disques. Il gagne 400 000 $/an (2,4 millions de F). Remixeur et producteur, il a collaboré avec U2 et les Rolling Stones. C'est l'un des DJ les plus influents à être passé du monde de l'animation à celui de la production.
Il a exercé en Australie, aux USA, à Hong Kong, au Brésil, en Argentine et en Europe. Il anime également les soirées privées données par Madonna, Naomi Campbell et Grace Jones.

Fête de fin d'année la plus grande
En 1996, plus de 400 000 fêtards ont débarqué à Edimbourg, la destination européenne la plus prisée pour les réveillons de fin d'année. Malgré le revenu engendré à cette occasion, estimé à 38 millions de $ (environ 240 millions de F), la ville a limité le nombre de visiteurs à 180 000.

Célébrations du millénaire les plus grandes
• Le Times Square Business Improvement District programmera une émission TV de 24 h en direct de Times Square, à New York. La célébration du millénaire coûtera des millions de dollars et inclura le plus gros hologramme du monde, un ballon à lumière stroboscopique.
• Le 31-12-99 se déroulera à Sydney – qui accueillera les JO de l'an 2000 – le plus grand feu d'artifice.
• Le roi Taufa'ahau Tupou, du Tonga, convie les touristes à célébrer l'an 2000 et leur promet la plus grande fête du monde. Il prétend que le Tonga assistera à la naissance du nouveau millénaire avant tout le monde et menace de poursuivre toute personne mettant en doute ses affirmations. Les habitants des îles Chatham déclarent qu'ils seront les 1ᵉʳˢ à voir l'aube. Un consortium britannique envisage d'acheminer à bord de

l'avion le plus gros du monde 100 fêtards au tarif de 53 000 $/personne (480 000 F).

Festival multiculturel le plus grand
Folklorama, le festival annuel de Winnipeg, Canada, attire 500 000 personnes en provenance des 4 coins du monde. Lancée en 1970 pour célébrer le centenaire de la province et montrer la richesse de l'héritage culturel de ses habitants, la manifestation a donné lieu à un festival de 2 semaines organisé par 20 000 bénévoles.

Cyberfestival le plus grand
Lors de l'Intel New York Music Festival de 1998, plus de 300 groupes jouèrent dans 20 clubs de Manhattan, à New York. Le site Internet du festival diffusa les images et le son en direct des clubs.

Affluence à un festival de rock
Quelque 670 000 mélomanes ont assisté au festival Steve Wozniak, en 1983, à Devore, Californie. Parmi les artistes présents se trouvaient les Clash, Van Halen et David Bowie.

Festival rock le plus ancien
Pinkpop se tient chaque année depuis mai 1970 à Geleen, Pays-Bas, et attire aujourd'hui entre 40 000 et 60 000 personnes.

Festival de spectacles artistiques le plus grand
Le festival annuel de Cleveland, Performance Art Festival, Ohio, se déroule tous les mois de mai. Il rassemble les artistes les plus extravagants du monde.

Carnaval hivernal le plus grand
Le carnaval hivernal annuel de Québec, Canada, fut lancé en 1955 mais ses origines remontent à 1894. L'une de ses manifestations est l'exposition de sculptures dans la neige. Citons également la course de canoës, celle de traîneaux de chiens, la course de voitures sur glace, et la bataille de boules de neige en maillot de bain parmi les activités les plus populaires. Cette fête attire 500 000 personnes/an en provenance du monde entier. C'est le 3ᵉ plus grand carnaval après Rio et Notting Hill.

Festivals de rue les plus grands
• Le Carnaval de Rio de Janeiro est le plus grand festival de rue du monde. Il attire près de 2 millions de participants chaque année, dont 300 000 touristes. En 1998, le festival, qui dure 4 jours, engrangea plus de 165 millions de $ (990 millions de F). Un siège à Sambadrome pour assister à l'une des parades coûte entre 300 et 600 $ (1 800 et 4 800 F).
En 1998, 14 écoles de samba participèrent à la procession, avec 8 chars chacune et 5 000 danseurs vêtus de manière sophistiquée.
• Le carnaval de Notting Hill, Londres, est le plus important festival de rue européen et le 2ᵉ plus grand carnaval du monde, avec 1 million de visiteurs/an.

 GAY PRIDE

La plus grande manifestation homosexuelle, fut lancée en 1978 à Sydney, Australie.
La Gay Pride la plus importante a lieu chaque année à San Francisco. 200 000 personnes ont participé en 1999, à celle de Paris.

AÉROPHILE FORTIS

Pendant 18 mois, le plus grand ballon captif du monde, amarré au parc André-Citroën à Paris, est le 1er événement des festivités de l'an 2000. L'Aérophile est un ballon rempli d'hélium, haut de 32 m, capable de s'élever jusqu'à 300 m. Il peut transporter 30 passagers adultes ou 60 enfants.
Mathieu Gobbi et Jérôme Giacomoni, fondateurs de la société Aérophile SA en 1993, se sont associés avec Fortis, pour réaliser ce projet.

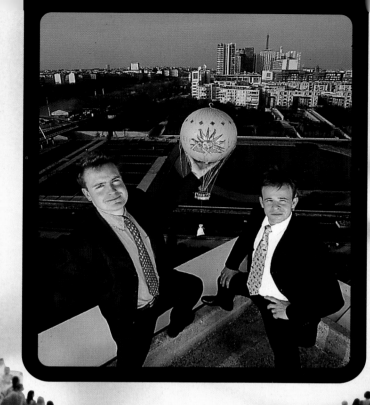

Fête techno la plus grande

Le 12-07-97, 1 million de personnes se sont rassemblées dans le centre de Berlin, à l'occasion de la 9e et plus importante édition de la Love Parade. Les ravers dansèrent derrière 38 chars décorés et équipés de systèmes sonores turbo le long d'un parcours de 6 km, commençant à la porte de Brandebourg, symbole de la réunification de Berlin. La fête battait son plein dans plus de 130 boîtes de nuit, ainsi que dans les parcs et la Potsdamer Platz. Les revenus engendrés par cette parade qui attire des gens venus de partout furent estimés à 84 millions de $ (environ 504 millions de F). Une réplique rivale de cet événement, la « hate parade » organisée par des disc-jockeys opposés à l'aspect commercial de la manifestation, draina près de 500 personnes. Elle prit fin quelques heures plus tard.

Woodstock

Woodstock, l'un des plus célèbres événements musicaux, s'est tenu à Bethel, New York, du 15 au 17-08-69, et a rassemblé entre 300 000 et 500 000 spectateurs.

DÉFILÉ DE MODE LE PLUS GRAND

Le 12-07-98, à l'occasion de l'ouverture de la finale de la Coupe du monde de football, 300 mannequins conduits par 30 top models – dont Laetitia Casta, Alek Wek et Carla Bruni – ont défilé pour Yves Saint Laurent devant 80 000 spectateurs et 700 millions de téléspectateurs. 900 techniciens (habilleuses, coiffeurs, décorateurs, photographes...) ont participé à sa conception et à sa réalisation.

Publicité

SPOTS ET AFFICHES

Annonceur le plus fidèle

Jos Neel, magasin de vêtements de Macon, Géorgie, USA, a passé la même annonce, en haut à gauche de la page 2 du *Macon Telegraph*, du 22-02-1889 au 16-08-87, soit 35 291 annonces consécutives en 98 ans.

Pages de publicité

L'hebdo anglais *Business Week* a vendu, dans un numéro d'octobre 1989, 830 pages de publicité.

Projection la plus rapide

Une publicité pour les chaussures InstaPUMP de Reebok a été créée, filmée et diffusée à la télévision pendant le Super Bowl XXVII qui se déroulait à l'Atlanta Georgia Dome, USA, le 31-01-93. Filmée au début du 1ᵉʳ quart-temps, elle fut éditée au milieu du 2ᵉ quart-temps pour être diffusée pendant la pause d'entraînement du 4ᵉ quart-temps. La publicité avait pour star Emmitt Smith, des Dallas Cowboys, et durait 30 s.

Spots publicitaires les plus courts

• Le 29-11-93, un message publicitaire durant seulement 4 images (il y a 25 images par seconde) fut diffusé pendant l'émission « Evening Magazine » sur la chaîne KING-TV. Il s'agissait d'une publicité pour les bonbons Frango. Sa diffusion coûta 6 000 F.

• La publicité pour l'édition anglaise du *Livre Guinness des Records 1993* ne durait que 3 s. Les messages radio pour l'édition française du *Livre Guinness des Records 98* duraient 15 s, et 99 s 30.

Film publicitaire le plus long

L'agence de publicité McCann-Erickson, Bruxelles, a réalisé un spot de 7 h 22 min montrant une bougie se consumer du début à la fin, prouvant que ces bougies ne coulent pas. Il a été diffusé le 11-05-97 sur VT4.

SPOT LE PLUS CHER

Un spot réalisé par le metteur en scène Ridley Scott pour les ordinateurs Macintosh d'Apple fut le plus cher jamais produit. Inspiré du roman de George Orwell 1984, ce spot coûta 600 000 $ (3 millions de F) et la diffusion, une seule fois en 1984, 1 million de $ (5 millions de F). Les répercussions furent si importante, qu'on peut considérer cette publicité comme la plus efficace jamais conçue. Ci-contre, l'une des dernières campagnes d'affichage d'Apple.

Vidéothèque privée de pub

Jean-Marie Boursicot possédait, en juin 1999, une collection de 460 000 spots publicitaires sur cassettes vidéo.

Stars de la publicité

• Après Cindy Crawford et Linda Evangelista, c'est Pamela Anderson qui est la star de la dernière campagne de publicité pour Pizza Hut. 210 pan pizzas auront été réalisées pour le tournage du spot, soit un rythme d'une pizza toutes les 9 min.

• Gérard Depardieu a tourné pour la 3ᵉ fois un spot pour les pâtes Barilla. Après Ridley Scott et David Lynch, c'est Jean-Paul Rappeneau qui met en scène ce dernier spot, intitulé « Le Balcon ». Pour les précédents, il avait touché 7 millions de F.

• En mars 1988, Pepsi-Cola a payé 70 millions de F à Michael Jackson pour apparaître dans 4 spots.

Spot le plus primé

Le spot « Drugstore », réalisé par Michel Gondry pour les jeans Levi's 501, a reçu au total 33 récompenses en 1995.

Image publicitaire la plus forte

C'est l'image de la marque Coca-Cola, et ses différents symboles, qui est la plus connue partout dans le monde.

ENSEIGNES ET PANNEAUX

Enseignes lumineuses

• L'enseigne la plus grande jamais érigée était la publicité Citroën sur la tour Eiffel. Allumée le 4-07-25, elle se voyait à 38 km. Elle était en 6 couleurs et éclairée par 250 000 ampoules. La lettre « N », qui termine le mot CITROËN, entre le 2ᵉ et le 3ᵉ étage, mesurait 20 m de haut. L'enseigne fut démontée en 1936, après 11 ans.

• L'hôtel-casino Hilton de Las Vegas, Nevada, a une enseigne construite par Abudy Signs, qui est éclairée par 62 400 projecteurs et mesure 60 m de long et 10 m de haut.

Message d'amour

Le 20-06-96, un habitant de Rodez a loué 15 panneaux d'affichage pour clamer : « Moumoune, je t'aime ». Les panneaux de 4 x 3 m étaient destinés à faire revenir Moumoune... qui est revenue.

Panneaux publicitaires les plus grands

Le plus grand panneau publicitaire connu mesure 145 m x 24 m. Il a été érigé pour Ford-Espagne par la société Bassat-Ogilvy. Il est placé dans les arènes Monumental de Barcelone. France • L'agence Pile ou Pub, de Toulouse, Haute-Garonne, a installé, sur le sol de la place du Capitole, un panneau de 42 m x 20 m.

Annonce publicitaire la plus petite

L'agence G2R a réalisé la plus petite publicité de vente par correspondance. Elle mesure 8 x 9 mm et a été publiée en juin 1992 dans les magazines *Actuel*, *VSD*, *l'Écho des savanes*, *Gai Pied* et *Communication CB News*.

TARIFS

Agence la plus puissante

En 1998, l'agence japonaise Dentsu Inc. a réalisé des ventes pour un montant de 11,8 milliards de $ (70,8 milliards de F). La société emploie 5 863 personnes à travers le monde.

Campagne la plus importante

La plus grande campagne en termes de dépenses fut celle d'AT&T, en 1996, pour laquelle la maison mère dépensa 474 millions de $ (2,84 milliards de F).

Pages presse

Les tarifs pour la France correspondent à l'emplacement brut, avant que les abattements soient appliqués. Chaque cas est différent. Ils ne correspondent jamais au prix payé.

En avril 1996, une page de publicité en quadrichromie du journal américain *Parade* coûtait 629 600 $, soit 3,5 millions de F.

Campagne la plus controversée

En 1991, l'affiche publicitaire de Benetton montrant un nouveau-né a suscité les plaintes de plus de 800 personnes auprès du bureau des normes publicitaires. En avril 1999, Oliviero Toscani, créateur des publicités Benetton, s'est associé avec le HCR (Haut-Commissariat de l'ONU pour les réfugiés), pour diffuser un visuel représentant une tache de sang sur un fond blanc et les coordonnées du HCR, pour venir en aide aux réfugiés du Kosovo. Car, dit-il : « Il n'y a qu'un média qui semble ignorer que le monde est en guerre, c'est la publicité. » Soutien de nombreuses causes humanitaires, il avait déjà dénoncé à sa manière la guerre du Golfe en 1991 et la guerre en Bosnie en 1994.

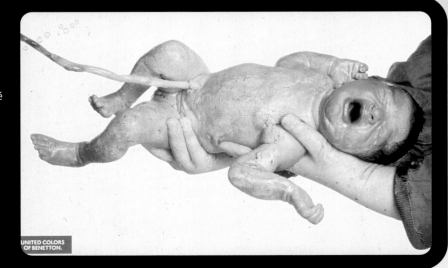

BANDE-ANNONCE DE FILM LA PLUS POPULAIRE

Une bande-annonce de 2 min 10 s pour le nouvel épisode de Star Wars,
La Menace fantôme (USA, 1999), a été diffusée pour la 1ʳᵉ fois à la
télévision américaine en 1998. Lorsqu'elle fut programmée au cinéma,
des inconditionnels du monde entier, qui attendaient l'événement
depuis 16 ans, payaient leur ticket de cinéma au prix fort rien
que pour la voir, et quittaient la salle juste après.
Beaucoup y sont retournés plusieurs fois.

France • En 1998, la page publicitaire la plus chère pour un périodique est celle de *Télé 7 Jours*. Elle atteignait 535 000 F HT, pour une 4ᵉ de couverture en quadrichromie.
• Pour les quotidiens régionaux, le tarif record est de 622 973 F HT pour une pleine page quadri dans *Ouest France*.
• Le tarif le plus élevé dans un quotidien national est de 471 000 F HT pour une pleine page quadri dans *Le Monde*.

Spots TV
La chaîne américaine NBC a payé 2 millions de $ (12 millions de F) pour un spot de 30 s lors de la diffusion du dernier épisode de la série *Seinfeld*, le 14-05-98. Le sitcom était régulièrement n° 1 de l'audimat Nielsen, avec des audiences de 20 millions de personnes. Quelque 40 millions de personnes ont suivi le dernier épisode. Les spots de 30 s pour les épisodes habituels se vendaient 575 000 $ (3,5 millions de F) en 1998, 15 000 $ (90 000 F) de plus que ceux d'*Urgences*, le plus grand rival de *Seinfeld*.

France • Le spot le plus cher, en 1998, était sur TF1 pour les coupures de *The Bodyguard* le 7-04, et *Forrest Gump* le 28-04, avec un coût de 600 000 F les 30 s.
Pour la finale de la Coupe du monde, le 12-07-98, le tarif pour l'écran de la mi-temps a atteint 1,5 million de F à 21 h 50.

Contrat publicitaire novateur
En août 1995, Microsoft a conclu un contrat avec le quotidien anglais *The Times* pour promouvoir son nouveau logiciel Windows 95. Pour la 1ʳᵉ fois en 210 ans, *The Times* a été distribué gratuitement, aux frais de Microsoft. En échange du sponsoring de cette édition et pour avoir payé l'équivalent de son prix de revient, Microsoft a un quasi-monopole sur les meilleurs emplacements publicitaires et a distribué un supplément de 28 pages gratuit avec le tirage du journal, augmenté à cette occasion à 1,5 million d'exemplaires.

IMPACT AUPRÈS DU PUBLIC

Sorti le 25-11-98, « Le Ballet », d'Euro RCSCG-Babinet-Erra Tong Cuong,
était considéré comme irréalisable. Le film verra finalement le jour,
sous l'orchestration de Jean-Pierre Roux et d'une équipe de choc : 6 nurses,
70 bébés, et Murielle Hermine en tant que consultante technique.
Le tournage aura duré 1 semaine, et la post-production 3 mois, le temps
nécessaire pour effacer les parents habillés en bleu présents
dans la piscine lors du tournage. Ce spot publicitaire
a rencontré un succès immédiat.

Presse

Liberté de la presse

L'édition 1999 du rapport annuel de Reporters sans frontières fait le point sur les violations de la liberté de la presse dans 140 pays. Il rappelle qu'en 1998, 19 journalistes ont trouvé la mort pour leurs opinions ou dans l'exercice de leurs fonctions, contre 26 en 1997, 51 en 1995, et 103 en 1994, ce qui ne traduit d'ailleurs pas pour autant un réel progrès en matière de respect de la liberté de la presse dans le monde : une centaine de journalistes ont ainsi été emprisonnés, contre 386 en 1994, et 687 ont été menacés ou agressés. Au 1er-01-99, 70 journalistes sont toujours portés disparus et 88 toujours emprisonnés.

Le 27-04-99, Reporters sans frontières a publié un album de photos d'Henri Cartier-Bresson, préfacé par Robert Badinter, ancien Garde des Sceaux à l'origine de l'abolition de la peine de mort en France.

Reporters sans frontières

HENRI CARTIER-BRESSON

POUR LA LIBERTÉ DE LA PRESSE

38 FF / 240 Bef / 12 FS / 9,95 $ CAN

MAGAZINES

Presse, 1er éditeur en France
Hachette Filipacchi Médias (dont le PDG est Gérald de Roquemaurel et l'actionnaire majoritaire Lagardère SCA, avec 66 % des actions) est le 1er éditeur de presse magazine au monde, avec un CA consolidé de 13,2 milliards de F en 1998. Au 31-05-99, le groupe publiait 173 titres dans 32 pays sur 5 continents, soit plus de 900 millions d'exemplaires diffusés chaque année et 90 000 pages de publicité vendues dans le monde. Le groupe est leader en Espagne et occupe la 4e place du marché américain. Il figure, en outre, au 4e rang européen en tant qu'imprimeur.

Magazines les plus lus
• En 1974, l'hebdomadaire américain *TV Guide* fut le 1er journal de l'histoire de la presse à vendre 1 milliard d'exemplaires en un an. Avec 13 175 549 exemplaires/semaine au 31-12-95, il détient le record de distribution pour un hebdomadaire.
• Le mensuel américain *Reader's Digest*, créé en février 1922, compte 47 éditions en 18 langues. Il tire à 27 millions d'exemplaires chaque mois, dont 15 millions aux USA.

Hebdomadaires français les plus lus
Cinq hebdomadaires comptent plus de 7 millions de lecteurs :
TV Magazine • 14 641 000 lecteurs.
Télé 7 Jours • 10 104 000 lecteurs.
Femme actuelle • 8 855 000 lecteurs.
Télé Z • 7 903 000 lecteurs.
Télé Loisirs • 7 128 000 lecteurs.

Mensuels et bimestriels français les plus lus
Cinq mensuels et bimestriels comptent plus de 5 millions de lecteurs :
Télé 7 Jeux • 5 752 000 lecteurs.
Top Santé • 5 222 000 lecteurs.
Art et décoration • 5 221 000 lecteurs.
Santé Magazine • 5 219 000 lecteurs.
Géo • 5 075 000 lecteurs.

Lecteurs de magazines en France
45,2 millions de Français lisent au moins un des 132 magazines recensés en décembre 1998. Cela représente 96 % de la population. Les Français lisent en moyenne 6,5 magazines. Chaque jour, 35 millions de personnes lisent au moins un magazine (74,5 % des Français), soit en moyenne 1,6 magazine/jour.

Magazine people le plus vendu
L'hebdomadaire espagnol *iHola!* se vend à 622 292 exemplaires/semaine, soit 47 434 numéros de plus que son équivalent britannique *Hello!*.

Magazine gay le plus vendu
Implanté à Los Angeles, *Advocate* se vend à 2 millions d'exemplaires aux USA.

Couvertures les plus vendues
France-Dimanche • Mort d'Édith Piaf ex aequo avec la mort de John Kennedy, tous deux en 1963, avec 2,3 millions d'exemplaires.
France-Soir • Assassinat de John Kennedy en 1963, avec 2,2 millions d'exemplaires.

Paris-Match • Obsèques de François Mitterrand en 1996, avec 1,72 million d'exemplaires.

Clichés les plus chers
Un cliché banal de star se négocie entre 1 000 F et 5 000 F auprès des journaux, un cliché exclusif à partir de 10 000 F.
• La photo de Sarah Ferguson avec son conseiller financier lui suçant l'orteil s'est vendue autour de 10 millions de F à travers le monde.
• Les photos de Daniel Ducruet en compagnie de la strip-teaseuse belge Fily Houteman ont été vendues, tous pays confondus (Italie, GB...), 800 000 F. En France, ces clichés ont été interdits.

QUOTIDIENS

Record de titres
En 1995, l'Inde possédait 4 235 journaux. Parmi les plus populaires, citons le quotidien *Malayala Manorama*, vendu à 800 000 exemplaires, et *Punjab Kesari*, journal dominical tiré à 892 000 exemplaires. Édité en 5 langues et lu par 970 000 personnes tous les 15 jours, *India Today* est le magazine le plus vendu dans le pays.
France • En 1996, 40 000 titres sont imprimés en France, y compris les bulletins paroissiaux et municipaux, la presse associative et administrative, les journaux d'annonces gratuits.

Quotidiens les plus lus
• La *Komsomolskaïa Pravda*, le journal des Jeunesses communistes en URSS (fondé en 1925), tirait à près de 22 millions d'exemplaires/jour en mai 1990.
• Les journaux japonais bénéficient du taux de diffusion le plus élevé de la planète. Ainsi, le *Tokyo's Yomiuri Shimbun* est le quotidien le plus lu du monde. Les 2 éditions confondues, celle du matin et celle du soir, se vendent quotidiennement à 14,5 millions d'exemplaires. La revue japonaise la plus populaire est le *Le-no-Hikari* ; elle est lue chaque mois par 1,11 million de personnes.
• C'est la Grande-Bretagne qui détient le record de distribution de journaux dans l'Union européenne. En tête de la presse britannique se trouve le *Sun*, qui se vend à 4,064 millions d'exemplaires, tandis que le *News of the World* atteint sa distribution maximale le dimanche, avec 4,307 millions.
France • *Ouest France*, 1er quotidien français, mais régional, avec une diffusion de 785 254 exemplaires en 1996, vend 40 éditions par jour sur 12 départements. L'année record est 1995, avec 797 091 exemplaires.
• En 1996, *Le Parisien* est le quotidien national le plus vendu, avec une diffusion journalière de 450 491 exemplaires.
• Les 3 quotidiens nationaux records en 1997 en termes d'audience sont *L'Équipe*

MAGAZINES D'INFORMATION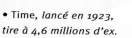

• *Time*, lancé en 1923, tire à 4,6 millions d'ex. sur le seul territoire américain.

• Vendu à 690 000 ex., Paris Match est le magazine français d'information le plus lu.

(2 465 000 lecteurs quotidiens), *Le Monde* (2 178 000 lecteurs quotidiens) et *Le Parisien* (1 914 000 lecteurs quotidiens).

Lecteurs de journaux

• Le pays où on lit le plus de journaux est la Norvège : 600 exemplaires vendus pour 1 000 habitants en 1996.

• En 1996, au Japon, 72 millions de quotidiens étaient vendus chaque jour, devant les USA (58,2 millions) et la Russie (30 millions).

France • En 1996, la France arrive en 7ᵉ position, avec 8,9 millions de journaux/jour. Un Français sur 5 lisait un quotidien national, soit 19,5 % de la population.

Journal le plus lourd

Le 14-09-87, le *Sunday New York Times* atteignit le poids de 5,4 kg, pour 1 612 pages.

Journaux les plus volumineux

Le numéro du 10-01-90 du magazine japonais *Shukan Jutaku Joho* (hebdo d'infos immobilières) comportait le record absolu de 1 940 pages.

France • *Le Journal officiel* du 28-03-93 avait 400 pages et pesait 375 g. Au moment des législatives, tous les textes en retard ont été publiés dans ce numéro, in extremis.

Coquilles

Dans le numéro du *Times* de Londres du 22-08-78, on a relevé 97 coquilles sur 14 cm d'une seule colonne, en page 19.

Erratum le plus tardif

Le 27-01-91, le quotidien anglais *The Observer* publia, à l'occasion du bicentenaire de la mort de Mozart, un erratum plutôt inhabituel. Il corrigeait un article publié 199 années plus tôt, daté du 25-12-1791, concernant la mort du compositeur. Cet article attribuait la nationalité allemande au musicien et datait sa mort du 15-12-1791. L'erratum était rédigé ainsi : « Nous sommes dorénavant en état de vous affirmer que le compositeur est décédé le 5 décembre et qu'il était de nationalité autrichienne. À l'occasion du 200ᵉ anniversaire de sa mort, nous prions la famille de bien vouloir accepter nos excuses pour l'erreur commise par notre journal. »

RECORD HISTORIQUE

Le numéro du 13-07-98 de L'Équipe, annonçant la victoire de la France dans la Coupe du monde de football, a été tiré à 1 957 173 exemplaires. Au total, 1 645 907 exemplaires ont été vendus, dont 35 000 à l'étranger. C'est le plus fort tirage de la presse nationale depuis la fin de la Seconde Guerre mondiale.

ANNIVERSAIRE

Hebdo fondé le 15-03-53 par Jean-Jacques Servan-Schreiber et Françoise Giroud, L'Express tira son 1ᵉʳ numéro à 45 000 ex. Son audience a été estimée, au jour de son 25ᵉ anniversaire, à 2,5 millions de lecteurs, dont 45 % de lectrices.

Langage et livres

Polyglottes les plus célèbres

• Gaspar Giuseppe Mezzofanti était capable de traduire des ouvrages en 117 langues et 72 dialectes, et parlait 60 langues couramment.

• Le Néo-Zélandais Harold Williams (1876-1928), journaliste pour *The Times*, maîtrisait 58 langues. Il était le seul capable de discuter avec chaque délégué de la Société des Nations dans sa langue.

France • Le polyglotte français le plus remarquable fut Georges-Henri Schmidt (1914-1990), qui parlait 31 langues et dirigea le département de terminologie aux Nations unies.

Actuel • Le Libérien Ziad Fazah (n.1954), professeur de langues, est le plus grand polyglotte vivant. Il parle et écrit 58 langues.

Traducteur le plus rapide

Du 4 au 7-06-80, Salim Wakim, écrivain, journaliste, historien et traducteur, a traduit, en 72 h, 70 000 mots d'anglais en arabe, soit 240 pages dactylographiées.

Langues chantées

Jean-Marc Leclerc a chanté 22 chansons en 22 langues lors d'un concert, le 18-05-97 à Toulouse, Haute-Garonne. Un livret contenant l'intégralité des paroles (avec alphabet original et transcription phonétique) a été remis au public.

MOTS

Mots les plus longs

• Ils sont nés de l'agglutination de plusieurs mots. Ainsi le Grec Aristophane donne-t-il en un mot de 182 lettres une recette de fricassée de 17 ingrédients doux et amers dans *l'Assemblée des femmes*.

• Un mot composé de 195 caractères en sanskrit (428 lettres dans l'alphabet romain) décrit la région de Kanci, Tamil Nadu, Inde. Ce mot apparaît dans l'œuvre de Tirumallamba, au XVIᵉ siècle.

France • 25 lettres pour le mot le plus long de la langue française, *anticonstitutionnellement*.

Significations différentes

Le mot anglais *set* a 58 significations en tant que substantif, 126 en tant que verbe et 10 en tant qu'adjectif participe. C'est le mot qui a le plus grand nombre de significations : 194.

Palindromes

• Il s'agit d'un mot qui se lit indifféremment de gauche à droite et de droite à gauche. Le plus long est *Saippuakivikauppias*, mot finnois de 19 lettres qui veut dire « marchand de soude caustique ».

• *Dr Awkward and Olson in Oslo* est un roman palindrome de 31 594 mots, écrit par le New-Yorkais Lawrence Levine en 1986.

France • Les mots palindromiques les plus longs en français comportent 9 lettres, tel *ressasser*.

• *Voir photo*.

Pangrammes

Ce jeu consiste à employer dans une phrase la plus courte possible toutes les lettres de l'alphabet.

• En français, cela donne : « Portez ce vieux whisky au juge blond qui fume » (37 lettres).

• Les mots qui contiennent le plus grand nombre de lettres différentes de l'alphabet sont STYLOGRAPHIQUES et XYLOGRAPHIQUES, avec chacun 14 lettres sur 26.

Romans, la même initiale

Le Russe Nicolas Koultiapov a écrit et publié une nouvelle, *L'Île d'Olga*, dans laquelle tous les mots (approximativement 16 000) commencent par la lettre O.

Lourd de sens et concentré

Le mot *mamihlapinatapai*, de la langue utilisée par les habitants de la Terre de Feu, Amérique du Sud, est difficile à traduire. Il signifie « échange de regards en espérant que chacun va offrir de faire quelque chose que les deux personnes désirent mais n'osent pas faire ».

Noms de lieux les plus longs

Le nom le plus long existant, toutes langues et tous pays confondus, désigne un lieu-dit appelé :

Taumatawhakatangihangakoauauotamateat uripuukakapikimaungahoronukupokaiwhenua kitanatahu (86 lettres). C'est le nom d'une colline de 305 m d'altitude, située dans l'île du Nord, en Nlle-Zélande. En maori, ce mot signifie : « L'endroit où Tamatea, l'homme aux gros genoux, qui a dévalé, escaladé et avalé des montagnes, connu sous le nom de Mange-Terre, a joué de la flûte pour sa bien-aimée ».

France • *Voir photo*.

Noms les plus courts

Le nom de famille français le plus court est O. Le plus illustre fut le marquis François d'O (1535-1594), surintendant des Finances, favori du roi Henri III.

Noms les plus courants

Le nom chinois Chang est porté par 11 % de la population chinoise. Il y a 112 millions de Chang. C'est le nom le plus courant.

France • D'après une étude dirigée par le Pr Jacques Ruffié, du Collège de France, le nom de famille le plus répandu est Martin (400/100 000).

Prénoms français les plus courants

• Le prénom masculin le plus porté au 1ᵉʳ-01-94, en France, était Michel (690 000 personnes).

• Chez les femmes, c'est Marie qui l'emporte (391 000).

Livres imprimés

• Il est admis que la Bible « à 42 lignes » (par page) de Gutenberg a été le 1ᵉʳ livre entier imprimé mécaniquement. Elle fut publiée en 1454 à Mayence, Allemagne, par Johann Henne zum Gensfleisch zur Laden, dit Gutenberg. Entre 1815 et 1999, il s'en est vendu près de 3,88 milliards d'exemplaires.

• Le 1ᵉʳ livre imprimé en français est *Les Chroniques de France*, édité à Paris par Pasquier Bonhomme en 1476. Cet ouvrage reprenait un livre d'histoire médiévale, *Les Chroniques de Saint-Denis*, rapportant les règnes des rois de France depuis le XIIᵉ siècle.

 ROMAN LE PLUS LONG

Le cycle romanesque
À la recherche du temps perdu, *de Marcel Proust, est composé de 9 609 000 signes.*

AUTEURS

Auteurs les plus féconds

• José Carlos Ryoki de Alpoim Inoue (n.22-07-46), Brésil, a publié 1 046 romans entre le 1ᵉʳ-06-86 et août 1996. Il écrit des livres de science-fiction, des westerns et des romans à suspense.

• L'écrivain belge Georges Simenon est l'auteur francophone le plus fécond. Sous son nom, Simenon a écrit, de 1928 à 1981, 80 Maigret, 117 autres romans et 22 récits autobiographiques et plus de 150 nouvelles. Sous divers pseudonymes, il a également écrit 200 romans, 950 articles et reportages, 150 contes et nouvelles et un millier de contes galants. Il écrivait un roman populaire de 350 pages au rythme de 100 pages/jour.

France • Alexandre Dumas père a écrit 260 livres. Honoré de Balzac a créé 2 000 personnages et Émile Zola en a imaginé 1 200. Saint-Simon a fait le portrait de 8 500 personnages. Sacha Guitry a écrit 125 pièces de théâtre. Voltaire et George Sand ont écrit 20 000 lettres chacun. Victor Hugo a composé 153 837 vers.

À-valoir et avances sur droits

• Tom Clancy a reçu une avance sur droits de 33,4 millions de $ (200 millions de F) pour

San Antonio

Frédéric Dard (n.1921) a vendu, sous son nom ou sous le pseudonyme de San-Antonio, environ 200 millions de ses romans, policiers et non policiers, ce qui en fait un des écrivains les plus lus en Europe. Le 180ᵉ épisode de San Antonio, *Du sable dans la vaseline*, est sorti le 10-10-98.

JEUX DE MOTS

• Georges Perec a publié en 1969 un palindrome de 5 000 mots sous le titre de 9691 (anacycle de 1969). La 1re phrase était « Trace l'inégal palindrome. Neige. Bagatelle, dira Hercule. Le brut repentir, cet écrit né Perec. », et la dernière « ...ce repentir, cet écrit ne perturbe le lucre : Haridelle, ta gabegie ne mord ni la plage ni l'écart. »

• La lettre e étant la plus utilisée en français, écrire un texte sans un seul e semble être une gageure impossible. C'est pourtant la règle que s'était fixée George Perec pour rédiger en 1989 un roman de 226 pages, La Disparition, dans lequel, sans aucune faute d'orthographe, ni néologisme, la voyelle e avait disparu.

DÉFIS

• En 1997, Patricia Bézier, d'Ancenis, Loire-Atlantique, a battu le record détenu par Georges Perec depuis 1989. Elle a rédigé un roman de 256 pages sans la lettre E, Paradoxal Alibi.

• Le 9-04-98, elle achevait un roman dont tous les mots commencent par la lettre L, soit plus de 17 000 mots, battant ainsi le record de Nicolas Koultiapov.

France • En janvier 1989, l'éditeur Belfond a versé 1 million de $ à Alexandra Ripley pour son roman Scarlett (suite d'Autant en emporte le vent). C'est le plus fort à-valoir jamais payé par un éditeur français.

Auteur le plus riche

Spécialisé dans les romans d'horreur, l'Américain Stephen King est actuellement l'écrivain le plus riche au monde. Sa fortune est estimée à 84 millions de $. Parmi ses best-sellers, citons Carrie (1974), Shining (1978), Pet Cematary (1983) et Misery (1987), tous adaptés avec succès au cinéma.

Auteurs les plus traduits

Selon l'Annuaire de l'Unesco, l'auteur le plus traduit au monde est Agatha Christie, avec 3 865 traductions au total entre 1979 et 1996. **France** • Avec une totalité de 2 656 traductions entre 1979 et 1996, Jules Verne est l'écrivain français le plus traduit.

OUVRAGES LES PLUS LUS

N° 4 : 80 millions

Ouvrage le plus vendu en librairie

Le livre copyrighté (par opposition à la Bible, au Coran, au Petit Livre rouge et autres ouvrages dont la diffusion est en grande partie gratuite) le plus vendu dans le monde est le Livre Guinness des Records. Rédigé par les frères jumeaux (n.1925) Norris et Ross McWhirter, il fut publié pour la 1re fois le 1er-08-55 par Guinness Superlatives. Traduit en 43 langues, il s'était déjà vendu, en juin 1998, à 81 millions d'exemplaires.

• Selon une étude Sofres-BVA de novembre 1995, Le Livre Guinness des Records a un coefficient de notoriété record pour un livre, puisque 96,6 % des Français notamment le connaissent.

Roman le plus vendu

28 712 000 exemplaires du roman de Jacqueline Susann (1921-1974) La Vallée des poupées, publié en

1966, se sont vendus dans le monde. Les six premiers mois, les éditions Bantam en avaient vendu 6,8 millions.

Auteurs les plus lus

L'Anglaise Agatha Christie (1890-1976) a vendu environ 2 milliards d'exemplaires de ses 78 romans policiers, traduits en 44 langues.

En langue française • L'auteur le plus lu en langue française est l'écrivain belge Georges Simenon (1903-1989). D'après l'Unesco, 600 millions d'exemplaires de ses ouvrages ont été vendus à travers le monde (en 1992, on comptait 3 500 traductions, en 47 langues), dont 100 millions en France. Il écrivait au rythme moyen de 85 pages/jour. **France** • Voir photo.

Édition Jeunesse • La romancière anglaise Enid Blyton, 1898-1968, a vendu 500 millions d'exemplaires des aventures du Club des Cinq.

Manuscrits les plus chers

• Le plus cher jamais vendu est un manuscrit illustré de Léonard de Vinci connu sous le nom de Codex Hammer, dans lequel Léonard prévoyait l'invention du sous-marin et de la machine à vapeur. Il a été vendu 30 millions de F chez Christie's, à New York, le 11-11-94, à Bill Gates.

France • Un évangéliaire manuscrit en latin en 2 volumes avec enluminures, composé vers 1515, s'est vendu à l'hôtel Drouot, à Paris, le 20-11-85, 8 802 300 F. Il a été acquis par la BN.

• Un manuscrit de 114 pages des Mémoires de ma vie de Chateaubriand a été adjugé 1 654 500 F au profit de la BN, le 24-09-95 en Mayenne.

Livre imprimé le plus cher

L'Ancien Testament de la Bible de Gutenberg, imprimée à Mayence, Allemagne, vers 1454, est le livre imprimé qui a atteint le record de coût. La société japonaise Maruzen l'a acheté 5,39 millions de $ (environ 27 millions de F), le 22-10-87, chez Christie's, à New York.
Voir aussi la Rubrique Memorabilia.

The Hunt for Red October (1984) et Patriot Games (1987). En 1997, il a perçu 75 millions de $ (450 millions de F), en signant avec Penguin un contrat pour 2 ouvrages. En 1992, il a reçu la plus forte avance pour un seul livre, soit 14 millions de $ (84 millions de F) pour les droits nord-américains de Without Remorse (Sans pitié).

NOMS DE LIEUX

Les villages de Saint-Rémy-en-Bouzemont-Saint-Genest-et-Isson, Marne, et Saint-Germain-de-Tallevende-la-Lande-Vaumont, Calvados, comptent chacun 38 lettres.

Œuvres d'art

RECORDS GÉNÉRAUX

Tableaux les plus grands

• Le plus grand tableau ancien est *Le Paradis*, signé Jacopo di Robusti, dit le Tintoret (1518-1594) et Domenico, son fils (1565-1637). Il mesure 22 x 7 m (154 m²) et compte 350 personnages. Il est exposé au palais des Doges, à Venise, Italie, où il fut peint entre 1587 et 1590.

• *La Fée Électricité*, tableau de Raoul Dufy (1877-1953) pour l'Exposition universelle de 1937 à Paris, mesure 60 x 10 m (600 m²). Il est exposé au musée d'Art moderne de la Ville de Paris.

Basquiat

Self-portrait, du peintre américain Jean-Michel Basquiat, a été acheté pour la somme de 3 302 500 $ (19 815 000 F), chez Christie's, à New York, le 12-11-98. Un record pour l'artiste.

« La liberté guidant le peuple »

Le 17-02-99, le tableau d'Eugène Delacroix s'envolait pour le Japon à bord du Beluga. Assuré pour 450 millions de F, il a voyagé° en position verticale dans un container pressurisé de 2,99 x 3,62 m. Il s'agissait de son 3ᵉ déplacement à l'extérieur du Louvre, où il réside depuis 1874. Le pelliculage apposé sur le flanc de l'avion mesurait 36 m².

Tableau le plus célèbre

La Joconde, ou *Mona Lisa*, de Léonard de Vinci (1452-1519) fut estimée à 100 millions de $ (600 millions de F) pour les besoins de l'assurance exigée lors de son transfert à Washington puis à New York, pour une exposition entre 1962 et 1963. La police d'assurance ne fut pas souscrite, car les frais d'une protection rapprochée s'avérèrent moins élevés que les primes, et le tableau ne fut pas assuré. En 1517, François Iᵉʳ l'acheta 4 000 florins d'or, soit 13,94 kg d'or, pour décorer sa salle de bains. Cela représenterait aujourd'hui 900 000 F.

PRIX ET ENCHÈRES

N° 1 : 495 millions de F

Si l'on excepte *La Joconde*, qui n'a fait l'objet d'aucune transaction, le tableau le plus cher du monde est *Le Portrait du docteur Gachet*, de Vincent Van Gogh. Le 27-07-1890, Vincent Van Gogh se suicide. Six semaines auparavant, il peint *Le Portrait du docteur Gachet*, le portrait de son médecin et ami amateur d'art, qui l'avait recueilli à Auvers-sur-Oise. Un siècle plus tard, le 15-05-90, chez Christie's, à New York, un industriel japonais, Ryoei Saïto, achète ce tableau (de 66 x 57 cm), pour 82,5 millions de $ (495 millions de F). C'est le prix le plus élevé jamais payé pour un tableau.

N° 2 : 425 millions de F

Le 2ᵉ tableau le plus cher du monde est *Le Moulin de la Galette*, de Pierre-Auguste Renoir (1841-1919). Cette toile de 1876 s'est vendue 78,1 millions de $, frais compris (environ 425 millions de F), chez Sotheby's, New York, le 17-05-90.

N° 3 : 390 millions de F

Rideau, cruchon et compotier, nature morte de Cézanne, a été acheté pour 60 502 500 $ (390 millions de F) chez Sotheby's, à New York, le 10-05-99. Ce tableau issu de la collection Whitney est le plus cher de l'artiste.

Tableau du XXᵉ siècle le plus cher

Le record de vente est détenu par Pablo Picasso, dont le tableau *Les Noces de Pierrette* s'est vendu 315 millions de F lors des enchères

ANDY WARHOL

Le 12-05-98, chez Christie's, à New York, Autoportrait, œuvre d'Andy Warhol (1928-1987) datant de 1967, s'est vendu pour la somme de 2 422 500 $ (14 535 000 F). C'est le record absolu pour un autoportrait de l'artiste.

organisées par Mᵉˢ Binoche et Godeau à Drouot-Montaigne, Paris, le 30-11-89.

Art contemporain

Basquiat et Warhol • *Sans titre* (1984) a atteint 420 500 $ chez Christie's, à New York, le 3-06-98. C'est le record mondial pour leur collaboration.

Rothko • Le 12-05-98, chez Christie's, à New York, *Sans titre* (1951) a établi le record du 2ᵉ prix le plus élevé pour l'artiste dans une vente publique. Il a été acheté 3 632 500 $.

Du vivant de l'artiste

Le 8-11-89, chez Sotheby's, à New York, *Interchange*, œuvre abstraite de l'Américain Willem de Kooning, mort le 19-03-97, s'est vendue 20,68 millions de $. Peint en 1955, le tableau a été acheté par une société japonaise.

Tableau féminin le plus cher

In the Box, signé de l'artiste américaine Mary Cassatt, décédée en 1926, s'est vendu 3,67 millions de $ (22 millions de F) chez Christie's, New York, le 23-05-96. Mary Cassatt est l'auteur de 7 des 10 œuvres féminines les plus chèrement acquises.

Peintures classiques les plus chères

Le record absolu revient au *Cosimo il Vecchio de Medici* par l'Italien Pontormo. Cette toile de 86 x 65 cm a été vendue 35,2 millions de $ (236 millions de F), chez Christie's, à New York, en mai 1989.

France • *Le Retour du Bucentaure le jour de l'Ascension* du Vénitien Canaletto (1697-1768) a été adjugé 72 266 700 F par Mᵉ Jacques Tajan, à l'hôtel George-V, le 15-12-93. C'est le record pour une peinture ancienne vendue en France.

Icône

Le Threne (Mise au tombeau), icône crétoise signée de la main d'Emmanuel Lamprados, peinte a tempera sur pin d'Alep et datant de la fin du XVIᵉ ou du début du XVIIᵉ siècle, a atteint 5,9 millions de F (frais compris), le 14-04-99, à l'étude Delorme, Paris.

Dessin

Étude d'une main et d'une tête d'apôtre, un dessin de Raphaël, s'est vendu, en 1996, chez Christie's, à Londres, 5,3 millions de £.

Collection privée la plus estimée

La collection de Victor et Sally Ganz, qui comprend des œuvres de Picasso et Johns, fut cédée à 207,4 millions de $ (12 milliards de F) chez Christie's, New York, en novembre 1997. L'exposition des tableaux pendant les 2 semaines précédant la vente attira 25 000 visiteurs.

Bronzes les plus chers

Faune dansant, bronze du sculpteur hollandais Adrien de Vries (vers 1545 ou 1560-1626), s'est vendu 6,82 millions de £ (environ 68 millions de F) chez Sotheby's, à Londres, le 7-12-89. Les propriétaires précédents, un couple de Brighton, GB, l'avaient acheté 100 £ dans les années 50 et en avaient décoré leur jardin.

France • Le peintre français Edgar Degas (1834-1917) sculpta en 1881 la très belle *Petite danseuse de quatorze ans*. Le record de vente pour ce bronze a été atteint en novembre 1988, avec 11,8 millions de $.

Mobile le plus cher

L'œuvre d'Alexander Calder *Constellation* a atteint la somme de 1 817 500 $ (10 millions de F) chez Sotheby's, à New York, le 10-11-93.

Du vivant de l'artiste

Le 21-05-82, *Reclining Figure*, une sculpture en bois d'orme de 1,90 m signée Henry Moore (1898-1986), a atteint 1 265 000 $ chez Sotheby's, à New York.

Sculpture la plus chère vendue en France

L'Enlèvement d'Hélène par Pâris (1627), groupe en bronze du sculpteur italien Jean-François Susini, s'est vendue 23,1 millions de F par Mᵉ Tajan, à l'hôtel George-V, à Paris, le 15-04-89. Elle mesure 70 x 41 x 38 cm.

PHOTOGRAPHIE

Photos les plus chères

• *Georgia O'Keeffe : A Portrait with Symbol* (1920), d'Alfred Stieglitz, a été vendue 2,3 millions de F, chez Christie's, New York, le 8-10-93.

• Le tirage en noir et blanc *Noire et blanche* de Man Ray, 1920, a été vendu chez Christie's, à New York, 607 500 $ (3 645 000 F), en 1998.

• *Femme aux renards*, de Jacques-Henri Lartigue (1894-1986), a atteint 45 500 £ (455 000 F), chez Christie's, à Londres, en mai 1998.

LA JOCONDE

Le modèle qui servit à Léonard de Vinci (1452-1519) pour peindre le tableau le plus célèbre de tous les temps, reste une énigme : son âge n'est pas identifié (16 ou 36 ans) ; certains affirment que c'est un homme ; il est rapporté que des malades psychiatriques s'identifient à la Joconde.

DIVERS

Artistes les plus volés
Les œuvres de Picasso sont les favorites des voleurs. Plus de 350 pièces manquent ; 270 Miró et 250 Chagall ont aussi disparu.

Artiste pop le plus populaire
Les œuvres d'Andy Warhol ont été exposées plus de 80 fois dans le monde entier depuis 1952 : 8 expositions permanentes lui sont consacrées aux USA, une au Moderna Museet de Stockholm, Suède, et une autre à la Tate Gallery de Londres.

Œuvre paysagère la plus onéreuse
Les Parapluies (1991), de Christo, coûtèrent 23 millions de $ (138 millions de F). 1 340 immenses parapluies jaunes furent plantés dans la campagne californienne. 1 760 autres, de couleur bleue, furent piqués au Japon. 810 volontaires les ouvrirent simultanément.

Œuvres géantes
• Dans la vallée de Nazca, à 300 km au sud de Lima, Pérou, des lignes droites (l'une de 11,2 km), des formes géométriques et des silhouettes d'animaux et de plantes ont été tracées sur le sol. Elles datent d'une époque estimée entre 100 av. J.-C. et l'an 600 de notre ère. Observées pour la 1re fois en 1928 d'un avion, ces marques sont considérées comme les plus grandes œuvres d'art du monde.
• L'artiste américain Christo réalisa entre 1980 et 1983 l'emballage des côtes de 11 îles au large de Miami, USA, avec 600 000 m² de polypropylène rose.

Trompe-l'œil le plus grand
Le château de Stadtschloss, à Berlin, a été rasé en 1950. Pour l'exposition « Il était une fois... le Stadtschloss », la société française Atelier Catherine Feff a déployé une bâche de 8 500 m², sur laquelle était peinte en trompe-l'œil la façade du château.

SCULPTURES

Les plus anciennes
• Les fouilles de François Bordes (1919-1981) sur le site de Pech-de-l'Aze, commune de Carsac-Aillac, Dordogne, ont mis au jour, en 1973, un fragment de côte de bovidé, long de 15 cm, présentant des traits difficiles à interpréter. C'est la plus ancienne gravure (105 000 ans) sur os actuellement connue.
• Les 1res sculptures connues appartiennent à la culture aurignacienne (d'après le nom d'un village de Haute-Garonne, du paléolithique supérieur, entre 30 000 et 25 000 ans). On y inclut les vénus autrichiennes ainsi que les nombreuses figurines du nord de l'Italie et du centre de la France.

Sculpture en métal
Powerful est la plus grande sculpture en métal jamais réalisée. Construite par l'Indien Sudhir Deshpand en février 1990, elle pèse 27 tonnes et mesure 17 m de haut.
France • *Les Flèches des cathédrales*, située sur l'autoroute Chartres-Orléans, est la plus grande sculpture en métal, recouverte de tôle inox. Conçue et réalisée par Georges Saulterre en 1989, elle culmine à 21 m et pèse 15 tonnes.

Mobile
Cascade blanche, mobile d'Alexander Calder (1898-1976), pèse 8 tonnes et mesure 30 m de haut. Il fut installé, les 24 et 25-05-76, à la banque de réserve fédérale de Philadelphie, USA.

MUSÉES

Les plus grands
• L'Ermitage, à St-Pétersbourg, Russie, est le musée qui possède le plus grand nombre d'œuvres. Le visiteur doit parcourir 24 km pour admirer les 3 millions d'objets d'art répartis dans 322 salles.
• Le Musée du Louvre, à Paris, couvre une superficie de 55 690 m² depuis juin 1997. L'aménagement des ailes Sully et Denon a été poursuivi, pour atteindre une superficie totale de 66 890 m² en décembre 1997 et 71 890 m² à la fin des travaux, qui se sont achevés 1998.

Musée le plus visité en un jour
Le 14-04-84, plus de 118 437 personnes passèrent les portes du Musée national Smithsonian de l'Air et de l'Espace, Washington, USA, ouvert depuis juillet 1976.

Musée le plus visité en une année
Le Musée national d'art moderne, au Centre Georges-Pompidou à Paris, possède 34 100 œuvres (5 800 peintures, 2 800 sculptures, 14 600 dessins, etc.). Le Centre lui-même est le monument le plus visité de France. En 1995, il a accueilli le nombre record de 6 311 536 visiteurs.

VINCENT VAN GOGH

Le fameux Portrait de l'artiste sans barbe *(1889), peint par Van Gogh seulement 1 an avant sa mort, a atteint 71 502 500 $ (429 015 000 F) lors d'une vente qui a eu lieu les 19 et 20-11-98 chez Christie's, à New York.*

Haute couture

Veste la plus chère

En 1998, Naomi Campbell portait la veste la plus chère lors de la présentation de la collection Gai Mattioli. D'une valeur de 1 million de $ (6 millions de F), elle est sertie du rubis Burmese de 100 carats – le plus gros du marché – datant de 250 ans, et d'émeraudes 36 carats en guise de boutons.

Groupe le plus important

LVMH (Louis Vuitton Moët Hennessy), dont le PDG est Bernard Arnault, est le groupe possédant le plus grand nombre de maisons de haute couture : Dior (avec un CA de 1,3 milliard de F en 1997, comprenant la haute couture, le prêt-à-porter et les accessoires), Givenchy, Kenzo, Lacroix, Céline. En juillet 1997, LVMH a également fait l'acquisition de Sephora, 1ʳᵉ chaîne de distribution de parfumerie française.

Créateur le plus riche

Ralph Lipschitz, puis Lauren, détient une fortune personnelle de 1 milliard de $ (6 milliards de F). Né en 1939, à New York, Ralph Lauren débuta en tant qu'assistant commercial. Il doit son 1ᵉʳ succès, en tant que styliste, à une collection de cravates. Il ouvrit sa 1ʳᵉ boutique à Beverly Hills en 1971. En 1993, il lança sa gamme de vêtements sport portant la griffe Polo. Vers 1988, le CA annuel de sa société s'élevait à 925 millions de $ (5,5 milliards de F), alors qu'en 1974 il n'était que de 7 millions de $ (42 millions de F).

Couturier le plus âgé

Le couturier international le plus âgé en activité est l'Américain Geoffrey Beene (n.1927). Avant d'entrer dans le monde de la mode, il étudiait la médecine.

Créateur renommé le plus jeune

Le Britannique Julian MacDonald eut la chance, à l'âge de 24 ans, lors de la remise des diplômes au Royal College of Art de Londres, d'être remarqué par Karl Lagerfeld. Ce dernier lui demanda de dessiner une gamme maille pour la collection de prêt-à-porter Chanel. Suite au succès remporté à Paris, il présenta sa propre collection en 1997.

Annulation de défilé la plus coûteuse

Le défilé Emporio Armani, prévu à Paris en mars 1998, fut annulé sur ordre de la police française pour des raisons de sécurité. Armani avait dépensé 300 000 $ (1 800 000 F) pour le défilé et 1 million de $ (6 millions de F) pour la réception. Ce défilé aurait été le plus cher jamais organisé.

Maison de couture métamorphosée

Le créatif directeur de Gucci, Tom Ford, ne mit pas plus de 3 ans à faire de la maison de couture italienne l'une des griffes les plus prisées. Le CA annuel de Gucci est passé de 250 millions de $ (1,5 milliard de F) à 1,2 milliard de $ (7,2 milliards de F) au cours de cette période. L'une des innovations de Ford fut d'abandonner le « Gs » en croix précédemment apposé sur les articles Gucci.

Boutique la mieux achalandée

Le grand magasin américain Saks Fifth Avenue propose 1 252 griffes différentes. Le 1ᵉʳ magasin Saks a pignon sur la Vᵉ Avenue, à New York. Il fut ouvert en 1924 par Horace Saks et Bernard Gimbel. La société possède aujourd'hui 41 boutiques proposant une gamme complète, 8 grandes boutiques et 7 autres dans 23 États des USA. Elle emploie 12 000 personnes.

Parfumeur le plus prisé

Chanel N° 5 est le parfum couture le plus prisé au monde. Il s'en vend 10 millions de flacons/an. Créé en 1925, il se compose de plus de 80 ingrédients. Sa créatrice, Coco Chanel, fut le 1ᵉʳ couturier à donner son nom à un parfum. Ce marché est estimé actuellement à 45 milliards de F. Aussi certains créateurs ne lésinent pas sur les campagnes publicitaires : Christian Lacroix a consacré 240 millions de F au lancement de C'est La Vie.

Robe de mariée la plus longue

Le créateur japonais Yohji Yamamoto étonna l'assistance en mars 1998 lors de son défilé parisien en présentant une robe de mariée en crinoline beige agrémentée d'une jupe de 4 m de large et d'un énorme chapeau. Il souhaitait donner une touche humoristique à sa collection. Le podium était placé de manière que le public ait une vue en contre-plongée sur la robe et sur ce qui n'était pas à vendre... Né à Tokyo en 1943, Yamamoto étudia le droit avant de donner un coup de main dans la boutique de vêtements que tenait sa mère. Il fréquenta ensuite la célèbre école de mode Bunkafukuso Gaukin. Il créa sa propre société en 1972 et présenta, en 1976, sa 1ʳᵉ collection à Tokyo. Les vêtements signés Yamamoto sont en général pratiques et minimalistes. Selon les directeurs des agences de mannequins, il aime que les femmes qui présentent ses collections aient l'air naturel. Il dessine aussi des vêtements masculins. Ses modèles cachent le corps plus qu'ils ne le mettent en valeur. Yamamoto fit ses débuts à Paris en 1981, et il est le seul créateur japonais auquel fut décerné le titre de chevalier de l'ordre des Arts et des Lettres. Depuis 1987, sa société, dont le CA annuel serait de 100 millions de $, dispose de nouveaux bureaux à Londres.

CA LE PLUS ÉLEVÉ

L'Italien Giorgio Armani est le couturier qui réalise le CA annuel mondial le plus élevé : 320 millions de $. Il débute en 1954, en qualité d'étalagiste pour les magasins La Rinascente, et travaille ensuite chez Cerruti. En 1975, il vend sa voiture et lance sa propre collection, qui rencontre un immense succès à la fin des années 70 et au début des années 80. Ses vêtements sont synonymes de style et de richesse. Bien que son budget publicitaire soit inférieur à celui de ses concurrents (Versace, Calvin Klein et Valentino), il demeure le favori de nombre de célébrités, dont Michelle Pfeiffer, Cindy Crawford et Richard Gere.

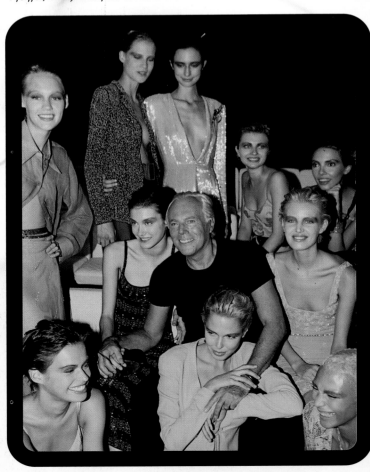

ACCESSION LA PLUS RAPIDE

Stella McCartney (n. 1971), la fille de Paul McCartney, fut nommée styliste chez Chloé, à Paris, en avril 1997, 18 mois après sa sortie du Saint-Martins Central College of Art and Design de Londres. Elle remplaça Karl Lagerfeld et créa 3 lignes réussies sous sa propre griffe. Naomi Campbell et Kate Moss portèrent ses vêtement lors du défilé de fin d'année. À 26 ans, elle est à la tête d'une équipe de 6 personnes.

Boutique de mode la plus chère

La boutique Gianni Versace de Bond Street, à Londres, aurait coûté 21,2 millions de $ (127 millions de F). Ouverte en 1992, la boutique est décorée de marbre de Carrare, de dorures et de fresques. La boutique parisienne a probablement coûté plus cher, mais les chiffres n'ont pas été révélés. Né en Italie en 1946, Versace travailla d'abord avec sa mère dans un atelier et un magasin de vêtements. En 1972, il s'installa à Milan et créa en 1978 sa propre maison de couture en association avec son frère Santo et sa sœur Donatella. Versace est aujourd'hui une des maisons de couture les plus prospères du monde. Elle rapporta 50,8 millions de $ (304 millions de F) en 1978 et 742,2 millions de $ (4,5 milliards de F) en 1993. En juillet 1997, Versace a été abattu sur le perron de sa maison de Miami. Tout le gratin de la mode, ainsi que la princesse Diana et Elton John, était présent à ses funérailles.

Maison de couture

En 1998, après 38 ans à la tête de la maison Valentino, Valentino et son associé Giancarlo Giammetti cédèrent leur société moyennant la somme record de 300 millions de $ (1,8 milliard de F). Valentino, qui dégage un revenu de 17,3 millions de $/an (103 millions de F), fut rachetée par Holding di Part. Industriali.

Soutien-gorge le plus cher

Diamond Dream, le soutien-gorge le plus cher au monde, fut créé par Harry Winston en 1997 et confectionné par Victoria's Secret, l'une des sociétés de lingerie les plus populaires aux USA. Orné au centre d'un diamant pur en forme de poire de 42 carats et de 100 autres de chaque côté, il vaut 3 millions de $ (18 millions de F).

Consommatrice de haute couture

Mouna al-Ayoub, ex-femme du consultant de la famille royale d'Arabie saoudite, Nasser al-Rashid, dépense plus d'argent dans la haute couture que n'importe qui d'autre dans le monde. Son achat le plus onéreux s'est élevé à 160 000 $ (1 million F) pour une robe brodée d'or, signée Chanel.

YSL

Yves Mathieu Saint Laurent (n.1er-08-36) apparaît sur le devant de la scène à 21 ans lorsqu'il succède à Christian Dior. Créateur du tailleur ligne trapèze en 1958, il fonde sa propre maison de couture en 1961. De la couture au parfum, Yves Saint Laurent sera un des premiers à franchir le pas avec le parfum Y, qu'il présente en 1964 dans son plus simple appareil. Suivront Opium, Paris ou Yvresse aux fragrances épicées. Dé d'or européen de la mode en 1993, il est racheté par la société Sanofi la même année.

Stylistes

H&M

H&M (Hennes & Mauritz, fondé en 1947 en Suède) emploie 17 000 personnes et a réalisé, en 1998, un CA de 19,721 milliards de F, dont 211 millions pour ses 8 magasins français. Implantée dans 12 pays européens, la chaîne vend des vêtements de prêt-à-porter et des cosmétiques dans plus de 550 magasins, soit 300 millions d'articles vendus chaque année. Les 3 exigences de la marque : la dernière mode, des prix extrêmement compétitifs, une bonne qualité. Un tiercé gagnant…

Vêtements de sport
Nike, le géant du sportswear, a dégagé des revenus de 9,19 milliards de $ (55 milliards de F) et des profits de 796 millions de $ (4,8 milliards de F) en 1997. Ses gammes les plus florissantes, *Nike Air Training* et les chaussures de course, sont dues à Frank Rudy, ingénieur de la Nasa.

1er fabricant de sous-vêtements
Selon *Fortune 500* de l'année 1998, Fruit of the Loom serait le 1er fabricant de sous-vêtements. Implanté à Chicago, Illinois, ce fabricant a dégagé en 1997 un CA de 488 millions de $ (2,9 milliards de F). Il occupe la 596e position au classement des plus grosses sociétés mondiales.

Marque de sous-vêtements la plus vendue
La marque de sous-vêtements la plus populaire au monde est celle du styliste américain Calvin Klein. Dans les années 80, Klein misa sur la tendance des femmes à porter les sous-vêtements masculins arborant sa griffe et lança des boxers pour femmes. Il attisa l'intérêt en affirmant au *Time Magazine* qu'ils étaient encore plus sexy sur les femmes. En 1984, 400 000 boxers « Calvin's » furent vendus et rapportèrent 50 millions de $ (300 millions de F). Klein contribua largement au succès de ses vêtements en apposant son nom à la poche arrière de ses jeans ; il fut imité ensuite par d'autres designers. La marque, fondée par Klein et Barry Schwartz en 1968, devint ainsi l'un des symboles les plus célèbres de la mode américaine.

1er fabricant de collants
Une paire de collants sur 5 est fabriquée par Sara Lee, 1er fabricant de collants. La société possède 31 marques, dont Playtex et Wonderbra, dégageant chacune un CA de 100 millions de $ (600 millions de F).

1re marque de chaussures dans le dictionnaire
Les *Doc. Martens*, fabriquées depuis 1960, sont aujourd'hui tellement célèbres qu'elles figurent dans le dictionnaire anglais *Oxford English Dictionary*. À l'entrée « Dr. Martens », on peut lire « marque déposée désignant un type de bottes ou chaussures lourdes à semelle matelassée ». La société fabrique 2 paires de chaussures/s les jours ouvrés.

Fabricant et vendeur de lingerie le plus important
Marks & Spencer vend chaque année dans le monde entier 5 millions de slips St Michael pour femmes, sa propre griffe – soit 1 million de slips/semaine.

1er fabricant de vêtements de surf
Quicksilver réalise un CA annuel de 230 millions de $ (1,3 milliard de F) aux USA et en Europe, ce qui en fait le 1er fabricant de vêtements de surf. La marque est représentée dans 130 pays et sponsorise des centaines d'athlètes, dont les champions de surf Robbie Naish, Kelly Slater et Lisa Andersen.

DOCKERS® DIRECT

 ESSOR

Dockers, marque de sportswear conçue par Levi Strauss & Co, fut lancée aux USA en 1986. Au début des années 90, la griffe, la plus en vogue du marché des pantalons sport, connut le plus rapide essor de l'histoire de la mode aux USA. Ciblant initialement les cinquantenaires, Dockers entendait leur proposer un substitut au jean, mais la campagne publicitaire de 10 millions de $, qui dura 2 ans, propulsa la marque en tête du sportswear. En 1997, Dockers a enregistré un CA de 6,9 milliards de $ (41,4 milliards de F).

Vendeur de montres le plus important de l'Histoire
La montre Swatch, conçue par les horlogers suisses Ernest Thomke et Nicholas Hayelk en 1981, s'est vendue à 100 millions d'exemplaires en l'espace de 10 ans, ce qui en fait la marque de montres qui connut l'essor le plus rapide. En 1986, l'artiste graffitiste Keith Haring, célèbre pour ses œuvres dans le métro new-yorkais, reçut une commande pour dessiner une série de 4 montres Swatch. Certaines furent vendues aux enchères à plus de 5 000 $ dans les années 90. En 1989, la société demanda à Mimmo Paladino, célèbre artiste italien, d'imaginer une montre destinée à une édition limitée de 120 unités. Deux ans plus tard, une des montres de Paladino fut cédée aux enchères à 24 000 $.

SOUTIEN-GORGE LE PLUS VENDU

Conçu par Sara Lee, le Wonderbra est le soutien-gorge le plus répandu dans le monde. Il s'en vend 30 000 unités/semaine en Grande-Bretagne seulement. Il est disponible aux USA, en Afrique du Sud, en Australie et en Europe. Citons, parmi les adeptes du Wonderbra, Gwyneth Paltrow, Caprice et Kate Moss. Sa nouvelle égérie n'est autre qu'Adriana Karembeu.

JUST DO IT

Bill Bowerman et Phil Knight sont les cofondateurs de Nike. En 35 ans, ils ont bâti un empire de 6,5 milliards de $. À Portland, le siège social de Niketown, bâti en 1990, est une ville dans la ville. On peut y trouver un centre de nutrition, un complexe d'entraînement sportif, des restaurants et une galerie marchande. Un succès dû notamment à un ancien ingénieur de la Nasa, Franck Rudy, qui avait eu l'idée de mettre de l'air dans les semelles des chaussures. Depuis, Nike est descendu dans les rues du monde entier. Ci-contre, le modèle Cortez Nubuck, chaussure de running discrète, et la montre Typhoon, conçue pour les surfeurs, des produits qui ne s'adressent plus seulement aux sportifs.

Lunettes les plus prisées

Ray-Ban est l'une des marques les plus prestigieuses du marché des lunettes de soleil. Les études réalisées en 1990 révélèrent que 80 % des porteurs de lunettes de soleil en Europe, Asie et USA étaient familiarisés avec ce nom. La lunette fut développée par Bausch & Lomb Inc., de Rochester, New York, suite à une demande de l'armée américaine, qui souhaitait, pour ses pilotes de chasse,

des verres optiques de qualité, résistant à un rayonnement intense. Des scientifiques travaillèrent de la fin des années 20 au début des années 30 pour développer les verres teintés. Le modèle *Aviator* fut vendu au public en 1936 et devint un symbole de la mode, ainsi que le modèle *Wayfarer*. Cette popularité existe grâce à la diffusion de ces produits dans des films cultes comme *The Blues Brothers* (USA, 1980). Le modèle *Wayfarer* est le plus vendu de toute l'histoire de l'optique et reste l'un des plus populaires 40 ans après son lancement, au début des années 50. Au cours de la seule année 1989, des Ray-Bans apparaissaient dans plus de 110 films, et, en 1997, le modèle *Predator 2* fut à l'honneur dans *Men in Black* (USA), avec Will Smith.

Crème hydratante faciale la plus vendue

Oil of Olaz, actuellement fabriquée par Proctor & Gamble, détient 28 % du marché mondial des crèmes hydratantes faciales. La formule fut conçue par le Sud-Africain Graham Wulff pour prévenir la déshydratation des brûlures des pilotes britanniques pendant la Seconde Guerre mondiale. Après la guerre, Wulff perfectionna le produit et s'associa à Shaun Adams pour le vendre au porte-à-porte.

Magasin de fripes le plus grand

Domsey's Warehouse & Annex, à Brooklyn, New York, est le plus grand magasin de fripes, avec une surface de 23 225 m², dont 3 251 m² réservés à la vente. Cette affaire de famille vieille de 3 générations fut basée à Brooklyn pendant 17 ans. On y trouve près de 350 000 articles en réserve.

Industries textiles les plus grosses

• En termes de valeur, la production textile américaine (sans compter les chaussures) occupe la 1ʳᵉ place du marché du vêtement. En 1996, elle se chiffrait à 39,5 milliards de $ (237 milliards de F). En 1997, ce secteur employait 800 000 salariés.

• En termes d'effectif, c'est le marché chinois qui arrive en tête, avec 1,75 million de personnes rémunérées en 1997. En 1996, le marché a rapporté 17,9 milliards de $ (107 milliards de F).

Transformations

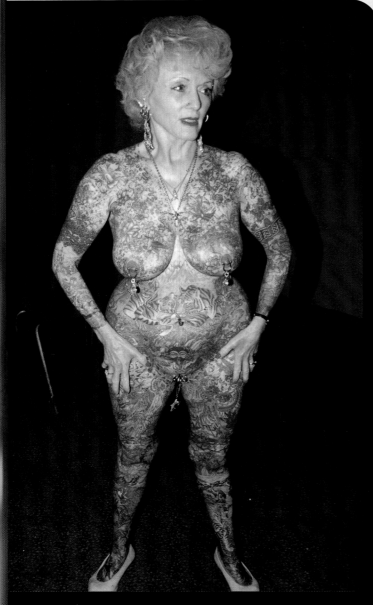

Tatouages

Ci-dessus, Isobel Varley, adepte du tatouage extrême.

Hommes • Le Britannique Tom Leppard est l'homme le plus tatoué du monde : 99,9 % de son corps est recouvert d'une peau de léopard, alternant des taches sombres et jaune safran. L'intérieur de ses oreilles et ses gencives sont restés vierges.

• Bernard Moeller, de Pennsylvanie, portait 14 006 tatouages distincts le 3-04-97.

Femmes • Il a fallu 10 ans à la strip-teaseuse canadienne Kristina Kolorful (n.1952) pour tatouer 95 % de la surface de son corps. La Californienne Julia Gnose est la seule à égaler ce record.

Tatouages simultanés

Le 9-05-96, à l'occasion de la Convention annuelle d'Amsterdam, Enigma, star de cirque américaine, s'est fait tatouer simultanément par 22 artistes. Recouvert d'un puzzle tatoué sur tout le corps, il s'est aussi fait rajouter des cornes, une queue et des piquants de porc-épic, implantés dans son corps à l'aide de corail. L'os pousse autour des implants et les cornes de sa tête grandissent de 3,8 cm/an.

Musée du tatouage

Le Musée du tatouage d'Amsterdam, Pays-Bas, ouvert en 1995, est le plus grand du monde. Il retrace son évolution depuis ses origines, et attire 23 000 visiteurs/an.

Maquillage corporel ancestral

• Le mehndi, ou l'art du henné, remonterait à l'Égypte ancienne, où il était utilisé pour teinter les pieds des pharaons avant la momification. La pratique s'est répandue en Afrique du Nord et au sud de l'Asie, où les femmes continuent de décorer leurs mains et leurs pieds à l'occasion de mariages et d'évènements exceptionnels. La mode des tatouages au henné sur les bras, les jambes et le torse a aujourd'hui gagné les USA et l'Europe.

• Le 30-04-99, à Londres, Jyoti Taglani a achevé un brassard de 64 tatouages au henné en 1 h, chacun mesurant au minimum 10 x 3 cm, selon le règlement du Livre Guinness des Records.

Sosies créés par des chirurgiens plasticiens

On dit que Staline était tellement paranoïaque qu'il recourait à des sosies pour diminuer la probabilité d'être assassiné. Ces répliques, qui avaient subi des interventions chirurgicales en vue de ressembler au dictateur russe, auraient assisté à la plupart des funérailles officielles. Il semblerait que même les gardes du corps de Staline confondaient l'original et les copies.

Criminel ayant subi le plus d'opérations chirurgicales

À 27 ans, le baron de la drogue Richie Ramos était à la tête d'un cartel à Philadelphie. Il aurait échappé pendant 16 mois aux agents du FBI grâce à l'intervention d'un habile chirurgien. Il se fit gommer 5 cicatrices laissées par des balles, changer l'épiderme recouvrant ses doigts et remodeler son buste de taureau, son ventre flasque et son visage charnu. Les honoraires du praticien s'élevèrent au total à 74 900 $. Passé aux aveux, Ramos purge actuellement une peine de 30 ans de prison.

Changements spectaculaires par amour de l'art

• La photographe britannique Della Grace procéda à sa propre métamorphose en s'injectant des hormones mâles. Devenue barbue, Della Grace parle aujourd'hui d'une voix profonde et rauque. Ce processus est irréversible.

• Depuis 1990, Orlan, artiste française dont l'œuvre la plus récente est sa propre personne, a subi une série d'opérations chirurgicales pour se transformer tour à tour en Vénus, Diane, Europe, Psyché et Mona Lisa. Les différentes réincarnations de Saint Orlan ont été exposées dans le monde entier. La vidéo New York Omnipresence la montre en train de se coudre des implants sur les tempes. Cette artiste est soutenue par le ministère de la Culture.

Coupe de cheveux la plus chère

En 1993, le président américain Bill Clinton confia, lors d'une escale à Los Angeles, ses cheveux aux ciseaux de Monsieur Christophe. Ce dernier, le coiffeur le plus en vue de Beverly Hills, rejoignit son client dans l'avion stationné sur la piste. Si l'on tient compte du retard occasionné pour les autres vols, la coupe coûta la bagatelle de 83 000 $.

Changement de sexe le plus célèbre

En 1953, Christine Jorgensen, ex-GI du Bronx, New York, fit la « une » des journaux lorsqu'elle subit une opération pour changer de sexe. Partiellement réalisée à Casablanca, alors capitale mondiale du changement de sexe, l'intervention fut complétée au Danemark. L'autobiographie de Christine, publiée en 1967, inspira d'autres transsexuels.

Transsexuel le plus âgé

74 ans est l'âge le plus tardif auquel une personne aurait changé de sexe. Selon le service américain traitant les informations relatives à la transsexualité, il est courant que les individus changent de sexe à la retraite.

Transsexuel le plus jeune

Il arrive souvent que les nouveau-nés présentent des organes génitaux ambigus. Les médecins décident d'en faire des filles ou des garçons et effectuent dès la petite enfance les opérations nécessaires.

Le cas le plus célèbre est celui de John/Joan, un garçon jumeau dont la circoncision, à l'âge de 6 mois, fut suivie de complications. C'est alors que John fut transformé en Joan, une petite fille. Joan n'a jamais été à l'aise dans sa peau de femme ; aussi, elle décida vers l'âge de 20 ans, lorsqu'elle découvrit la réalité, de redevenir John. Les 2 prénoms (John et Joan) sont des pseudonymes.

Palmarès des opérations transsexuelles

12 000 chirurgiens américains pratiquent ces interventions, ce qui fait des USA le pays le plus actif dans ce domaine. Il semblerait que la Thaïlande le surpasserait et que la demande soit importante dans les autres pays d'Asie, mais les données chiffrées ne sont pas disponibles.

Indemnités suite à des implants mammaires

En août 1997, la société américaine Dow Corning offrit 2,4 milliards de $ à 200 000 femmes du monde entier.

SOUTIEN-GORGE LE PLUS VENDU

Conçu par Sara Lee, le Wonderbra est le soutien-gorge le plus répandu dans le monde. Il s'en vend 30 000 unités/semaine en Grande-Bretagne seulement. Il est disponible aux USA, en Afrique du Sud, en Australie et en Europe. Citons, parmi les adeptes du Wonderbra, Gwyneth Paltrow, Caprice et Kate Moss. Sa nouvelle égérie n'est autre qu'Adriana Karembeu.

JUST DO IT

Bill Bowerman et Phil Knight sont les cofondateurs de Nike. En 35 ans, ils ont bâti un empire de 6,5 milliards de $. À Portland, le siège social de Niketown, bâti en 1990, est une ville dans la ville. On peut y trouver un centre de nutrition, un complexe d'entraînement sportif, des restaurants et une galerie marchande. Un succès dû notamment à un ancien ingénieur de la Nasa, Franck Rudy, qui avait eu l'idée de mettre de l'air dans les semelles des chaussures. Depuis, Nike est descendu dans les rues du monde entier. Ci-contre, le modèle Cortez Nubuck, *chaussure de running discrète, et la montre* Typhoon, *conçue pour les surfeurs, des produits qui ne s'adressent plus seulement aux sportifs.*

Lunettes les plus prisées

Ray-Ban est l'une des marques les plus prestigieuses du marché des lunettes de soleil. Les études réalisées en 1990 révélèrent que 80 % des porteurs de lunettes de soleil en Europe, Asie et USA étaient familiarisés avec ce nom. La lunette fut développée par Bausch & Lomb Inc., de Rochester, New York, suite à une demande de l'armée américaine, qui souhaitait, pour ses pilotes de chasse,

des verres optiques de qualité, résistant à un rayonnement intense. Des scientifiques travaillèrent de la fin des années 20 au début des années 30 pour développer les verres teintés. Le modèle *Aviator* fut vendu au public en 1936 et devint un symbole de la mode, ainsi que le modèle *Wayfarer*. Cette popularité existe grâce à la diffusion de ces produits dans des films cultes comme *The Blues Brothers* (USA, 1980). Le modèle *Wayfarer* est le plus vendu de toute l'histoire de l'optique et reste l'un des plus populaires 40 ans après son lancement, au début des années 50. Au cours de la seule année 1989, des Ray-Bans apparaissaient dans plus de 110 films, et, en 1997, le modèle *Predator 2* fut à l'honneur dans *Men in Black* (USA), avec Will Smith.

Crème hydratante faciale la plus vendue

Oil of Olaz, actuellement fabriquée par Proctor & Gamble, détient 28 % du marché mondial des crèmes hydratantes faciales. La formule fut conçue par le Sud-Africain Graham Wulff pour prévenir la déshydratation des brûlures des pilotes britanniques pendant la Seconde Guerre mondiale. Après la guerre, Wulff perfectionna le produit et s'associa à Shaun Adams pour le vendre au porte-à-porte.

Magasin de fripes le plus grand

Domsey's Warehouse & Annex, à Brooklyn, New York, est le plus grand magasin de fripes, avec une surface de 23 225 m², dont 3 251 m² réservés à la vente. Cette affaire de famille vieille de 3 générations fut basée à Brooklyn pendant 17 ans. On y trouve près de 350 000 articles en réserve.

Industries textiles les plus grosses

• En termes de valeur, la production textile américaine (sans compter les chaussures) occupe la 1ᵉ place du marché du vêtement. En 1996, elle se chiffrait à 39,5 milliards de $ (237 milliards de F). En 1997, ce secteur employait 800 000 salariés.
• En termes d'effectif, c'est le marché chinois qui arrive en tête, avec 1,75 million de personnes rémunérées en 1997. En 1996, le marché a rapporté 17,9 milliards de $ (107 milliards de F).

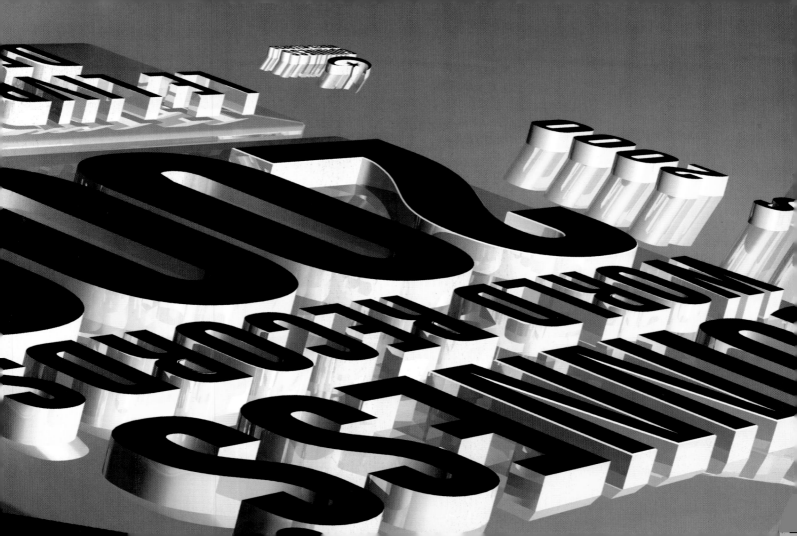

Hommes

Transformations

Tatouages

Ci-dessus, Isobel Varley, adepte du tatouage extrême.

<u>Hommes</u> • Le Britannique Tom Leppard est l'homme le plus tatoué du monde : 99,9 % de son corps est recouvert d'une peau de léopard, alternant des taches sombres et jaune safran. L'intérieur de ses oreilles et ses gencives sont restés vierges.

• Bernard Moeller, de Pennsylvanie, portait 14 006 tatouages distincts le 3-04-97.

<u>Femmes</u> • Il a fallu 10 ans à la strip-teaseuse canadienne Kristina Kolorful (n.1952) pour tatouer 95 % de la surface de son corps. La Californienne Julia Gnose est la seule à égaler ce record.

Tatouages simultanés

Le 9-05-96, à l'occasion de la Convention annuelle d'Amsterdam, Enigma, star de cirque américaine, s'est fait tatouer simultanément par 22 artistes. Recouvert d'un puzzle tatoué sur tout le corps, il s'est aussi fait rajouter des cornes, une queue et des piquants de porc-épic, implantés dans son corps à l'aide de corail. L'os pousse autour des implants et les cornes de sa tête grandissent de 3,8 cm/an.

Musée du tatouage

Le Musée du tatouage d'Amsterdam, Pays-Bas, ouvert en 1995, est le plus grand du monde. Il retrace son évolution depuis ses origines, et attire 23 000 visiteurs/an.

Maquillage corporel ancestral

• Le mehndi, ou l'art du henné, remonterait à l'Égypte ancienne, où il était utilisé pour teinter les pieds des pharaons avant la momification. La pratique s'est répandue en Afrique du Nord et au sud de l'Asie, où les femmes continuent de décorer leurs mains et leurs pieds à l'occasion de mariages et d'évènements exceptionnels. La mode des tatouages au henné sur les bras, les jambes et le torse a aujourd'hui gagné les USA et l'Europe.

• Le 30-04-99, à Londres, Jyoti Taglani a achevé un brassard de 64 tatouages au henné en 1 h, chacun mesurant au minimum 10 x 3 cm, selon le règlement du *Livre Guinness des Records*.

Sosies créés par des chirurgiens plasticiens

On dit que Staline était tellement paranoïaque qu'il recourait à des sosies pour diminuer la probabilité d'être assassiné. Ces répliques, qui avaient subi des interventions chirurgicales en vue de ressembler au dictateur russe, auraient assisté à la plupart des funérailles officielles. Il semblerait que même les gardes du corps de Staline confondaient l'original et les copies.

Criminel ayant subi le plus d'opérations chirurgicales

À 27 ans, le baron de la drogue Richie Ramos était à la tête d'un cartel à Philadelphie. Il aurait échappé pendant 16 mois aux agents du FBI grâce à l'intervention d'un habile chirurgien. Il se fit gommer 5 cicatrices laissées par des balles, changer l'épiderme recouvrant ses doigts et remodeler son buste de taureau, son ventre flasque et son visage charnu. Les honoraires du praticien s'élevèrent au total à 74 900 $. Passé aux aveux, Ramos purge actuellement une peine de 30 ans de prison.

Changements spectaculaires par amour de l'art

• La photographe britannique Della Grace procéda à sa propre métamorphose en s'injectant des hormones mâles. Devenue barbue, Della Grace parle aujourd'hui d'une voix profonde et rauque. Ce processus est irréversible.

• Depuis 1990, Orlan, artiste française dont l'œuvre la plus récente est sa propre personne, a subi une série d'opérations chirurgicales pour se transformer tour à tour en Vénus, Diane, Europe, Psyché et Mona Lisa. Les différentes réincarnations de Saint Orlan ont été exposées dans le monde entier. La vidéo *New York Omnipresence* la montre en train de se coudre des implants sur les tempes. Cette artiste est soutenue par le ministère de la Culture.

Coupe de cheveux la plus chère

En 1993, le président américain Bill Clinton confia, lors d'une escale à Los Angeles, ses cheveux aux ciseaux de Monsieur Christophe. Ce dernier, le coiffeur le plus en vue de Beverly Hills, rejoignit son client dans l'avion stationné sur la piste. Si l'on tient compte du retard occasionné pour les autres vols, la coupe coûta la bagatelle de 83 000 $.

Changement de sexe le plus célèbre

En 1953, Christine Jorgensen, ex-GI du Bronx, New York, fit la « une » des journaux lorsqu'elle subit une opération pour changer de sexe. Partiellement réalisée à Casablanca, alors capitale mondiale du changement de sexe, l'intervention fut complétée au Danemark. L'autobiographie de Christine, publiée en 1967, inspira d'autres transsexuels.

Transsexuel le plus âgé

74 ans est l'âge le plus tardif auquel une personne aurait changé de sexe. Selon le service américain traitant les informations relatives à la transsexualité, il est courant que les individus changent de sexe à la retraite.

Transsexuel le plus jeune

Il arrive souvent que les nouveau-nés présentent des organes génitaux ambigus. Les médecins décident d'en faire des filles ou des garçons et effectuent dès la petite enfance les opérations nécessaires. Le cas le plus célèbre est celui de John/Joan, un garçon jumeau dont la circoncision, à l'âge de 6 mois, fut suivie de complications. C'est alors que John fut transformé en Joan, une petite fille. Joan n'a jamais été à l'aise dans sa peau de femme ; aussi, elle décida vers l'âge de 20 ans, lorsqu'elle découvrit la réalité, de redevenir John. Les 2 prénoms (John et Joan) sont des pseudonymes.

Palmarès des opérations transsexuelles

12 000 chirurgiens américains pratiquent ces interventions, ce qui fait des USA le pays le plus actif dans ce domaine. Il semblerait que la Thaïlande le surpasserait et que la demande soit importante dans les autres pays d'Asie, mais les données chiffrées ne sont pas disponibles.

Indemnités suite à des implants mammaires

En août 1997, la société américaine Dow Corning offrit 2,4 milliards de $ à 200 000 femmes du monde entier.

HOMME LE PLUS PIERCÉ

Le Belge Alex Lambrecht possède 137 piercings, qui représentent un poids total de 500 g. Il s'est fait piercé sur une période de 40 ans. Cela lui aurait coûté 68 400 F s'il ne les avait pas faits lui-même. La plupart se trouvent sur son visage, mais il en dissimule une cinquantaine rien que sur ses parties génitales.

Les victimes se plaignaient de troubles depuis leurs opérations mammaires. L'écoulement de silicone provoquait chez elles des douleurs, une fatigue et les symptômes de la grippe.

Record de dents blanchies

Le Dr Ronald Goldstein, un des 1ers dentistes à blanchir les dents, a blanchi plus de 100 000 dents aux USA au cours des 40 dernières années. Il est l'auteur du best-seller de la dentisterie cosmétique, *Change Your Smile* (*Changez votre sourire*), traduit en 6 langues.

Oreilles les plus longues

Les hommes et les femmes de la tribu africaine Suya portent de grands disques de bois dans leurs oreilles afin de les allonger. Lorsqu'ils les retirent, ils enveloppent leurs lobes pendants autour de leurs oreilles.

Cous les plus longs

Ce sont ceux des femmes des ethnies Karen et Padang, de Birmanie. La superposition de plusieurs anneaux de cuivre modifie la morphologie du cou. Celui-ci s'allonge et arrive à mesurer 40 cm. Les femmes Padang en âge de se marier étirent leur cou de 25 cm. Rajoutés au fur et à mesure dès l'âge de 5 ou 6 ans, les anneaux pèsent parfois 9 kg. Leurs cous se briseraient si elles décidaient de retirer les anneaux.

CHIRURGIE ESTHÉTIQUE

En 9 ans, Cindy Jackson – surnommée « Poupée Barbie » – a dépensé 99 600 $ (597 600 F), pour subir 27 opérations. Née dans une ferme d'élevage de cochons de l'Ohio, cette femme de 42 ans s'est fait refaire le visage 3 fois, le nez 2 fois, les genoux, le ventre et la mâchoire. Elle s'est aussi fait liposucer, réduire puis augmenter les seins, et « tatouer » un maquillage semi-permanent.

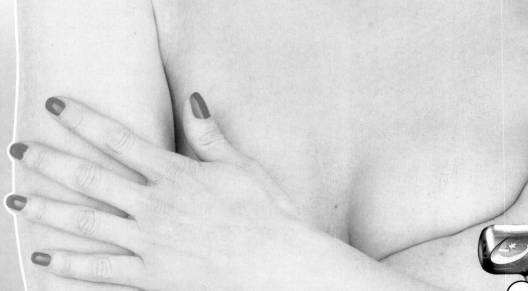

Mensurations

NAINS

Nains historiques

Homme • Le plus célèbre fut l'Américain Charles Stratton, dit Général Tom Pouce (n.4-01-1838). Lorsqu'il signa un contrat avec Phineas Barnum, le directeur de cirque, sa date de naissance fut changée en 4-01-1832, afin de faire croire qu'il mesurait 77 cm à 18 ans, alors qu'il n'en avait que 12. Il mourut d'apoplexie le 15-07-1883, à l'âge de 45 ans. Il mesurait 1,02 m et pesait 32 kg.

France • Le plus petit homme français, et européen, fut Adrien Esmilaire, n.28-10-1882 à Croismare, Meurthe-et-Moselle. À 16 ans, il mesurait 65 cm et pesait 9 kg. À 31 ans, il atteignit sa taille maximale de 70 cm. Il devint la vedette du Cirque Barnum sous le nom de Little Adrien et mourut dans un naufrage en 1935.

Femme • La Néerlandaise Pauline Musters, dite Princesse Pauline, n.26-02-1876, à Ossendrecht, mesurait 30 cm à la naissance ; à 9 ans, elle pesait 1,5 kg pour 55 cm. Elle mourut à 19 ans, le 1er-03-1895, à New York.

Couple le plus dissemblable

Fabien Prétou, Seyssinet-Pariset, Isère, n.15-06-68, mesure 1,88 m et a épousé, le 14-04-90, Nathalie Lucius, n.19-01-66, 94 cm, soit la moitié de son mari.

Elle pesait, adulte, entre 3,5 et 4 kg (soit le poids d'un nouveau-né), et ses mensurations étaient 47-48-43, dénotant un net embonpoint.

Nains vivants les plus petits

Homme • Le cas le plus extraordinaire de nanisme est rapporté d'Algérie. D'après un certificat délivré par le Dr Abousiam, de Barika, un jeune homme, Djaïl Salih (n.1965) souffre d'un retard staturo-pondéral : il mesurait 55 cm et pesait 5 kg à l'âge de 22 ans. Il semble que Djaïl mesurait 23 cm à la naissance et qu'il ait cessé de grandir dès l'âge de 8 mois. Il serait mort en 1994.

Femme • Voir photo.

Naines centenaires

• Seules deux naines ont dépassé le cap des 100 ans. La plus âgée, Susanna Bakonyi, dite Princesse Susanna, née en Hongrie, vécut à Newton, New Jersey. Elle mourut le 24-08-84, à l'âge de 105 ans. Elle mesurait 1,01 m et pesait 17 kg.

• L'autre centenaire fut Anne Clowes, de Matlock, Derbyshire, GB, qui mourut le 5-08-1784 à l'âge de 103 ans. Elle mesurait 1,14 m, et pesait 22 kg.

Nain devenu géant

Adam Rainer, n.1899, à Graz, Autriche, mesurait 1,18 m à l'âge de 21 ans. Sa croissance s'accentua soudainement ; en 1931, il atteignait 2,18 m. Cela le rendit si faible qu'il dut s'aliter pour le restant de ses jours. À sa mort, le 4-03-50, à l'âge de 51 ans, il mesurait 2,34 m. Il est la seule personne médicalement connue à avoir été à la fois un nain et un géant.

GÉANTS

Géants historiques

Homme • Voir photo.

Femme • La Chinoise Zeng Jinlian (1964-1982), née dans le village de Yujiang, Hunan, fut mesurée de façon anthropométrique à sa mort : elle atteignait 2,48 m. Sa croissance anormale débuta dès 4 mois ; à 4 ans, elle mesurait déjà 1,56 m (1,63 m pour Robert Wadlow à 5 ans) ; à 13 ans, elle atteignait 2,17 m. Ses mains mesuraient 25,5 cm, et ses pieds 35,5 cm.

France • Les célèbres jumeaux Baptiste et Antoine Hugo, n.1878 à Saint-Martin-Vésubie, Alpes-Maritimes, artistes forains et grandes vedettes de l'Exposition universelle de 1900, à Paris, furent officiellement mesurés à, respectivement, 2,29 m et 2,28 m. Ils pesaient 200 kg chacun.

Géants vivants

Homme • Voir photo.

Femme • L'Américaine Sandy Allen (n.18-06-55), Chicago, Illinois, eut une croissance exceptionnelle dès sa naissance. À 10 ans, elle mesurait 1,90 m ; à 16 ans, 2,16 m. Opérée avec succès de l'hypophyse le 14-07-77, elle mesure aujourd'hui 2,32 m, pèse 210 kg et chausse du 50.

Français les plus grands

Homme • Le plus grand Français est Jean-Marie Hamel (n.1950), qui pratiqua le basket à l'Institut national des sports. La Fédération française de basket le mesura à 2,20 m.

Femme • Rose-Marie Scheffler (n.10-62) mesure 2,02 m. Elle est basketteuse, en 1re division, à l'ASPTT Lyon.

Jumeaux les plus grands

Hommes • Avec 2,23 m chacun, Michael et James Lanier, n.27-11-69, à Troy, Michigan, sont les plus grands jumeaux du monde. Leur sœur Jennifer ne mesure, elle, que 1,57 m.

France • David et Patrice Maléfant, n.1er-08-73 à Drancy, Seine-Saint-Denis, mesurent 2,04 m et 2,01 m.

POIDS LOURDS

Poids lourds historiques

L'homme le plus gros de l'histoire médicale a été Jon Brower Minnoch (1941-1983), de Bainbridge Island, État de Washington, qui souffrit d'obésité dès l'enfance, mais devint tout de même chauffeur de taxi. Pour soigner cette obésité, il dut être transporté à l'hôpital de Seattle, où il fallut 12 pompiers et un brancard pour le déplacer. L'endocrinologue Robert Schwartz calcula qu'il pesait alors 635 kg.

France • M. Rémond se prétendait l'homme le plus lourd du monde, en 1900, et offrait 1 000 F à qui dépasserait ses mensurations impressionnantes : 311 kg pour 2,15 m de tour de poitrine, 2,88 m de tour de taille et 98 cm de tour de cuisse. Il était né à Offlanges, Jura, en 1882. Marie Curie lui rendit visite en 1934. Il mourut l'année suivante, à 53 ans.

FEMME LA PLUS PETITE

Madge Bester, n.26-04-63 à Johannesburg, Afrique du Sud, est la plus petite femme vivante au monde, avec une taille de 65 cm, pour un poids de 30 kg. Elle souffre d'une paralysie due à une malformation des os, qui la confine dans une chaise roulante.

Jumeaux les plus lourds historiques

Les frères Billy et Benny McCrary, dits McGuire, n.1946, à Hendersonville, USA, pesaient 337 kg et 328 kg, pour un tour de taille de 2,13 m. Catcheurs professionnels, ils furent présentés à 349 kg. Billy mourut d'un accident de moto, le 13-07-79.

Poids lourds vivants

Homme • Notre contemporain le plus lourd est l'Américain Michael Hebranko, n.1954 à New York, qui a fait monter l'aiguille de la balance jusqu'à 410 kg à l'été 1994.

Femme • L'Américaine Rosalie Bradford (n.1943) a atteint le poids record de 544 kg en janvier 1987. Après avoir développé une congestion cardiaque, elle commença un régime et, quand elle fut pesée en février 1994, son poids ne s'élevait plus qu'à 128 kg, soit une perte de 416 kg (moyenne de 60 kg/an).

Mannequin le plus gros

L'Américaine Teighlor, 37 ans, avec un poids maximal de 326,14 kg, est le plus gros mannequin du monde. Née à Los Angeles, elle exerce actuellement à Londres. Elle a, depuis, perdu 81,65 kg.

HOMME LE PLUS GRAND VIVANT

*Le Tunisien Radhouane Charbib (n.27-10-68),
de Ras Jebel, mesure 2,35 m, pèse 166 kg,
a des mains de 30 cm de long, et chausse du 55.
Sa croissance s'est déroulée normalement jusqu'à
l'âge de 15 ans – il mesurait alors 1,71 m.*

HOMME LE PLUS GRAND HISTORIQUE

*L'homme le plus grand, scientifiquement et
indiscutablement reconnu a été Robert Pershing Wadlow,
n.22-02-18 à Alton, Illinois. Le 27-06-40, le Dr Charles, professeur d'anatomie à la faculté de médecine de
Saint Louis, Missouri, et le Dr Cyril McBride constatèrent, en mesurant Robert Wadlow, une taille de 2,72 m
et une envergure (d'une main à l'autre, bras ouverts) de 2,88 m. Dix-huit jours plus tard, le 15-07-40, à 1 h 30,
il mourait dans un hôtel de Manistee, Michigan, des suites d'une blessure infectée. Sa croissance trop rapide
avait rendu la partie inférieure de ses jambes insensible, et un appareil orthopédique mal adapté l'avait
profondément blessé à la cheville droite. À la fin de sa vie, Robert Wadlow grandissait encore, et il aurait
probablement pris 2 cm supplémentaires s'il avait vécu 1 an de plus. Ses pieds mesuraient 47 cm (pointure 71),
et ses mains, du bout du majeur jusqu'au poignet, 32,4 cm. Il fut enterré dans un cercueil aux dimensions
impressionnantes : 3,28 x 0,81 x 0,76 m.*

NAINS JUMEAUX

*Avec 86 cm, John et Greg Rice sont les plus
petits jumeaux vivants du monde. Leur petite
taille ne les a pourtant pas empêchés de faire
une brillante carrière. Promoteurs
immobiliers en Floride dans les
années 70, ils possèdent
aujourd'hui une société de
motivation par la parole,
Think Big, générant
des millions de $.
Cette société organise
des séminaires pour
résoudre les problèmes
de créativité. De plus,
John et Greg Rice
produisent, écrivent,
et interprètent même
des publicités pour leurs
clients.*

Nouveau-nés

MATERNITÉ

Nombre d'enfants

Vivante • Leontina Albina, de San Antonio, Chili, a accouché de son 55e et dernier enfant en 1981. Mariée en Argentine en 1943, elle a eu 5 fois des triplés (tous des garçons) avant de venir vivre au Chili.

France • Madeleine Devaud (n.19-03-10), d'Amuré, Deux-Sèvres, a mis au monde 25 enfants (10 garçons et 15 filles) entre 1928 et 1958. Elle a eu le dernier, Michel, le 5-01-58, à l'âge de 47 ans, 9 mois et 17 jours.

Accouchements

Elizabeth Greenhille, d'Abbots Langley, Herts, GB, a eu un total de 39 enfants (32 filles et 7 garçons) au cours de 38 accouchements. Elle mourut en 1681.

Mères les plus âgées

• L'Italienne Rosanna Dalla Corta, de Viterbo, a donné naissance à un beau garçon de 3,27 kg, le 18-07-94, à l'âge de 63 ans.

• Une femme de nom inconnu, âgée elle aussi de 63 ans, a donné naissance à un enfant, à l'université de Californie du Sud, fin 1996.

Mère la plus jeune

Marta, petite fille brésilienne, a accouché à l'âge de 9 ans d'une petite fille de 2 kg. Ce cas exceptionnel s'explique par une puberté très précoce déclarée dès l'âge de 3 ans. Elle avait été violée par son oncle à 8 ans.

Ménopausée à 68 ans

Jacqueline Thévoz (n.29-04-26), originaire de Haute-Savoie, réglée à la veille de ses 12 ans, n'a commencé sa ménopause que 2 mois et 5 jours après son 68e anniversaire, le 4-07-94.

Grossesse la plus courte

James, le fils de Brenda et James Gill, d'Ottawa, Ontario, Canada, est né à 4 mois 1/2 (prématuré de 128 jours), le 20-05-87. Il pesait 624 g – l'équivalent d'une douzaine d'œufs de poule.

Grossesse la plus longue

• On a pu noter un grand nombre de grossesses variant autour de 14 mois (au lieu de 9), mais l'utilisation de la pilule contraceptive, entraînant parfois une aménorrhée (absence anormale de menstruation), peut fausser ces calculs.

• Le 23-03-10, Jacqueline Haddock, GB, accoucha d'une fille de 1,360 kg, après 13 mois et demi de grossesse, soit 398 jours.

Intervalle entre 2 naissances

Le plus long • Elizabeth Buttle, de Carmarthenshire, GB, a eu 2 enfants au cours de sa vie, nés à 41 ans d'écart. Sa fille, Belinda, est née en 1956, et son fils, Joseph, le 20-11-97, alors qu'elle était âgée de 60 ans.

Le plus court • Margaret Blake, de Luton, GB, a donné naissance à 2 enfants nés de couches différentes, Conor William le 27-03-95 et Theresa Eileen le 23-10-95, à 209 jours d'intervalle.

Accouchement simultané de jumelles

Le 22-02-99, à Catalane, Sicile, 2 sœurs jumelles âgées de 40 ans, Nuccia et Ermelinda Nicotra, accouchaient à la même heure dans 2 hôpitaux. La 1re mettait au monde son 4e enfant, la 2e son 5e enfant.

Nés le 15 février

La fille et la petite-fille de Dominique Perez (n.15-02-32), d'Aiguefonde, Tarn, sont elles aussi nées un 15 février, respectivement en 1959 et en 1984.

Nés le 11 septembre

La famille Wattier, de Sotteville-lès-Rouen, Seine-Maritime, soit les parents, les enfants et leur chien César sont tous nés un 11 septembre (père 1963, mère 1965, fils 1987, fille 1991, chien 1994).

NOUVEAU-NÉS

Bébé le plus lourd

• La géante canadienne de 2,27 m Anna Bates (1846-1888) eut, le 19-01-1879, à Seville, Ohio, un fils pesant 10,7 kg et mesurant 76 cm. Le bébé mourut 11 h plus tard. Son 1er enfant avait été, en 1872, une petite fille mort-né de 8,160 kg.

• En septembre 1996, le petit Américain Zack Strenkert, 17 mois, pesait le poids incroyable de 31,75 kg – équivalent au poids qu'atteignent les jeunes garçons entre 6 et 14 ans. Andrew, son frère aîné, pesait 55 kg à l'âge de 7 ans.

France • Le 20-10-54 est né à Chaumont, Haute-Marne, Philippe Desmet, un bébé au poids exceptionnel de 6,8 kg et à la taille de 59 cm.

Bébés les plus légers

Une petite fille prématurée, n.29-11-89 à l'hôpital universitaire de Loyola, Illinois, pesait 280 g à sa naissance, qui ne fut signalée que 18 mois plus tard, le 29-05-91.

France • À sa naissance, le 15-07-92, à l'hôpital Édouard-Herriot de Lyon, Rhône, la petite Anne Sconza pesait 530 g et mesurait 32 cm.

Bébé le plus « vieux »

Le 16-02-99, à Los Angeles, naissait un petit garçon déjà âgé de 7 ans et demi. En effet, l'insémination pratiquée, et réussie, était celle d'un embryon congelé depuis tout ce temps.

NAISSANCES MULTIPLES

Jumeaux, le plus grand nombre

Historiques • 16 accouchements de jumeaux ont été enregistrés pour Mme Fiodor Vassiliev, de Chouïa, Russie.

Vivants • Barbara Zulu, de Barbeton, Afrique du Sud, porta 3 fois des jumelles, et 3 fois des jumeaux mixtes en 7 ans, de 1967 à 1973.

Jumeaux les plus âgés vivants

Alice et Emily Weller sont nées le 20-04-1888, à 15 min d'intervalle, à Epsom, Surrey. Alice est morte le 21-02-91 à l'âge de 102 ans. Emily vivait en 1997 dans une maison de retraite à Brighton.

France • Nées en 1888, à Ganac, Ariège, les sœurs jumelles Joséphine Payen et Jeanne Pujol ont fêté leur centenaire le 8-12-88. Jeanne est décédée le 20-10-92. En 1997, Joséphine était âgée de 109 ans.

Septuplés

Les 1ers septuplés de l'Histoire ont tous fêté leur 1er anniversaire le 19-11-98. Les époux McCaughey, aidés par 60 bénévoles de l'Église baptiste, se sont, depuis, installés dans une maison équipée de 9 chambres, 3 salles de bains, 2 fours et 4 machines à laver. Chaque jour, ils doivent prévoir 32 biberons, 40 couches et 35 vêtements.

Octuplés

Le 20-12-98, à Houston, Texas, l'Américaine Nken Chukwu, 27 ans – qui avait suivi un traitement contre la stérilité – a donné naissance à des octuplés prématurés tous vivants, pesant entre 300 et 600 g.

Nonuplés

Les seuls nonuplés (5 garçons et 4 filles) connus sont ceux de Geraldine Brodrick, nés le 13-06-71 à l'hôpital de Sydney, Australie. Deux garçons étaient mort-nés, un autre mourut 6 jours après.

Quindécaplés

Le Dr Gennaro Montanino, de Rome, a constaté, le 22-07-77, sur une femme de 35 ans, la présence de 15 fœtus de 4 mois (5 garçons, 10 filles). Cette grossesse était due à un traitement contre la stérilité.

DESCENDANCES

Familles nombreuses

• Thuma Nzumakase « Superpapa », de Tamanday, Zimbabwe, âgé de 68 ans, avait, en juin 1990, 24 femmes et 139 enfants. Il venait d'épouser sa 24e femme, Laster, 13 ans.

• Le Bottin mondain 1996 compte notamment une famille de 17 enfants.

Sextuplés français

Le 14-01-89 sont nés à la maternité de Port-Royal, à Paris, Gaëlle, Mélanie, Doriane, Coralie, Cédric et Kevin, les seuls sextuplés français. Leurs parents, Daniel et Marie-Claude Adam, habitent Saint-Pierre-lès-Elbeuf, Seine-Maritime. Les 6 enfants ont fêté leur 10e anniversaire le 14-01-99. C'est le seul cas français.

Franck Petitdemange, de Toul, Meurthe-et-Moselle, est devenu grand-père à l'âge de 32 ans et 4 mois, le 26-08-97. Sa fille Peggy et son beau-fils Kevin étaient tous deux âgés de 16 ans.

Descendants vivants
À sa mort, le 15-10-92, l'Américain Samuel Mast, de Fryburg, âgé de 96 ans, avait 824 descendants directs encore en vie, dont 11 enfants, 97 petits-enfants, 634 arrière-petits-enfants et 82 arrière-arrière-petits-enfants.

Famille ayant 7 générations vivantes
Augusta Bunge, née Pagel le 13-10-1879 dans le Wisconsin, devint arrière-arrière-arrière-arrière-grand-mère le 21-01-89, lorsque son arrière-arrière-arrière-petite-fille donna naissance à son fils, Christopher Bollig.

Ascendants vivants
Megan Austin (n.16-05-82), de Bar Harbor, Maine, avait encore à cette date ses parents, ses 4 grands-parents, ses 8 arrière-grands-parents, et 5 de ses 16 arrière-arrière-grands-parents, ce qui lui faisait 19 ascendants directs.

Arrière-arrière-arrière grand-mère la plus jeune vivante
Harriet Holmes, de Terre-Neuve, Canada, avait 88 ans et 50 jours lorsqu'elle devint arrière-arrière-arrière-grand-mère le 8-03-87.

Arrière-grand-mère la plus jeune
Suzanne Ferrer (n.1942), de Saint-Sébastien-sur-Loire, Loire-Atlantique, est devenue grand-mère à 33 ans et arrière-grand-mère à 49 ans. Elle mit au monde son 1ᵉʳ enfant à 16 ans en 1958. Le 23-04-76, 18 ans plus tard, elle était grand-mère de Stéphanie, qui eut un enfant à 15 ans, le 6-11-91.

Grand-mère la plus jeune
Catherine Laillier (n.10-06-55), de Saint-Étienne-du-Rouvray, Seine-Maritime, a mis au monde sa fille Nathalie à l'âge de 14 ans. Elle avait 28 ans et 11 mois quand Nathalie, alors âgée de 14 ans et 8 mois, donna naissance à Steve, le 29-05-84.

Grand-pères les plus jeunes
En avril 1996, Dale Wright, de Nuneaton, GB, devenait grand-père à l'âge de 29 ans. Père à 15 ans, son fils Stephen a repris le flambeau à 14 ans en lui donnant une petite-fille prénommée Louise. La femme de Dale a elle aussi 29 ans et l'amie de Stephen 14 ans.
France • *Voir photo.*

Père le plus vieux
L'Australien Les Colley a eu à 92 ans, avec sa seconde épouse, un petit Oswald, en 1992. 72 ans séparent cet enfant de son demi-frère.

Cousins
Christian Ferru a établi l'arbre généalogique de Jean Ferru, qui vivait au XVIIᵉ siècle et la liste de ses descendants vivants : 4 833 cousins. Il en a réuni 2 500 à Lezay, Deux-Sèvres, le 4-08-91.

Familles séparées
Une enquête de 15 jours menée par l'Armée du salut a permis à William Pring (n.4-04-04), de Clacton-on-Sea, GB, de retrouver, le 20-11-88, après 81 ans de séparation, sa sœur Elsie (n.7-11-1897), de Southampton.
France • Deux frères, Éléonor Michon (n.1915) et René Michon (n.1917) se sont retrouvés à Longny-au-Perche, Orne, le 25-11-90, après 70 ans de séparation. Ils avaient été pris en charge par l'Assistance publique à la mort de leur père, alors qu'ils avaient 5 et 3 ans.

GÉMELLITÉ

Chaque week-end du 15-08, depuis 4 ans, Pleucadec, dans le Morbihan, organise son fameux « Rassemblement des deux et plus ». En 1998, 1 015 personnes – si on les compte à l'unité – s'y sont retrouvées, dans une authentique ambiance de fête de village. De quoi faire tourner la tête aux 7 000 visiteurs venus pour l'occasion.

Cas intéressants

Arrêt cardiaque le plus long
Le pêcheur norvégien Jan Refsdahl (n.1936) subit un arrêt du cœur de 4 h, le 7-12-87. Passé par-dessus bord, il était tombé dans les eaux glacées de Bergen. Transporté à l'hôpital de Haukeland, alors que sa température avait chuté à 24 °C et que son cœur s'était arrêté de battre, il fut branché sur un cœur-poumon artificiel, et revint à la vie.

Gestation « post mortem »
Une petite fille est née le 5-07-83, 84 jours après que sa mère eut été déclarée cliniquement morte, à Roanoke, Virginie. C'est le cas le plus long de gestation *post mortem*.

Pouls rapide
Le nombre moyen de pulsations au repos est de 70 à 78/min pour un homme, et de 75 à 85 pour une femme. Cette fréquence peut monter à 200 lors d'exercices violents.

Coma le plus long
Elaine Esposito (n.3-12-34/m.25-11-78) fut opérée le 6-08-41 de l'appendicite, à Chicago, Illinois. Elle ne se réveilla jamais, et resta 37 ans et 111 jours dans le coma.

Transfusion sanguine la plus importante
Warren Jyrich, un hémophile de 50 ans, eut besoin de 2 400 dons de sang individuels – soit l'équivalent de 1 080 litres – au cours d'une opération à cœur ouvert, à l'hôpital Michael Reese de Chicago, Illinois, en décembre 1970.

Taux de sucre dans le sang le plus élevé
Jonathan Place, de Mashpee, Maryland, avait un taux de sucre dans le sang 17 fois supérieur à la moyenne, lorsqu'il fut examiné, encore conscient, en février 1997.

Insomnie
Le record d'insomnie volontaire a été battu entre le 14-03 et le 2-04-86 par le Californien Robert McDonald, qui est resté éveillé dans un fauteuil à bascule pendant 453 h 40 min.

Ronflements les plus bruyants
Des ronflements atteignant 93 dB ont été enregistrés le 24-05-93, à Örebro, Suède, pendant le sommeil de Kare Walkert, de Kumala, Suède.

Température la plus élevée subie
Lors d'expériences de l'US Air Force menées en 1960, un homme nu a supporté une température de 205 °C, alors qu'un homme même couvert de vêtements adaptés ne peut pas supporter une température supérieure à 260 °C (la température maximale dans un sauna atteint 140 °C).

Température du corps la plus élevée
Le 10-07-80 – un jour où la température atteignit 32,2 °C avec 44% d'humidité – Willie Jones, Américain de 52 ans, affichait une température de 46,5 °C, lors de son admission au Grady Memorial Hospital, Atlanta, Géorgie, suite à une attaque due à la chaleur excessive. Il sortit de l'hôpital au bout de 24 jours.

Température du corps la plus basse
Au-dessous de 35 °C, un être humain peut mourir d'hypothermie. Karlee Kosolofski (âgée de 2 ans), de Regina, Saskatchewan, Canada, a atteint une température corporelle de 14,2 °C, après avoir été

👤 M. MANGETOUT

Michel Lotito (n.15-06-50), de Grenoble, Isère, connu sous le nom de « M. Mangetout », a avalé du métal et du verre depuis 1959. Les gastro-entérologues qui ont radiographié son estomac ont observé qu'il pouvait absorber 900 g de métal par jour. Depuis 1966, il a ingurgité 18 bicyclettes, 5 Caddie de supermarché, 7 télévisions, 6 chandeliers, 2 lits, une paire de skis, un ordinateur et un avion qu'il ingurgita à Caracas. Lorsqu'il mange un appareil, « M. Mangetout » prend la précaution de le découper au préalable.

Les yeux de la tête

L'Américaine Kimberley Goodman (à gauche), de Chicago, Illinois, est capable de faire sortir ses globes oculaires jusqu'à 11 mm hors de sa tête. Cette performance a été officiellement enregistrée en 1999, en direct sur le plateau de l'émission « Guinness World Records Primetime », par le Dr Martin Greenspoon. À ses côtés se trouve l'un des 2 autres participants qui concourait pour l'homologation de ce record.

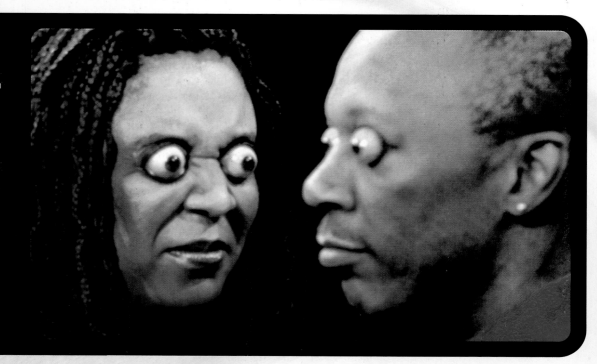

accidentellement laissée à l'extérieur pendant 6 h, à une température de -22 °C. Elle dut être amputée de la jambe gauche, au-dessus du genou.

Éternuements
Donna Griffith (n.1969), de Pershore, GB, a éternué du 13-01-81 au 16-09-83. Elle a éternué environ 1 million de fois durant les 365 premiers jours. Elle a enfin connu sa première journée sans aucun éternuement au bout de 978 jours.

Hoquet
La plus longue crise perturba la vie de Charles Osborne à partir de 1922. Né en 1894, à Anthon, Iowa, il a hoqueté pendant 69 ans et 5 mois (l'attaque est survenue alors qu'il tuait un cochon) sans que l'on ait trouvé de remède, ce qui ne l'a pas empêché de se marier 2 fois et d'avoir 8 enfants. En juillet 1986, il hoquetait 20 à 25 fois/min, alors qu'au début sa fréquence était de 40 hoquets/min, et cela jusqu'en février 1990. Il est mort le 1er-05-91.

Objets ingérés
• Le pire cas d'absorption fut observé chez une femme de 42 ans, qui se plaignait de douleurs abdominales. Les Drs Chalk et Foucar, d'un hôpital d'Ontario, Canada, retirèrent de son estomac, en juin 1927, 2 533 objets, dont 947 épingles tordues.
• On a extrait, en mai 1985, de l'estomac d'un Africain du Sud, 207 objets : 53 brosses à dents, 2 antennes télescopiques, 2 rasoirs et 150 manches de rasoirs jetables.

Survie sous l'eau
En 1986, Michelle Funk, âgée de 2 ans, de Salt Lake City, Utah, s'est complètement rétablie après une immersion dans l'eau de 1 h 6 min. Elle avait fait une chute dans un cours d'eau.

Hypocondriaque
Le cas le plus sérieux de cette maladie, l'hypocondrie, ou syndrome de Münchhausen, aussi grave qu'incurable (désir obsessionnel de rester sous traitement médical), a été observé chez l'Irlandais Stewart McIlroy (n.1906). En 50 ans d'hospitalisation, il a coûté 2,5 millions de £ à la Sécurité sociale. Durant cette période, il fut opéré 400 fois et séjourna dans 100 hôpitaux, en utilisant 22 pseudonymes. Son plus long séjour à l'extérieur dura 6 mois. En 1979, il prit sa retraite à l'hôpital St Brendan, Dublin, Irlande, où il mourut en 1983.

Goûteur de nourriture pour animaux
Edwin Rose, 44 ans, s'honore d'être le seul goûteur de nourriture pour animaux domestiques au monde. Ainsi, pour le compte d'une chaîne de supermarchés, il teste 148 marques de nourriture pour chiens et chats, à raison d'environ 25 fois/semaine.

Voix et sons
• La chanteuse d'opéra française Mado Robin (1918-1960) soutenait un contre-*si* dans la scène de la folie de *Lucie de Lammermoor*, de Donizetti.
• Le 24-07-88, au Fest. de Beslon, Manche, Chantal Tardieu a chanté du contre-*fa* dièse au *fa* dièse grave, soit 5 octaves.
• Barry Girard, de Canton, Ohio, a atteint, en mai 1975, le *mi* (4 340 Hz) qui suit la note la plus haute d'un piano.

Cris les plus forts
Homme • Simon Robinson, de McLaren Vale, Australie, a atteint 128 dB, le 11-11-88.
France • Sylvia Geissert, de Sessenheim, Bas-Rhin, a atteint 114 dB. Ses filles, Marie-Claire et Florence, ont respectivement atteint 110 et 105 dB.

Bruits et sons
Philippe Pujolle, imitateur et comique, a un répertoire de 103 bruits et sons. Il a battu son record de vitesse de bruitage, avec 25 bruits imités en 12 s 81, le 25-08-96, au Festival des Records de La Tour Blanche, Dordogne. Son cri de Tarzan, le 7-04-94, à 9 h 34 du matin, a duré 42 s.

Pétomane
Joseph Pujol, plus connu sous le sobriquet du « Pétomane », est né en France en 1857 et découvrit dès le plus jeune âge son extraordinaire talent consistant à produire de l'air en modulant des sons. Il perfectionna son don, et à l'occasion de ses rares spectacles il interprétait des airs connus et imitait divers bruits. À sa mort, en 1945, la Sorbonne offrit à sa famille 30 000 F pour examiner son corps. La famille, outrée, refusa.

Ventriloquie
Le 2-12-95, à Montrond-les-Bains, Loire, Noël Hermann, ventriloque, a lu le *Livre Guinness des Records* en interprétant 2 personnages et en dialoguant simultanément avec le public, pendant 8 h 21 min 10 s.

GRANDE GUEULE

Afin d'éviter tout accident, l'Américain Jim « The Mouth » Pourol (« La Gueule »), de Whitter, Californie, a troqué ses 143 cigarettes allumées contre 151 pailles standard qui lui permettent de respirer.

Doyens

Contrairement à la plupart des records, ceux qui concernent la longévité humaine sont extrêmement compliqués à homologuer et les recherches relèvent de l'enquête policière, puisqu'il faut fournir les documents et preuves suivantes :
• Documents d'état civil ou religieux concernant directement la personne.
• Documents d'état civil ou religieux la concernant indirectement.
• On doit retrouver ces éléments dans les cahiers décennaux et retrouver la trace de la personne supposée détenir un record dans les différents recensements.
• Actes et registres religieux ou notariés, militaires, scolaires où elle est citée directement ou non.
• Mêmes documents concernant les membres de sa famille, pour établir les concordances indiscutablement.
• Vérifier 10 à 20 ans avant et après qu'il n'y a pas un homonyme dans sa famille.
• S'entretenir avec la personne de son vivant pour faire concorder ses souvenirs avec la réalité.
Ces recherches sont difficiles à mener dans la plupart des pays du globe, en raison d'un système administratif déficient.

Doyens historiques
Femme • *Voir photo.*
Homme • Shigechiyo Izumi, d'Isen, Japon, a vécu 120 ans et 237 jours. Il fut enregistré par le 1er recensement japonais de 1871, à l'âge de 6 ans, et travailla jusqu'à l'âge de 105 ans. Il mourut d'une pneumonie en 1986.

Doyens vivants
Femme • Aujourd'hui, et jusqu'à preuve du contraire, le cas de longévité absolu authentifié appartient à Sarah Knauss, 119 ans. Née le 24-09-1880 à Hollywood, village minier, rattaché depuis à Hazelton, en Pennsylvanie, elle vit maintenant dans une clinique à Allentown, Pennsylvanie. Six générations de sa famille l'entourent à l'occasion de chacun de ses anniversaires.
Homme • Christian Mortensen, Américain d'origine danoise et fumeur de cigares, n.16-08-1882 à Skaarup, fut le doyen du monde durant 10 jours. Il a fêté ses 115 ans en 1997. On a pu authentifier ce record grâce aux registres danois retraçant les 21 premières années de sa vie. Il a déclaré : « Aussi longtemps que je continuerai à m'intéresser à ce qui m'entoure, je vivrai. »

Revendication
Le titre de doyen de l'humanité est l'un des plus convoités de tous, mais les nombreuses revendications suscitées rencontrent des difficultés et sont très controversées. Amm Atwa Moussa, ancien pêcheur égyptien, dit avoir 150 ans. Grand-père de 39 enfants, il a déclaré qu'il avait épousé sa 1re femme 60 ans plus tôt, et qu'il s'est marié 4 fois. L'Américaine Maggie Barnes prétend également à ce titre, et revendique être âgée de 6 mois de plus que Marie Meiller, qui a détenu le record de doyenne du monde d'août 1997 à avril 1998. Ni l'un ni l'autre ne possède de documents pour prouver leur date de naissance. Le minimum exigé par le *Livre Guinness des Records* est un certificat de naissance et des témoignages authentiques des événements majeurs survenus au cours de la vie d'un centenaire. Les personnes qui vivent jusqu'à 100 ans sont appelées centenaires et celles qui atteignent au moins 110 ans, « super-centenaires ». Rien qu'aux USA on compte aujourd'hui 20 000 centenaires, et, selon les démographes, le nombre des personnes qui vivent au moins 100 ans augmente sans cesse. À ce jour, la centenaire la plus célèbre de tous reste la Française Jeanne Calment, morte à l'âge de 122 ans et 172 jours en 1997. Elle détient à ce jour le record absolu de longévité humaine. Elle, qui aura connu 17 présidents de la République, a pratiqué l'escrime jusqu'à l'âge de 85 ans.

RECORDS AUTHENTIFIÉS DE LONGÉVITÉ					
PAYS	ÂGE		NOM	NAISSANCE	DÉCÈS
	ANS	JOURS			
France	122	172	Jeanne Calment	21-02-1875	4-08-1997
États-Unis	119	–	Sarah Knauss	24-09-1880	–
États-Unis	116	88	Carrie White	18-11-1874	15-02-1991
Québec	117	–	Marie-Louise Fébronie Meilleur	29-08-1880	–
Royaume-Uni	115	229	Charlotte Hughes	1-08-1877	17-03-1993
États-Unis	115	–	Christian Mortensen	19-08-1882	–
Canada	113	124	Pierre Joubert	15-07-1701	16-11-1814
France	113	60	Marie Brémont	25-04-1886	–
Australie	112	330	Caroline Maud	11-12-1874	6-11-1987
Espagne	112	228	Josefa Salas Mateo	14-07-1860	27-02-1973
Norvège	112	61	Maren Bolette Torp	21-12-1876	20-07-1989
Maroc	112	–	Mohammed el-Mokri	1844	16-09-1957
Pologne	112	–	Roswlia Mielczarak	1868	7-01-1981
Pays-Bas	111	354	Thomas Peters	6-04-1745	26-03-1857
Suède	111	350	Hulda Johansson	24-02-1882	02-1994
Irlande	111	327	Katherine Plunket	22-11-1820	14-10-1932
Afrique du Sud	111	151	Johanna Booyson	17-01-1857	16-06-1968
Danemark	111	114	Anne Kath. Matthiesen	26-11-1884	26-03-1996
Italie	111	60	Chelidonia Merosi	11-10-1883	02-1995
Tchécoslovaquie	111	–	Marie Bernatkova	22-10-1857	10-1968
Allemagne	111	–	Maria Corba	15-08-1878	03-1990
Finlande	111	–	Fanny Matilda Nystrom	30-09-1878	1989
Yougoslavie	110	150	Demetrius Philipovitch	9-03-1818	08-1928
Grèce	110	–	Tsiatoura Lambrini	1870	19-02-1981
ex-URSS	110	–	Khasako Djougaïev	7-08-1860	08-1970
Suisse	109	173	Suzanne Monney-Perrin	1-11-1880	22-04-1990
Belgique	108	327	Mathilda Vert-Hellemans	12-08-1868	4-07-1977
Islande	108	45	Halldora Bjarndottir	14-10-1873	28-11-1981
Portugal	108	–	Maria Luisa Jorge	7-06-1859	07-1967
Malaisie	106	–	Hassan Bin Yusoff	14-08-1865	01-1972
Luxembourg	105	228	Nicolas Wiscourt	31-12-1872	17-8-1978

Doyenne historique

La Française Jeanne Calment (n.21-02-1875) est décédée le 4-08-97, à l'âge de 122 ans et 172 jours, détenant le record absolu authentifié de longévité humaine. Elle vivait en bonne santé à Arles, Bouches-du-Rhône, où elle passa toute sa vie. Elle continua de fumer sa cigarette quotidienne jusqu'à l'âge de 120 ans. Les secrets de sa longévité : une curiosité insatiable, un humour ravageur, et un amour illimité pour la vie.

👤 DOYENNE FRANÇAISE

Née le 25-04-1886, à Noëllet, Maine-et-Loire, Marie Brémont est aujourd'hui la doyenne des Français. Le 25-04-99, elle a fêté son 113ᵉ anniversaire dans la maison de retraite de l'hôpital de Candé, dans le Maine-et-Loire, en famille, loin des médias. Sans preuve du contraire, le cas de longévité absolu authentifié appartient toujours à l'Américaine Sarah Knauss (n.24-09-1880), âgée de 119 ans.

◫ ÂGE NON AUTHENTIFIÉ

Hannah Njoki Kinuya, habitante du village de Kiria, à 30 km de Nairobi, Kenya, pourrait, à l'âge présumé de 143 ans, être la doyenne du monde. Le Pr Giovanni Perruci, anthropologue italien qui mène une étude sur la longévité dans l'ethnie Kikouyou, a estimé son âge à 140 ans.

Anatomie

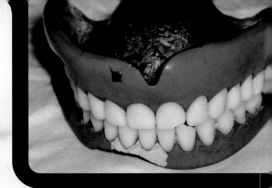

DENTITION

Rangées de dents
Le cas le plus rare est celui de la Française Lison, qui aurait eu, en 1896, 4 rangées de dents.

Nombre de dents
En 1988, le Dr Jean-Loup Moreau, de l'Institut d'odontostomatologie de l'université de Dakar, Sénégal, observa le cas de Birame Badiane, 52 ans, qui possédait 46 dents, soit 14 dents surnuméraires.

Dents de sagesse
Le chanceux Gilles Kintzinger, d'Hyères, Var, possédait 8 dents de sagesse en 1995.

Dents de lait
Shaun Keaney, de Newbury, Berkshire, GB, est né le 10-04-90, avec 12 dents.

Molaires les plus précoces
Les molaires apparaissent habituellement vers 24 mois. Pourtant, on relate un cas observé au Danemark en 1970, d'un prématuré de 6 semaines né avec 8 dents, dont 4 dans la zone des molaires.

Incisive la plus précoce
Jérémy Sécher (n.29-02-92), de Saint-Mandé, Val-de-Marne, a présenté une éruption de l'incisive inférieure gauche le 7-03-92.

Dents à 90 ans
En février 1997, Marie Julia Brûlé Beaudoin possédait encore 28 dents naturelles à l'âge de 90 ans.

Cheveux d'enfant

En décembre 1998, la Galloise Ceri Austin, 10 ans, coupait sa chevelure de 1,22 m pour la 1re fois, au profit des cancéreux. Les 5 000 F récoltés serviront à confectionner des perruques.

Arracheur de dents
Frère Giovanni Orsenigo, dentiste à l'hôpital Fatebene Fratelli, à Rome, exerça entre 1868 et 1904, période durant laquelle il amassa 2 000 744 dents, soit environ 185 dents (6 dentitions complètes)/jour.

Dentiers
Le plus petit • Jacques Delmail, de Moreuil, Somme, possède un petit dentier sculpté à partir d'une brosse à dents en os. Il comporte 28 dents et mesure 14 x 10 mm.
Retrouvé • En 1995, un pêcheur hollandais a retrouvé dans le ventre d'une morue qu'il venait de pêcher un dentier intact qu'un sexagénaire avait perdu, 3 mois plus tôt, dans la mer du Nord.

Dent la plus chère
En 1816, une dent appartenant à Isaac Newton (1643-1727) a été vendue à Londres 730 £ (environ 8 000 F) à un Londonien qui la fit monter en chevalière.

MAINS ET PIEDS

Ongles les plus longs
Homme • La taille totale, mesurée fin 1998, des ongles de Shridhar Chillal (n.18-08-37), Inde, était de 615 cm pour les 5 ongles de la main gauche (pouce : 142 cm, index : 109 cm, majeur : 117 cm, annulaire : 126 cm, auriculaire : 121 cm). Il a coupé ses ongles la dernière fois en décembre 1952.
Femme • L'Américaine Frances Redmond a les ongles les plus longs du monde pour une Occidentale. Ils ont atteint 48 cm en 12 ans de culture.

Pieds les plus grands
Si l'on excepte les cas d'éléphantiasis, les pieds les plus grands du monde sont ceux de Matthew McGrory (n.17-05-73), de Pennsylvanie. Il chausse du 86,5 taille française. Âgé de 25 ans, Matthew McGrory mesure 2,29 m. Ses chaussures sont

fabriquées sur mesure par Converse, et ses chaussettes tricotées par sa maman.

SYSTÈME PILEUX

Cheveux les plus longs
Homme • Les cheveux de Hu Saelao, un vieillard de 85 ans d'une tribu de la province de Chiang Mai, Thaïlande, poussent sans entrave depuis plus de 70 ans et mesurent 5,15 m de long. C'est une tradition masculine thaïlandaise de laisser ainsi pousser ses cheveux.
Femme • La chevelure de l'Américaine Diane Witt, qui cessa de couper ses cheveux en 1981, mesurait, en mars 1993, 3,86 m de long.

Cheveux d'enfant les plus longs
Le 4-06-98, les cheveux d'Alexandra Grandjean (n.21-06-85), de Fameck, Moselle, mesuraient, secs, 1,29 m de long. Ils n'ont jamais été coupés depuis sa naissance, sauf les pointes (3 cm) tous les 6 mois.

Femme la plus velue
Julia Pastrana (n.1834), issue d'une tribu indienne du Mexique, était couverte de poils, sauf sur les yeux. Exhibée aux USA, au Canada et en Europe dans les années 1850, elle mourut en couches en 1860 et fut momifiée peu après. En 1964, Marco Ferreri tourna Le Mari de la femme à barbe, inspiré de sa vie. Sa momie fut montrée en Norvège et au Danemark dans les années 70, avant de disparaître mystérieusement. On la retrouva en 1990.

Records de prix
• Mèche de cheveux du duc d'Enghien sur médaillon : 13 000 F (1989) ; de Napoléon : 7 800 F (1992) ; de Nelson : 5 575 £ (55 000 F), 18-02-88.
• En 1994, chez Sotheby's, Londres, 2 collectionneurs ont payé 4 000 £ (40 000 F) pour une mèche de 10 cm de long de la chevelure de Beethoven, coupée par

son père en 1827. Les acheteurs avaient dans l'intention d'en extraire l'ADN afin de prouver que Beethoven avait du sang africain dans les veines et souffrait de syphillis.

Barbes les plus longues historiques
La barbe du Norvégien Hans Langseth (n.1846) mesurait 5,33 m le jour de sa mort, en 1927. Elle a été présentée à l'Institut Smithsonian de Washington en 1967.
France • Louis Coulon (n.26-02-1826), mouleur à Montluçon, Allier, exhibait en 1904 une barbe longue de 3,35 m.
Femmes • La plus longue barbe féminine fut celle de Janice Deveree (n.1842), de Bracken, Kentucky. Elle arborait en 1884 une barbe de 36 cm de long.
France • La plus célèbre femme à barbe fut la Française Mme Delait (n.1865), de Thaon, Vosges. Sa barbe mesurait 30 cm.

Moustaches les plus longues
Il faut 3 ans pour obtenir une moustache de 50 cm.
• Celle de l'Indien Kalyan Ramji Sain, qui pousse depuis 1976, mesure 3,39 m, 1,72 m à droite et 1, 67 m à gauche. Pour la garder soignée, il l'enduit du même mélange d'huile, de moutarde, de beurre et de crème. Il la porte enroulée autour des oreilles.
• Birger Pellas (n.21-09-34), de Malmö, Suède, laissa pousser sa moustache à partir de 1973. Elle atteignit 2,77 m en mars 1987.
• Karna Bheel (n.1928), emprisonné à vie en 1949, obtint en 1979 l'autorisation de conserver sa moustache de 2,38 m. Il fut décapité en décembre 1987.

MUSCLES

Muscle le plus gros
Les muscles représentent en moyenne 40 % du poids du corps humain. Le plus volumineux de nos 639 muscles est le gluteus maximus, ou fessier.

📶 POLYDACTYLIE

• En octobre 1996, au pays de Galles, naissait Samantha, bébé en parfaite santé. Seule étrangeté : son père s'aperçut au bout de 10 min qu'elle possédait 24 doigts, tous en état de fonctionnement. Un cas semblable de polydactylie ne se produit qu'une fois sur plusieurs millions.
• Une enquête menée à Londres et datée du 16-09-21 rapporte le cas d'un bébé à 14 doigts et 15 orteils.
• Certains membres de la tribu Wadomo, Zimbabwe, et de la tribu Kalanga, Botswana, n'ont que 2 orteils.

DENTITION

• Le Québécois Albert Vallée, du Cap-de-la-Madeleine, a porté le même dentier durant 54 ans, de 1938 à 1992.
• Bouzid Kadouri, de Batna, Algérie, présente un diastème de 8 mm de large (écart entre les 2 incisives supérieures).
• Mourad Zmati, de Marseille, Bouches-du-Rhône, est, lui, doté d'une dent surnuméraire médiane pointue située entre les 2 incisives centrales supérieures.

Muscle le plus petit

Le *stapedius*, qui contrôle l'étrier au centre du conduit auditif, mesure 1,2 mm de long.

Nombre de seins

Des cas de femmes possédant 10 seins distincts ont été rapportés. Entre 1878 et 1898, un total de 930 cas de multiplication des seins ont été enregistrés.

Tour de taille le plus grand

Le plus grand tour de taille jamais mesuré, 3,02 m, était celui de Walter Hudson à l'époque où il pesait 545 kg, en 1987. Son casse-croûte quotidien se composait de 12 beignets, 10 paquets de chips, 2 pizzas géantes ou 8 plats chinois et 1/2 gâteau.

Tours de taille les plus petits

• Le plus petit tour de taille attesté chez une femme de taille normale au XXᵉ siècle, celui de l'actrice française Mlle Polaire, Émilie Marie Bouchand (1881-1939), mesurait 33 cm.
• Ethel Granger (1905-1982), de Peterborough, GB, a fait passer son tour de taille de 56 à 33 cm entre 1929 et 1939.

Tours de poitrine importants

• Parmi les sujets normaux, mais très musclés (mésomorphes), il est très rare de trouver un tour de poitrine supérieur à 1,40 m.
• Arnold Schwarzenegger remporta les titres de Monsieur Univers et de « L'homme le mieux bâti de tous les temps ». Son tour de poitrine mesure 1,44 m, ses biceps 56 cm, pour un poids de 106 kg et une taille de 1,88 m.

Mollets les plus forts

Au 2-06-94, le mollet gauche de Jean-Manuel Montrieul, de Bricquebec, Manche, mesurait 49 cm de circonférence à froid.

Biceps

Le biceps droit de Denis Sester, de Bloomington, Minnesota, mesure 77,8 cm de circonférence à froid. Comparer à celui de Schwarzenegger de 56 cm.

ASSURANCE

Corps le plus cher

Le corps du mannequin britannique Suzanne Mizzi (86-61-86) a été assuré pour la somme de 10 millions de £ (100 millions de F) : 5 millions sont consacrés à son visage, 1 million à ses bras, 1 million à son postérieur, 1 million à ses jambes et 2 millions à ses seins. Les primes s'élèvent à 35 000 £ (350 000 F)/an. Il lui est interdit de tomber enceinte, de faire de la montgolfière, de se tenir debout dans les gradins d'un stade de football ou d'avoir un comportement immoral.

Jambes les plus chères

Les jambes de Michael Flatley, star des spectacles *Riverdance* et *Lord of the Dance*, ont été assurées pour 25 millions de £ (250 millions de F).

Pieds les plus chers

Les pieds de Charlie Chaplin étaient assurés pour 150 000 $ dans les années 20.

Mains les plus chères

• La main gauche de Keith Richards, guitariste des Rolling Stones, est assurée pour 1 million de £ (10 millions de F).
• Le boxeur britannique Nigel Benn, ex-champion du monde des poids moyens, avait des poings assurés pour 10 millions de £ (100 millions de F) dans les années 90.

Visages les plus chers

Dans les années 20, les visages de Rudolph Valentino, Douglas Fairbanks et Mary Pickford étaient tous les 3 assurés pour la somme de 1 million de $.

Yeux les plus chers

• Dans les années 20, Ben Turpin, célèbre acteur-loucheur de vaudevilles hollywoodiens qui tourna 114 films, paya la somme de 100 000 $ pour conserver la particularité de ses yeux.
• En 1918, au sommet de sa carrière, l'actrice Clara Kimball Young, souvent décrite à l'époque comme la femme la plus belle du monde, assura ses grands yeux pour 150 000 $.

Dents les plus chères

L'artiste de music-hall britannique Ken Dodd a assuré ses dents abîmées – suite à un accident de vélo lorsqu'il était enfant – pour 4 millions de £ (40 millions de F). Il lui est interdit de manger des galets, de faire de la moto, et il doit se brosser les dents au moins 3 fois/jour.

Nez le plus cher

Jimmy Durante, star de *It's A Mad Mad Mad Mad World* (USA, 1963) et *Billy Rose's Jumbo* (USA, 1962), a le nez le plus célèbre de Hollywood. Surnommé « Da Schnozz », il l'avait assuré pour 100 000 $ (600 000 F) au milieu des années 30.

Pénis le plus cher

En 1972, une équipe de médecins français et belges pratiqua l'autopsie de Napoléon Bonaparte. Son pénis de 2,5 cm de long fut mis en vente chez Christie's. Un urologue américain l'acquit 5 ans plus tard pour la somme de 3 800 $ (20 000 F).

POITRINE LA PLUS LOURDE

La Française Ève Lolo Ferrari, de Grasse, Alpes-Maritimes, détient le record de tour de poitrine : 130 bonnet F. Ses seins ont subi 18 opérations pour atteindre ces mensurations, et chacun d'eux pèse 3 kg.

Technologie

Internet 1

Fournisseur mondial le plus important

AOL (America On Line) est le 1er service par le nombre d'abonnés : on en compte 8 millions, dont 1 million ont déjà ouvert leur page personnalisée. D'après une étude PC Meter, 55 % du trafic mondial des particuliers se fait via AOL, ce qui représente quotidiennement : 5 millions d'heures de connexion, 5,5 millions de fichiers chargés, 10 millions d'e.mail échangés, 400 millions de pages visitées.

Réseau le plus grand

Le nombre d'ordinateurs utilisant Internet a doublé chaque année depuis 1987. En janvier 1997, on en dénombrait 16,2 millions, sans compter ceux qui sont connectés mais demeurent cachés, pour éviter les intrusions des pirates.

Site francophone

Le serveur Migale, créé par Frédéric Sierira, est le site francophone le plus important, après Microsoft et Yahoo, qui sont, eux, en anglais. Il ne donne pas d'accès direct aux sites , mais c'est un carnet d'adresses. Pour y accéder on tape http ://www.migale.org

Personnalités les plus citées

Homme • Le moteur de recherche AltaVista a dénombré 1 842 790 sites Internet contenant le nom du président américain Bill Clinton. Le mot « Clinton » est demandé en moyenne 89 160 fois/mois sur Yahoo, un annuaire de sites Web.
Femme • *Voir photo.*

Galeries marchandes

La 1re galerie marchande sur le Web a été créée en 1993 par Jon Zeeff. Il s'agit du Branch Mall (http://www.branchmall.com/), qui comportait à l'origine 2 magasins virtuels, Grant's Flowers et Calling Cards. Visitée seulement par 400 personnes le 1er mois, elle est parcourue aujourd'hui par 3 millions de visiteurs/mois.

Site Web le plus populaire

Yahoo, annuaire classant les sites en grandes catégories, est le site Internet le plus visité au monde. En mars 1998, on dénombrait plus de 95 millions de pages téléchargées/jour.

Moteur de recherche le plus populaire

Plus de 1 milliard de pages Web sont consultées sur AltaVista par 21 millions d'utilisateurs dans le monde chaque mois. Ce moteur recense 140 millions de pages Web et 16 000 newsgroups usenet.

Mots les plus recherchés

Le mot le plus recherché sur Yahoo est « sex », avec 1,5 million de demandes par mois. En 2e position, on trouve « chat » (causer), avec 414 320 recherches mensuelles.

Web bar

Le Web bar, à Paris, ouvert en septembre 1995, est aujourd'hui le plus bel espace public d'Europe dédié au multimédia et à la culture électronique. Chaque année, il voit passer 250 000 visiteurs et propose 250 programmations culturelles publiques (concerts, projections, performances, ateliers). D'une superficie de 450 m2, il est équipé de 25 postes multimédia connectés à Internet, d'une régie technique de diffusion de programmes sur Internet (Web Art TV) et d'équipements audiovisuels haut de gamme.

SHOPPING SUR INTERNET

Depuis le mois d'avril 1999, le Printemps, à Paris, a mis en place dans son magasin des Webcamers ™. Homme ou femme doté d'un matériel micro-informatique portable, d'un téléphone mobile GSM et d'une caméra vidéo, ils sont en permanence reliés à Internet pour satisfaire les désirs des clients internautes, dès 19 h, heure de fermeture du magasin. Véritables « vendeurs du futur », ils rendent accessibles au monde entier le million et demi de références disponibles.

FEMME LA PLUS CITÉE

Pamela Anderson est la femme la plus citée sur le Web. Le moteur de recherche AltaVista a dénombré 1 542 282 sites liés à la star d'Alerte à Malibu et du film Barb Wire (USA, 1996). Elle fait aussi l'objet de 172 760 demandes/mois sur l'annuaire de sites Yahoo.

Service d'infos le plus populaire
Les 7 sites de CNN sont consultés 55 millions de fois/semaine. Ces sites reçoivent en outre plus de 3 000 messages d'utilisateurs par jour. Ils contiennent actuellement plus de 210 000 pages, et s'accroissent en moyenne de 90 à 150 pages/jour.

Nom de domaine le plus populaire
Le nom de domaine est le suffixe de toute adresse Internet, qui indique le type, ou la localisation géographique du site (.fr pour un site français, .edu pour une université...). Le suffixe .com (site commercial) est le plus fréquent, avec au dernier recensement 1,65 million de suffixes .com sur 2,69 millions d'adresses.

Ville la plus connectée
Blacksburg, Virginie, prétend être la ville ayant le plus grand nombre d'utilisateurs d'Internet par rapport à sa taille. Selon un sondage effectué en 1995, il y avait 30 000 utilisateurs réguliers d'Internet sur une population totale de 70 000 habitants.

Cybercafés
CAFE signifie « Communication Access For Everybody ». Ils sont apparus à San Francisco en 1993, sous la houlette du réseau SFNet.
France • *Voir photo.*

Pour leur écrire
Bill Clinton : president@whitehouse.gov
Hillary Clinton : First.Lady@whitehouse.gov
Bill Gates : billg@microsoft.com
Madonna : madonna@wbr.com
Brad Pitt : ciabox@msn.com
Livre Guinness des Records :
guinnessdesrecords@editions.net

Utilisateurs d'Internet
En 1999, les 1ers utilisateurs sont les Américains. Ils sont 54 675 000, soit 8 fois plus nombreux que les Japonais, qui sont les 2es. En France, on en compte seulement 1 175 000, sur environ 100 millions dans le monde. Le total devrait s'élever à 250 millions en l'an 2000, selon l'Internet Industry Almanach (www.c-i-e.com).

GOUVERNEMENTS

USA : www.whitehouse.gov/wh/welcome.html
Russie :
www.kiae.su/www/wtr/kremlin/begin.html
Allemagne : www.bundesregierung.de
GB : www.parliament.uk
Belgique : belgium.fgov.be/welcome.html
Communauté européenne :
www.cec.lu/en/eu/guide fr/index.html
France : premierministre.gouv.fr/

Internet 2

Ventes de produits dérivés d'une cyber star

Pendant l'année 1988, les ventes du T-shirt Dancing Baby ont dépassé 2,8 millions de $ (16,2 millions de F). Les ventes de CD ont dépassé 425 000 $ (2 550 000 F) alors que les ventes internationales et aux USA de la poupée électronique Dancing Baby ont atteint 550 000 $ (3 300 000 F). L'ensemble des autres produits dérivés vendus aux USA, en Australie et en Europe représente la somme d'environ 900 000 $ (5 400 000 F).

Cyberstar la plus populaire

Lara Croft, une jeune aventurière aux formes avantageuses, a « posé » pour plus de 15 couvertures de magazines, dont celle du *Livre Guinness des Records*. Elle est la vedette de *Tomb Raider*, jeu d'action le plus vendu au monde. Créé par Core Design, le jeu s'est vendu à 7 millions d'exemplaires, et a rapporté 220 millions de £ (2,2 millions de F).

Cyberboutique la plus grande

Amazon.com a été fondé en 1994 par Jeff Bezos (USA) et a actuellement vendu ses articles à plus de 5 millions de personnes dans plus de 160 pays. Son catalogue de 4,7 millions de livres, CD et livres enregistrés en fait la plus grandes boutique virtuelle du monde.

Transactions commerciales

En 1997, des transactions représentant un montant supérieur à 2 milliards de $ (12 milliards de F) ont été réalisées aux USA.

Vente aux enchères la plus importante

En octobre 1996, Nick Nutall a mis aux enchères 1 400 pièces d'art oriental dans la plus grande collection qui ait été mise aux enchères sur le Web d'un seul coup. Il s'agissait d'objets en bois sculpté, de bronzes et de mobilier ancien. Les acheteurs potentiels peuvent poser des questions sur les lots, commander le catalogue et faire leurs offres par e-mail.

Base de données la plus grande

Promusic.com, un site d'achat et de vente d'instruments de musique neufs ou d'occasion, d'équipement audio et électronique, de disques rares, également neufs ou de seconde main, de CD, cassettes vidéo et de musique et de livres propose plus de 1 million de références dans sa base de données.

Vidéo-club le plus grand

Avec une offre de plus de 100 000 titres, Real.com est le plus grand vidéo-club au monde sur Internet. Les films, à vendre ou à louer, sont disponibles dans plusieurs formats dont le VHS, le disque laser et le DVD. En plus des nouvelles sorties disponibles le magasin propose le plus grand stock de cassettes d'occasion et emploie 30 rédacteurs pour faire les évaluations des films en stock.

Revenus publicitaires du Net

En tout, les revenus publicitaires sur Internet ont totalisé 1,3 milliard de $ (7,8 milliards de F) dans les neuf mois qui ont suivi septembre 1998. Les revenus trimestriels atteignaient 491 millions de $ (2,95 milliards de F) sur les trois premiers trimestres de l'année 1998, soit une augmentation de 116 % par rapport à 1997 selon un rapport du Pricewaterhousecoopers.

Annonceurs les plus importants

La société Microsoft a dépensé 30,9 millions de $ (185,4 millions de F) en publicité sur Internet. IBM est le 2e plus gros annonceur d'Internet avec 20,1 millions dépensés la même année.

Lancement d'un album

Le groupe britannique Massive Attack a choisi de mettre la totalité de son 3e album, *Mezzanine* (1998), en ligne, accompagné d'une vidéo du 1er single, 3 semaines avant sa sortie dans le commerce. Le site a été contacté 1 313 644 fois, et les chansons ont été téléchargées 101 673 fois avant la mise en vente du disque, le 20-04-98. On comptait encore 1 602 658 connections après la sortie de l'album. Malgré sa sortie sur Internet, l'album est entré directement à la 1re place des charts en Grande-Bretagne.

Agence de rencontre la plus grande

Match.com, basée aux USA, a accueilli 1 million de membres payants, à 12,95 $ mensuel (environ 78F), à ses débuts et a attiré 20 000 nouveaux membres chaque

Jeux de rôle en ligne

Avec ses 10 serveurs suffisamment performants pour atteindre 2 500 joueurs simultanément, Origin's Ultima Online est le plus important réseau de jeux de rôle collectif sur Internet dans le monde. Actuellement, plus de 14 000 joueurs y participent chaque jour, dont une grande partie reste plus de 4 h en ligne. À ce jour, le jeu a été vendu à plus de 100 000 exemplaires pendant les 3 premiers mois de sa mise en vente. Avec 32 000 intervenants « résidents », 15 grandes villes, 9 sites religieux et 7 donjons, Brittannia est le plus grand univers parallèle existant sur Internet. En comptant tous les habitants qui le rejoignent quotidiennement et ses immenses régions encore inexplorées, Britannia semble parti pour devenir encore plus important à l'avenir.

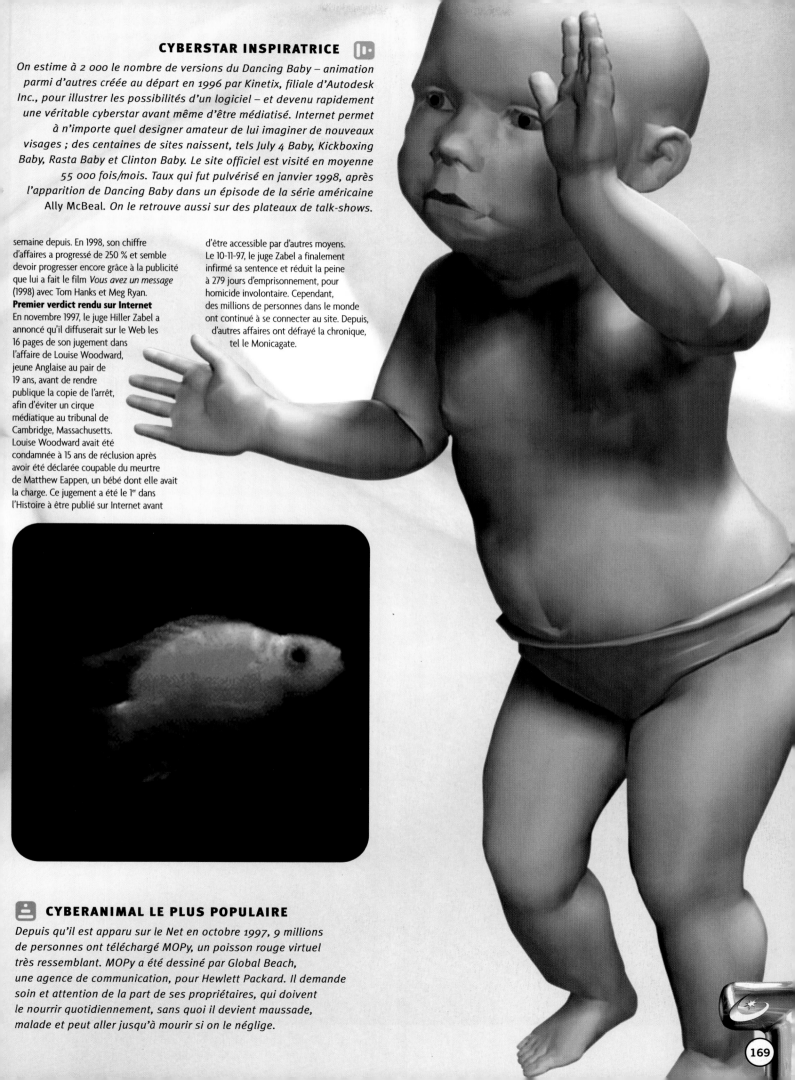

CYBERSTAR INSPIRATRICE

On estime à 2 000 le nombre de versions du Dancing Baby – animation parmi d'autres créée au départ en 1996 par Kinetix, filiale d'Autodesk Inc., pour illustrer les possibilités d'un logiciel – et devenu rapidement une véritable cyberstar avant même d'être médiatisé. Internet permet à n'importe quel designer amateur de lui imaginer de nouveaux visages ; des centaines de sites naissent, tels July 4 Baby, Kickboxing Baby, Rasta Baby et Clinton Baby. Le site officiel est visité en moyenne 55 000 fois/mois. Taux qui fut pulvérisé en janvier 1998, après l'apparition de Dancing Baby dans un épisode de la série américaine Ally McBeal. On le retrouve aussi sur des plateaux de talk-shows.

semaine depuis. En 1998, son chiffre d'affaires a progressé de 250 % et semble devoir progresser encore grâce à la publicité que lui a fait le film *Vous avez un message* (1998) avec Tom Hanks et Meg Ryan.

Premier verdict rendu sur Internet

En novembre 1997, le juge Hiller Zabel a annoncé qu'il diffuserait sur le Web les 16 pages de son jugement dans l'affaire de Louise Woodward, jeune Anglaise au pair de 19 ans, avant de rendre publique la copie de l'arrêt, afin d'éviter un cirque médiatique au tribunal de Cambridge, Massachusetts. Louise Woodward avait été condamnée à 15 ans de réclusion après avoir été déclarée coupable du meurtre de Matthew Eappen, un bébé dont elle avait la charge. Ce jugement a été le 1er dans l'Histoire à être publié sur Internet avant

d'être accessible par d'autres moyens. Le 10-11-97, le juge Zabel a finalement infirmé sa sentence et réduit la peine à 279 jours d'emprisonnement, pour homicide involontaire. Cependant, des millions de personnes dans le monde ont continué à se connecter au site. Depuis, d'autres affaires ont défrayé la chronique, tel le Monicagate.

CYBERANIMAL LE PLUS POPULAIRE

Depuis qu'il est apparu sur le Net en octobre 1997, 9 millions de personnes ont téléchargé MOPy, un poisson rouge virtuel très ressemblant. MOPy a été dessiné par Global Beach, une agence de communication, pour Hewlett Packard. Il demande soin et attention de la part de ses propriétaires, qui doivent le nourrir quotidiennement, sans quoi il devient maussade, malade et peut aller jusqu'à mourir si on le néglige.

Ordinateurs

Clavier le plus petit

Le plus petit clavier d'ordinateur avec complément numérique, symboles et clés de commande, fut breveté le 18-03-97 par David Levey, de l'Institute of Technology du Massachusetts. Il mesure 7,62 x 3,084 cm, soit 60 % de la taille d'une carte de crédit.

Ordinateurs les plus rapides

• Le record du monde de vitesse a été atteint en décembre 1994 par une équipe de scientifiques des Sandia National Laboratories et d'Intel, qui ont mis en réseau 2 ordinateurs à architecture parallèle Intel Paragon, à 6 768 microprocesseurs. Le système a tourné à la vitesse de 281 gigaflops (281 milliards d'opérations à virgule flottante par seconde) sur le test Linpack. Il a dépassé 328 gigaflops sur un programme utilisé pour des calculs de signatures radar. Ce système utilise 6 768 processeurs travaillant en parallèle.

• En 1996, Cray Research, Eagan, Minnesota, a mis au point le T3E, qui a une vitesse théorique de 1,2 million d'opérations à virgule flottante par seconde.

• L'ordinateur générique en vente le plus rapide du monde est le Cray Y-MP C90, qui dispose de 2 Go de mémoire et 16 processeurs installés en parallèle, lui permettant d'atteindre une puissance de 16 gigaflops.

• Intel a mis au point un super-ordinateur encore plus rapide en 1996, en utilisant 9 072 processeurs Pentium Pro à 200 MHz, et 608 Go de mémoire. Il peut atteindre une vitesse de 1,8 teraflop.

• En septembre 1997, une agence dépendant du ministère de la Défense américain a chargé John McDonald, chercheur en informatique, de construire un ordinateur pouvant réaliser un million de milliards d'opérations par seconde. Ce projet de 3 ans devrait aboutir sur l'ordinateur le plus rapide du monde, utilisé pour la simulation de batailles et de catastrophes naturelles.

Puce la plus rapide

Le microprocesseur le plus rapide est la puce *Alpha 21164*, dévoilée par Digital Equipment Corporation (DEC) de Maynard, Massachusetts, en 1994. Elle peut fonctionner à une vitesse de 300 MHz, contre 66 MHz pour un PC. En septembre 1997, IBM et Microelectronics ont présenté la 1ᵉ micropuce en cuivre. Le cuivre a depuis longtemps été reconnu comme un conducteur électrique de qualité supérieure, mais, comme il s'est révélé difficile de l'adapter à la fabrication de semi-conducteurs, l'aluminium était utilisé jusqu'à présent. Ce développement permet de réduire les circuits électroniques et d'augmenter l'intelligence (logique informatique) de chaque micropuce. Cette technologie est appelée *CMOS 7S* et sera utilisée pour la fabrication de micro-processeurs plus performants pour équiper les systèmes informatiques. Cela permettra aussi aux fabricants de produire du matériel plus petit et plus léger nécessitant moins d'énergie, moins de circuits de refroidissement, et d'intégrer des fonctions plus complexes que celles qui existent sur le marché aujourd'hui.

Bug potentiel le pire

Le bug du millénaire, le 1ᵉʳ-01-2000, pourrait provoquer le plantage de millions de systèmes informatiques, notamment ceux d'hôpitaux, de banques, de centres de contrôle aériens, de voitures, d'avions et de bases de données gouvernementales. Il se produira dans tous les systèmes informatiques qui codent l'année en cours sur 2 octets (99 pour 1999). Ces systèmes seront incapables de comprendre que l'année 2000 est celle qui suit 1999. Des prévisions pessimistes chiffrent à 4 000 milliards de $ (24000 milliards de F) le coût total pour préparer les systèmes et réparer les conséquences engendrées par ce bug.

Virus le plus répandu

Détecté en 1997, le virus CAP attaque les fichiers au format Microsoft Word. Il s'agit d'une suite de macros (programmes servant à automatiser certaines commandes) qui changent la façon dont les fichiers sont ouverts, fermés et sauvegardés. CAP se répand en se liant à un fichier qui est automatiquement ouvert à chaque fois que l'on accède à un document Word. CAP est le virus le plus répandu de l'histoire de l'informatique, probablement parce qu'il est le plus embarrassant pour des utilisateurs néophytes.

Nombre factorisé le plus grand

En avril 1997, des scientifiques de l'université de Purdue, Indiana, ont coordonné des

Manuel d'utilisation le plus simple pour un ordinateur

L'ordinateur individuel iMAC de la société Apple a été mis en vente aux USA en août 97, et en France quelques mois plus tard.

La particularité de cet ordinateur d'une seule pièce, outre son design translucide, tient en sa notice d'instructions qui ne comporte que 6 photos et 36 mots. L'argument principal est qu'un utilisateur de l'iMAC n'a besoin que de le brancher pour l'utiliser. En avril 99, les ventes de l'iMAC avoisinaient les 2 millions d'exemplaires, ce qui contribue au redressement d'Apple. Après avoir affiché un déficit de 2 milliards de $ (12 milliards de F), entre 1995 et 1997, la société affiche en effet un bénéfice constant depuis 18 mois.

Le micro-disque d'IBM peut traiter 2,5 Giga de données dans 6,45 cm² de surface exploitable. Il fut inventé en mars 1999 par une équipe de recherche de la Storage System's Division, à San Jose, Californie. Ce disque dur d'une grande puissance, et d'un poids réduit, consomme également moins d'énergie, ce qui est primordial pour les designers d'ordinateurs portables.

équipes de recherche à travers le monde pour factoriser un nombre comportant 167 chiffres en deux nombres de 80 et 87 chiffres.

Plus grand nombre premier trouvé sur ordinateur

Le 27-01-98, Roland Clarkson, un étudiant de 19 ans, a découvert le nombre premier $2^{3\,021\,377}-1$, long de 909 526 chiffres. C'est le 37ᵉ nombre de Mersenne.

Ordinateur joueur d'échecs

Deep Blue, d'IBM, est le 1ᵉʳ ordinateur à avoir battu un champion du monde d'échecs. Il a gagné la 1ʳᵉ fois une partie contre Garry Kasparov à Philadelphie, en 1995. Le 11-05-97, il a remporté cette fois-ci un tournoi en 6 parties, sur le score de 3 contre 2.

Miniatures

Une équipe de scientifiques du laboratoire de recherche d'IBM de Zurich, Suisse, a conçu et fabriqué une machine à calculer d'un diamètre inférieur à 1 millionième de mm. L'ordinateur de poche le plus petit du monde sur le marché est le Psion Series 5. Il ne pèse que 345 g, en comptant les batteries. Il est équipé d'un clavier digital et d'un écran tactile.

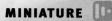

MINIATURE

Développé par IBM au Japon, ce PC portable est constitué de 3 principaux éléments. L'unité centrale, de la taille d'un baladeur, peut être attachée à une ceinture ou mise dans une poche. L'écran, de 1,5 cm², est un viseur qui se place à 3 cm de l'œil droit. Transparent, il donne l'illusion d'une vision plein écran grâce à l'utilisation de la profondeur de champ et de la vision latérale. Fin 1999, IBM devrait y ajouter un affichage couleur haute résolution. Les techniciens qui devaient se référer à des manuels d'utilisation complexes pourront désormais voir les documents sans détourner leur attention.

Jeux vidéo

Jeux les plus vendus

• C'est la série des Mario, imaginée par Shigeru Miyamoto, qui s'est le plus vendue dans le monde, avec 130 millions d'exemplaires, soit une quinzaine d'épisodes sur toutes les consoles Nintendo : Game Boy, NES, Super Nintendo et Nintendo 64. Mario, le plombier moustachu, est apparu pour la 1re fois en 1981 dans la borne d'arcade *Donkey Kong* : sa mission consistait à sauver sa fiancée des griffes du méchant gorille. *Super Mario Bros 3* s'est vendu à 15 millions d'exemplaires à travers le monde et détient le record de vente pour un jeu vidéo.

• Après sa sortie en 1993, 500 000 copies de *Myst* furent vendues la 1re année. Le jeu atteint maintenant les 4 millions d'exemplaires vendus, pour un total de 100 millions de $ (600 millions de F). C'est le 1er jeu vidéo à s'être vendu à plus de 2 millions de copies. *Myst* et sa suite, *Riven*, étaient n° 1 et 2 des ventes de logiciels en 1997. Ce jeu incorpore des animations en 3D et des technologies avancées pour le son et la musique. Il a été mis au point par Cyan et est diffusé par Broderbrund.

• Le jeu *MS Flight Simulator*, de Microsoft, est sorti en avril 1992. En mai 1998, 196 227 exemplaires avaient été vendus, pour un total de 99,2 millions de $ (600 millions de F).

• *Resident Evil 2*, de Capcom Entertainment, s'est vendu à plus de 380 000 exemplaires lors de son week-end de sortie, soit plus de 60 % de sa production initiale. Il rapporta 19 millions de $ (114 millions de F), dépassant les revenus de toute activité ce week-end-là, sauf un film. Le jeu, sorti sur PlayStation, a battu les records détenus par les plus grands succès de l'industrie : *Final Fantasy VII* et *Super Mario 64*. Le lancement était accompagné d'une campagne publicitaire de 5 millions de $ (30 millions de F).

France • *Flashback*, de Delphine Software, est le jeu français le plus vendu, toutes machines confondues. Ses ventes ont atteint le million d'exemplaires dans le monde.

Ventes les plus rapides

• Dès sa sortie, *Final Fantasy VII*, sur PlayStation, s'est vendu à 2 millions d'unités au Japon en 3 jours. Ce jeu, développé par Squaresoft, est sorti en novembre 1997 et s'est vendu à 3 millions d'exemplaires sur la PlayStation de Sony.

• *Riven*, la suite de *Myst*, a été développée par Cyan. En mai 1998, un total de 1 003 414 exemplaires s'était vendu, soit une recette de 43,7 millions de $ (260 millions de F). *Riven* comporte 5 cédéroms avec 2 fois plus d'images et 3 fois plus d'animation que dans *Myst*.

• *Donkey Kong Country*, sur Super Nintendo, s'est vendu dans le monde à 6 millions d'exemplaires en 6 semaines.

Consoles les plus vendues

• La console de jeu la plus vendue est la NES (Nintendo Entertainment System), avec 62 millions d'unités dans le monde.

• Le Game Boy est la console portable qui s'est le plus vendue dans le monde, avec 55 millions d'exemplaires. Depuis 1996, il existe un nouveau modèle, dénommé Game Boy Pocket, plus petit et plus léger.

• Jusqu'en février 1998, la PlayStation de Sony s'est vendue à un record mondial de 30 millions d'exemplaires à travers le monde (dont 10 millions en Amérique du Nord). Sony Computer Entertainment Inc. a dépensé 300 millions de $ (1,8 milliard de F) pour la mettre au point. La console fait tourner des jeux tels que *Tomb Raider* et *Final Fantasy VII*. À ce jour, le Japon, les USA et l'Europe ont fabriqué environ 135 millions d'exemplaires de jeux pour la PlayStation.

Jeu le plus difficile

Le jeu *Jane's Combat Simulations : 688(I) Hunter/Killer* est considéré comme le jeu de simulation de sous-marins le plus réaliste développé sur PC. Le jeu a été mis au point par des industriels de la défense qui construisent des simulateurs de sous-marins pour la marine américaine. Des connaissances en mécanique des fluides sont un atout pour le joueur, qui doit aussi maîtriser le sonar, les systèmes d'armement, pouvoir développer des solutions pour atteindre sa cible, et être capable d'équiper le vaisseau des armes les plus sophistiquées existantes.

Fabricant de jeux vidéo le plus important

Pendant le 3e trimestre 1997, Electronic Arts, Californie, a réalisé des ventes de 391 millions de $ (2,3 milliards de F) et un profit de 58 millions de $ (348 millions de F). La société met au point, publie, et distribue des logiciels pour PC ainsi que pour les consoles Sony PlayStation et Nintendo 64.

CA le plus important

Fondée en 1889 par Fusajiro Yamauchi pour fabriquer et commercialiser des cartes à jouer, Nintendo s'est, depuis le début des années 80, spécialisée dans les jeux vidéo. La société nippone réalise un CA annuel de 15 milliards de F et a vendu un milliard de jeux en 15 ans. Pour le lancement de Nintendo 64 en France, la firme japonaise a prévu un budget de 50 millions de F. France • Le n° 1 français est Infogrames, avec un CA record en 1996 de 663 millions de F. Il est n° 1 en Europe. Suit Ubisoft, avec un CA de 632 millions de F, en 1998.

Magazine le plus vendu

PlayStation Magazine, édité par Hachette-Disney-Presse, est le magazine français spécialisé dans les jeux vidéo le plus vendu. Ce mensuel consacré exclusivement à la PlayStation est vendu à 100 000 exemplaires.

🎮 GAME BOY

En 1998, le Game Boy de Nintendo s'était vendu à 4,1 millions d'unités en France. Lancé le 23-10-98, le Game Boy Color a déjà conquis 150 000 joueurs. Pour 1999, 80 jeux sont en développement. Lancé en 1998, le Game Boy avec caméra permet de réaliser et de stocker 30 photos.

Rogue Squadron

En France, la sortie tant attendue du film est prévue pour le mois d'octobre 1999 et déjà l'univers du nouvel épisode de *Star Wars* se décline en jeux vidéo. Après *Rogue Squadron*, 2 autres jeux devraient sortir sur PC d'ici à l'an 2000, chacun étant inspiré de l'histoire de *La Menace fantôme*. Tous sont édités par Lucas Arts.

LEGEND OF ZELDA : OCARINA OF TIME

Lancé le 12-12-98, le nouvel épisode de Zelda a battu un record historique. Disponible uniquement sur Nintendo 64, il s'est vendu à 6 millions d'unités dans le monde en 8 semaines, dont 250 000 unités en France en 2 semaines (80 000 le 1er jour). Baptisé « meilleur jeu du monde » par les professionnels, sa conception aura nécessité 3 ans de travail et une équipe de 120 personnes. Ce jeu a fait sa 1re apparition en 1987 sur la console NES 8 bits sous le titre La Légende de Zelda. Il a été le 1er jeu vidéo à dépasser le million d'unités vendues.

Jeu le plus cher

66 millions de F : c'est le coût de *Wing Commander IV*, d'Electronic Arts, pour PC. 2 mois de tournage, 38 décors, des acteurs en chair et en os – dont Mark Hamill, le Luke Skywalker de *La Guerre des étoiles* – auront été nécessaires pour réaliser ce cédérom digne des superproductions d'Hollywood.
France • Le jeu français le plus cher est *Urban Runner* pour PC. Réalisé par la Française Muriel Tramis et édité par Sierra, ce jeu d'aventure a demandé un investissement de 16 millions de F. Son coût a dépassé celui de *Fade to Black*, également pour PC, conçu en 1995 par Paul Cuisset, de Delphine Software, et dont le budget avait atteint 12 millions de F.

Investisseur le plus célèbre

Alain Prost est la 1re personnalité française à avoir investi massivement dans les jeux vidéo : il est actionnaire des centres de jeux « La Tête dans les nuages » (anciennement centres Sega), des salles de jeux d'un nouveau genre qui mettent à la disposition du public les plus récentes bornes d'arcade.

Console la plus puissante

Avec un microprocesseur fonctionnant sur 128 bits, une architecture proche de celle d'un PC et dont le système d'exploitation est conçu par Microsoft, la Dreamcast du japonais Sega est la console de jeu la plus puissante jamais construite. Sa capacité de stockage des informations est en effet de 40 % supérieure à celle des autres consoles et l'engin est livré avec un modem de connection à Internet intégré. Pour l'an 2000, la nouvelle génération de console portera le nom de PlayStation II (par Sony) ou Dolphin (par Nintendo).

Jeux

Jeu de dames : parties simultanées
Le Révérend Roy White joua simultanément 363 parties, et les gagna toutes, à l'université canadienne Leslie Thomas Junior, le 16-11-96.

Jeu de rôle
L'Ass. Stalagmythes de l'ESC de Tours, Indre-et-Loire, détient le record de la partie de jeu de rôle la plus longue sans interruption : 79 h 36 min 20 s, du 16 au 19-03-95.

Scrabble
Hervé Cojean, de St-Martin-des-Champs, Manche, a réussi le 11-05-95 le coup le plus cher au Scrabble avec le tirage D H P T E E Z, qui lui a rapporté 1 481 points avec « déshypothéquiez » et, au total, un score de 1 751 points.

Monopoly
• La partie la plus longue jamais jouée a duré 1 680 h, soit 70 jours.
• La partie la plus démesurée eut lieu en 1967, au Juniate College de Huttington, Pennsylvanie : le plateau était plus grand qu'un pâté de maisons, les dés – énormes cubes de mousse – étaient jetés du 3e étage, et les joueurs, équipés de talkies-walkies, étaient informés de leurs coups par des messagers à bicyclette.

• La partie marathon la plus longue joué sous l'eau dura 1 008 h, pendant 42 jours, et mobilisa 140 personnes en relais, d'une école de plongée californienne.

Mots croisés
• Il est impossible, au-delà de 7 x 7 cases, d'éviter les cases noires. Georges Perec lui-même avait dû inclure un carré noir dans une grille de 7 x 7.
• En 1989, Gabriel Raymond, de Trévoux, Ain, a conçu une grille 7 x 7, vierge de toute case noire, publiée par *Le Nouvel Observateur* en août 1994, composant ainsi la plus grande grille parfaite.
• Au même moment, Bernard Iquetaux développait un logiciel permettant de combiner 49 lettres sans aucune case noire.

Mots fléchés
• Le 27-11-97, *Le Pèlerin Magazine* a publié, à l'occasion de la parution du 6 000e numéro, une grille de mots-fléchés de 6 000 cases, la plus grande jamais publiée.
• Edmond Guigues, de Lattes, Hérault, a réalisé le 31-12-89 une grille de mots fléchés de 9 m², comportant 22 500 cases pour 3 785 mots sur 3 532, soit 7 317 définitions.

Mots carrés
Le Canadien Laurent Baril a réussi à créer une grille de mots carrés de 8 x 8, soit 64 cases, sans case noire, composée de 8 mots de 8 lettres se croisant parfaitement, le 28-06-96.

Carré magique
• Le carré magique est une combinaison de nombres disposés en carré de telle façon que la somme de chacune des lignes, colonnes ou diagonales, soit toujours la même.
• Le 1er-11-94, Louis Caya, de Ste-Foy, Québec, en a composé un de 3 001 cases de côté, numérotées de 1 à 9 006 001. Le total des lignes, colonnes et diagonales est de 13 513 506 001. Ce record du monde a été réalisé à l'aide d'un ordinateur.

Puzzles
Le 2-07-92, à Marseille, Bouches-du-Rhône, le centre socioculturel d'Endoume a réalisé un puzzle de 4 783 m² et de 43 924 pièces.

Solitaire
Stephen Twigge a réussi une partie parfaite en 10 s, à Scissett Baths, GB, le 2-08-91.

ÉCHECS
Champions le plus longtemps
Homme • L'Allemand Emmanuel Lasker (1868-1941) fut tenant du titre pendant 26 ans et 337 jours, de 1894 à 1921.
Femme • Vera Francevna Stevenson-Menchik (1906-1944), URSS puis GB, fut 7 fois championne du monde, entre 1927 et 1944.

Champions les plus jeunes
• *Voir photo.*
• Maïa Grigorievna Tchiburdanidzé (n.17-01-61), URSS, a remporté le titre en 1978, à 17 ans.
GMI le plus jeune • *Voir photo.*

MI le plus jeune
Avant de devenir le plus jeune GMI, Étienne Bacrot, de Méricourt-sur-Somme, a été, à l'âge de 12 ans, le plus jeune Maître

Champions d'échecs les plus jeunes

• Garry Kimovitch Kasparov (n.13-04-63), URSS, a remporté le titre de champion du monde le 9-11-85, à l'âge de 22 ans 210 jours.
• Le Français Étienne Bacrot (n. 22-01-83) a été sacré le 22-03-97 plus jeune GMI de tous les temps, à l'âge de 14 ans et 2 mois. Ce prodige est, d'après son entraîneur et les plus grands joueurs eux-mêmes, beaucoup plus fort que Garry Kasparov au même âge.

MONOPOLY

Créé en 1935 par Charles Darrow, qui le fit commercialiser par Parker, le Monopoly existe aujourd'hui en 23 langues, dans 43 pays. Darrow fut le 1er inventeur de jeu à devenir millionnaire en dollars, et son jeu suscite toujours autant de records. Par exemple, la partie la plus longue jouée sous l'eau avec les mêmes joueurs, qui a duré 101 h. Cette nouvelle performance a été établie le 29-11-98, à Karlstad, Suède, par 9 plongeurs passionnés.

international. Il était déjà champion du monde des moins de 10 ans en 1993, et des moins de 12 ans en 1994.

Classement le plus élevé
• Le plus haut classement Elo atteint selon l'échelle (mise au point par Arpad Elo [1903-1992], USA) est de 2 820 points ; il fut atteint par Garry Kasparov, Russie, en 1997.
• Chez les femmes, Judith Polgar, Hongrie, détenait un score de 2 670 points en 1997.
France • Joël Lautier atteignait le score de 2 660 points en 1997, ce qui le classait 21e au niveau mondial.
• Marina Costagliola est, au 1er-07-97, n°1 française, avec 2 300 points.

Parties simultanées
Champion d'échecs suédois, Ulf Andersson, âgé de 44 ans, a battu le record du plus grand nombre de parties jouées en simultané, en janvier 1996. Sur 310 parties disputées, il n'en a perdu que 2.

Simultanée géante
Le 17-06-99, à Belfort, Territoire de Belfort, 769 adhérents de l'Association Belfort-Échecs ont disputé une simultanée géante.

Contre l'ordinateur
Le 11-05-97, Kasparov a été éliminé lors d'un tournoi par l'ordinateur IBM *Deep Blue*. Pour la 1re fois un GMI n'a pas seulement été vaincu sur une partie, mais sur un tournoi de 6 matchs : avec 31/2 pour Deep et 21/2 pour Kasparov. *Deep Blue* peut envisager 200 millions de positions à la seconde.

BRIDGE
Joueur le plus ancien
Giorgio Belladonna (1923-1995) a fait partie de toutes les équipes italiennes victorieuses : 13 titres mondiaux et 3 Olympiades. Il reste à ce jour le joueur le plus titré de la planète.

Les meilleurs
Selon la Fédération mondiale, les meilleurs joueurs sont en 1997 l'Américain Bob Hamman et l'Américaine Lynn Deas.
France • Au 30-07-97, le 1er joueur français est Paul Chemla ; la 1re joueuse, Claude Blouquit.

ANACYCLO-PALINDROMIQUES

En juin 1998, Jean-Pierre Colignon, de Paris, a réalisé une grille de 25 x 22 composée de palindromes et d'anacycles, c'est-à-dire des mots et des sigles qui, lus de gauche à droite ou de droite à gauche, de haut en bas comme de bas en haut, donnent soit un même mot (palindrome) : ressasser, retater, nanan... soit 2 termes distincts (anacycles) : élucidé/édicule, Sarah/haras, résuma/amuser... Cette grille comporte 205 paires de palindromes et anacycles, soit 410 définitions et réponses.

Technologie

Robots

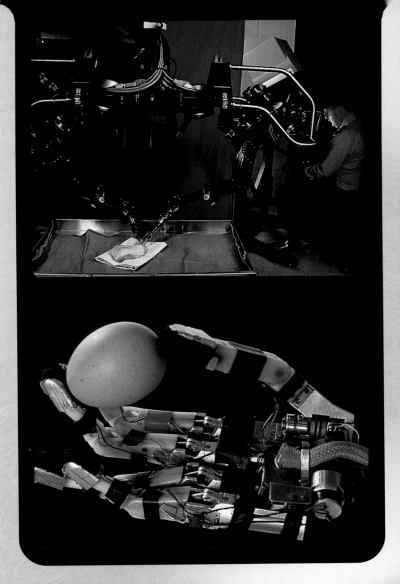

Plus grand nombre de robots animés

En 1993, la société de Steven Spielberg, Amblin Entertainment, basée en Californie, a construit le plus grand nombre de robots animés au monde pour le film *Jurassic Park*. Les 9 espèces de dinosaures furent créées avec du latex, du caoutchouc mousse et de l'uréthane. Ils avaient tous des pupilles se dilatant, une peau pouvant se contracter et des gueules salivantes. Pour les mettre en mouvement, les techniciens ont manipulé des modèles réduits, pour saisir les mouvements et les transmettre aux robots par ordinateur. *Voir photo.*

Robot le plus grand utilisé pour un film

En 1993, Amblin Entertainment a mis au point un tyrannosaure robotisé de 14 m de long et 5,50 m de haut pour le film *Jurassic Park*. Ce monstre de 4 082 kg est une réplique exacte. *Voir photo.*

Robot le plus petit

Le robot photosensible Monsieur, créé par la société japonaise Seiko Epson en 1992, a des dimensions inférieures à 1 cm³ et pèse 1,5 g. Composé de 97 morceaux de montre (2 montres en tout), il peut se déplacer à 1,13 cm/s pendant 5 min. Il a remporté un prix de design lors des Rencontres internationales de micromécanismes grimpeurs.

Usine la plus automatisée

L'usine d'assemblage de Fanuc, à Yamanashi, Japon, mise en service en mars 1997, est la plus automatisée au monde. Elle est composée de robots intelligents à 2 bras qui construisent des mini-robots. Elle est ainsi intégralement automatisée.

Pays possédant le plus grand nombre de robots industriels

Depuis 1991, près de 325 000 robots ont été mis en service dans l'industrie japonaise, soit plus de la moitié des 580 000 utilisés au monde. Cela représente un taux de 265 robots pour 10 000 personnes employées dans l'industrie.

Téléguidages les plus lointains sur Terre

• Le robot *Nomad* a été téléguidé pour un voyage de 215 km, dont 20 km parcourus de façon autonome, dans le désert d'Atacama, Chili, le 31-07-97. Il était contrôlé par le Centre de recherches de la Nasa d'Ames, Californie, et l'Institut de robotique de Mellon, Pittsburgh. L'équipée faisait partie d'un programme de 1,6 million de $ (10 millions de F) destiné à préparer des missions d'exploration en Antarctique, sur la Lune et sur Mars.

Robot ménager

Ci-contre, une des dernières applications de la robotique, le robot aspirateur d'Electrolux. Ce robot ménager a la capacité de se déplacer entièrement seul et de repérer et d'éviter les moindres obstacles qu'il rencontre, pour un résultat parfaitement efficace. À l'avenir, il pourrait bien devenir un outil indispensable pour les ménagères du monde entier.

• En novembre 1996, le professeur Kevin Warwick a combiné l'utilisation d'Internet et d'un robot de 15 cm de long pesant 600 g au département de cybernétique de l'université de Reading, GB, pour programmer un robot identique situé à l'université d'État de New York, afin qu'il se déplace dans son environnement. Une fois le contact établi entre les 2 robots, cela ne nécessitait plus aucune intervention humaine.

Robot domestique le plus avancé

Le 1ᵉʳ-12-97, Electrolux a dévoilé un robot domestique capable de nettoyer efficacement sans surveillance. Ce robot miniature est équipé d'un cerveau électronique et d'un radar de navigation pour lui éviter de heurter des obstacles. Il est capable de nettoyer 95 % des surfaces accessibles, contrairement à un homme, qui n'atteint que 75 % d'entre elles. Bien qu'il ne

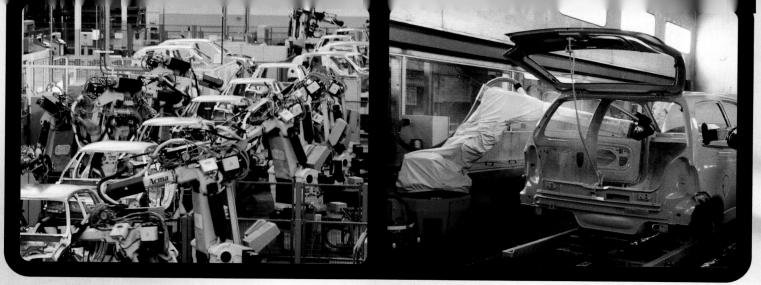

 ## RENAULT

Première utilisatrice de la robotique, l'industrie automobile traça la voie d'un nouveau travail à la chaîne. Ci-dessus, 2 chaînes de montage des usines Renault, soit à gauche le montage de la tôlerie de la Clio 2, et à droite les robots qui appliquent la peinture intérieure de la Twingo. Les autres photos illustrent l'utilisation de la robotique au profit de la médecine moderne, dans la pratique de toutes les opérations délicates.

puisse monter les escaliers, il peut nettoyer un étage entier si les portes sont laissées ouvertes. *Voir photo.*

Robot chirurgical le plus sophistiqué

En février 1998, la société californienne Computer Motion a présenté Zeus, robot qui permet aux chirurgiens de pratiquer des pontages coronariens à travers 3 incisions de la taille d'un stylo. Ce robot ayant été conçu pour supprimer les tremblements des chirurgiens, la société prépare une version pour opérer à distance au moyen de lignes téléphoniques à haut débit.

Robots biologiques

En mars 1998, des scientifiques des universités de Tsukuba et de Tokyo ont créé des robots-insectes en fusionnant des antennes de mites avec des robots à roulettes dotés de « cerveaux » électroniques. Quand les robots détectent des mites femelles, qui sécrètent une substance chimique sexuelle, des puces équipées de systèmes nerveux similaires à ceux des mites mâles dirigent les roulettes vers les odeurs des femelles. On espère que ces prototypes pourront être utilisés pour la destruction des sauterelles et d'autres fléaux à l'avenir, ainsi que pour l'inspection de zones inaccessibles. Le Japon

est devenu le centre principal de la bio-robotique. En janvier 1997, un laboratoire de recherche à l'université de Tokyo pratiquait des tests pour bio-robots.

DINOSAURES

Film-évènement de l'année 1993, Jurassic Park, de Steven Spielberg, mélange des robots animés et des images de synthèse. Le budget total du film n'excéda pas 68 millions de $ (408 millions de F), mais rapporta 913,1 millions de $ (5,48 milliards de F).

Lasers & SFX

Faisceau laser le plus puissant

Le faisceau laser le plus puissant du monde se trouve dans la base de missiles top secrète de White Sands, Nouveau-Mexique. Nécessitant plusieurs millions de watts, ce faisceau est commandé par un moteur de fusée, alimenté d'un mélange d'éthylène et de trifluorure d'azote. Le faisceau est composé de micro-ondes d'une longueur oscillant entre 3,6 et 4,2 microns.

Lumière terrestre la plus étincelante

La lumière la plus étincelante jamais produite sur Terre fut créée par l'équipe de recherche des laboratoires Rutherford Appleton, Oxfordshire, GB, en 1996. Elle est produite au moyen d'un laser ultraviolet appelé *Titania*. Son faisceau mesure 42 cm de diamètre et son intensité lumineuse est de 1 000 trillions de watts, l'équivalent de 10 millions de trillions d'ampoules ordinaires.

Lumière artificielle au plus long faisceau

Le plus long faisceau émanant d'une lumière artificielle fut dirigé par les scientifiques de la Nasa vers un réflecteur placé sur la Lune, lors des missions *Apollo* effectuées entre la fin des années 60 et le début des années 70. Les astronautes positionnèrent le réflecteur de manière que les scientifiques restés sur Terre puissent en faire rejaillir un faisceau laser et obtenir ainsi une mesure précise de la distance (384 500 km) séparant la Terre de la Lune. Les scientifiques durent s'y reprendre parfois à 1 000 fois avant de pouvoir atteindre la cible.

Arme laser la plus puissante

Le 1er test d'arme laser sol-air fut réalisé en octobre 1997. Un laser de 1 million de watts, fut émis de la base de missiles de White Sands, implantée au Nouveau-Mexique, et dirigé vers un satellite lancé en mai 1996. Le satellite, placé en orbite à 415 km de la surface terrestre, fut frappé par le laser à 2 reprises.

Engin spatial laser le plus rapide

L'engin spatial laser le plus rapide du monde, fonctionnant en chauffant un jet gazeux au moyen de faisceau laser, fut testé en novembre 1997 dans la base de missiles de White Sands, Nouveau-Mexique. Lorsque les lasers de l'engin seront utilisés conjointement à l'hydrogène liquide, il dépassera Mach 25 (27 000 km/h).

Lasers les plus utilisés lors des combats

C'est au cours de la guerre du Golfe, le 17-01-91, que fut battu le record d'utilisation d'armes guidées par laser. Des millions de personnes dans le monde entier suivirent en direct le guidage laser précis des missiles jusqu'à leur cible.

Radars de contrôle

La police de Hampshire, GB, a mis en place un système laser détectant les excès de vitesse sur un segment en travaux de la M27, non loin de Portsmouth. De décembre 1996 à mai 1997, le système a épinglé plus de 1 900 contrevenants. Ils avaient dépassé la vitesse temporairement limitée à 80 km/h. Le montant total des amendes s'éleva à 66 000 £.

Écran à projection laser le plus grand

L'ITV (Inflatable Tower Vision) est le plus grand écran du monde à projection laser. Fabriqué par Advanced Entertainment

 VOITURE LUNAIRE

La réalité dépasse parfois la fiction. Le 26-07-71, David Scott Alfred Worden et James Irwin, de la mission Apollo 15, *alunissaient. Ils utilisèrent la jeep lunaire pour 3 sorties.*

« DEEP IMPACT »

Deep Impact mettait en scène la chute d'une météorite géante sur la terre. Une scène montra un gigantesque raz de marée engloutissant New York. Les studios Dreamworks recréèrent, grâce aux images de synthèse, une vague de plus de 100 m de haut dont les photos ci-dessous présentent les étapes de réalisation.

Effets très spéciaux

« The Matrix » utilisa des procédés d'effets visuels très particuliers, additionnant les caméras tournant en 24 images/s, le montage des prises de vue multiples tout autour des personnages, et de bons vieux harnais pour faire voler les protagonistes, comme dans les vieux films de kung-fu.

« THE MATRIX »

Alors que le monde a les yeux rivés vers la galaxie Star Wars, c'est The Matrix qui affichait début 1999 les plus beaux scores. Ce thriller de science-fiction engrangea une recette de 37 352 331 $ (224 millions de F) sur les 5 premiers jours de projection et a réalisé 35 % des recettes du box-office américain pour son 1er week-end avec un record de 27 788 331 $ (environ 162 millions de F). The Matrix a été réalisé et écrit par les frères Wachowski et met en scène Keanu Reeves et Carrie-Anne Moss.

Technologies, Californie, cet écran gonflable en nylon hautement réflectif mesure 21 m de long.
Il est soutenu par 2 cônes gonflables de 7,50 m de diamètre et résiste à une vitesse éolienne continue de 48 km/h. Il servit lors de concerts organisés dans le monde entier.

Estrade la plus lumineuse
L'estrade la plus lumineuse jamais érigée, si l'on considère la quantité d'énergie nécessaire, est celle utilisée par Johnny Hallyday, lors d'un concert au Zénith, Paris, en décembre 1984. La tribune consommait tellement d'énergie qu'il fallut installer une sous-station pour que le spectacle continue.

Satellites

Portable : couverture la plus vaste

En mai 1998, le réseau de téléphone mobile Iridium lança ses 5 derniers satellites de communication, portant leur nombre total à 66, soit la plus importante « flotte spatiale » qui ait existé. Le système Iridium, dont l'opérateur, qui assure aussi son entretien, est Motorola, fournit la couverture la plus complète au monde pour téléphones mobiles. Les téléphones sont un peu plus larges que les autres et le réseau Iridium permet à ses utilisateurs de téléphoner depuis n'importe où dans le monde. Ci-dessous, un réfugié du Kosovo, dans un camp en Macédoine, joignant sa famille grâce au réseau satellite Iridium.

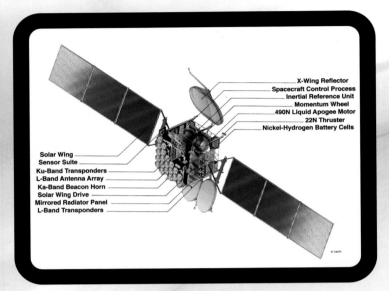

X-Wing Reflector
Spacecraft Control Process
Inertial Reference Unit
Momentum Wheel
490N Liquid Apogee Motor
22N Thruster
Nickel-Hydrogen Battery Cells

Solar Wing
Sensor Suite
Ku-Band Transponders
L-Band Antenna Array
Ka-Band Beacon Horn
Solar Wing Drive
Mirrored Radiator Panel
L-Band Transponders

Satellite artificiel le plus brillant visible de la Terre

La station spatiale *Mir* est, parmi les engins lancés dans l'espace, le plus brillant que l'on puisse apercevoir depuis la Terre. En termes astronomiques, à la magnitude zéro, sa luminosité est égale à celle de l'étoile la plus proche de nous : Alpha du Centaure.

Objet le plus éloigné visible de la Terre

En 1998 le NEAR (l'engin « Rendez-vous ») de la Nasa, a parcouru une révolution autour de la Terre pour se propulser vers l'astéroïde Éros. Encore à proximité de la Terre en janvier 1998 – ce qui fit de lui le 1er engin interplanétaire visible à l'œil nu –, il a été photographié à 33,65 millions de km le 1er-04 par l'astronome Gordon Garradd, de Loomberah, en Australie. Cette distance, 100 fois plus grande que celle qui nous sépare de la Lune, en fait la construction humaine la plus lointaine jamais observée.

Engin commercial s'étant approché le plus près de la Lune

Le satellite de communication *HGS-1* fut placé sur une orbite elliptique inusitée à la suite d'un dysfonctionnement de la fusée qui le lança en 1998. Afin de corriger son parcours, on l'a fait passer par une orbite autour de la Lune. Pendant cette manœuvre, il est passé à 6 212 km de la surface lunaire, soit la distance la plus petite à laquelle un satellite commercial de communication se soit trouvé.

Satellite de communication le plus puissant

Le satellite HS702 de la Hughes Space and Communications peut émettre un signal de 15 kW, ce qui en fait l'engin commercial le plus puissant du monde. Le satellite utilise deux cellules solaires ultrasensibles, déployées afin de trouver l'énergie nécessaire à cette émission.

Fabricant de satellites de communication le plus important

La société Hughes Space and Communications, de Los Angeles, a fourni 147 satellites au secteur commercial, environ 40% de ceux actuellement en fonction.

Usine de satellites la plus grande

Avec 56 000 km² de surface utilisée pour la construction de satellites, l'usine de satellites de la Hughes Integrated d'El Segundo, Californie, est la plus grande du monde. Cette usine est aujourd'hui le premier site de construction des satellites de communication de la Hughes Space and Communications.

Systèmes de lancement les plus fiables

• La navette américaine a effectué un total de 89 lancements, dont seulement 1 échec, entre avril 1981 et janvier 1998, soit un taux de succès de 98 %.
• Depuis 1973, les fusées russes Soyouz ont voyagé 781 fois, dont 766 succès, et à 2 reprises 100 lancements consécutifs réussis.

Systèmes de lancement les moins fiables

Le lanceur ukrainien Zenit a connu 21 succès et 7 missions ratées depuis 1985, soit un taux de réussite de 72 %.

Lanceur de satellites le moins cher

Le lanceur de satellites américain Pégase est le moins cher au monde. Le projet a été développé avec un budget de 45 millions de $ (270 millions de F) et ne coûte que 10 millions de $ (60 millions de F) par lancement. L'Espagnol Antonio Elias est l'inventeur de cette fusée. Pégase a joué un rôle-clé lors des 1res funérailles spatiales. Il décolla d'un Lockheed Tristar L-1011 à une altitude de 11 300 m au-dessus des îles Canaries.

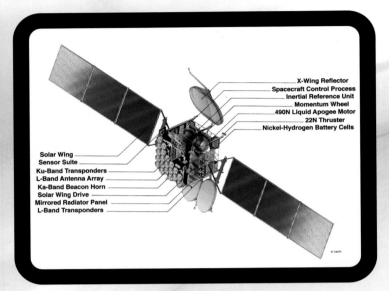

SATELLITE DE COMMUNICATION

Le modèle de satellite de télécommunication le plus vendu dans le monde, avec 73 lancements en 1998, est le Hughes Space and Communications HS601. Parmi ses utilisateurs, on trouve l'US Navy et la Nasa. La société britannique ICO Global Communication en est la plus grande utilisatrice, avec 12 satellites.

Objets les plus gros en orbite

• L'objet le plus gros en orbite de la Terre était la station russe *Mir*, qui était amarrée à la navette spatiale américaine.
• Les modules *Kvant 1* et *2*, *Kristall*, *Spektr* et *Priroda*, amarrés aux engins spatiaux *Soyouz* et *Progress*, pesaient plus de 250 tonnes.

Objet le plus gros dans l'espace

Le satellite d'attache italien lancé par la navette *STS 75 Columbia* s'étendit sur 19,7 km le 26-02-96, avant de se rompre. Le satellite resta en orbite jusqu'au 19-03-96.

Satellite le plus cher

Le satellite de communication militaire américain *Milstar* a coûté 40 milliards de $ (240 milliards de F). Deux satellites ont été lancés, en 1994 et 1995.

Satellite le moins cher

Plusieurs satellites, aussi petits que des boîtes à chapeau, ont été construits par des universités. Leur fabrication et leur lancement ne coûtent que 5 millions de $ (30 millions de F).

Longévité d'un satellite

Le satellite de la Nasa *ATS 5*, lancé le 12-08-69, est encore utilisé de temps à autre pour des communications à caractère pédagogique.

Premier satellite artificiel

Il fut envoyé dans l'espace à partir du cosmodrome de Baïkonour, Kazakhstan, dans la nuit du 4-10-57. Ce satellite de forme sphérique, *Spoutnik 1* (« Camarade voyageur »), officiellement baptisé *Satellite 1957 alpha 2*, d'un diamètre de 58 cm, pesait 83 kg. Sa durée de vie, jusqu'au 4-01-58, ne fut que de 92 jours.

Premier satellite français

Réalisé par la SEREB (Société pour l'étude et la réalisation d'engins balistiques), ancêtre d'Aerospatiale et lancé le 26-11-65 par la fusée *Diamant 1*, le 1er satellite français

STRUCTURE LA PLUS GRANDE DANS L'ESPACE

La Station spatiale internationale est l'engin le plus grand qui circule dans l'espace. Quand elle sera complétée
en 2004, elle mesurera 79,90 m de long pour une envergure de 108,60 m et pèsera 456 tonnes.
Il faudra 44 missions pour y arriver, et il s'agit là du plus grand projet spatial international jamais programmé,
impliquant des équipes américaine, canadienne, russe, japonaise, brésilienne, ainsi que 11 équipes européennes.

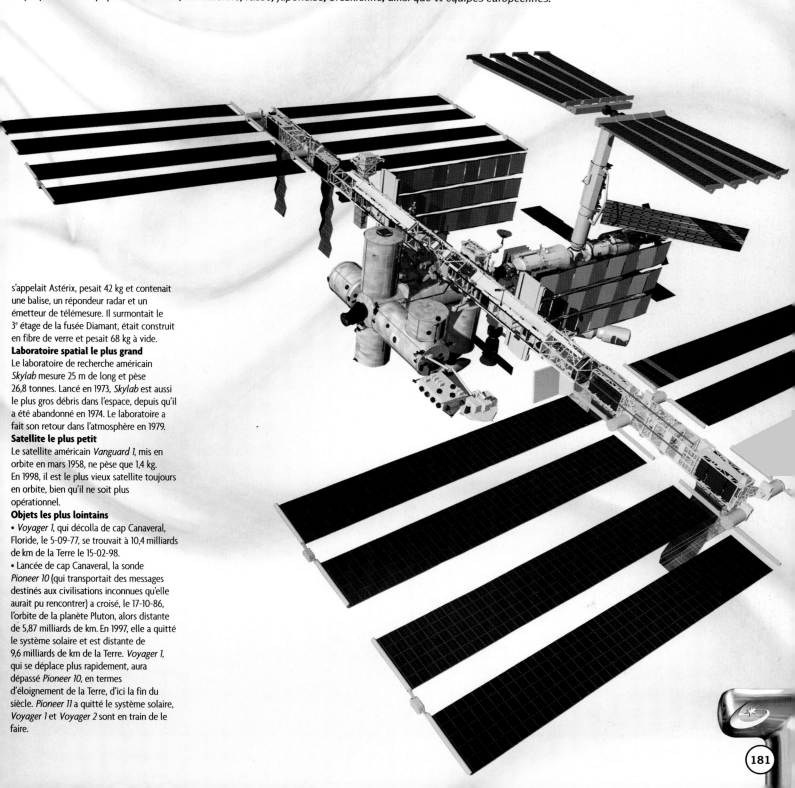

s'appelait Astérix, pesait 42 kg et contenait une balise, un répondeur radar et un émetteur de télémesure. Il surmontait le 3e étage de la fusée Diamant, était construit en fibre de verre et pesait 68 kg à vide.

Laboratoire spatial le plus grand
Le laboratoire de recherche américain *Skylab* mesure 25 m de long et pèse 26,8 tonnes. Lancé en 1973, *Skylab* est aussi le plus gros débris dans l'espace, depuis qu'il a été abandonné en 1974. Le laboratoire a fait son retour dans l'atmosphère en 1979.

Satellite le plus petit
Le satellite américain *Vanguard 1*, mis en orbite en mars 1958, ne pèse que 1,4 kg. En 1998, il est le plus vieux satellite toujours en orbite, bien qu'il ne soit plus opérationnel.

Objets les plus lointains
• *Voyager 1*, qui décolla de cap Canaveral, Floride, le 5-09-77, se trouvait à 10,4 milliards de km de la Terre le 15-02-98.
• Lancée de cap Canaveral, la sonde *Pioneer 10* (qui transportait des messages destinés aux civilisations inconnues qu'elle aurait pu rencontrer) a croisé, le 17-10-86, l'orbite de la planète Pluton, alors distante de 5,87 milliards de km. En 1997, elle a quitté le système solaire et est distante de 9,6 milliards de km de la Terre. *Voyager 1*, qui se déplace plus rapidement, aura dépassé *Pioneer 10*, en termes d'éloignement de la Terre, d'ici la fin du siècle. *Pioneer 11* a quitté le système solaire, *Voyager 1* et *Voyager 2* sont en train de le faire.

Gadgets

Téléphones mobiles

• La Suède détient le record par nombre d'habitants, avec 229 téléphones cellulaires pour 1 000 habitants.

• Mobistar est le réseau de téléphonie mobile 2 watts le plus rapidement implanté en Europe. Créé le 27-11-95, il est opérationnel depuis le 27-08-96. À lui seul, il permet à 90 % de la population belge (soit 9 153 203 personnes) d'avoir accès à ses services.

France • Au 31-01-99, 1 Français sur 5 était abonné à un service de téléphone mobile, soit 11 650 900 personnes. Dix ans plus tôt, seulement 1 Français sur 10 était équipé.

Fax

Le plus large • Le Wide Fax 36, de Wide Com Group, de Mississauga, Ontario, Canada, peut transmettre des documents de 91 cm de large.

Le plus petit • Le fax portable Pagentry, de Real Time Strategies, mesure 76 x 127 x 19 mm et pèse 142 g.

Combinés

Le plus petit • Il s'agit du combiné opérationnel créé par l'Américain Jan Piotr Krutewicz, de Munster, le 16-09-96. Il mesure seulement 47,5 x 21 mm.

Le plus grand • Présenté en 1988, aux Pays-Bas à Apeldoorn. Il mesure 2,70 m de haut et 6 m de long.

Standard le plus grand

Celui du Pentagone possède 34 500 lignes, recevant 1 million d'appels quotidiens. Le 6-06-94, jour du 50ᵉ anniversaire du débarquement en Normandie, il a reçu un record de 1 502 415 appels.

Faisceau hertzien le plus important

Début 1996, la société Siemens battait le record du monde de distance dans le domaine de la transmission radioélectrique, en installant sur la côte ouest du Mexique un nouveau champ hertzien qui enjambe le golfe de Californie sur 160 km, soit 3 fois la longueur habituelle. Construit pour la société mexicaine Telmex, ce faisceau peut transmettre 2 000 conversations téléphoniques simultanément.

Téléphone cellulaire le plus petit

Conçu par Nippon Telegraph & Telephone, PHS (Personal Handyphone System) est un téléphone de la taille d'une montre. Dépourvu du classique clavier numérique, il dispose d'un circuit intégré qui compose les numéros en faisant appel à la reconnaissance vocale. L'appareil pèse 70 g et mesure 5,5 x 4 x 1,6 cm.

Portable le plus petit

Doté d'un processeur Pentium 233 totalement compatible MMX et d'un disque dur de 3,2 Go, Pedion, le portable construit par Mitsubishi, a une épaisseur de 1,7 cm une fois refermé.

Lecteur de DVD le plus petit

Doté d'un écran LCD de 14,5 cm et de haut-parleurs stéréo, le DVD-LD 10 de Panasonic pèse moins de 1 kg. Équipé de commandes embarquées et à distance, il peut aussi être utilisé en tant que source vidéo MPEG-2 et audio Dolby Digital pour une projection maison. Le tout est contenu dans un châssis de 16 x 16 x 4,3 cm.

Imprimante la plus petite

L'imprimante PN 60 de Citizen mesure 25,4 x 5,1 x 7,6 cm pour 498 g. Dotée d'une tête à fusion thermique, elle imprime des images dont le format peut atteindre jusqu'à 140 x 140 points/cm à une vitesse de 2 pages/min.

Télécopieur le plus petit

Le télécopieur sophistiqué de Philips permet, lorsqu'il est connecté au téléphone numérique Philips PCS 1900, d'envoyer des télécopies et des courriers électroniques. Il offre l'accès à internet ainsi qu'à d'autres services. Long de 17 cm et pesant 159 g, c'est aussi le télécopieur mobile le plus léger.

Appareil photo numérique

Panasonic NV-DCF2B Card Shot est le plus petit appareil photo numérique équipé d'un viseur. Il mesure 9 x 6 x 3,15 cm et possède un CCD de 350 000 pixels permettant de produire des images de 640 x 480 en mode supérieur ou 320 x 240 en mode standard. Sa mémoire de 2 Mo peut stocker 24 images en mode supérieur ou 85 en mode standard dans un fichier image format JPEG.

Caméra la plus petite

Lancée en 1989, la Game Boy de Nintendo s'est vendue à 60 millions d'exemplaires dans le monde. En 1998, une nouvelle version intégrant caméra et imprimante a été proposée. L'œilleton de la caméra est fixé au-dessus de la Game Boy. Cet appareil peut réaliser et stocker jusqu'à 30 photos noir et blanc basse résolution. Il est vendu avec 3 jeux, ce qui permet aux joueurs de créer des personnages en utilisant ces photos. L'imprimante produit des photos au

Panasonic

Lecteur MiniDisc le plus petit • Le SJ-MJ70 présente une épaisseur de seulement 1,45 cm pour un poids de 95 g. Sa batterie rechargeable lui permet de fonctionner pendant 30 h.

Caméscope le plus petit • NV-DS33EG, format mini DV, caméscope numérique de paume, pèse 510 g et mesure 5,8 x 9,4 x 12,3 cm. Équipé d'un écran LCD de 2,5 pouces et d'un viseur, il offre 9 h d'autonomie.

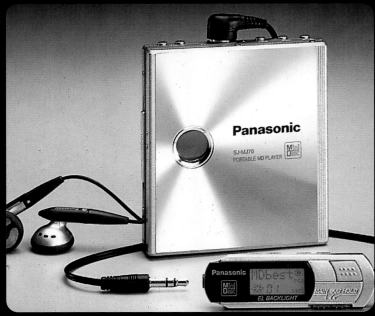

Motorola StarTac Lite est le plus petit GSM. Il ne pèse que 93,5 g. Pourtant, son autonomie en veille, assurée par une batterie de type lithium ion en option, dépasse les 95 h. L'utilisateur peut rapidement changer la batterie sans interrompre sa conversation.

« ENTREMETTEUR »

Le Lovegety, fabriqué par Erfolg, au Japon, a été vendu à plus de 1,3 million d'unités depuis sa sortie, en février 1998. Vendu au prix de 22 $ (132 F), ce beeper qui tient dans la main identifie les signaux émis par un autre Lovegety appartenant à une personne du sexe opposé dans un rayon de 4,60 m. Son inventeur, Takeya Takafuji, cherchait à créer « une machine capable de trouver l'âme sœur ».

format portrait et sous forme d'autocollants. En 1997, Nintendo a réduit la taille de la Game Boy en proposant une Game Boy de poche. Une version couleur est sortie fin 1998. Commercialisée par la société américaine Supercircuits, la caméra PC-21XP est le plus petit camescope du monde. Le CCD n'occupe que 1,6 cm² mais dispose d'une résolution de 295 000 pixels. Elle peut être utilisée dans des conditions de faible luminosité. Le tout mesure 7,4 cm² x 1,27 cm² et peut fonctionner jusqu'à 5 h d'affilée grâce à une batterie PP3.

Écran TV à plasma le plus grand
Doté de la technologie d'affichage Plasma, l'écran diagonal de NEC, Hi-Vision PlasmaX PX-50V2, mesure 127 cm. Compatible avec le système japonais HDTV, cet écran est aussi le téléviseur haute définition le plus fin jamais conçu. D'une épaisseur de seulement 9,7 cm, l'écran possède une résolution de plus d'un million de pixels.

MONTRE LA PLUS FINE

Le 1er-10-97, l'horloger suisse Swatch lança la Swatch Skin, agrémentée d'un bracelet plastique ultrafin, d'un cadran de 3,9 mm d'épaisseur, pour un poids de 12,3 g seulement. Elle est conçue pour résister aux chocs thermiques et peut plonger jusqu'à 30 m de profondeur. Ci-contre, le modèle Carbonite, en fibre de carbone.

Vélos et motos

BICYCLETTES

Bicyclette la plus haute
Le plus grand vélo, Frankencycle, imaginé et fabriqué par Dave Moore, de Rosemead, Californie, mesure 3,50 m de haut. Ses roues ont un diamètre de 3,05 m. Steve Gordon, de Moorpark, Californie, est le 1ᵉʳ à l'avoir conduit, le 4-06-89.

Bicyclettes les plus longues
Terry Thessman, de Pahiatua, Nlle-Zélande, a fabriqué une bicyclette de 22,24 m de long pesant 340 kg, qui roula le 27-02-88 sur 246 m.
France • Le plus long vélo a été conçu par Fred Beauchêne et fabriqué par Henry Vilain, Laurent Jeanjean, Philippe Baby et Pascal Esnon. Équipé de 26 selles, 26 guidons, il mesure 15 m. Le 26-05-91, 26 sapeurs-pompiers ont parcouru, avec cet engin, 6,9 km en 1 h 50 min.

Tricycle le plus grand
Le Colossal, imaginé par Arthur Dillon et fabriqué par Dave Moore en 1994, ses roues sont d'un diamètre de 3,35 m à l'arrière et 1,77 m à l'avant.

Endurance
Du 19 au 21-7-97, Mehrzad Shirvani a effectué 1 000 km à vélo en accomplissant 1 524 fois une boucle de 656,50 m dans la ville de Delémont, Suisse, durant 32 h 58 min.

Rassemblement
• Le 2-06-96, lors de la 12ᵉ édition du Tour de Montréal, Québec, Canada, 45 000 cyclistes se sont réunis pour parcourir 69 km.
• Le 30-08-98, Marc-André Pélissier, de Montréal, Québec, Canada, a rassemblé et fait circuler sur plus de 3 km un groupe de 14 vélos en formation « tandem » tous reliés les uns aux autres par un « tire et pousse ».
France • L'Étape du Tour, randonnée cyclo-sportive qui se déroule en même temps que le Tour de France, rassemble 4 000 participants en moyenne.

Vélos miniatures

En 1995, Jacques Puyoou, de Bordes, Pyrénées-Atlantiques, a fabriqué une bicyclette de 10,5 x 6,4 cm pour un poids total de 410 g. Les roues ont un diamètre de 1,8 cm. Elle fonctionne parfaitement.
Le même Jacques Puyoou est également à l'origine de la conception et de la fabrication du plus petit tandem du monde, avec une longueur totale de 38,5 cm de long. Il le conduit avec sa femme.

Vélo le plus cher
Le vélo le plus cher du monde est entièrement serti de pierres précieuses et plaqué d'or : la selle est en cuir, le cadre est orné d'émeraudes et de rubis, les pédales sont en or jaune, illuminées de 56 rubis, -le guidon est décoré d'or, de saphirs et de topazes. La valeur de cette bicyclette-bijou, imaginée et réalisée par le joaillier suisse Volker Rhenisch, grand amateur de bicyclettes, a été estimée à 5 millions de F.

Mountain bike le plus cher à la vente
Le mountain bike le plus cher du monde coûte 72 500 F, soit autant que certaines petites voitures. Fabriqué par la société britannique Stif, il ne pèse que 9,07 kg. Certaines de ses pièces sont parmi les plus chères au monde : les freins, les vitesses et les pédales sont fabriqués au Japon, le cadre aux USA, la fourche et le guidon en GB et la selle en Italie.

MONOCYCLES

Monocycle le plus grand
Un monocycle de 31 m de haut fut monté par Steve McPeak (avec un câble de sécurité). Il a parcouru 114 m à Las Vegas, Nevada, en octobre 1980.

Monocycle le plus petit
Le 28-07-96, le Suédois Peter Rosendahl a conduit un monocycle de 20 cm de haut, équipé de roues de 1,8 cm de diamètre, sur une distance de 4 m, à Budapest, Hongrie.

100 m le plus rapide
Peter Rosendahl détient le record du 100 m départ arrêté en 12"43, depuis le 25-03-94, et du 100 m départ lancé en 12"11 depuis le 1ᵉʳ-07-90.

Marche arrière
L'Américain Ashrita Furman a parcouru 85,5 km en arrière, au Forest Park, New York, le 16-09-94.

Endurance
Le Japonais Akira Matsushima a parcouru 5 248 km de New Port, Oregon, à Washington DC, sur un monocycle. Parti le 10-07-92, il arriva le 22-08.

MOTOS

Moto la plus longue
Le 12-03-94, à Orphain, Belgique, les 5 membres de la famille Gascard se sont déplacés sur une même moto de 7,90 m hors-tout. Ce deux-roues à moteur de 250 cm³, construit en 1989, peut transporter jusqu'à 13 personnes à 65 km/h.

Moto la plus petite
En 1990, les Britanniques Simon Timperley et Clive Williams, de la société Progressive Engineering Ltd, Manchester, ont construit une moto possédant une roue avant de 1,9 cm de diamètre, une roue arrière de 2,4 cm de diamètre et une hauteur de siège de 9,5 cm. L'un des deux l'a pilotée sur une distance de 1 m.

File indienne de motos
Le 18-05-97, Sylvain Giat, de Saint-André-

HARLEY DAVIDSON

En 1903, William Harley et Arthur Davidson fabriquaient artisanalement 3 motos dans un hangar de Milwaukee, Wisconsin. En 1909, ils présentèrent le moteur V-Twin, qui est la référence de la marque depuis. Le Harley Davidson Owners Group (HOG) est le plus grand réseau de passionnés de moto sponsorisé par la marque, avec plus de 400 000 membres.

Faarivillers, Oise, a organisé une manifestation réunissant 265 motards qui ont formé une file indienne de 581 m de long.

PRIX

De série

Les plus chères • La moto de série la plus chère en 1997 est la Honda RVF 750 RF, qui coûte 149 990 F.
• Le modèle Ultra Classic Electra Glide d'Harley Davidson coûte 149 800 F.
Les plus vendues • En 1996, 5 821 exemplaires de la Honda Robel 125 cm³ ont été vendus. La Suzuki Bandit 600 cm³ s'est vendue à 4 250 exemplaires dans l'année.
Moto la plus chère
La Morbidelli 850 V8 vaut 98 400 $ (590 000 F) dans le commerce, en 1998. C'est la moto la plus chère du monde.

RASSEMBLEMENT DE MOTOS

En mars 1998, 500 000 motards et passionnés de moto du monde entier se sont réunis pour assister à la Bike Week (Semaine de la Moto), à Daytona Beach, Floride. Cet événement a lieu chaque hiver depuis 1957. À l'origine, il s'agissait d'un rassemblement hors la loi.

LES TRIWENGOS

Ruedi Wenger et ses enfants – Les Triwengos –, de Bâle, Suisse, ont imaginé et construit le plus petit vélo à 3 places du monde. Il mesure 44,5 cm de long hors-tout, 65 cm de large et autant de haut, pour un poids de 18 kg. Ils pèsent à eux trois 210 kg et ont piloté leur engin sur une distance de 16 m, le 29-03-98.

Autos

AUTOS

Immatriculations
Le gouvernement de Hong Kong a vendu aux enchères, le 19-03-94, une plaque d'immatriculation portant le seul chiffre 9. Elle fut adjugée 13 millions de HK$ (19 millions de F) à Albert Yeung Sau-shing. Le 9 est considéré comme porte-bonheur, il ressemble au mot « chien » en chinois, et l'année 1994 était l'année du Chien.

Production la plus longue
Plus de 21,3 millions de Volkswagen Coccinelle ont été produites depuis 1937. Ce modèle est né en Allemagne en 1936, 3 ans après qu'Adolf Hitler eut commandé à Ferdinand Porsche un projet de voiture destinée au peuple. Baptisée « Coccinelle » en raison de sa ressemblance avec l'insecte, elle continue d'être fabriquée, depuis 1981, au Nigeria, en Belgique, au Mexique et au Brésil – en plus de l'Allemagne – au rythme de 470 véhicules/jour. Le nouveau modèle est commercialisé aux USA depuis 1998. 100 000 à 200 000 véhicules ont été produits rien que pour sa 1er année d'exploitation.

Production la plus rapide
En 1997, Ford a conçu et développé le modèle Puma en 135 jours, établissant ainsi un record du monde

Voitures les plus grandes
La Bugatti Royale 41, dont 6 modèles furent construits à Molsheim, Bas-Rhin, par l'Italien Bugatti, à partir de 1927, avait un moteur à 8 cylindres de 12,7 litres. Elle mesurait 6,70 m de long, avec un capot de 2,13 m de long.
France • Le break Citroën CX Break mesure 4,93 m de long.

Voitures les plus petites
Prototypes • La Peel P50, construite par l'usine Peel, île de Man, GB, en 1962, mesurait 1,34 m de long, 99 cm de large et 1,34 m de haut. Elle pesait 59 kg.
• Avec ses 2,17 m de long, la voiture de Bernard Lanaud est la plus petite du monde. Austin Mini raccourcie de 80 cm, baptisée Naudal (anagramme de Lanaud), elle peut atteindre 140 km/h et stationner face au trottoir sans dépasser.
Commercialisées • Parmi les voitures commercialisées, la plus petite est la Mini. Elle mesure 3,05 m de long hors-tout, 1,43 m de largeur et 1,35 m de hauteur.
• En France, c'est la Renault Twingo avec ses 3,43 m de long, 1,63 m de large et 1,42 m de haut.

Voiture la plus longue
Jay Ohrberg, de Burbank, Californie, a conçu une voiture à 26 roues longue de 30,50 m. Elle comprend une piscine avec plongeoir, un lit à eau géant et une aire où peut se poser un hélicoptère.

Voiture la plus haute
Jean-Pierre Ponthieu a construit, sur un châssis Renault 1956, une voiture, agréée par les Mines, haute de 2,40 m, longue de 7 m et large de 2 m. Elle pèse 2,4 tonnes et peut rouler à 100 km/h.

Consommation la plus faible
En 1996, lors d'un marathon organisé par Shell, à Silverstone, GB, la voiture diesel Combidrive Mouse n'a consommé que 1 litre de carburant pour 201,1 km, record pour un véhicule autorisé à circuler sur route.

Autonomie
La plus grande distance parcourue sans remettre de carburant est de 2 724 km. La Toyota Land Cruiser diesel 1991, avec 2 réservoirs de 174 litres, conduite par les Australiens Ewan Kennedy et Ian Lee effectua l'aller-retour Nyngan-Winton, Australie, le 21-05-92.

Voitures les plus chères
Avec une longueur de 6,45 m, le cabriolet Rolls-Royce Phantom VI State, mis en vente en mars 1993, valait 17 millions de F. C'est l'automobile la plus spacieuse et la plus chère jamais fabriquée.
France • Voir photo.

Voitures les moins chères
De série • La Tavria de fabrication russe est commercialisée au prix de 34 720 F.
Française • La voiture française la moins chère est la Citroën AX 10, à 49 900 F.

Voiture de collection la plus chère
Nicholas Harley a vendu une Bugatti 1931 Royale Sports Coupé Kellner 15 millions de $, le 12-04-90, à la Meitec Corporation, Japon.

Voitures les plus intelligentes
• L'Hypercar, véhicule hybride électrique ultraléger développé en 1998 par le Rocky Mountain Institute, USA, est 3 fois plus puissant et 10 fois plus propre qu'un véhicule conventionnel. Il est construit dans des matériaux de l'industrie spatiale : inrayables, inoxydables, ils peuvent absorber 5 fois plus de chocs que l'acier. Les vitres reflètent les rayons solaires, le toit est ventilé, et la chaleur intérieure est absorbée par énergie solaire.

• Le HSR (Highly Sophisticated Research) V1, équipé d'un ordinateur de bord et d'un volant en option, dissimulé dans le tableau de bord, a été lancé en 1997 par Mitsubishi au Salon de l'Automobile de Tokyo.

Ordinateur de bord le plus perfectionné
En 1998, Microsoft a lancé l'AutoPC system – version spécialement programmée de Windows CE 2, qui fonctionne sur un disque dur DIN installé à la place de la chaîne stéréo conventionnelle de la voiture.

DIVERS

En camion-benne
Le record du monde d'endurance individuel est détenu par Joseph Zanon, qui, depuis l'acquisition de son camion-benne en 1970, a parcouru, au 13-03-93, 2 014 489 km.

Musée de l'automobile le plus grand
Le musée Schlumpf de Mulhouse, Haut-Rhin (ouvert en juillet 1982), est le plus grand musée automobile du monde ; il rassemble les 500 plus beaux véhicules de 102 marques, dont 105 Bugatti et 1 Jacquot de 1878, et reçoit 500 000 visiteurs/an.

Trajet en taxi
Le plus long trajet officiellement enregistré est de 34 908 km, de Londres au Cap, Afrique du Sud, et retour, pour un coût de 40 210 £. Les conducteurs étaient Jeremy Levine, Mark Aylett et Carlos Arrese, du 3-06 au 17-10-94.

Meilleur conducteur
Eugène François, de Charmoy-Migennes, Yonne, a conduit pendant 65 ans, parcourant 3 millions de km sans accident ni contravention. Le 25-08-91, à 85 ans, il

Camion le plus long

Le 4-02-98, à Héricourt, Hte-Saône, la société Gaussin a présenté un camion de 459 m de long.
Il était constitué d'un ensemble de remorques pour containers, formant un attelage.

CONDUCTRICE LA PLUS JEUNE

Le 26-09-54, à l'âge de 4 ans, Marie-France Narbonne a reçu un diplôme d'honneur pour avoir ouvert le Circuit International de Racers agenais et celui du Lot-et-Garonne. Au volant de son petit racer de 49 cm³, elle a atteint les 30 km/h.

VOITURE DE SÉRIE LA PLUS CHÈRE

Le cabriolet Turbo Venturi 400GT est la voiture de série française la plus chère : elle vaut 870 000 F (version freins carbone). En 1999, elle avait été vendue à 15 exemplaires, dont la majorité circulent en France.

abandonna, car, disait-il, « il y a de plus en plus de fous sur les routes de France ».

Routiers les plus chevronnés
Weldon Kocich, pilote chez Goodyear, a parcouru 5,05 millions de km du 5-02-53 au 28-02-86, soit 153 200 km/an.
France • Le routier Jules Pelmoine, de Paris, a parcouru 5 000 155 km, en 47 ans de carrière, de 1930 à 1977. Il a réalisé une moyenne annuelle de 106 386 km.

Conducteurs les plus âgés
Roy Rawlins (n.10-07-1870), de Stockton, Californie, reçut en juin 1974, à l'âge de 104 ans, un procès-verbal pour avoir roulé à 155 km/h dans une zone limitée à 90.
France • Abel Triou (n.9-11-1891), d'Angoulême, Charente, a obtenu son « certificat de capacité pour la conduite des voitures à pétrole » le 24-06-1908. Il conduisait encore le 1er-01-88, à 96 ans.

Permis de conduire, la plus âgée
À la mort de son mari, Maud Tull, d'Inglewood, Californie, eut envie de conduire, et, à 91 ans, passa son permis. Il fut renouvelé le 5-02-76, alors qu'elle avait 104 ans.

Permis de conduire, tentatives
Fannie Turner (n.1903), de Little Rock, Arkansas, a réussi l'épreuve écrite de l'examen à sa 104e tentative, en octobre 1978.

Conduite sans permis
Marc Guinot, chauffeur routier de Metz, Moselle, a conduit sans permis pendant 6 ans les 38 tonnes de plusieurs transporteurs. Il a parcouru 1 million de km sans aucun accident avant d'être condamné à 3 000 F d'amende.

Enterrée dans sa Cadillac
Betty Yong, Américaine, a vu sa dernière volonté exaucée : « Retirer les sièges de sa Cadillac pour faire place à son cercueil. » C'est ainsi qu'elle fut enterrée, le 14-11-94, au cimetière de Rhode Island, USA.

CONDUCTRICE LA PLUS PETITE

Depuis le mois d'octobre 1985, Nathalie Pretou, de Seyssinet-Pariset, Isère, qui mesure 0,94 m (elle souffre de dysplasie diastrophique) possède le permis B. Actuellement, elle conduit une Renault 19 aménagée. En 12 ans et demi, elle a parcouru 230 000 km avec 5 véhicules différents.

Trains et métros

VOYAGEURS

Distance parcourue en 24 h
Le 22-09-91, Christian Nau est parti de la gare de Lyon, à Paris, à 12 h, pour y revenir 23 h 35 min plus tard, ayant parcouru la distance sur rails de 3 682 km.

Plus grand nombre de pays en 24 h
Alison Bailey, Ian Bailey, John English et David Kellie ont pu traverser 10 pays en train du 1er au 2-05-93. Partis de Hongrie, ils traversèrent ainsi la Slovaquie, la République tchèque, l'Autriche, le Liechtenstein, la Suisse, la France, le Luxembourg, la Belgique et les Pays-Bas en 22 h 10 min.

Plus grand nombre de trajets sans billet
En 1993, Marie-Édith, 36 ans, devait 2 800 000 F d'amendes impayées à la SNCF pour avoir parcouru près de 2 300 000 km sans billet sur le réseau français (soit une moyenne de 200 km/jour).

VOIES FERRÉES

Voies les plus longues
Le Transsibérien Moscou-Vladivostok parcourt 9 297 km en 6 jours et 12 h 45 min avec 70 arrêts.
France • La ligne Paris-Vintimille a 1 121 km.
• La plus longue ligne à grande vitesse (TGV) est Paris-Valence, 496 km.

Écartements extrêmes
Parmi les normes standard utilisées, la plus grande largeur entre des rails est de 1,70 m pour le Portugal, l'Espagne, etc.
En revanche, en Grande-Bretagne, certains rails ne sont distants que de 0,260 m.

Réseaux
Les USA, avec, en 1995, 223 155 km de voies ferrées, possèdent le plus long réseau mondial.
France • En 1997, la SNCF exploitait 31 842 km de voies, dont 14 186 km électrifiées.

Altitude
• La plus haute altitude est atteinte sur la ligne de Morococha à La Cima, Pérou, à 4 818 m.
• La ligne de 54 km (1988) du tunnel de Seikan, entre les îles de Honshu et de Hokkaido, Japon, passe à 240 m sous la mer, sous le détroit de Tsugaru.
Europe • La ligne de plus basse altitude est celle de l'Eurostar dans le tunnel sous la Manche, qui passe à 127 m au-dessous du niveau de la mer.

Déclivité la plus forte
La plus forte déclivité sur une voie ferrée, vaincue par simple adhésion sur les rails, est de 9 %, entre Chedde et Servoz, Savoie, sur la voie SNCF de Chamonix, qui a un écartement de 1 m.

TRAINS ET LOCOMOTIVES

Train de marchandises
Le plus long a suivi la ligne Sishen-Saldanha, Afrique du Sud, le 26-08-89. Il était composé de 660 wagons de 105 tonnes, soit une longueur de 7,3 km pour 69 393 tonnes. Propulsé par 16 locomotives électriques, il parcourut 861 km en 22 h 40 min.

GARES

Gares les plus grandes
La plus grande gare est Grand Central Terminal, à New York, construite en 1913, qui couvre 19 ha, avec 67 voies sur 2 niveaux.
France • Voir photo.

Gares les plus élevées
La gare de Condor, en Bolivie, sur la ligne Río Mulato-Potosí, est située à 4 786 m d'altitude.
France • La gare de Bolquère-Eyne, dans les Pyrénées-Orientales, se trouve à 1 592 m d'altitude.

Salles d'attente les plus grandes
Les 4 salles d'attente de la gare de Pékin, Chine, inaugurées en septembre 1959, peuvent accueillir 14 000 personnes.

Quai le plus long
Le quai de la gare de Khargpur, au Bengale-Occidental, Inde, mesure 833 m de long.

👤 GARE FRANÇAISE LA PLUS GRANDE

La gare du Nord, à Paris, est la plus grande gare de France et la 3e mondiale. Elle couvre 15,5 ha en surface (bureaux non compris). Elle compte 31 voies et 766 trains. Elle est aussi la plus fréquentée, avec 600 000 voyageurs quotidiens.

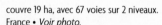

Météor

À Paris, la nouvelle ligne de métro Météor, n° 14, est à la pointe de la technologie. Complètement silencieuse, sans aucune vibration, elle fonctionne intégralement en automatique.
Le 1er tronçon, qui relie Tolbiac-Masséna à la Madeleine, est ouvert au public depuis le 15-10-98, et sera prolongé jusqu'à la gare Saint-Lazare en l'an 2000.
La construction de ce métro futuriste a coûté 6 718 millions de F (hors taxes, hors matériel roulant).

MAGLEV

Le Maglev, train magnétique japonais encore à l'état de prototype, devrait être, à l'avenir, le train le plus rapide du monde. Le 14-04-99, il a atteint la vitesse de 552 km/h. Voir rubrique Vitesse 2.

MÉTRO

Lignes les plus longues
La ligne du métro de Moscou, entre Medvedkovo et Bittsevski, mesure 38 km de longueur.
France • La ligne la plus longue est celle de La Courneuve à Villejuif-Louis-Aragon, avec 22,4 km de voies et 36 stations.

Nombre de stations
Le métro de New York compte 469 stations, dont seulement 277 souterraines. Il s'étend sur 370 km de voies et transporte 7,1 millions de voyageurs/jour.

Quai le plus long
Le quai de la station State Street Center, Chicago, Illinois, mesure 1 km.

Métro le plus fréquenté
Le métro de Moscou transporte 3,2 milliards de passagers par an. Il compte 256 km de voies, 158 stations et 4 143 wagons.

Métro automatique
Le VAL, à Lille, Nord, inauguré le 25-04-83, est le premier métro automatique.

Réseaux
Il existe aujourd'hui 68 réseaux dans le monde, y compris le réseau de Toulouse, inauguré en juin 1993.
Le plus long • Le métropolitain de Londres compte 408 km de voies pour 273 stations.

Parcours complet
Le 1er-04-88, les étudiants Christophe Grouhel et Lionel Laroche ont parcouru l'ensemble des 366 stations du métropolitain parisien en 13 h 42 min. Ils ont ainsi effectué 300 km, en métro et à pied, à la vitesse moyenne de 21,9 km/h.

TRAMWAYS

Réseau le plus important
Le plus important réseau de tramways actuellement en service est celui de Saint-Pétersbourg, Russie, qui compte 2 402 voitures effectuant 64 trajets sur 690 km de rails.

Trajet le plus long
Le trajet le plus long relie Krefeld Sankt Tönis à Witten Annen Nord, Allemagne. Si l'on ne manque aucune correspondance, on peut parcourir les 105 km en 5 h 30 min.

Tramway le plus long
Le tramway de la Compagnie des transports strasbourgeois mesure 43 m de long, 2,40 m de large et 3,10 m de haut. Son poids total est de 50,8 tonnes.

TGV

Le train pour voyageurs le plus rapide au monde est le TGV-Atlantique français, qui, sur trajet régulier, circule à une vitesse moyenne de 254,3 km/h. Son réseau est le plus rapide de tous. Voir rubrique Vitesse 1.

Avions 1

Canadair

En France, le plus grand Canadair est le CL 215 : long de 20 m, il a une envergure de 26 m. Ses réservoirs peuvent contenir jusqu'à 5 500 litres d'eau. Lorsqu'il est plein, son poids atteint 20 tonnes. Le pilote Maurice Levaillant (photo), attaché à la base de Marignane, Bouches-du-Rhône, a effectué avec cet appareil 12 356 largages d'eau au cours d'une carrière longue de 30 ans.

Premiers vols

• Le 1er vol d'un avion à moteur fut réalisé le 9-10-1890 à Gretz-Armainvilliers, Seine-et-Marne, sur un appareil plus lourd que l'air, baptisé « avion » (latin *avis*, « oiseau »), par le Français Clément Ader (1841-1925).
• Le 1er vol enregistré officiellement fut celui d'Orville Wright (1871-1948), près de Kitty Hawk, Caroline du Nord, le 17-12-03.

Altitude

• Un Sukhoï soviétique P-42 a atteint une altitude de 12 000 m en 56 s 5.
• Le Soviétique Alexandre Fedotov a atteint l'altitude de 35 000 m en 4 min 11 s, aux commandes d'un Mig-25 Mikoyan, après avoir décollé de Podmoscovnoe, Russie, le 17-05-75.

Avion le plus long

Le *Piasecki-Heli-Stat*, de 34 millions de $, fut présenté le 26-01-84 à Lakehurst, New Jersey. Destiné à l'administration forestière américaine, il avait une longueur totale de 105 m et devait transporter 20 tonnes de charge. Il s'écrasa le 1er-07-86.

HYDRAVION LE PLUS GROS

Le 2-11-47, l'hydravion Hughes H4 Hercules Spruce Goose *(Oie pimpante) s'éleva à 21 m sur une distance de 915 m, pendant un vol expérimental, au large de Long Beach, USA. Cet appareil, de 40 millions de $, comportait 8 moteurs, pesait 193 tonnes, pour 67 m de long et une envergure de 98 m. Il était piloté par son constructeur, le milliardaire Howard Hughes (1905-1976). Ce fut son unique vol.*

Avion le plus lourd

L'Antonov ukrainien An-225 *Myira* « Rêve » pèse 600 tonnes. Il enleva en 1989 une charge de 156 tonnes jusqu'à une altitude de 12 410 m. L'appareil, conduit par Aleksandr Galunenko et un équipage de 7 pilotes, effectua le trajet Kiev-Leningrad-Kiev sans escale, 2 100 km, en 3 h 47 min.

Avions les plus petits

• Le *Bumble Bee Two*, conçu par l'Américain Robert Starr, avait 2,64 m de longueur, 1,68 m d'envergure et pesait 180 kg à vide. Le 8-05-88, il vola à 120 m d'altitude, à 305 km/h, mais s'écrasa.
• Le plus petit avion à réaction du monde mesure 4 x 4 m, pour un poids de 74 kg. Ses 2 réacteurs, de 17 kg de poussée chacun, fonctionnent au gaz propane. Testé à Rennes par Yves Duval, commandant de bord d'Air France, en août 1998, cet avion peut atteindre une vitesse de croisière de 230 km/h.
• Le plus petit bimoteur est le Colomban MG 15 Cricri, dont le 1er vol eut lieu le 19-07-73. Il a une envergure de 4,90 m et 4 m de long. Il est propulsé par 2 moteurs à pistons JPX PUL de 15 ch (ceux utilisés pour les tondeuses à gazon).

Bombardiers

Le plus large • Le Convair B-36 J, de 185 tonnes, avait aussi la plus grande envergure, avec 70,10 m, mais il n'est plus en service. Sa vitesse maximale était de 700 km/h.
Le plus lourd • Le quadriréacteur russe Tupolev 60 est le plus lourd et le plus gros bombardier du monde, avec une masse maximale au décollage de 275 tonnes.

Avion furtif

Le F-117A de l'US Air Force est invisible sur les radars. C'est un monoplace de 13,20 m d'envergure, de 20 m de long. 60 exemplaires ont été construits. Chacun a coûté 43 millions de $ (258 millions de F). En service depuis octobre 1983, il n'a pu être photographié qu'en avril 1990.

Avion de surveillance

Le Boeing E-8C Stars est le plus perfectionné. Il s'agit d'un système de surveillance aéroporté du champ de bataille. Monté sur une cellule de Boeing 707, le radar permet de repérer les véhicules terrestres sur des zones de plusieurs centaines de km de profondeur et de superficie, voire, par effet de zoom, de les suivre à la trace individuellement si nécessaire.

Jet le plus grand

Le Lockheed SR-71 Blackbird, avion de reconnaissance stratégique de l'US Air Force, fit son 1er vol en 1964. Son envergure est de 17 m, sa longueur de 33 m et il pèse 76 tonnes au décollage. Il a un rayon d'action de 4 800 km à Mach 3. Lors de son ultime vol en 1990, Blackbird a battu le record de vitesse de la traversée des États-Unis, côte est à côte ouest (4 500 km), en 1 h 8 min et 17 s, à 3 530 km/h de moyenne. Il est actuellement utilisé par la NASA.

Avion électrique

Le MB-E1 est le premier avion à propulsion électrique, à moteur Bosch de 10,7 ch alimenté par des batteries Varta au nickel-cadmium. D'une envergure de 12 m, il a une longueur de 7 m et pèse 400 kg.

AVION LE PLUS CHER

Air-Force-One, Boeing 747 dont dispose le président des USA, est évalué à 1,1 milliard de F. On y trouve une suite avec salle de bains, 2 bureaux, un mini-hôpital, 6 ordinateurs, 90 téléphones, une salle de cinéma et des frigos pouvant contenir jusqu'à 2 000 repas.

Conçu par le constructeur de modèles réduits Fred Militky, il fit son premier vol le 21-10-73.

Avion solaire

Le Solar-Challenger, conçu par Paul McCready, fit son premier vol le 20-11-80. Le 7-07-81, piloté par l'Américain Steve Ptacek, il fut le 1er avion de ce type à traverser la Manche. Décollant de Pontoise, Val-d'Oise, il couvrit les 262 km jusqu'à Manston, GB, en 5 h 23 min, à une altitude de 3 350 m.

Envergure la plus grande

Une version modifiée à 6 moteurs de l'Antonov An-124, dénommé An-225 Myira

« Rêve », construite pour transporter la navette spatiale soviétique *Buran*, a une envergure de 88,40 m.

Hélice la plus grande

L'hélice Garuda de l'avion Linke-Hofmann-RII construit à Breslau, Allemagne (actuellement Wroclaw, Pologne), qui volait en 1919, avait 7 m de diamètre. Elle ne tournait qu'à 545 tours/min.

Basses températures

Un Airbus A310-300 a été testé du 16 au 19-01-96 à Yakoutsk, en Sibérie, afin de valider son exploitation par températures ultrabasses. Il peut voler à des températures de -50 °C.

ALTITUDE ET CHARGE AÉROPORTÉE

Le 24-04-90, lors de son 1er vol, Discovery atteignit l'altitude record, pour une navette, de 532 km. Quelques mois plus tard, le 6-10-90, la navette Discovery-STS 41 porta et plaça en orbite une charge record de 132 912 kg.

Avions 2

AVIONS DE LIGNE

Avion le plus vieux

Le célèbre Dakota Douglas DC3, bimoteur à hélices, est né aux USA en 1935. Il connut un rapide succès, avec la construction de 800 exemplaires avant la guerre, et 1 000 avions de ce type volent encore en 1998.

Aile volante

Le Centurion est un avion fonctionnant à l'énergie solaire d'une envergure de 62,80 m. Il a été conçu par AeroVironment, Inc., sous le contrôle du Centre de recherche de la Nasa à Edwards, Californie, dans le cadre du programme ERAST (Environmental Research Aircraft and Sensor Technology). Sur la photo, on peut le voir lors d'un vol d'essai qui a eu lieu le 19-11-98. Le rôle du Centurion est de transporter des appareils de mesure scientifiques dans l'atmosphère avec une autonomie de vol de 2 h, à une altitude record de 30 480 m.

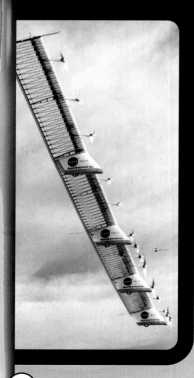

Avions les plus vastes

• *Voir photo.*
• L'avion soviétique Antonov An-124 Ruslan a une soute d'un volume utile de 1 014 m³ et un poids maximal au décollage de 405 tonnes. Il est propulsé par 4 turboréacteurs assurant une vitesse de croisière de 850 km/h. Une version spéciale poids lourd, An-225, a été conçue, donnant un volume utile de 1 190 m³.

Avions les plus grands

• Le Boeing 747-400, qui fut pour la 1re fois exploité le 31-01-89, par la compagnie Northwest Airlines, est l'avion de ligne pouvant transporter le plus de passagers au monde. Avec une envergure de 65 m, il peut transporter jusqu'à 566 passagers à 13 340 km de distance.
• Le Boeing 747 « Jumbo Jet » effectua son 1er vol en 1969 et entra en service en 1970. Il peut transporter 560 passagers, à une vitesse de 1 030 km/h. Son envergure est de 60 m, sa longueur de 70 m.

Avion du futur

L'Airbus A3XX Jumbo, à l'état de prototype, sera le plus grand avion de ligne du monde. Airbus Industrie, son constructeur, a l'intention de le mettre en service en 2003, avec l'aide, dans cette entreprise, de représentants des 19 compagnies aériennes. Cet avion, équipé de 4 moteurs et possédant 2 ponts, pourra transporter 1 000 passagers, et sera le 1er avion de ligne à abriter 4 allées (2 sur le pont principal et 2 sur le pont supérieur). Il permettra de faire face à l'augmentation du trafic aérien, qui triplera ces 20 prochaines années. Le coût de son développement reviendra à 8 milliards de $ (48 milliards de F).

Transport de passagers

Lors de l'opération « Salomon », qui commença en 1991, 1 087 juifs éthiopiens, appelés falachas, furent transférés vers Israël, sur un Boeing 747 d'El Al.

Capacités

• Une version étendue de l'avion de ligne MD-11 de McDonnell Douglas est à l'étude et devrait pouvoir accueillir 515 passagers dans la cabine principale et 96 sur le pont à l'avant des ailes.
• L'avion européen Airbus A 330 comptabilise 335 places, sa configuration maximale est de 440 sièges.

Nombre de vols

• Un DC-9, construit par McDonnell Douglas, encore en service auprès de la compagnie Northwest Airlines, avait, au 1er-02-96, effectué 100 746 vols. Cet avion fut délivré neuf en 1966, à la compagnie Delta Airlines.
• Le record du nombre d'heures de vol effectuées par un avion de ligne est détenu par un Boeing 747-200F de la compagnie Korean Air, avec 99 825 heures de vol au 1er-03-96. Cet avion fut vendu neuf à la compagnie Lufthansa en mars 1972.

CIVIL LE PLUS HAUT

Le 15-09-95, Alexandre Paringaux, passager d'un Mig 25 PU « Foxbat », piloté par le Russe Alexander Y. Garnaev, a effectué le vol le plus haut pour un civil. Pas moins de 30 500 m d'altitude, atteints par paliers, la vitesse supersonique étant utilisée à partir de 11 000 m et poussée jusqu'à Mach 2,65, soit plus de 2 fois la vitesse du son ou près d'1 km/s.

PASSAGERS ET PILOTES

Passagère la plus âgée

Le record appartient à Charlotte Hughes (1877-1993), de Redcar, GB. On lui a offert un vol en Concorde de Londres à New York pour son 110e anniversaire le 4-08-87. Elle a volé à nouveau en février 1992, à l'âge de 115 ans.

Passager le plus expérimenté

Edwin Shackleton, de Bristol, GB, a effectué en tant que passager 603 vols dans des aéronefs différents, incluant avions, hélicoptères, planeurs, ULM, ballons et montgolfières. Son 1er vol a eu lieu en mars 1943 sur un D.H. Dominie R9548. Il reçut le baptême de l'air en 1943, puis voyagea en hélicoptère, en ULM, en ballon à gaz et à air chaud.

Pilotes les plus jeunes et les plus vieux

Les plus vieux • Le colonel Clarence Cornish (1898-1995), d'Indianapolis, USA, a effectué son 1er vol le 6-05-18 et son 1er vol solo 21 jours plus tard. Il pilotait encore à l'âge de 97 ans, la dernière fois, un Cessna 172, le 4-12-95. Il est mort 18 jours après. Sa carrière couvre 80 % de l'histoire de l'aviation.
• Hilda Wallace, de West Vancouver, Colombie-Britannique, Canada, a obtenu sa licence de pilote en 1989, à l'âge de 80 ans et 109 jours.
France • Le 4-05-88, Jacques Monvoisin, de Paris, Île-de-France, a obtenu son brevet et sa licence de pilote professionnel d'hélicoptère à l'âge de 68 ans et 124 jours.

• Le 8-11-77, Albert Savoy pilota pour la 1re fois un PPL, à 82 ans.
• Le couple français Jean-Pierre (80 ans) et Maria (73 ans) Mer, de Guiclan, Finistère, ont effectué leur baptême de l'air lors d'un vol le 25-05-97.
Les plus jeunes • Le pilote américain Tony Aliengena, 9 ans, seul à bord d'un Cessna 210, a relié, le 30-03-88, la côte ouest, Santa Anna, Californie, à la côte est, Bedford, Massachusetts.
• La Californienne Katrina Mumaw, à l'âge de 11 ans, a franchi le mur du son à bord d'un Mig-29 qu'elle pilotait, le 16-07-94.
• L'Américaine Vicki Van Meter, élève de 6e à Meadville, a joint Augusta, Maine, à l'Écosse, le 7-06-94, traversant l'Atlantique, à l'âge de 12 ans, aux commandes d'un Cessna 210.
France • Le jour de ses 15 ans, le 19-10-94, le Français Franck Lefebvre a obtenu son brevet de pilote et celui de planeur à l'aéro-club de St-Quentin, Aisne.

Pilote non-voyant

Le 8-12-95, Félix Vert-Pré, pilote aveugle, a rallié, accompagné d'un moniteur, la Martinique à la Guadeloupe en 1 h 10 min à bord d'un petit Groumane Fogue.

Vols transatlantiques

Entre mars 1948 et le jour de sa retraite, le 1er-09-84, le commandant de bord de la compagnie TWA Charles Schimpf effectua 2 880 vols transatlantiques.

Heures de vol

<u>Pilote</u> • John Long (n.10-11-15), USA, a accumulé 62 654 h de vol, soit l'équivalent de 7 ans, entre mai 1933 et avril 1997.

<u>Passager</u> • Le Britannique Fred Finn a effectué en mai 1997 son 709e vol, et cela, à bord du Concorde.

• En avril et mai 1995, grâce à un pass lui permettant de voyager gratuitement sur le territoire américain, William Dodic, passager passionné d'aviation civile, a parcouru 212 913 km (soit 372 heures de vol ou plus de 5 fois le tour de la Terre), répartis sur 204 vols.

<u>Hôtesse de l'air</u> • La Française Nicole Meneveux a volé au cours de sa carrière sur le Concorde à une vitesse supersonique, pendant 4 637 h.

Avions pilotés

Le capitaine britannique Eric Brown (n.21-01-19), a volé sur 487 types d'avions en tant que pilote de chasse et d'essai.

Vol sans ravitaillement

Robert Ferry, sur Hughes YOH-6A, a rallié le 6-04-66 Culver City, Californie, à Ormond Beach, Floride, soit 3 560 km sans ravitaillement.

Dirigeables les plus grands

<u>Rigides</u> • Les plus grands furent les allemands *Hindenburg* (LZ 129) et son jumeau *Graf-von-Zeppelin-II* (LZ 130), d'une longueur de 245 m et d'une capacité de 200 000 m³. Le premier effectua son vol inaugural en 1936, le second en 1938.

<u>Non rigides</u> • Le ZPG 3-W, de l'US Navy, avait une capacité de 42 937 m³ et mesurait 123 m de long et 26 m de diamètre, son équipage était de 21 personnes. Il effectua son premier vol le 21-07-58, mais fut perdu en mer en juin 1960.

• Le Sentinel 5 000, dirigeable de reconnaissance mis à l'étude par la marine américaine, devrait avoir une capacité de 70 864 m³.

Hélicoptère le plus grand

Le plus grand hélicoptère actuellement en service est le Mil Mi-26 russe. Son envergure est de 40 m, il pèse 28,20 tonnes, son poids maximum étant de 56 tonnes. Son rotor à 8 pales, d'un diamètre de 32 m, est mû par 2 turbopropulseurs de 11 240 ch.

Hélicoptères les plus petits

• L'Angel CH 4 est le plus petit hélicoptère monoplace du monde. Il pèse 200 kg et est équipé d'un moteur à pistons. Son coût en 1998 est d'environ 260 000 F. Une licence est obligatoire pour le piloter.

• Le Dragonfly conçu par les frères Castiglioni et fabriqué par l'italien CRAE est le plus petit hélicoptère biplace du monde : il ne pèse que 230 kg, mesure 2 m de haut et 5,20 m de long, et son moteur de 130 ch lui autorise une vitesse de 110 km/h. Vendu 450 000 F en 1998, une licence est obligatoire, mais ces hélicoptères ne sont pas immatriculés, et sont donc considérés comme ULM.

Hélicoptère le plus léger

L'hélicoptère ultraléger de 1 place Seremet WS-8 fut construit au Danemark en 1976. Propulsé par un moteur de 35 ch, son poids était de 53 kg. Le diamètre des pales était de 4,50 m.

Altitudes

• Le plus haut atterrissage eut lieu à 7 500 m, sur l'Himalaya, par le SA 315 B, en 1969.

• Le 21-06-72, un SA 315B Lama d'Aerospatiale piloté par Jean Boulet a atteint l'altitude de 12 442 m au-dessus d'Istres, France.

Aéroports les plus grands

• L'aéroport Roi-Khaled, à Riyad, Arabie saoudite, dont la réalisation a coûté 20 milliards de F, est, avec ses 225 km², le plus grand aéroport du monde. Il a été mis en service le 14-11-83.

• Le plus grand terminal du monde est celui de l'aéroport Roi-Abdul-Aziz, à Djeddah, Arabie saoudite : il couvre 1,5 km².

• Le terminal aéroportuaire le plus grand du monde est celui de l'aéroport de Hartsfield, Atlanta. Inauguré le 21-09-80, sa surface au sol est de 53 ha. En 1996, cet aéroport a accueilli 58 millions de passagers et a utilisé 179 portes d'embarquement.

<u>France</u> • L'aéroport Paris-Charles-de-Gaulle, à Roissy-en-France, Val-d'Oise, s'étend sur 31 km² et celui de Paris-Orly, Val-de-Marne, sur 15,5 km².

AVION LE PLUS VASTE

L'avion cargo A300-600ST Beluga d'Airbus a une soute principale de 1 400 m³ et peut transporter une cargaison de 150 tonnes. Il mesure 44,84 m d'envergure, 56,16 m de longueur et la longueur utile de sa soute est de 37,70 m.

Bateaux 1

BATEAUX
Porte-avions

• Les bateaux de guerre ayant le plus gros déplacement en pleine charge sont les porte-avions américains de la classe Nimitz : *Nimitz, Dwight-D.-Eisenhower-H, Carl-Vinson, Theodore-Roosevelt, George-Washington, Abraham-Lincoln* et *John-C.-Stennis*. Ils sont commandés par 4 turbines à engrenages à vapeur à énergie nucléaire de 260 000 ch qui leur permettent d'atteindre des vitesses de 30 nœuds (56 km/h). Leur équipage compte 5 986 personnes. Ils ne doivent se réapprovisionner qu'au bout de 1 450 000 km.

• L'*Enterprise*, avec ses 336 m, est le plus long bateau de guerre jamais construit. Deux nouveaux navires de cette classe sont en construction : le *Harry-S.-Truman* et le *Ronald-Reagan*.

France • Admis au service actif en 1963, les porte-avions *Foch* et *Clemenceau* sont les plus grands navires de guerre français. Ils mesurent 266 m de long et 51 m de large, transportent 40 avions et ils atteignent la vitesse de 60 km/h.

Croiseur
Excepté les porte-avions, le plus grand navire de guerre français était le croiseur lance-missiles *Colbert*, 191 m de long, 11 300 tonnes de déplacement en pleine charge. Ce croiseur antiaérien, mis en vente en mai 1959 et retiré du service de la marine nationale le 24-05-91, a été remorqué de Toulon à Bordeaux, où il est ouvert aux visites publiques.

Premier bateau blindé
Le *Warrior*, de la marine royale britannique, restauré et exposé depuis 1987 à Portsmouth, fut construit dans les chantiers de la Tamise, à Blackwall, en 1860. Bâti en métal et en teck,
il était propulsé par une machine à vapeur de 932 kW et équipé d'un gréement complet de voiles.

Cuirassés
• Le *Missouri* et le *Wisconsin* sont les plus gros cuirassés de la marine US. Longs de 270 m, ils ont un déplacement en pleine charge de 58 000 tonnes, et peuvent atteindre la vitesse de 35 nœuds. Doté d'un blindage de 36 cm, le *Missouri* a neuf canons de 406 mm pouvant tirer à 40 km des obus de 1 tonne.

• Les cuirassés japonais qui firent la Seconde Guerre mondiale, *Yamato*, achevé en 1941 et coulé le 7-04-45, et *Musashi*, coulé en 1944, furent les plus gros cuirassés jamais mis en service. Avec un déplacement en pleine charge de 70 000 tonnes, une longueur de 263 m et une largeur au fort de 38,70 m, ils étaient armés de neuf canons de 460 mm.

France • Le dernier cuirassé français, le *Jean-Bart*, lancé en 1940, mesurait 244 m de long.

Bateau furtif
Le *Sea-Shadow* est un navire de l'US Navy utilisé pour la défense aérienne. Il possède une superstructure à facettes noire qui réfléchit les ondes radar.

SOUS-MARINS
Les plus grands
Ce sont les 6 sous-marins nucléaires russes de la classe Typhon. Ils mesurent 171,50 m et sont armés de 20 missiles SS NX 20, de 8 300 km de portée.

France • Le *Triomphant* est le sous-marin le plus performant au monde. Il mesure 138 m de long, 12 m de large. Son coût fut de 10 milliards de F.

Sous-marin civil le plus grand
Le *Saga*, sous-marin civil français, lancé en 1987 par la Comex et l'Ifremer, mesure 28,70 m et a une autonomie en plongée de 241 km.

Plongées les plus profondes
• *Voir photo.*
• Le *Sea-Cliff*, de l'US Navy pesant 30 tonnes, a atteint la profondeur de 6 000 m en mars 1985.

Opérations les plus profondes
• Le 20-05-72, le bathyscaphe américain *Trieste II* a récupéré du matériel électronique par 5 000 m de profondeur, au large d'Hawaii.
• Le sauvetage le plus profond réalisé par des plongeurs fut celui de l'épave du croiseur britannique *Edinburgh*, coulé par 245 m de fond le 2-05-42 dans la mer de Barents. 12 plongeurs descendirent à bord d'une cloche, en 1981 ; 460 lingots d'or (seul sauvetage de l'intégralité d'une cargaison à ce jour) furent récupérés.

Plongée simulée
La plus profonde • Le 20-11-92, Théo Mavrostomos a atteint au bout de 43 jours la profondeur de 701 m en plongée simulée.
Expérience conduite au centre de la Comex à Marseille.

La plus longue • Arnaud de Nechaud de Feral (n.1956) a battu le record de durée en restant 73 jours, du 9-10 au 21-12-1989, dans un caisson de saturation simulant une profondeur de 300 m et une pression de 30 bars. L'expérience « Hydra 9 » était conduite à Marseille, au centre d'essais de la Comex.

MARINE MARCHANDE
Pétroliers
• Le *Jahre-Viking* (ex-*Happy-Giant*), de 564 750 tonnes de port en lourd, a une longueur hors tout de 458,45 m, une largeur au fort de 69 m et un tirant d'eau de 24,61 m. Il a été « allongé » (jumboïsé) en 1980 par Nippon Kokan, qui y a ajouté une demi-coupe au maître de 81 m. Mis hors d'usage lors des bombardements de la guerre Iran-Irak, il a subi à Singapour, Malaisie, et à Dubaï, Emirats arabes unis, une rénovation qui a coûté 60 millions de $, puis a été remis en mer en 1991.

• Le plus grand bateau en service, tous types confondus, est l'*Hellas-Fos* de 555 051 tonnes de port en lourd et de 254 582 tonneaux de jauge brute, pétrolier à turbine à vapeur construit en 1979. Il est ancré au port du Pirée, à Athènes.

• Entre 1976 et 1979, les Chantiers de l'Atlantique, à St-Nazaire, Loire-Atlantique, livrèrent les quatre plus grands pétroliers du monde (plus de 550 000 tonnes de port en lourd) : deux (le *Batillus* et le *Bellamya*) commandés par Shell-France et deux (le *Pierre-Guillaumat* et le *Prairial*) commandés par la Compagnie nationale de navigation. Depuis, les trois premiers ont été mis à la casse. Le quatrième est devenu l'*Hellas-Fos*.

France • Aujourd'hui, le plus grand pétrolier battant pavillon français est le *Lanistes*, lancé au Japon en 1975. Long de 344 m, large de 56 m, avec 311 896 tonnes de port, il appartient à Shell-France.

Cargo
Le cargo norvégien de marchandises sèches *Berge-Stahl*, de 364 767 tonnes de port en lourd, a été construit en Corée pour l'armateur norvégien Sig Bergesen. D'une longueur de 343 m, d'une largeur au fort de 63,50 m, il a été lancé le 5-11-86.

Baleinière-usine
Sovietskaya-Ukraina (32 034 tonneaux de jauge brute, 46 738 tonnes de port en lourd) a été terminée en octobre 1959. Longue de 218 m, elle a une largeur au fort de 26 m.

Bateau fluvial
Le *Mississippi-Queen*, de 116 m de longueur, dessiné par James Gardner, de Londres, fut armé le 25-07-76 à Cincinnati, Ohio.

Brise-glace
Le plus grand bateau, transformé en brise-glace de 152 400 tonnes par la Humble Oil, fut le *Manhattan*. D'une longueur de 307 m, il avait une proue blindée de 20 m de long.

Plongée en bathyscaphe

La plongée la plus profonde a été réalisée dans la fosse des Mariannes, par le bathyscaphe de la marine américaine *Trieste*. Conçu et manœuvré par le Suisse Jacques Piccard (n.28-07-22) et par le lieutenant Donald Walsh, il atteignit -10 911 m le 23-01-60. La pression de l'eau était de 1 183 kg/cm². La descente dura 4 h 48 min et la remontée 3 h 17 min. Ci-dessous, en 1953, Jacques et son père Auguste Piccard (1884-1962), pionnier des explorations dans la stratosphère et dans les profondeurs sous-marines.

PETIT FORMAT ET GRANDEUR NATURE

• *Raymond Monseigne, de Talence, Gironde, a fabriqué à la main une reproduction du Bounty entièrement en acajou. C'est une coupe longitudinale contenant des aménagements intérieurs qu'il a mis 3 000 h à construire.*

• *En l'an 2000, le Foch sera remplacé par le porte-avions nucléaire Charles-de-Gaulle, qui deviendra le plus gros bâtiment de la marine nationale. De taille comparable et moins rapide que son prédécesseur, il aura des performances 2 fois plus importantes. Ce monstre a un déplacement de 40 600 tonnes, se déplace jusqu'à 27 nœuds, est équipé d'un pont d'envol de 12 000 m³, et pourra accueillir un équipage de 2 000 personnes. Son hangar de 4 600 m² est 40 % plus spacieux que celui du Foch. Sa construction a coûté 19 milliards de F (plus du double en comptant les avions et les frais de fonctionnement).*

Ferry-boats

• Fabriqués en Finlande, les plus rapides sont *Explorer*, *Voyager* et *Discover*, de Stena Line's HSS, qui sont équipés de 4 turbines à gaz leur permettant d'atteindre une vitesse de croisière de 40 nœuds (74 km/h) et une vitesse de pointe de 44 nœuds (81,4 km/h). Chacun d'eux a une coque de 126,60 m de long et de 40 m de large, ils peuvent transporter 1 500 passagers et 375 voitures.

• Celui qui a le tonnage le plus important est le *Silja Europa*, avec 59 914 tonneaux de jauge brute. Il est en service entre Helsinki, Finlande, et Stockholm, Suède, depuis 1993. Il mesure 202 m de long et 32,60 m de large, et a une capacité de 3 000 passagers, 350 voitures et 60 camions.

France • Le *Danielle-Casanova*, 165 m de long et 27,40 m de large, peut transporter 2 436 passagers et 800 véhicules. Lancé en 1989 par les Chantiers de l'Atlantique, il appartient à la SNCM, et assure des services en Corse.

Transport de trains • Le *Klaipeda*, le *Vilnius*, le *Mukran* et le *Greifswald* sont en service en mer Baltique, entre Klaipeda, Lituanie, ex-URSS, et

Mukran, Allemagne. Ils mesurent chacun 190 m de long et 91,86 m de large, pour un port en lourd de 11 700 tonnes. Ils peuvent transporter 103 wagons de 15 m de long, et parcourir 273 milles (500 km) en 17 h.

Chalands

Les plus grands chalands rouliers sont quatre chalands de la classe *El Rey*, de 16 700 tonnes et de 177 m de long. Construits par FMC, de Portland, Oregon, ils sont affrétés par Crowley Maritime, de San Francisco. Ils fonctionnent entre la Floride et Porto Rico. Leurs trois niveaux peuvent accueillir jusqu'à 376 camions semi-remorques.

Dragueur

Le *Prins-der-Nederlanden* (143 m de longueur, 10 580 tonneaux de jauge brute) peut draguer 20 000 tonnes de sable jusqu'à une profondeur de 35 m en moins de 1 h.

Paquebots

Le *Carnaval Destiny*, appartenant à la Carnaval Cruise Line, est le plus gros paquebot. Son tonnage est de 101 353 tonneaux de jauge brute. Il mesure 272 m de long et 38 m de largeur.

Le plus long • Le *Norway* (ex-*France*), construit en 1961, de 76 000 tonneaux de jauge brute et d'une longueur totale de 316 m, est le plus long paquebot du monde. Il peut accueillir 2 022 passagers et 900 personnes d'équipage. Maintenant basé à Miami, Floride, il effectue des croisières.

Paquebot le plus grand

Le paquebot de croisière *Grand Princess* a un tonnage de 109 000 tonneaux de jauge brute. Il voyagera l'été entre Istanbul et Barcelone, et l'hiver dans les Caraïbes. Il possède 15 ponts, un équipage de 1 150 membres et peut transporter 2 600 passagers.

Porte-conteneurs

Le plus grand porte-conteneurs actuellement en service est le *Regina Maersk*, construit au Danemark et achevé en 1996. Il a une capacité de 81 488 tonneaux de jauge brute et peut transporter 6 000 conteneurs standard de 6 m de long.

France • Construit en 1973 en Allemagne, le porte-conteneurs *Korrigan* peut transporter 2 960 conteneurs standard. Long de 289 m, il est large de 32 m, avec 57 304 tonneaux de jauge brute et 48 850 tonnes de port en lourd.

Remorqueurs

Les remorqueurs soviétiques *Nikolaï-Tchiker* (SB-131) et *Fotiy-Keylov* (SB-135) ont une puissance de 25 000 ch et une capacité de remorquage de 291 tonnes. Ils mesurent 99 m de long et 19 m de large.

France • Les remorqueurs *Abeille-Flandre* et *Abeille-Languedoc* ont une longueur de 63,45 m et une largeur de 14,40 m. Ils pèsent 1 600 tonnes et ont une puissance de 23 000 ch. Ils sont affectés à la surveillance de la Manche.

Premier navire à turbines

Le premier navire à turbines a été conçu par Sir Charles Parsons (1854-1913), et construit à Wallsend-on-Tyne, GB. Il mesurait 30 m de long pour un déplacement de 45,2 tonneaux. Mû par des turbines à vapeur d'une puissance totale de 2 000 ch, il atteignit, dès sa mise à l'eau en 1897, la vitesse de 34,5 nœuds. Il est encore visible de nos jours à Newcastle-upon-Tyne, GB.

PAQUEBOT À VOILES

Le Club-Med-I *est le plus grand paquebot à voiles du monde. Long de 187 m et large de 20 m, il a 5 mâts de 50 m qui supportent 2 800 m² de voilure. Le personnel compte 198 personnes pouvant accueillir 425 passagers pour des croisières en Méditerranée et dans les Caraïbes.*

Bateaux 2

ORIGINES

• On pense que les aborigènes étaient déjà en mesure de traverser le détroit de Torres, entre la Nouvelle-Guinée et l'Australie, soit une distance d'au moins 70 km, 55 000 ans av. J.-C. Ils utilisaient vraisemblablement des pirogues doubles, ancêtres de nos catamarans.

• La plus ancienne représentation d'un bateau est controversée. On l'attribue à d'éventuels dessins rupestres de bateaux en peaux de bêtes du mésolithique, à Hognipen, Norvège (8000 à 7000 av. J.-C.), mais aussi à Minateda, Espagne (7000 à 3000 av. J.-C.) et à Kobystan, URSS (8000 à 6000 av. J.-C.).

Embarcations les plus anciennes

• C'est une sorte de pirogue creusée dans du bois de pin, qui fut découverte à Pesse, Pays-Bas. Elle date de 6315 av. J.-C. (à 275 années près) et est actuellement exposée au musée provincial d'Assen.

• La plus ancienne flotte connue, qui date d'environ 3000 av. J.-C., a été découverte en 1991 à Abydos, Égypte. Elle est constituée de 12 bateaux funéraires mesurant chacun 18 m de long. Une pagaie de 45 cm de long, datant de 7600 av. J.-C., a été trouvée en 1948 à Star Carr, site du North Yorkshire, GB.

France • Les plus anciennes embarcations d'Europe, découvertes à l'occasion des travaux de fondation de la grande Bibliothèque nationale sur le site de Bercy, à Paris, ont 6 500 ans, elles datent de 4300 à 3600 av. J.-C. Les fouilles ont mis au jour 3 pirogues de chêne mesurant chacune 5 m de long.

Jonques les plus grandes

• La jonque *Cheng-Ho*, construite en 1420, navire amiral de la flotte de 62 galions de l'amiral chinois Cheng-Ho, avait un déplacement de 3 150 tonnes. On évalue sa longueur à 164 m et on pense qu'elle était équipée de 9 mâts.

• En 1161 existait une jonque fluviale de 110 m équipée de roues à aubes. Les jonques actuelles ne dépassent pas 52 m.

Bateau le plus ancien existant

Il s'agit d'un canoë en bois, destiné à la pêche aux anguilles, de 8 m de long et de 75 cm de large, daté d'environ 4490 av. J.-C. et découvert à Tybrind Vig, sur l'île de Fünen, en mer Baltique.

Premiers bateaux à vapeur

• La propulsion par machine à vapeur fut maîtrisée pour la 1ʳᵉ fois en 1783, quand le marquis Claude François de Jouffroy d'Abbans (1751-1832) remonta une partie de la Saône, près de Lyon, sur le pyroscaphe, vapeur à aubes de 180 tonnes.

• Le remorqueur *Charlotte-Dundas* fut le premier vaisseau à moteur efficace. C'était un bateau à roue à propulsion arrière construit en 1801 pour le canal de Forth and Clyde, en Écosse, par William Symington (1763-1831).

Il utilisait une machine à vapeur à condensation et à double action construite par James Watt (1736-1819).

• Le plus vieux bateau à vapeur en activité est le bateau à roue *Skibladner*, qui fait la navette sur le lac Mjosa, Norvège, depuis 1856.

AÉROGLISSEURS

Premiers aéroglisseurs

• Le véhicule sur coussin d'air (ou aéroglisseur) fut conçu en 1954 par l'ingénieur britannique Christopher Sydney Cockerell (n.4-06-10).

• le 30-05-59, le premier vol en aéroglisseur eut lieu sur un appareil de 4 tonnes, le Saunders-Roe-SR-NI, à Cowes, île de Wight, GB. Muni d'un moteur turbo Viper de 680 kg de poussée, il atteignit une vitesse de 126 km/h en juin 1961.

• Le premier service régulier d'aéroglisseur eut lieu à travers l'estuaire de la Dee, en Écosse, sur un engin Vickers-Armstrong VA-3 pour 24 passagers, à une vitesse de 110 km/h, entre les mois de juillet et septembre 1962.

Aéroglisseurs les plus grands

Le SRN 4 Mark III, aéroglisseur civil d'origine britannique, pèse 305 tonnes, est long de 56 m et peut transporter 418 passagers et 60 voitures.

France • Construit en 1978, l'aéroglisseur *Jean-Bertin* mesure 49,70 m de long et file à 45 nœuds.

DIVERS

Voiliers les plus grands

Le *Sedov*, lancé en 1921 et utilisé en URSS pour l'instruction des marins, a 109 m de long, 15 m de large et une voilure d'une surface de 4 192 m².

France • Le *France II* (5 806 tonneaux de jauge brute), lancé à Bordeaux, Gironde, en 1911, était un cinq-mâts à coque d'acier (gréé en carré sur 4 mâts et à voiles auriques sur le mât arrière).

Il mesurait 128 m hors tout. Il fit naufrage au large de la Nlle-Calédonie en 1922.

Voilier en service le plus vieux

Le *Maria-Asumpta* (ex-*Ciudad-de-Inca*) de Lenham, Maidstone, Kent, GB, construit en Espagne près de Barcelone en 1858, a été restauré en février 1981 et est utilisé pour des tournages de films, des publicités, des régates et des cours de voile.

Il mesure 30 m hors tout.

Yachts les plus grands

• *Voir photo.*

• Le yacht privé non royal *Alexander*, ancien ferry transformé en yacht en 1986, a une longueur totale de 122 m.

Vraquier

Le plus grand vraquier français est le *Gérard-L.3*, avec 281 m de long et 165 239 tonnes en port lourd.

Bateau en bois le plus lourd

Le *Richelieu*, qui mesure 102 m pour un poids de 8 660 tonnes, fut lancé à Toulon, Var, le 3-12-1873.

Bateau en bois le plus long

Le *Rochambeau*, anciennement baptisé *Dunderberg*, construit à New York entre 1867 et 1872, avait une longueur hors tout de 115 m.

Car-ferry le plus rapide

Le *Finnjet* (24 065 tonneaux de jauge brute), à turbine à gaz, construit en 1977, navigue entre la Finlande et l'Allemagne. Il peut dépasser la vitesse de 30 nœuds (55,5 km/h).

Plus grand nombre d'appontages

Le groupe aéronaval n° 6 de la flotte américaine du Pacifique a procédé à 602 appontages sur le *Matanikau*, le 25-05-45, entre 8 h et 17 h, à la fin de la guerre contre le Japon.

Collision la plus grande

Le 16-12-77, à 35 km de la côte sud-africaine, 2 tankers entrèrent en collision : le *Venoil* et le *Venpet*.

ÉLÉMENTS

Voiles

La plus grande mâture jamais utilisée fut celle du navire de guerre britannique *Temeraire*, terminé à Chatham, Kent, le 31-08-1877.

La grand-vergue et la vergue de misaine mesuraient 35 m de long. La voilure de 2 322 m² pesait 2 tonnes.

Hélice

La plus grande jamais construite a un diamètre de 9 m, et pèse 93,5 tonnes. Elle a été conçue et construite par la société Stone Manganese Marine de Birkenhead, GB, pour des porte-conteneurs. Cette hélice à 6 pales fut fondue le 30-01-97 à partir de 129 tonnes de métal liquide.

Ports géants

• Le port de Hong Kong est le plus grand port pour conteneurs, avec 13,5 millions de conteneurs standard.

• Le port de New York - New Jersey est équipé de 1 215 km de quais sur 238 km². Il peut abriter 391 navires (dont 261 cargos).

• Le port de Rotterdam est le plus grand port artificiel du monde, avec une superficie de 100 km² et 122,3 km de quais.

 YACHT ROYAL

Le yacht royal Abdul-Aziz, construit au Danemark et appartenant au roi d'Arabie saoudite, a été achevé le 22-06-84 à Vospers Yard, Southampton, GB. Il mesure 147 m de long.

Mâts

• Le sloop *Zeus*, long de 45,70 m, construit aux USA en 1994, possède le plus grand mât unique du monde, haut de 52,70 m et fabriqué en fibre de carbone, d'un seul morceau.

• Le seul schooner à 7 mâts jamais construit fut le *Thomas-W.-Lawson*, de 115 m et de 5 218 tonneaux de jauge brute, construit à Quincy, Massachusetts, USA, en 1902. Il s'échoua au large de la Cornouailles, en 1907.

TRAVERSÉES EN BATEAU
Premières traversées

• La 1re croisière d'un paquebot à production continue de vapeur et équipé de distillateurs fut effectuée par le *Sirius* (714 tonnes), de Queenstown (actuellement Cobh), Irlande, à Sandy Hook, New Jersey, USA, en 18 jours et 10 h, du 4 au 22-04-1838.

• La première traversée de l'Atlantique par un navire à moteur – et non par un navire à voile avec moteur auxiliaire – prit 22 jours en avril 1827, de Rotterdam, Pays-Bas, aux Antilles, par le Curaçao. C'était un bateau en bois à aubes de 438 tonnes construit à Douvres, GB, en 1826, et acheté par le gouvernement néerlandais pour le service postal des Indes occidentales.

• C'est le navire britannique *Rhadamanthus* qui effectua, en 1832, de Plymouth à la Barbade, la première traversée uniquement à la vapeur (avec des pauses pour dessaler l'eau de la chaudière).

Ruban bleu

Distinction récompensant le navire ayant réalisé la traversée de l'Atlantique la plus rapide.

• Le bateau italien *Destriero*, dessiné par Donald Blount, a remporté le Ruban bleu pour avoir réalisé la traversée en 58 h 34 min. Sa vitesse moyenne était de 98,32 km/h, et il était piloté par l'ex-directeur de la firme Ferrari, Cesare Fiorio. Financé par Giovanni Agnelli et Karim Aga Khan, *Destriero* développe 50 000 ch et peut atteindre des vitesses de 130 km/h.

• Pour les traditionalistes, qui estiment que le Ruban bleu devrait être décerné aux bateaux qui parcourent les lignes régulières, il est toujours détenu par le *United-States* (alors de 52 000 tonneaux de jauge brute et actuellement de 38 200). Lors de son 1er voyage, de New York au Havre en 1952, le *United-States* réalisa une vitesse moyenne de 35,59 nœuds (66 km/h) pendant 3 jours, 10 h et 40 min (du 3 au 7-07) sur un trajet de 5 465 km. Durant cette traversée, il parcourut la plus grande distance jamais couverte par un navire en 24 h, soit 868 milles (1 853 km) à la vitesse moyenne de 36,17 nœuds (67 km/h). La plus grande vitesse atteinte, avec ses moteurs de 240 000 ch, fut de 38,32 nœuds (71 km/h), lors de pointes réalisées le 10-06-52.

PORTS
Ports les plus actifs

Voir photo.

Avec un trafic de marchandises de 292 millions de tonnes en 1996, le port de Rotterdam, aux Pays-Bas, est le 1er du monde.

France • Le port de Marseille, Bouches-du-Rhône, avec un trafic de marchandises de 92,24 millions de tonnes en 1994, est le 1er port de France et le 3e d'Europe.

Brise-lames

Celui qui protège le port de Galveston, Texas, le South Breakwater, fait en granit, mesure 11 km de long.

Cales sèches

La cale sèche d'Okpo, dans le port de l'île de Koje, Corée du Sud, mesure 530 m de long pour 131 m de large.

France • La plate-forme n° 10 du port de Marseille mesure 465 m de long et 85 m de large. Elle peut recevoir des navires de 800 000 tonneaux.

Quai

Le quai Hermann-du-Pasquier, au Havre, Seine-Maritime, est long de 1 524 m et fait partie d'un bassin fermé dont la profondeur constante est de 9,80 m.

Jetée la plus longue

La jetée du port de Damman, en Arabie saoudite, mesure 13 km.

MODÉLISME NAVAL
Navires

Une réplique du cuirassé *Karashia-III* a été réalisée par Christophe Ramière, de Biscarrosse, Landes. Construite entièrement au moyen de matériel de récupération TV, hi-fi et vidéo, cette maquette mesure 380 cm de long, 50 cm de large et 124 cm de haut, pour un poids de 90 kg.

Sous-marin

G. Smith, de Bognor Regis, West Sussex, GB, est l'inventeur du plus petit submersible opérationnel du monde, avec seulement 2,95 m de long pour 1,15 m de large et 1,42 m de haut.

Il peut atteindre 100 m de profondeur et rester immergé au moins 4 h.

PREMIER CATAMARAN SOUS-MARIN

En 1995, la compagnie espagnole Subidor a conçu et construit le 1er catamaran sous-marin, qui plonge jusqu'à 50 m et se déplace avec autant d'aisance en surface à 12,5 nœuds (28 km/h).

Désastres

Zones dangereuses

Zone la plus soumise à la piraterie

Sur les dix dernières années, 1 500 actes de piraterie ont été recensés en Asie du Sud-Est. La plupart des pirates opérant dans la région sont armés de fusils d'assaut et utilisent des petites embarcations rapides pour arraisonner les bateaux. Les pertes financières dues aux actes de piraterie dans l'océan Pacifique sont estimées à plus de 16,5 millions de $ (100 millions de F) par an.

Lieu le plus violent

En dehors des zones de combat, l'endroit de la planète au plus haut taux de criminalité se situe dans les îles Palm, dans l'État australien du Queensland. Le nombre de meurtres y est 15 fois supérieur à celui de l'ensemble du pays, et l'espérance de vie des 3 500 habitants n'excède pas 40 ans. Les îles Palm détiennent également le record du plus grand nombre de suicides d'enfants, avec une moyenne de 1 décès/jour.

Plus grande concentration de mines antipersonnel

Sur les 120 millions de mines antipersonnel enterrées de par le monde, 35 millions se trouvent en Afghanistan. Ces mines blessent ou tuent toutes les 15 min.

85 % des mines sont concentrées dans 3 pays : l'Afghanistan, le Cambodge et l'Angola. En 1997, Tun Channareth, victime de ces mines au Cambodge, a reçu le prix Nobel de la paix pour sa campagne internationale en faveur de l'interdiction des mines antipersonnel.

Zone au plus grand risque de mort violente

Aux USA, 1 adulte sur 4 possède une arme à feu, ce qui représente 200 millions d'armes

sur tout le territoire. On y dénombre 40 000 morts/an, et, sur les 10 dernières années, les homicides par arme à feu ont augmenté de 18 %.

Zone au plus grand risque de kidnapping

Sur les 8 000 cas d'enlèvement recensés en 1996, 6 500 ont eu lieu en Amérique latine, dont 4 000 pour la seule Colombie, où 10 personnes sont kidnappées par jour. Seulement 3 % des auteurs de ces délits ont été déclarés coupables, contre 95 % pour les

USA. L'enlèvement coûte chaque année 200 millions de $ (1,2 milliard de F) à la Colombie.

Chute de météorites

Depuis les années 70, on estime que 10 000 météorites ont été retrouvées sur le continent antarctique, ce qui en fait la zone de la planète où le risque de se faire tuer par un débris tombé de l'espace est le plus grand.

Crash d'avion

• Si la Chine représente 16 % du trafic aérien mondial, 70 % des accidents d'avion ont lieu dans son espace aérien. Les pilotes chinois sont en effet réputés pour totaliser 280 h de vol/mois, soit 180 de plus que la loi chinoise le permet, cela en raison du trop petit nombre de pilotes.

• Les risques de mourir dans un accident d'avion sont 10 fois supérieures en Russie qu'aux USA, ce qui en fait un des pays où les vols en avion sont les plus risqués.

• En Afrique, les possibilités d'être victime d'un crash d'avion sont de 1 pour 50 000, soit 20 fois plus qu'aux USA. Ce chiffre est équivalent à celui des accidents de voiture.

• En 1996, plus de 550 personnes sont décédées par suite d'un crash d'avion en Amérique latine. La Colombie reste à ce titre le pays d'Amérique du Sud le plus risqué.

Secousses telluriques

Chaque année, des milliers de petites secousses ébranlent le sol du Tokai, au sud-ouest de Tokyo, Japon. En décembre 1854, un tremblement de terre d'une magnitude de 8,4 détruisit cette région, située sur une faille tectonique. Au fil des ans, Tokyo et ses alentours sont devenus un espace urbain en expansion, regroupant près de 30 millions

TERRORISME

Les intégristes musulmans imposent à l'Algérie un véritable terrorisme civil, attaquant les villages et massacrant les habitants à la hache ou au poignard. Ceci dans le but de nourrir la peur qu'ils inspirent.

d'habitants, de nombreux gratte-ciel, des réseaux ferroviaires importants et quelques millions de tonnes de fuel ou de produits chimiques entreposés autour de la baie de Tokyo. Un tremblement de terre plus puissant que celui qui détruisit la ville de Kobe en 1995 est prévu pour les années à venir, sur la faille du Tokai.

Éruptions volcaniques

Le Vésuve, près de Naples, en Italie, est considéré comme le volcan le plus dangereux au monde. Plus de 700 000 personnes vivent sur ses versants, dans un rayon de 10 km. La banlieue de la ville s'étend jusqu'à 15 km autour du sommet. En cas d'alerte, le gouvernement italien a prévu d'évacuer au moins 600 000 personnes, ce qui prendrait une semaine, pendant laquelle la région connaîtrait le même sort que Pompéï.

Attaques de tigres

Dans les forêts indiennes de mangrove au Bangladesh, 60 personnes/an se font attaquer par des tigres de Sibérie (*Panthéra tigris*). Ces fauves, qui peuvent atteindre 4 m de long, sont les plus grands au monde.

Radioactivité

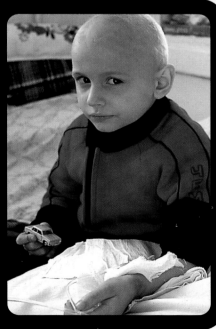

La république soviétique de Biélorussie est le pays qui souffre le plus des conséquences de Tchernobyl (70 % des retombées radioactives, et de nombreux cas de maladie recensés). La plus grande partie du territoire est utilisée pour la culture. 99 % du pays fut contaminé à un degré supérieur aux normes de tolérance internationales, mais la quasi-totalité de la production alimentaire continue d'être consommée.

CATASTROPHES

Enterrement en Algérie suite à l'attentat meurtrier qui eut lieu le 21-01-97 à Alger. En-dessous, l'effondrement d'un pont, à Kobe, port situé dans la baie d'Osaka, Japon, victime d'un des séismes les plus destructeurs de cette fin de siècle. Situé sur une zone à risque, le Japon aura connu, en un siècle, 18 séismes majeurs qui auront fait 212 000 morts et détruit 937 000 habitations.

Attaques de requins
Le grand requin blanc (*Carcharodon carcharias*) est responsable d'une attaque de requin sur trois. Cette espèce est principalement concentrée dans l'océan Indien, près des côtes indonésiennes et australiennes. Chaque année, 40 personnes par an se font dévorer par un requin blanc, alors que le risque de se faire attaquer par cet animal est d'une chance sur 300 millions.

Attaques de serpents
Le Sri-Lanka est l'endroit de la planète où le risque de mourir des suites d'une morsure de serpent est le plus grand, avec un total de 800 personnes tuées/an.

Attaques de scorpions
À Mexico, environ 1 000 personnes/an meurent des suites d'une piqûre de scorpion. Le bilan le plus lourd que cette ville ait connu s'établit en 1946, avec un total de 1 933 morts.

Lieu le plus risqué pour un journaliste
Depuis 1993, en Algérie, 70 journalistes ont été assassinés, ce qui en fait l'endroit le plus dangereux au monde pour exercer cette profession. La plupart de ces meurtres ont lieu entre Alger et la plaine de la Mitidja. De 1987 à 1996, 474 journalistes trouvèrent la mort de par le monde, dont 128 en Europe et dans l'ex-Union soviétique, 166 sur le continent américain, 94 pour l'Afrique et le Moyen-Orient, 85 en Asie et 51 en Afrique du Sud.

Lieu le plus risqué au monde
Une partie de l'Afghanistan, contrôlée par le mouvement fondamentaliste islamique des talibans, est désignée comme l'endroit le plus risqué au monde. Les talibans y ont en effet interdit de danser, de jouer de la musique, de regarder des cassettes vidéo, de jouer au football, de lire des magazines, de boire de l'alcool, d'utiliser un sac en papier ou de jouer au cerf-volant. Les femmes y sont soumises aux interdits talibans et n'ont pas le droit à l'éducation, ni celui d'avoir un emploi ou d'adresser la parole à des étrangers.

ENDROIT LE PLUS DANGEREUX

La région de l'Afghanistan contrôlée par le mouvement des talibans est réputée être l'endroit le plus risqué au monde. En maîtres absolus, les talibans y ont en effet interdit toutes les libertés essentielles de la vie. Ceux qui choisissent de transgresser ces lois sont très sévèrement châtiés.

Désastres

Guerre & Terroristes

Guerres les plus meurtrières
• La Seconde Guerre mondiale (1939-1945) fut celle qui coûta le plus de vies humaines. Le nombre de morts, civils et militaires, de tous pays, s'élève à 56,4 millions.
• Durant la guerre qui opposa le Paraguay au Brésil, à l'Argentine et à l'Uruguay, entre 1864 et 1870, la population totale du Paraguay est passée de 407 000 à 221 000 personnes, parmi lesquels 30 000 mâles adultes.

Guerre civile la plus meurtrière
La révolte du Taiping eut lieu en Chine de 1851 à 1864. Les paysans, fidèles à la dynastie des Ming, se révoltèrent contre le gouvernement mandchou. La rébellion fut dirigée par un aliéné mental, Hung Hsiu-ch'üan, qui se prenait pour le frère cadet de Jésus-Christ. De 20 à 30 millions de personnes périrent, dont 100 000 tuées par les forces gouvernementales lors du sac de Nankin (19 et 21-07-1864).

Bataille de l'époque moderne
La 1re bataille de la Somme, de juillet à novembre 1916, fit 1,22 million de victimes militaires.

Siège le plus long
Le plus long siège de l'histoire contemporaine est celui de Sarajevo, Bosnie, encerclée par les Serbes du 6-04-92 au 14-12-95 (signature de l'accord de paix à Paris).

Invasion par la mer
Le débarquement du 6-06-44, en Normandie, mobilisa, durant les trois premiers jours, 38 convois de 745 navires, soutenus par 4 066 barges de débarquement qui transportaient 185 000 hommes, 20 000 véhicules et 347 dragueurs de mines. L'attaque aérienne fut menée par 18 000 parachutistes largués par 1 087 avions. Les 42 divisions engagées furent soutenues par 13 175 avions de combat. En un mois, 1,1 million d'hommes, 200 000 véhicules et 750 000 tonnes de matériel furent débarqués.

Invasion par les airs
Elle fut conduite près d'Arnhem, Pays-Bas, le 17-09-44, par les troupes anglo-américaines et mit en jeu 34 000 hommes, 2 800 avions et 1 600 planeurs.

Évacuation civile
Après l'invasion du Koweït par l'Irak en août 1990, Air India a évacué 111 711 personnes travaillant au Koweït. À partir du 13-08 et durant 2 mois, 488 vols ont emmené ces civils en Inde.

Suicide collectif
Environ 7 000 soldats japonais se sont suicidés – beaucoup en sautant d'une falaise – suite à l'assaut des marines américains, à Saipan, en juillet 1944, pendant la Seconde Guerre mondiale.

Attaques aériennes à longue portée
Pendant la guerre du Golfe, 7 bombardiers B 52 G, partis de la base de Barksdale, Louisiane, le 16-01-91 ont lâché des missiles de croisière contre les cibles irakiennes. Chacun d'eux a parcouru 22 526 km, se ravitaillant 4 fois en vol d'une durée aller-retour de 35 h. En septembre 1996, les B 52 volèrent non-stop entre Guam, centre du Pacifique, aux environs de Bagdad, Irak, pour lancer des missiles de croisière.

Bombardement de précision
Les bombes de haute technologie ont réellement transformé les stratégies militaires pendant la guerre du Golfe contre l'Irak. Les bombardements de précision, utilisés à cette occasion par les nations alliées pendant la libération du Koweït, ont permis d'atteindre l'objectif avec une précision inespérée. Ainsi, une vidéocassette montrée au président américain George Bush démontrait qu'on pouvait lancer des bombes vers leur cible, comme les Rockeye II Mk ou les ISCB-1 Area Denial Cluster, en appuyant simplement sur un bouton, à grande distance. Certaines bombes très sophistiquées sont aussi programmées pour se fragmenter en 160 petites bombes, elles aussi programmées pour exploser dans les 24 h qui suivent, pour créer des zones d'interdiction. D'autres explosent avec un retard préprogrammé. On peut dire que les armes radiocommandées ont éliminé virtuellement les stratégies militaires

GUERRE AU KOSOVO

Le 24-03-99, l'alliance internationale lança ses 1res frappes aériennes sur l'armée serbe. 6 200 sorties pour un mois de bombardement déclenchèrent l'exode massif des Kosovars, fuyant déjà l'épuration ethnique menée par le dictateur serbe Slobodan Milosevic. 900 000 personnes s'exilèrent sur le 1,8 million d'habitants qui peuplaient le Kosovo avant le conflit.

Saddam Hussein

Né le 28-04-37, Saddam Hussein fut élu président de l'Irak le 22-07-79. Il débuta son règne de terreur par une série d'exécutions. De 1980 à 1988, il mena une guerre de souveraineté contre l'Iran qui fit plus de 700 000 victimes. Suite à l'invasion du Koweït, l'ONU vota le début de la guerre du Golfe qui l'opposa au reste du monde du 17-01-91 au 20-01-96 et fit plus de 100 000 morts. L'Irak est une république.

MASSACRE ÉTHNIQUE

Le 26 mars 99, le ministère de l'Information de Belgrade ordonna à tous les Kosovars de quitter le pays avant la nuit. Le lendemain débutaient les opérations d'épuration ethnique menées par l'armée serbe : exécutions sommaires et terrorisme civil.

traditionnelles, qui nécessitent un avantage de 3 contre 1 du nombre de soldats avant le lancement d'une attaque.

Opération de maintien de la paix la plus chère
Le déploiement de forces de l'ONU en Bosnie-Herzégovine, qui a débuté en 1992, a coûté en 2 ans plus de 4 milliards de $ (24 milliards de F), soit près de 15 fois le coût de toutes les opérations de l'ONU depuis 1988.

Criminel de guerre jugé le plus tardivement
En 1997, Maurice Papon a été accusé de crimes contre l'humanité, commis 56 ans plus tôt, pendant la Seconde Guerre mondiale. En 1942, Maurice Papon avait organisé la déportation de juifs français vivant en zone libre vers la zone occupée, d'où ils furent envoyés à Auschwitz. Il a été condamné à 10 ans de réclusion criminelle en 1998.

Criminels de guerre insaisissables
Pendant plus de 30 ans, les gouvernements occidentaux et les services secrets israéliens ont recherché Martin Bormann et le Dr Josef Mengele, chef de l'unité de « recherche médicale » du camp de concentration d'Auschwitz. Les recherches contre Bormann s'arrêtèrent en 1972, lorsqu'un crâne déterré à Berlin fut identifié comme étant le sien. Mengele, qui s'était enfui en Argentine, puis au Paraguay, après son évasion en 1945, est finalement décédé, de mort naturelle, au Brésil, en 1979.

Conscrits les plus jeunes
Le président Francisco Macías Nguema, de Guinée-Équatoriale, renversé en août 1979, avait décrété en mars 1976 le service militaire obligatoire pour tous les garçons entre 7 et 14 ans. Le décret disposait que tout parent s'y opposant serait emprisonné ou condamné à mort.

Armées les plus faibles
• La Gambie, Afrique, ne compte que 800 actifs dans l'armée de terre, 70 hommes dans la marine et ne possède pas d'armée de l'air.
• Le Luxembourg compte également 800 actifs dans l'armée de terre, mais ne possède ni marine ni armée de l'air.
• Le Belize, Amérique centrale, a une armée de l'air qui ne compte que 15 hommes, 2 avions de combat et 2 avions de transport.

Nombre de soldats
En 1998, on comptait, à travers le monde, 23 530 000 militaires de carrière et appelés, et 36 130 000 réservistes, soit 59,660 millions de soldats.

Soldat le plus vieux
Le soldat le plus âgé de tous les temps fut John B. Salling, de l'armée des confédérés des USA (sudistes), dernier survivant reconnu de la guerre de Sécession (1861-1865). Il mourut à Kingsport, Tennessee, le 16-03-59, à l'âge de 112 ans et 305 jours.

Objecteur de conscience le plus tenace
Gilbert Lane, de Wallington, GB, fut le seul objecteur de conscience à être traduit 6 fois devant une cour martiale pendant la Seconde Guerre mondiale. Il fut condamné à 31 mois de détention et 183 jours d'emprisonnement.

Meilleur pilote de jet
Le capitaine Nikolaï Vassiliévitch Soutiagine, URSS, a abattu 21 avions ennemis pendant la guerre de Corée (1950-1953).

BELGRADE

Cible des missiles de guerre tomawaks et des raids des bombardiers B52, la tour du Parti socialiste serbe est détruite dans la nuit du 24-04-99, privant le pouvoir de son organe de propagande.

Désastres

Accidents

VÉHICULES

Naufrage du *Titanic*

1 513 personnes sont mortes le 15-04-12, lorsque le paquebot *Titanic* sombra, après avoir heurté un iceberg à 1 126,5 km au large de Halifax, Canada. Parmi les corps qui furent repêchés, 128 n'ont jamais été identifiés. Le navire, qui appartenait à la White Star Line et avait été construit par Harland & Wolff, à Belfast, était réputé insubmersible. Il s'agissait d'un palace flottant, les personnes qui voyageaient en 1re classe devaient payer l'équivalent de 50 000 $ (300 000 F) pour la traversée. En 1985, l'épave fut retrouvée grâce à un sous-marin robot. Les opérations de recherche et de récupération effectuées en 1987, 93, 94 et 96 permirent de faire remonter à la surface près de 5 000 objets, qui peuvent être vus au Musée international de Floride. À ce jour, seuls 8 survivants de la tragédie sont encore en vie.

Accident de ferry

Le 21-12-87, le ferry *Dona Paz* est entré en collision avec le pétrolier *Victor*, alors qu'il faisait route de Tacloban vers Manille, Philippines. Après avoir été dévastés par les flammes, les 2 navires ont coulé en quelques minutes. Officiellement, 1 550 personnes se trouvaient à bord du *Dona Paz* ; on estime cependant qu'il transportait 4 000 passagers.

Accidents nucléaires

Le plus grand accident nucléaire a eu lieu à Tchernobyl, Ukraine, dans le réacteur n° 4, en 1986. Les zones contaminées s'étendirent à plus de 28 200 km², et 1,7 million de personnes furent exposées aux radiations. Le nombre officiel de décès au moment de l'accident était de 31, mais on ne sait toujours pas combien, parmi les 200 000 personnes qui prirent part aux opérations de décontamination, moururent dans les 5 ans qui ont suivi la catastrophe. 850 000 personnes vivent encore dans les zones irradiées.

Collision en plein air

Le 12-11-96, 351 passagers et membres d'équipage furent tués dans la collision entre un Boeing 747 saoudien et un charter kazakh Illushin 76, à 80 km de New Delhi, Inde. Seul un morceau de l'empennage de l'avion saoudien fut retrouvé intact après que les 2 appareils se sont écrasés au sol.

Catastrophe en ballon

Le 13-08-89, 2 mongolfières transportant des passagers furent lancées à quelques minutes d'intervalle pour un voyage d'agrément au-dessus d'Alice Spring, nord de l'Australie. La collision qui s'ensuivit eut lieu à une altitude de 610 m. La nacelle du 1er perça l'enveloppe du 2e, précipitant le pilote et les 12 passagers vers une mort certaine.

Catastrophe spatiale

• Le 29-06-71, les astronautes soviétiques Georgi Dobrovolsky, Viktor Patsayev et Vladislav Volkov trouvèrent la mort lors de la dépressurisation de leur vaisseau *Soyouz 11*. Ils ne portaient pas leurs combinaisons spatiales.

• La catastrophe la plus meurtrière de l'histoire des 207 vols de la conquête spatiale eut lieu le 28-01-86. La navette spatiale *Challenger 51* explosa en vol à 73 s du décollage depuis le Kennedy Space Center, Floride. La catastrophe fit 7 morts dont 5 hommes et 2 femmes.

Catastrophe maritime

Près des côtes d'Afrique du Sud, le 15-12-77, le tanker *Venoil* (d'un poids de 330,954 tonnes, à vide) entra en collision avec un autre tanker, le *Venpet* (330,869 tonnes à vide). Ce fut la collision la plus importante de l'histoire maritime.

Naufrage le plus important

Le transporteur de pétrole brut *Energy Determination*, d'un poids de 321,186 tonnes, se brisa en deux et fit naufrage dans le détroit d'Hormuz, en plein golfe Persique, le 12-12-79.

CATASTROPHES INDUSTRIELLES

• *Une des conséquences de la guerre du Golfe fut les sabotages des puits de pétrole du Koweit. 9 000 spécial... du feu furent envoyés sur place et différentes techniques d'extinction utilisées : inondation des puits, for... avec injection de ciment, extinction... souffle (à l'explosif ou avec des mo... de Mig 21 montés sur des tanks.).*

• *Le 25-04-86, à 21 h 23 GMT, une expérience préparée par des électricier... tourne mal à la centrale nucléaire de Tchernobyl, Ukraine. Deux explosio... et un incendie provoquent la destructi... partielle du cœur du réacteur n° 4. Cinq tonnes de combustible seront projetées dans l'atmosphère. Le nuage radioactif fit le tour de la Terre... La Biélorussie et l'Ukraine seront les p... les plus touchés (70 % des retombées radioactives).*

Tunnel du Mont-Blanc

Construit en 1965 pour relier la France à l'Italie, le tunnel du Mont-Blanc est long de 11 600 m. Le 24-03-99, un camion transportant de la farine et de l'huile a pris feu par suite d'un accident dans le tunnel, déclenchant un incendie meurtrier. Les pompiers ont combattu les flammes 2 jours durant. Au cœur de l'incendie, la température avoisinait les 1 300°C, la zone de feu étant étendue sur 900 m. Quarante personnes ont péri, brûlées vives ou asphyxiées dans cettecatastrophe sans précédent. Chaque année, 780 000 poids lourds empruntent le tunnel du Mont-Blanc.

Catastrophes humaines accidentelles

classées par ordre décroissant du nombre de morts

Désastre	Morts	Lieu	Date
Panique abri antiaérien	4 000	Chungking, Chine,	6-06-1941
Industrie chimique	3 350	Union Carbide, à Bhopal, Inde	2/3-12-1984
Silicose due au creusement d'un tunnel	2 500	Hawk's Nest, Virginie	1931-1935
Incendie	1 670	Théâtre de Canton, Chine	05-1845
Explosion	1 635	Cargo français *Mont Blanc*, Halifax, Canada	6-12-1917
Panique de pèlerins musulmans	1 426	Tunnel entre La Mecque et Mina, A. Saoudite	1991
Chemin de fer	800	Fleuve Bagmati, Bihar, Inde	6-06-1981
Feu d'artifice	800	Mariage du Dauphin, à Paris	16-05-1770
Catastrophe aérienne civile	583	Crash d'un Boeing 747 Ténérife, Îles Canaries	27-03-1977
Collision d'un Boeing 747 saoudien et d'un Illiouchine 76 Kazakh	351	80 km au sud-ouest de New Delhi, Inde	12-11-96
Émeute lors d'un match de football	340	Spartak de Moscou/Pays-Bas, Russie	21-10-82
Émeute lors d'un match de football	318	Argentine/Pérou, match de qualification pour les JO de Tokyo, Lima, Pérou	05-64
Métro	300	Incendie, Bakou, Azerbaidjan	28-10-95
Explosion d'un camion-citerne	176	Tunnel de Salang, Afghanistan	3-11-1982
Plate-forme pétrolière	167	Piper Alpha, mer du Nord	6-07-1988
Sous-marin atomique *Thresher* (USA) incapable de refaire surface	129	Atlantique, 354 km à l'est de Cape Cod, Massachusetts	10-04-63
Ascenseur	105	Mine d'or de Vaal Reefs, Afrique du Sud, l'ascenseur a chuté de 490 m	11-05-1995
Décollage de la fusée R-16	91	Cosmodrome de Baïkonour, Kazakhstan	24-10-60
Hélicoptère militaire russe transportant des réfugiés	61	Lata, Géorgie	14-12-1992
Remonte-pente	42	Cavalese, Italie	9-03-76
Réacteur nucléaire [2]	31	Tchernobyl, Ukraine.	26-04-1986
Accident de voiture	13	Breda, Pays-Bas	25-08-1972
Espace (record sur 207 vols habités au 1er-05-98)	7	Explosion en vol de la navette *Challenger*, 73 s après le décollage	28-01-1986
Montagne-russe	4 (3 enfants)	Londres, GB	05-72

1. Nombre de morts, y compris ceux par radiation au cours de l'année suivante.
2. Les décès ultérieurs dus aux radiations sont difficiles à évaluer.

Naufrage d'un sous-marin en temps de paix

Le 10-04-63, le sous-marin nucléaire américain *Thresher* (3,759 tonnes) ne put arriver à refaire surface alors qu'il effectuait des essais dans l'Atlantique, près de Cape Cod, Massachusetts. Les 112 marins et 17 techniciens civils qui se trouvaient à bord décédèrent lors de cette tragédie. Un an plus tard, l'US Navy annonça que des parties importantes de la coque avaient été retrouvées à une profondeur de 2 560 m, mais la cause de ce naufrage reste encore inconnue.

Catastrophes ferroviaires

• Le 6-06-81, plus de 800 passagers moururent dans le déraillement d'un train qui se renversa d'un pont dans la rivière Bagmati, en Inde, dans la région du Bihar.
• Le 2-03-44, 521 passagers et membres d'équipage furent atteints d'asphyxie lors de l'immobilisation d'un train dans un tunnel près de Palerme, en Italie.

Accident d'ascenceur

Dans une mine d'or de la région du Vaal Reefs, en Afrique du Sud, une cabine d'ascenceur chuta de 490 m, le 11-05-95, tuant 105 mineurs.

PANIQUE

Mouvement de panique

En 1991, 1 426 pèlerins musulmans furent piétinés à mort lors d'un mouvement de panique dans un tunnel entre Médine et La Mecque, en Arabie saoudite.

Catastrophes humaines volontaires

classées par ordre décroissant du nombre de morts

Désastre	Morts	Lieu	Date
Génocide chinois	35 000 000	Extermination des paysans par les Mongols	1311-1340
Bombe atomique [1]	155 200	Hiroshima, Japon	6-08-1945
Bombardements aériens	83 000	Tokyo, Japon	10-03-1945
Paquebot torpillé par un sous-marin soviétique	7 700	*Wilhelm Gustloff*, allemand	30-01-1945
Émeute due à l'arrestation d'une femme vendant des cigarettes de contrebande	1 400	Taïwan	03-1947
Suicide collectif au cyanure des Adeptes du Temple du peuple	960	Jonestown, Guyana	18-11-1978
Terrorisme aérien	329	Bombe à bord du Boeing 747 d'Air India	23-06-1985
Attentat	168	Bombe contre un immeuble d'Oklahoma City, USA	19-04-95
Sous-marin *Le Surcouf*, éperonné par le navire américain *Thomas Lykes*	130	Caraïbes	18-02-1942
Terrorisme contre des touristes	60	Temple d'Hatshepsout, Louqsor, Égypte	17-11-97

1. Nombre de morts, y compris ceux par radiation au cours de l'année suivante.
2. Les décès ultérieurs dus aux radiations sont difficiles à évaluer.

Émeute dans un stade

En mai 1964, à Lima, un match de football de qualification pour les Jeux Olympiques entre l'Argentine et le Pérou se transforma en massacre. L'émeute débuta par suite d'un but refusé aux Péruviens dans les dernières minutes de jeu, qui aurait qualifié le Pérou. 318 supporters furent tués, 500 furent blessés.

Catastrophes naturelles

SÉISMES

Séismes les plus importants

Le séisme chilien du 22-05-60 et celui de l'Alaska du 28-03-64 ont atteint la magnitude de 8,5 sur l'échelle de Richter. France • Le séisme qui se produisit dans le midi de la France (Provence) le 11-06-69, à 21 h 15, atteignit 5,8 sur l'échelle de Richter.

Victimes

Le plus grand nombre de morts à l'époque contemporaine résulta du séisme de magnitude 7,9 qui détruisit la ville de Tangshan, en Chine orientale, le 27-07-76, à 3 h du matin. Un 1er chiffre, publié le 4-01-77, indiqua 655 237 morts, puis on annonça 750 000 victimes.

Tremblement de terre le plus meurtrier

• En juillet 1201, on estime à 1,1 million le nombre de morts suite à un tremblement de terre dans le sud de la Méditerranée, dont une grande partie en Égypte et en Syrie.
• Le tremblement de terre qui ébranla les provinces chinoises du Shanxi et du Henan le 2-02-1556 aurait fait 830 000 victimes.

TEMPÊTES

Ouragan

Entre le 3 et le 4-04-74, les États du sud et du midwest des USA connurent 148 tornades en 24 h.

Cyclones les plus dévastateurs

• On estime entre 300 000 et 500 000 le nombre de victimes du cyclone le plus meurtrier de l'Histoire, qui s'est abattu sur le Bangladesh (ancien Pakistan oriental) le 12-11-70. Des vents de 240 km/h et une vague géante de 15 m de haut balayèrent la côte, le delta du Gange, et les îles Bhola, Hatia, Kukri, Mukri, Manpura et Rangabali.
• Les dégâts provoqués par Andrew aux USA en 1992 ont coûté 130 millions de F.

AVALANCHES

Avalanches les plus importantes

• On a calculé que 3,5 millions de m³ de neige sont tombés lors d'une avalanche dans les Alpes italiennes en 1885.

• On pense que l'avalanche qui a déferlé le 18-05-80, à 400 km/h, à la suite de l'éruption du mont St-Helens, État de Washington, a déplacé 2,8 milliards de m³ de neige.
France • Une avalanche estimée à 2,5 millions de m³ de neige a eu lieu le 14-02-55 à Chamonix, Haute-Savoie.

Victimes

Le 31-05-70, 18 000 personnes ont été tuées par une avalanche à Yungay, au Pérou.

Prisonniers sous une avalanche

Le 20-01-51, une série d'avalanches fut causée par l'association de vents très violents et d'importantes chutes de neige dans les Alpes suisses, italiennes et autrichiennes. Plus de 45 000 personnes furent prises au piège de ces effondrements, 240 y trouvèrent la mort.

NATURE MENACÉE

Écosystème le plus menacé

La zone côtière de l'ouest de l'Asie est l'écosystème le plus fragile de la planète, quand l'on considère la destruction grandissante de la barrière de corail et de la forêt. Dans les années 80, 11 % de la forêt naturelle et de nombreuses régions furent touchées par la pollution de l'eau. Chaque année, 191 millions de litres d'essence sont déversés dans le golfe Persique.

Trou d'ozone

Le trou d'ozone le plus important se situe au-dessus de la région antarctique. Chaque printemps austral, c'est une aire grande comme un quart des USA qui disparaît. Cependant, il convient plutôt de dire que la couche d'ozone devient chaque jour plus mince, plutôt que de parler de trou d'ozone.

Pollution au dioxyde de soufre

En Bulgarie, le complexe de production d'énergie du Maritsa rejette dans la rivière du même nom un volume de 350 000 tonnes de dioxyde de soufre chaque année, sous forme de gaz toxique. Le dioxyde de soufre est le principal responsable des pluies acides.

![] INCENDIES LES PLUS DESTRUCTEURS

La pire année en matière de destruction de l'environnement est 1997, en raison des feux allumés pour éclaircir la forêt, qui n'ont pu être maintenus sous contrôle, et de ceux résultant des sécheresses causées par le cyclone El Niño. Les membres de la tribu Xingu, au Brésil, survivent sur les 1 500 km² de leur territoire qui ont été dévastés. Chaque année, 30 000 km² de la forêt amazonienne sont détruits par les fermiers et les promoteurs.

Forêt la plus menacée

80 % des forêts originelles ont été détruites, principalement par les sociétés du commerce du bois. Elles sont le berceau de 90 % des espèces vivant dans le sous-sol. Des millions d'autres espèces de la faune et de la flore ont déjà disparu du fait de la déforestation. 76 pays ont perdu leur forêt originelle.

Pollution côtière la plus importante

Le tanker *Exxon-Valdes* s'échoua dans le détroit de Prince-William, en Alaska, en mars 1989, déversant 30 000 tonnes de pétrole dans la mer et polluant 2 400 km de côte. M. Exxon, le propriétaire, dût payer une amende de 5 milliards de $ et une facture de nettoyage de 3 milliards de $.

Capitale la plus polluée

Les particules de dioxyde de soufre, de monoxyde de carbone et de particules toxiques qui flottent en suspension dans l'atmosphère de Mexico, capitale du Mexique, dépassent de 200 % les normes de tolérance définies par l'OMS (Organisation Mondiale de la Santé).

Catastrophes naturelles accidentelles
classées par ordre décroissant du nombre de morts

Désastre	Morts	Lieu	Date
Pandémie	75 000 000	Eurasie : la Grande Peste	1337-1375
Famine	40 000 000	Chine septentrionale	1959-1961
Grippe	21 640 000	Mondiale	1918-1919
Éruption volcanique	92 000	Tambora, Sumbawa, Indonésie	10-04-1815
Rupture de barrage	5 000	Barrage du Machhu, Inde	11-08-1979
Coup de grisou	1 549	Houillère de Honkeiko, Chine	26-04-1942
Animal mangeur d'hommes	436	Une tigresse, à Champawat, Inde	1902-1907
Alpinisme	43	Pic Lénine, URSS	13-07-1990
Course de voiliers	19	« Fastnet ». 23 bateaux ont sombré dans une tempête de force 11	15-08-1979

Pollution de rivière la plus importante

En novembre 1986, les pompiers de Bâle, en Suisse, durent, pour éteindre un incendie qui s'était déclaré dans l'usine chimique de Sandoz, déverser dans le Rhin 30 tonnes d'engrais chimique, tuant 500 000 poissons.

Pollution marine la plus importante

Entre 1953 et 1967, une usine japonaise de fabrication de produits en plastique déversa dans la baie de Minimata, sur l'île de Kyushu, des dépôts de mercure. 20 000 personnes furent affectées, dont 4 500 sérieusement atteintes. Entre 43 et 800 personnes trouvèrent la mort par contamination (les sources diffèrent).

DÉSASTRES

Victimes d'une éruption volcanique

Le volcan Tambora, dans la région indonésienne du Sumbawa, entra en éruption en avril 1815. Il fit 92 000 victimes, directement ou des suites de la famine qui résulta de cette catastrophe.

Volcans actifs les plus grands

Mauna Loa, à Hawaï, a un dôme long de 120 km et large de 50 km. Son flot de lave recouvre 5 125 km^2 de l'île, mais sa superficie totale est de 42 500 km^2, dont 80 % n'apparaissent pas à la surface. Son cratère, Mokuaweoweo, s'étend sur 10 km^2.

France • Le piton de la Fournaise, sur l'île de la Réunion (altitude de 2 631 m), est le plus grand et le plus important volcan français en activité.

Victimes d'une inondation

En octobre 1887, le Huang He (ou fleuve Jaune), dans la province de Huayan Hou, en Chine, entra en crue, tuant 900 000 personnes. Hormis pendant la saison des pluies, il connaît de grandes sécheresses, de plus en plus fréquentes, qui mettent en danger 7 millions d'ha de cultures et près de 52 millions d'habitants.

Sécheresse

Entre 1876 et 1879, la Chine connut une période de sécheresse dont on estime le nombre des victimes entre 9 et 13 millions.

Assèchement

La mer d'Aral, sur la frontière entre l'Ouzbékistan et le Kazakhstan, est passée de 68 000 km^2 à 66 000 km^2 en 1960, 35 000 km^2 en 1990 et enfin 26 800 km^2 en 1994. L'assèchement est dû principalement à l'extraction de grandes quantités d'eau à des fins d'irrigation.

POLLUTION CHIMIQUE

Dzerzhinsk (280 000 hab.), en Russie, renferme des dizaines d'usines de production de chlore et de pesticide. Ville russe la plus polluée chimiquement, son lac (dont la photo montre les poissons) est le plus pollué au monde. L'espérance de vie de ses habitants n'excède pas 42 ans pour les hommes et 47 ans pour les femmes.

Maladies

MALADIES

Maladie la plus courante

Elle est causée par une famille de virus composée d'au moins 180 espèces différentes. Le rhume est présent sur toute la surface du globe, à l'exception de quelques communautés isolées et des étendues glacées de l'Antarctique. Ces virus, transmis dans l'air ou au contact, causent des symptômes connus : éternuements, toux, gorge irritée.

Maladie la plus mortelle

Dans le passé, la grande pandémie connue sous le nom de Peste noire (1337-1375), la pneumonie due à la peste, tua tous ceux qui la contractèrent, c'est-à-dire un quart de la population de l'Europe d'alors et 75 millions de personnes de par le monde.

Taux de mortalité

Le taux le plus élevé est celui de la Sierra Leone, avec 25,2 ‰ pour la période 1990-1995. Le plus faible pour la même période est celui des Émirats arabes unis, avec 2,7 ‰. <u>France</u> • Le taux est de 9,2 ‰.

Décès dus à la grippe

21 640 000 personnes sont décédées dans le monde par infection du virus de la grippe espagnole entre 1918 et 1919.

Principale cause de décès

Les maladies coronariennes sont responsables de plus de 50 % des décès dans les pays industrialisés. Les principales causes directes de décès sont les infarctus et les attaques.

Décès dus au cancer

<u>Taux le plus fort</u> • L'île anglo-normande de Guernesey a un taux de 314 morts pour 100 000 habitants/an dus aux néoplasmes malins (cancers). Le pays souverain ayant le plus fort taux est la Hongrie, avec 313 décès pour 100 000 habitants/an.

<u>Taux le plus faible</u> • La Macédoine a un taux de 6 morts pour 100 000 habitants/an dus aux néoplasmes malins.

Crémation la plus massive

La plus grande crémation de masse au monde a eu lieu en décembre 1997 dans un temple de la province de Samut Sakorn, Thaïlande. Des tonnes d'ossements et 21 347 crânes, provenant des fosses communes d'un cimetière chinois de Bangkok, furent incinérés pour mettre un terme aux enterrements à l'intérieur de la capitale.

Épidémie d'Ébola

En 1995, une épidémie d'Ébola a frappé la République démocratique du Congo (ex-Zaïre), provoquant 232 décès sur 296 cas recensés. La maladie provoque des saignements massifs et place le corps de la victime en état de choc.

Personne la plus contagieuse

La porteuse de typhoïde la plus célèbre fut Mary Mallon (n.1855), plus connue sous le nom de « Mary Typhoïde », dans les Grisons, Suisse. Arrivant aux USA comme immigrante, le 11-01-1868, elle contamina 53 personnes sur son lieu de travail (elle était cuisinière). Elle provoqua aussi, en 1903, une épidémie qui affecta 1 400 personnes à Ithaca et tua 3 malades. Elle fut définitivement placée en quarantaine à l'hôpital de Riverside, en 1915, où elle mourut, le 11-11-38.

SIDA

Victime la plus ancienne

En juillet 1990, on a annoncé que la première victime du sida fut sans doute un marin de 25 ans mort en 1959 à Manchester, GB.

Virus

Voir photo.

<u>France</u> • Au 31-12-96, on dénombrait 44 579 cas de sida déclarés, soit 4 849 cas

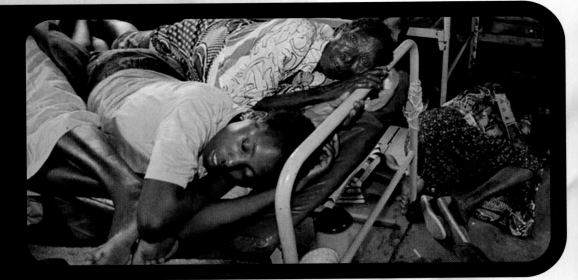

VIRUS DU SIDA

Le virus du sida (syndrome d'immuno-déficience acquise) fut identifié pour la 1ʳᵉ fois en 1981 aux USA, puis isolé en janvier 1983, à l'Institut Pasteur, Paris, par les professeurs Luc Montagnier, Françoise Barré-Sinoussi et Jean-Claude Chermann. À la fin du IIᵉ millénaire, le sida, sauf découverte d'un vaccin, se classera parmi les 5 premières causes de mortalité dans le monde. Les chiffres sont alarmants : chaque jour, 16 000 personnes sont contaminées (dont la moitié sont des jeunes de moins de 25 ans). Début 1998, l'ONUSIDA recensait 30,6 millions de personnes infectées par le VIH. Les régions les plus touchées sont l'Afrique subsaharienne, l'Asie, l'Inde… À cette date, 11,7 millions de personnes à travers le monde avaient été emportées par la maladie.

supplémentaires, dont 5 766 femmes, 28 521 hommes et 563 enfants de moins de 15 ans. Le nombre de cas diagnostiqués, 36 270, est en augmentation de 7,8 % par rapport aux chiffres de 1993.

Préservatif le plus grand

Dans sa lutte permanente contre le sida, l'association Act up a recouvert, en 1994,

Malaria

Ci-contre, des femmes malades entassées dans un hôpital de Kisii, au Kenya. La malaria, ou paludisme, tue entre 1,5 et 2,7 millions d'individus/an, sur 300 à 500 millions de contaminations. L'OMS, l'Unicef et l'ONU multiplient leurs efforts pour diviser par 2, d'ici à 2010, le nombre des victimes. Les pays africains sont les plus touchés (90 %), ainsi que les pays pauvres en guerre. Les principales victimes sont les enfants.

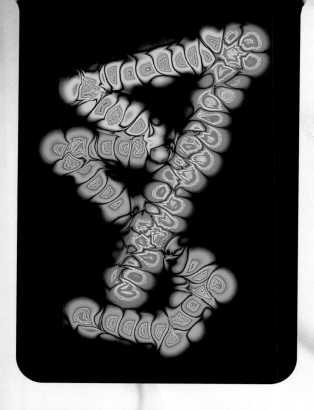

CREUTZFELDT-JAKOB

La crise de la « vache folle » a commencé en 1988 par la découverte d'une vache britannique présentant des symptômes neurologiques atypiques, qui se révéleront être ceux de l'encéphalite spongiforme bovine (ESB). L'origine de cette maladie provient des farines animales. Des mesures sont prises : nouveau traitement pour les farines, tous les troupeaux présentant un cas sont abattus, embargos sur la viande britannique… Cela n'empêche pas la propagation de l'ESB en Irlande, en France, au Portugal et en Suisse. Une nouvelle forme de la maladie de Creutzfeldt-Jakob est apparue chez l'homme, le plus souvent chez des éleveurs. En 1998, elle touche des jeunes gens n'appartenant pas au monde de l'élevage.

l'obélisque de la Concorde, à Paris, d'un préservatif rose géant de 22 m de long.

SOINS ET MÉDICAMENTS

Hospitalisation la plus longue

Martha Nelson est entrée au State Institute de Columbus, Ohio, spécialisé dans les maladies mentales légères, en 1875. Elle est décédée en janvier 1975, dans une autre institution de l'Ohio, à l'âge de 103 ans et 6 mois, après 99 ans d'hospitalisation.

Cachetophile

Charles Kliner, de Bindura, Zimbabwe, a avalé le nombre record de 565 939 cachets, entre le 9-06-67 et le 19-06-88. Cela représente une moyenne de 73 cachets/jour. On a calculé que si l'on avait pu mettre bout à bout tous les cachets qu'il a ingurgités depuis le début cela formerait une ligne droite de 3,39 km de long. L'histoire ne dit pas si cette consommation lui a laissé des séquelles.

Alcoolémie la plus élevée

• En décembre 1982, l'université de Californie, à Los Angeles, a communiqué le cas d'une femme de 24 ans, hébétée mais consciente, dont l'alcoolémie était de 15,1 g/litre de sang, soit près de 30,2 le taux légal admis en France par le Code de la route (0,5 g/litre), et 3 fois le taux mortel. Elle put quitter l'hôpital au bout de 2 jours.
• Le 27-05-90, sur la Croisette, à Cannes, Alpes-Maritimes, un agent de change londonien, Guy Williams, a été arrêté alors qu'il roulait au volant d'une Porsche 911. La prise de sang a révélé 5,4 g d'alcool dans son sang, alors que le seuil de coma éthylique est de 4 g.

LABORATOIRE P4

Le 4ᵉ laboratoire de microbiologie P4 (P pour « protection » et 4 pour le niveau de confinement maximal) a été inauguré le 5-04-99 à Lyon. Construit par la Fondation Marcel Mérieux, il est destiné à l'étude des virus les plus dangereux (Ébola, Lassa…) dans un environnement de haute sécurité. Il est également en mesure de réagir rapidement à des attaques bactériologiques. Depuis 20 ans, Joseph McCormick et sa femme Susan Fisher-Hosh contribuent, avec d'autres, à faire avancer la recherche dans ce domaine.

Nature

GALAXIES

Ensemble galactique le plus grand

En juin 1994, une équipe d'astronomes français dirigée par Georges Paturel a annoncé la découverte de la plus grande structure jamais identifiée dans l'Univers. Il s'agit d'une concentration de galaxies s'étendant sur 650 millions d'années-lumière, aux environs du super-amas local.

Galaxie la plus grande

La galaxie située au centre de l'amas Abell 2029, distante de 1 070 millions d'années-lumière, dans l'amas de la Vierge, est la plus grande galaxie observée. Sa découverte fut annoncée en juillet 1990 par les Américains Juan Uson, Stephen Boughn et Jeffrey Kuhn. Son diamètre principal est de 5 600 000 années-lumière, soit 80 fois le diamètre de notre Voie lactée, et elle émet un rayonnement lumineux équivalent à celui de 2 000 milliards de soleils.

Galaxie la plus lointaine

En 1996, Esther M. Hu, USA, et Richard G. McMahon, GB, ont détecté 2 galaxies avec un décalage dans le rouge de 4,55 (soit une distance de 13 100 années-lumière).

ÉTOILES

Étoiles les plus proches

• La très faible Proxima du Centaure, découverte en 1915, se trouve à 4,22 années-lumière de la Terre, soit 4 x 1 013 km.
• L'étoile la plus proche visible à l'œil nu est Alpha du Centaure (à 4,35 années-lumière), qui a une magnitude apparente de -0,27. Elle fut découverte en 1752.

Constellations

• La plus grande des 88 constellations est celle de l'Hydre, qui couvre 3,16 % du ciel et contient au moins 68 étoiles visibles à l'œil nu.
• La constellation de la Croix du Sud est la plus petite, avec une surface égale à 0,16 % de la totalité du ciel.

Trous noirs

• L'astronome, mathématicien et physicien français Pierre Simon de Laplace (1749-1827) a, le premier, ébauché le concept de corps extrêmement dense. Le terme de « trou noir », appliqué aux étoiles qui, par gravité, se sont effondrées sur elles-mêmes, fut utilisé pour la 1re fois le 29-12-67 par John Archibald Wheeler.

SYSTÈME SOLAIRE

LE SOLEIL

Étant âgé de 5 milliards d'années, on estime que notre Soleil « vivra » encore 5 autres milliards d'années.

Un second système solaire

Après 11 années d'exploration et d'études minutieuses, Geoffrey Marcy et Paul Butler, de l'université d'État de San Francisco, ont annoncé la découverte, en avril 1999, d'un système solaire similaire au nôtre. Éloigné seulement de 44 années-lumière, et composé d'au moins 3 planètes géantes de la taille de Jupiter (environ 10 fois la Terre), il s'est formé autour d'Upsilon Andromedae, une étoile âgée de 3 milliards d'années.

PLANÈTES

Planète la plus grosse et la plus massive

Un astronome a dit que « le système solaire se compose du Soleil, de Jupiter et de divers débris ». En effet, Jupiter est 1 322 fois plus volumineuse que la Terre ; son diamètre à l'équateur est de 142 984 km. Sa masse est de 1 899 000 milliards de milliards de tonnes (318 fois celle de la Terre).

Planète la plus petite et la plus légère

Pluton fut découverte le 18-02-30, à l'observatoire Lowell, à Flagstaff, Arizona. Son diamètre est de 2 320 km et sa masse vaut 13 milliards de milliards de tonnes ou 0,0022 masse terrestre (0,2 % de la masse de la Terre).

Planète la plus chaude

Grâce aux mesures effectuées par des sondes de surface soviétique (*Venera*) et américaine (*Pioneer*), on a calculé que la température à la surface de Vénus est d'environ 460 °C.

Planète la plus froide

La composition de Pluton laisse supposer que sa température est de -235 °C. Elle serait donc la planète la plus froide.

Planète la moins dense

C'est Saturne, avec une densité par rapport à l'eau de 0,7. Cela veut dire que, si l'on avait une cuve d'eau assez grande pour l'y plonger (120 600 km de diamètre), Saturne y flotterait comme du bois.

Planète hors du système solaire

La planète extra-solaire la plus massive connue est 70 Virginis B, pesant 6,5 fois la masse de Jupiter. Elle parcourt en 116,7 jours son orbite à 64 millions de km de l'étoile 70 Virginis, distante de 49 années-lumière du Soleil. Sa découverte fut annoncée en janvier 1996 par G. Marcy et P. Butler, USA.

LA LUNE

Températures extrêmes

Lorsque le Soleil se trouve à la verticale de l'équateur de la Lune, à midi en été, la température y atteint 117 °C. Au coucher du Soleil, la température chute à 14 °C, et elle descend à -163 °C après la tombée de la nuit.

Cratères

• Le plus grand, qui est non visible de la Terre, est le cratère Aitken, aux environs du pôle Sud de la face cachée. Il a un diamètre de 2 500 km et une profondeur de 12 km.
• Le plus grand cratère visible en totalité est le cirque de Bailly, cratère ceinturé de murs, orienté vers le pôle Sud de la Lune. Il a un diamètre de 295 km et ses parois s'élèvent à 4 250 m.

COMÈTES

Observations les plus anciennes

Les plus vieux documents attestant de l'existence des comètes datent du VIIe siècle av. J.-C. Les apparitions successives de la comète de Halley sont avérées depuis 240 av. J.-C. Elle fut décrite pour la 1re fois dans la Chronique de Nuremberg, en l'an 684 de notre ère. Edmund Halley (1656-1742) fut le premier à annoncer son retour, ce qui advint effectivement le jour de Noël de l'année 1758, seize ans après la mort de l'astronome anglais. Dans la nuit du 13 au 14-03-86, la sonde européenne *Giotto* (lancée le 2-07-85) s'approcha à 540 km du noyau de la comète de Halley. *Giotto* a pu établir qu'il mesurait 15 km de long et qu'il avait la teinte du velours noir.

PLANÈTE LA PLUS DENSE

La planète la plus dense du système solaire est la Terre. Sa densité par rapport à l'eau est de 5,52, ce qui signifie qu'un litre de Terre est 5,52 fois plus massif qu'un litre d'eau.

Système solaire

Le système solaire, avec ses 9 principales planètes, ses 61 satellites, ses astéroïdes et ses comètes, se situe à la périphérie de notre galaxie, la Voie lactée.
En moyenne, sa distance par rapport au centre de la galaxie est de 29 700 années-lumière.

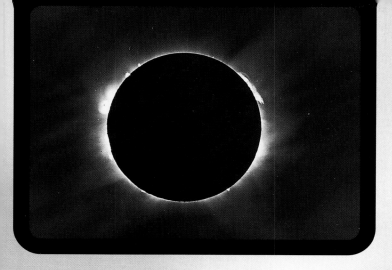

 ## ÉCLIPSES TOTALES

Depuis le début du siècle, 2 éclipses totales de Soleil ont été visibles en France, l'une en 1912, l'autre en 1961. La dernière est survenue le 11-08-99. On a pu l'observer de Reims, et elle fut la plus longue jamais observée en France, avec une durée d'obscurité de 2 min 4, entre 12 h 24 min 32 s et 12 h 26 min 36 s. Un phénomène aussi important se reproduit en moyenne tous les 370 ans en un même point du globe.

Hale-Bopp
La comète Hale-Bopp a été découverte en juillet 1995 par 2 astronomes américains dont elle porte les noms : Alan Hale et Thomas Bopp. C'est une comète géante : elle était à plus de 1 milliard de km et déjà 250 fois plus brillante que Halley vue à la même distance. Le 1er-04-97, elle passait au plus près du Soleil et battait tous les records de luminosité. Elle est passée relativement loin de la Terre : 197 millions de km, au plus près, le 22-03. Sa période était de 4 000 ans environ. Son dernier passage l'a modifiée lorsqu'elle a subi l'influence gravitationnelle de planètes géantes comme Jupiter. Hale-Bopp a maintenant une période d'environ 2 480 ans.

Comète la plus grande
Chiron 2060, découvert par C. Kowal le 18-10-77, est aujourd'hui considérée comme la plus grande comète, avec un diamètre total de 200 à 300 km.

du volcan Parinacota, à 6 342 m d'altitude, ce qui en fait l'observation la plus élevée d'une éclipse de ce type par des hommes.

MÉTÉORITES
Météorite lunaire
Une météorite lunaire de 3 cm de diamètre et 19 g de masse a été trouvée, en 1991, dans la Grande Baie australienne, par les Américains D. Hill, W. Boynton et R. Haag. Elle est la 12e identifiée.

Touchée par une météorite
La seule personne répertoriée dans l'Histoire à avoir été blessée par une météorite est l'Américaine Ann Hodges, de Sylacauaga. Le 30-11-54, une météorite de 4 kg, mesurant 18 cm, a transpercé le toit de sa maison et l'a frappée au bras. Le docteur Moody Jacobs, qui l'examina, ne trouva pas son état alarmant, mais Mme Hodges fut hospitalisée à la suite de la médiatisation entraînée par l'événement.

ÉCLIPSES
Éclipses totales
En Europe, il n'y aura eu que 13 éclipses totales au XXe siècle. Plusieurs siècles peuvent s'écouler entre 2 éclipses totales au même endroit.
France • *Voir photo.*

Observation d'une éclipse solaire
Le 3-11-94, dans l'extrême nord du Chili, une équipe de chercheurs, parmi lesquels les Français Philippe Reuter, Denis Bois, René Laureijs et Roberto Orosei, ont assisté à une éclipse totale du Soleil depuis le sommet

RÉFLECTEUR |▮▮

Le télescope du pic du Midi de Bigorre, Hautes-Pyrénées, situé à 2 877 m d'altitude, est équipé d'un miroir de 2 m de diamètre. Il a été mis en service en 1979.

TÉLESCOPES, OBSERVATOIRES
Réflecteurs les plus grands
• Il mesure 6 m de diamètre et il est situé sur le mont Sémirodriki, près de Zeleuchukskaia, en Russie, à une altitude de 2 080 m. Achevé en 1976, il n'a pas répondu aux attentes, n'étant pas situé sur un site d'observation satisfaisant.
• Actuellement, le réflecteur Hale, sur le mont Palomar, Californie, de 5 m de diamètre, est le plus grand réflecteur à miroir simple qui soit satisfaisant.
France • *Voir photo.*

Radiotélescopes paraboliques
Le système ionosphérique partiellement orientable d'Arecibo, à Porto Rico, achevé en novembre 1963, a coûté 9 millions de $. La parabole a un diamètre de 300 m et couvre une superficie de 7,48 ha.
France • Le radiotélescope décimétrique de Nançay, Cher, est l'un des plus grands instruments radioastronomiques du monde. Il est composé de 2 branches est-ouest et nord-sud comprenant 42 antennes de 4 m de diamètre.

Radiotélescopes
La plus grande installation radiotélescopique sur Terre est le radiotélescope VLA (Very Large Array : très grand déploiement) de la Fondation scientifique nationale américaine, à 80 km de Socorro, dans la plaine de San Agustín, Nouveau-Mexique. Il a la forme d'un Y dont chacune des branches, longue de 21 km, est pourvue de 27 antennes mobiles (de 25 m de diamètre) montées sur rail. Inauguré le 10-10-80, il a coûté 78 millions de $ (468 millions de F).

La Terre

Continent le plus grand
La masse continentale eurasienne couvre une superficie de 53 698 000 km².

Continent le plus petit
Le continent australien a une superficie de 7 614 500 km².

Îles les plus grandes
La plus grande île du monde est le Groenland, avec une superficie de 2 175 000 km². Elle se compose en fait de plusieurs îles recouvertes d'un manteau de glace sans lequel il n'aurait qu'une superficie de 1 680 000 km².
France • C'est la Corse, avec une longueur de 185 km et une largeur de 85 km. Elle a une superficie de 8 720 km².

Montagnes les plus élevées
Un sommet de 8 840 m fut longtemps considéré comme le plus haut sommet du monde. Il avait été mesuré en 1856. On le baptisa mont Everest, du nom du colonel George Everest (1790-1866), contrôleur général des Indes. Aujourd'hui, sa hauteur généralement admise est de 8 848 m.
France • Le mont Blanc, Haute-Savoie, dont l'altitude est de 4 807 m, est le plus haut sommet d'Europe jusqu'à l'Oural.
• Le col le plus haut, celui du Géant, à 3 369 m, est une dépression du massif du Mont-Blanc.

Falaises
Les falaises de Kjerag, en Norvège, s'élèvent à 1 084 m.

France • La falaise du cap Canaille, à Cassis, près de Marseille, Bouches-du-Rhône, surplombe la mer Méditerranée de 362 m.

Grottes les plus longues
Découvert en 1799, le réseau de grottes le plus étendu du monde se trouve sous le Mammoth Cave National Park, Kentucky. L'ensemble est long de 565 km.
France • Le réseau Félix-Trombe, au sud-ouest de Toulouse, Haute-Garonne, s'étend sur 90 km.

Grotte la plus profonde
C'est le gouffre Jean-Bernard, près de Samoëns, Haute-Savoie. Il n'est pas encore

exploré entièrement. En 1989, le groupe *Vulcain* a atteint la profondeur de 1 602 m.

Désert le plus grand
C'est le Sahara, en Afrique du Nord. Il mesure 5 150 km d'est en ouest et entre 1 280 km et 2 250 km du nord au sud. Sa superficie de 9,2 millions de km² s'étend sur 11 pays.

Désert le plus froid
C'est dans le désert de Gobi, Mongolie, qu'on trouve les températures les plus basses : -30 °C.

Dunes les plus hautes
Ce sont celles de la mer de sable d'Issouane N'Tifernine, Algérie. Elles s'étendent sur 5 km et atteignent une hauteur de 465 m.

SÉCHERESSE ET TEMPÉRATURE RECORD

• *Dans le désert d'Atacama, au Chili, la pluie oublie parfois de tomber pendant plus de 20 ans, bien que la tempête puisse frapper quelques fois par siècle une petite partie de son étendue.*

• *Sur les plateaux hérissés de pitons du massif du Hoggar, dans le sud de l'Algérie, la température peut atteindre 78 °C.*

France • La grande dune du Pilat, Arcachon, Gironde, culmine à 105 m de hauteur.

Centres géographiques
France • L'IGN le situe à Nassigny, Allier, exactement au lieu-dit La Brande-de-Murat, en incluant la Corse dans les calculs. Pour la France continentale, si l'on exclut la Corse, le centre se trouve au lieu-dit La Coucière, sur la commune de Vesdun, Cher.
Europe • L'IGN situe le centre de l'Europe physique – celle qui s'étend de l'Atlantique à l'Oural – à Purnuskis, village de Lituanie, à 20 km au nord de Vilnius.

Foudre

En France, le record du nombre d'impacts de foudre enregistrés en 24 h est de 74 717. Ce phénomène a eu lieu le 28-07-94, sur l'ensemble du pays. Cette même année, rien qu'au mois de juillet, 455 288 impacts se sont abattus sur la France. Le record français sur une année a eu lieu en 1995, avec 1 284 022 impacts.

CHAÎNE MONTAGNEUSE

La cordillère des Andes, chaîne montagneuse d'Amérique du Sud, est la plus longue du monde. Elle s'étend sur 7 600 km, à travers 7 pays : Argentine, Bolivie, Chili, Colombie, Équateur, Pérou et Venezuela. Son point culminant, l'Aconcagua, s'élève à 6 959 m.

PIERRES PRÉCIEUSES
Les plus grosses
Diamant • Cullinan (brut), 1905, 3 106 carats.
Diamant (taillé) • du Golden Jubilee, offert au roi pour ses 50 ans de règne, monté sur le sceptre royal de Thaïlande, 545,67 carats.
Rubis • Le Gerfaut, découvert en Thaïlande, 1996, Bernard Robisco, 10 250 carats.
Émeraude • vendue aux enchères, citoyen mauricien, 80 kg.
Saphir • à l'effigie d'Abraham Lincoln, 1935, Fondation Kazanjian, Beverly Hills, 2 302 carats.
Cristal • musée de Watters, Tyrol, 310 000 carats/62 kg.

Les plus chères
Diamant brut • William Goldberg Diamond Chow Tai Fook, originaire de Guinée, 03-89, 50 millions de F, 255,10 carats.
Diamant taillé • Chk. Ahmed Fitaihi, poire sans défaut, 17-05-95, Sotheby's, Genève, 74 millions F, 100,10 carats.
Rubis • monté sur une bague Chaumet, 26-10-89, Sotheby's, New York, 23 millions de F, 32,08 carats.
Émeraude • en collier, Cartier en 1937, 15,4 millions de F.

MÉTÉO
Températures à l'ombre les plus hautes
On a enregistré le 13-09-22 à El-Azizia, Libye, une température de 58 °C, sous abri.
France • On a relevé à Toulouse, Haute-Garonne, une température de 44 °C, le 8-08-23.
• En 1997, c'est à Saint-Andiol, Bouches-du-Rhône, le 9-08, et à Septfonds, Tarn-et-Garonne, qu'il a fait le plus chaud : 38,5 °C.

Températures les plus basses
• Une température record de -89,2 °C fut enregistrée le 21-07-83 à Vostok, station soviétique de l'Antarctique, à 3 420 m d'altitude.
• L'endroit le plus froid habité en permanence est le village sibérien (4 000 habitants) d'Oïmekon , par 63° 16' N et 143° 15' E, à 700 m d'altitude. La température y est descendue à -68 °C le 6-02-33. Des chiffres non officiels ont donné plus récemment la température de -72 °C.
France • Le 3-01-71, on a enregistré à Mouthe, Doubs, la température de -35 °C. Le 3-12-97, le record a été atteint à Chamonix (3 845 m), avec -24,3 °C.

HUMIDITÉ ET SÉCHERESSE
Pluies les plus importantes
• Des précipitations records de 1 870 mm se sont abattues en 24 h (le 16-03-52) à Cilaos, à 1 200 m d'altitude, sur l'île de la Réunion.
• À Cherrapunji, Inde, sur un mois, le record de chute de pluie fut de 9 300 mm en juillet 1861.
France • Le record des précipitations annuelles est détenu par le mont Aigoual (1 567 m), Gard, où il est tombé 4 017 mm de pluie pendant l'année 1913.
• Le record pour une journée appartient au lieu-dit La Llau, sur la commune du Tech, Pyrénées-Orientales, où il est tombé 840 mm de pluie le 18-10-40.

Sécheresse la plus longue
Voir photo.
France • Marseille, Bouches-du-Rhône, a connu une sécheresse de 96 jours, du 6-07 au 10-10-1906.
• Pendant 34 jours, du 6-07 au 9-08-96, à Sainte-Adresse, Seine-Maritime, pas une goutte de pluie n'est tombée.

AUTRES DONNÉES
Grêlons les plus lourds
Des grêlons de 1 kg, tombés le 14-04-86 dans le district de Gopalganj, Bangladesh, ont tué 92 personnes.
France • Le 11-08-58, à Strasbourg, Bas-Rhin, il est tombé, lors d'un violent orage, des grêlons dont l'un des plus gros pesait 972 g.

Vents exceptionnels
On a relevé le 12-04-34 au mont Washington (1 916 m), New Hampshire, un vent soufflant en surface à 371 km/h.
France • Le 19-11-67, le vent a soufflé à 320 km/h sur le mont Ventoux, Vaucluse, à 1 912 m d'altitude. Le froid et le vent excessifs détruisant régulièrement les installations météorologiques, les mesures ont été interrompues depuis.

Endroit le plus venteux
La baie du Commonwealth, Antarctique, où le vent atteint 320 km/h, est l'endroit le plus venteux du globe.

Chutes de neige
• 31,10 m de neige sont tombés à Paradise, sur le mont Rainier, État de Washington, pendant une période de 1 an, de février 1971 à février 1972.
• La plus grande hauteur de neige au sol a été de 11,46 m, en mars 1911, à Tamarack, Californie.
France • Le 15-03-96, il est tombé 260 cm de neige à Valleraugue, mont Aigoual, Gard, par 1 567 m d'altitude, et 21 cm en plaine, le 21-02, à Caen, Calvados.

POINT CULMINANT

Noyé dans la brume, le pic du Midi de Bigorre (Hautes-Pyrénées) est l'observatoire le plus haut de France avec 2 877 m. Le projet régional Pic 2000 tente d'y développer le tourisme d'été et scientifique avec un budget alloué de 180 millions de F.

Océans

OCÉANS ET MERS (SALÉS)

Océan le plus grand
L'océan Pacifique représente 45,9 % de tous ceux du globe, et couvre une surface de 166 241 700 km². La profondeur moyenne y est de 3 940 m.

Océan le plus petit
L'océan Arctique couvre une surface de 13,2 millions de km². Il est constitué d'un ensemble de mers qui s'étendent du pôle Nord au cercle polaire arctique (66° 33', latitude nord). Sa profondeur moyenne est de 1 038 m.

Point marin le plus éloigné des terres
Il est à 47° 30' S et 120° O dans le Pacifique sud, à 2 575 km de la terre la plus proche, l'île Pitcairn.

Point océanique le plus profond
• Le 24-03-95, la sonde japonaise télécommandée *Kaiko* enregistra une profondeur de 10 911 m lorsqu'elle toucha le fond de la fosse des Mariannes.
• Un objet en métal, comme une boule en acier de 1 kg, jeté dans l'eau au-dessus de cette fosse, mettrait 64 min pour toucher le fond, où la pression hydrostatique est supérieure à 1 250 bars.
France • La profondeur au large d'Antibes, Alpes-Maritimes, atteint 1 500 m en un endroit situé dans la zone des 4 milles marins (7,5 km) bordant le territoire métropolitain.

Point océanique le plus méridional
Il se trouve à 85° 34' S et 154° O, à la pointe du glacier Robert Scott (à 490 km du pôle Sud).

Mer la plus grande
C'est la mer de Chine du Sud, qui couvre une superficie de 2 974 600 km², juste avant la Méditerranée, 2 969 000 km².

Mer intérieure la plus grande
La mer Caspienne est longue de 1 225 km et couvre 371 800 km². Sa profondeur maximale est de 1 025 m et sa surface est à 28,50 m au-dessous du niveau de la mer. Son volume d'eau est estimé à 89 600 km³.

Mer la plus petite
La mer Morte mesure 75 km de long sur 15 km de large. Cette mer fermée se trouve sur la frontière entre Israël et la Jordanie. Ses eaux se situent au fond de la dépression de Ghor, à 400 m au-dessous du niveau de la mer.

Températures d'eau
• La température de l'eau à la surface de la mer varie de -2 °C dans la mer Blanche à 36 °C en été dans les parties peu profondes du golfe Arabo-Persique. La température normale de la mer Rouge est de 22 °C.
• La plus haute température relevée, en 1985, dans un océan, est de 404 °C, pour une source à 480 m au large de la côte occidentale des USA. Des sondes opérant à distance ont pu relever la température de la source, l'eau de celle-ci ne se transformant pas en vapeur grâce au poids du liquide qui la surplombe.

Eau la plus limpide
La mer de Weddell, par 71° S et 15° O, au large de l'Antarctique, possède les eaux les plus limpides du monde. Le 13-10-86, on a pu voir un disque « Secchi », de 30 cm de diamètre, à une profondeur de 80 m, d'après les mesures effectuées par des chercheurs néerlandais de l'Institut allemand Alfred-Wegener. Une telle clarté correspond à ce que les scientifiques considèrent comme la clarté caractéristique de l'eau distillée.

Montagne sous-marine la plus haute
Celle qui se situe près de la fosse des Tonga, entre les îles Samoa et la Nlle-Zélande, fut découverte en 1953 et s'élève à 8 690 m au-dessus du fond marin. Son sommet culmine à 365 m au-dessous de la surface.

GOLFES ET BAIES

Golfe le plus grand
Le golfe du Mexique a une superficie de 1 544 000 km² et un littoral de 5 000 km, de Cape Sable, Floride, à Cabo Catoche, Mexique.

Baies les plus grandes
La baie de Hudson, dans le nord du Canada, s'étend sur 12 268 km, pour une superficie de 1 233 000 km². La superficie de la baie du Bengale, Inde, est de 2 172 000 km².

Fjords les plus longs
• Le plus long fjord est le fjord Nordvest, qui forme un bras du Scoresby Sund, dans la partie est du Groenland et pénètre de 313 km à l'intérieur des terres.
• Le fjord Sogne pénètre à l'intérieur des terres sur une distance de 204 km, de l'île de Sogneoksen à la pointe du bras de mer de Lusterfjord, à Skjolden. Sa largeur varie de 2,4 km à 5,1 km et son point le plus profond est à 1 308 m.

DÉTROITS

Détroit le plus long
C'est celui de Tartarie, entre l'île de Sakhaline et la côte de Sibérie extrême-orientale. S'étirant sur 800 km, il est donc légèrement plus long que le détroit de Malacca, entre la Malaisie et Sumatra (780 km).

Détroits les plus larges
• Le détroit de Drake, entre les îles Diego Ramírez, Chili, et les îles Shetland du Sud, Antarctique, a 1 140 km de largeur maximale.

• Le détroit de Davis, entre le Groenland et la terre de Baffin, Canada, a une largeur minimale de 338 km.

Détroits les plus étroits
Le détroit navigable le plus étroit est celui de Dofuchi, entre les îles de Shodoshima et de Mae, Japon. Le pont reliant ces deux îles est large de 9,93 m seulement.
France • Les bouches de Bonifacio, entre la Corse et la Sardaigne, sont larges de 5 km en leur point le plus étroit.

Bras de mer le plus long
Le loch Fyne, sur la côte occidentale de l'Écosse, pénètre de 60,5 km à l'intérieur des terres.

MARÉES
Les marées exceptionnelles sont dues aux forces de gravitation de la Lune et du Soleil. L'influence des vents et de la pression atmosphérique peut superposer un élément supplémentaire de « houle ». La configuration de la côte et celle du fond marin peuvent accentuer ces forces. L'intervalle normal entre les marées est de 12 h et 25 min.

Marées les plus faibles
Les marées sont pratiquement inexistantes à Tahiti, dans l'océan Pacifique, de même en mer Baltique et en mer Noire.

VAGUES

Vagues les plus hautes
• La plus grande vague mesurée à l'aide d'instruments faisait 26 m de haut ; elle fut observée le 30-12-72 par le navire britannique *Weather-Reporter* dans l'Atlantique nord, par 59° N et 19° O.
• Dans la nuit du 6 au 7-02-33, alors qu'il se trouvait à bord du navire américain *Ramapo* se rendant de Manille, Philippines,

Iceberg le plus grand

Le 4-01-75, un avion de recherche amércain de l'Antarctique a mesuré par écho radio une épaisseur de 4,78 km de glace à 69° 56' 17" de latitude S et 135° 12' 9" de longitude E, à 440 km de la côte dans le Wilkes Land, Antarctique. Ci-contre, un iceberg au large de Narsarsuaq, Groenland.

La mer d'Aral, située sur la frontière entre l'Ouzbékistan et le Kazakhstan, est celle qui a été le plus asséchée. Elle est passée d'une superficie de 68 000 km² à 66 000 km² en 1960, à 35 000 km² en 1990 et enfin à 26 800 km² en 1994 (à cette date, elle s'était divisée en deux bras). L'assèchement est dû principalement à l'extraction de grandes quantités d'eau à des fins d'irrigation.

à San Diego, Californie, et qu'un ouragan faisait rage, le lieutenant Frederic Margraff a calculé qu'une vague qu'il avait observée mesurait 34 m.
• Le 9-07-58, une vague se déplaçant à 160 km/h s'est élevée à une hauteur record de 524 m dans la baie de Lituya, Alaska. Elle avait été causée par un glissement de terrain sous-marin.

COURANTS
Courant le plus puissant
Le Courant circumpolaire (il fait le tour du globe) antarctique, ou Courant des vents d'ouest, mesuré en 1982 dans le détroit de Drake, entre l'Amérique du Sud et l'Antarctique, a un débit de 130 millions de m³/s. C'est le courant le plus puissant.
Courants les plus rapides
Les rapides de Nakwakto, dans le Slingsby Channel, Colombie-Britannique, Canada (51° 5' N et 127° 30' O) peuvent se déplacer à 30 km/h.
France • Le courant le plus rapide est celui qui traverse le raz Blanchard, détroit large de 16 km séparant le cap de la Hague, au nord-ouest de la presqu'île du Cotentin, de l'île d'Aurigny, au nord de Jersey, et qui atteint une vitesse de 10 nœuds (18 km/h).

MERS INTÉRIEURES ET LACS
Voir Océans et Mers.
Lacs les plus grands
Le lac Supérieur, Amérique du Nord, couvre une superficie totale de 81 350 km² : 53 600 km² aux USA et 27 750 km² au Canada. Il se trouve à 180 m au-dessus du niveau de la mer.
France • La partie française du lac Léman – puisqu'il y a une partie suisse – fait 200 km².
• Le lac du Bourget, Savoie, couvre une superficie de 45 km² et a une profondeur maximale de 145 m.
Lac le plus ancien, le plus profond et le plus vaste
Le lac Baïkal, Sibérie (1 485 m d'altitude), est le plus vieux du monde. Cette dépression a été comblée pendant 25 millions d'années par 7 000 m de sédiments accumulés sur lesquels reposent des eaux atteignant au point le plus profond 1 637 m. D'une longueur de 636 km, 80 km de large, il est aussi le plus vaste du monde par son volume d'eau : 23 000 km³ d'eau alimenté par 336 affluents. Le lac Baïkal contient 20 % des réserves d'eau douce de la planète.
Lacs les plus hauts
• Le plus haut du monde se situe au Tibet, à 34°16' de latitude nord et 85°43' de longitude est. Ce lac, innommé, à une altitude de 5 800 m, mesure 8 km sur 15, dans ses dimensions maximales.
• Le plus haut lac navigable du monde est le lac Titicaca, à cheval

sur le Pérou et la Bolivie. Il se trouve à 3 811 m. Sa superficie couvre 8 285 km² et il s'étend sur 160 km. Sa profondeur atteint 370 m.
France • Le lac Tourrat, Hautes-Pyrénées, se trouve à 2 620 m au-dessus du niveau de la mer.
Le plus grand lac dans un lac
Le lac Manitou (106 km²) se trouve dans l'île Manitoulin (2 766 km²), qui est elle-même la plus grande île située au milieu d'un lac, à savoir la partie canadienne du lac Huron. Celui-ci abrite un certain nombre d'autres îles.
Lac souterrain
Dans la grotte de Drachenhauchloch, en Namibie, se trouve le plus grand lac souterrain du monde. Il fut découvert en 1986, à 66 m sous terre. Sa superficie est évaluée à 2,61 ha et sa profondeur à 84 m.

FLEUVES, DELTAS ET MARAIS
Fleuves les plus longs
Les 2 fleuves les plus longs du monde sont le Nil (Bahr el-Nil), qui se jette dans la Méditerranée et l'Amazone (Amazonas), qui se jette dans l'Atlantique – les départager est plus un problème de définition que de mesures. L'Amazone compte plusieurs embouchures, ce qui rend incertain l'endroit où il se termine. Si l'on tient compte de l'estuaire du Paraguay, il mesure 6 750 km de long.
Le Nil mesure 6 670 km de long, avant la perte de quelques portions de méandres, due à la formation du lac Nasser.
France • La Loire prend sa source à 1 408 m d'altitude, au mont Gerbier-de-Jonc, Ardèche, et coule sur 1 012 km.
Fleuves les plus courts
Le plus petit fleuve du monde est le D, à Lincoln City, Oregon. Il relie le lac du Diable à l'océan Pacifique sur une longueur de 37 m.
France • La Veules, Seine-Maritime, est le plus petit fleuve de France : 1 100 m seulement séparent sa source de la Manche.
Bassins les plus grands
Le bassin d'un fleuve est le territoire arrosé par ce fleuve et ses affluents. Celui de l'Amazone, couvrant une superficie totale de 7 045 000 km², compte quelque 15 000 affluents et sous-affluents, dont 4 mesurent plus de 1 500 km.
France • Le bassin de la Loire a une superficie de 115 200 km² (1/5 du territoire français).

Affluents les plus longs
Le Madeira se jette dans l'Amazone en aval de Manaos, Brésil. Il mesure 3 380 km.
France • Le Lot coule sur 480 km avant de se jeter dans la Garonne, près d'Aiguillon, Lot-et-Garonne.
Estuaires les plus longs
L'estuaire de l'Ob, ou Obi, au nord de la Russie, est long de 885 km. Sa largeur dépasse 80 km.
France • L'estuaire de la Seine s'étend sur 114 km.
Deltas
Le delta commun du Gange et du Brahmapoutre, dans le golfe du Bengale, Inde, couvre une superficie de 75 000 km².
France • Le delta du Rhône s'étend sur une superficie de 750 km². Ce delta se déplace vers le sud à raison de 67 m/an en moyenne.
Débits les plus importants
L'Amazone déverse 200 000 m³ d'eau par seconde dans l'océan Atlantique. Ce débit peut s'élever à 340 000 m³/s, il est 60 fois plus important que celui du Nil.
France • Le débit maximal de la Garonne peut atteindre 8 000 m³/s.
Fleuve souterrain
En août 1958, on a trouvé par radio-isotopes la trace d'un fleuve caché coulant sous le Nil, dont le volume annuel moyen est 6 fois supérieur à celui du Nil, avec 500 milliards de m³.
Fleuve sous-marin
On a découvert en 1952 un fleuve sous-marin de 300 km de large, connu sous le nom de courant de Cromwell, qui coule vers l'est en longeant l'équateur sur 5 650 km, à 400 m de la surface du Pacifique. Son volume est 1 000 fois celui du Mississippi.
Marais
La plus grande étendue marécageuse au monde est le Pantanal, au Brésil. Elle couvre une superficie évaluée à 109 000 km².
France • Le Marais poitevin s'étend sur 815 km², dont 165 km² de marais mouillés, dans l'ouest de la France, sur l'Atlantique.
Étang français le plus grand
L'étang de Berre, Bouches-du-Rhône, couvre une superficie de 156 km².

Lagon
Le lagon des Canards (lagoa dos Patos), à l'extrême sud du Brésil, est long de 280 km et s'étend sur une surface de 9 850 km².

CHUTES D'EAU
Chutes les plus grandes
Si l'on se fonde sur le débit moyen, ce sont les chutes Inga, République démocratique du Congo (ex-Zaïre), qui sont constituées d'un ensemble de rapides représentant une chute de 96 m, pour un débit moyen de 43 000 m³/s et dont le débit maximal peut être de 81 000 m³/s.
Chutes les plus larges
Les chutes Khône, au Laos, s'étendent sur une largeur de 10,8 km, avec un débit moyen de 42 500 m³/s.
Chutes les plus hautes
Le Salto Angel, au Venezuela, sur un bras de la rivière Carrao (affluent du rio Caroni), présente une chute totale de 979 m. Les chutes Angel reçurent leur nom du pilote américain Jimmie Angel (m.8-12-56), qui les consigna dans son livre de bord le 16-11-33. C'est Ernesto Sánchez de La Cruz, en 1910, qui le premier signala ces chutes, connues jusqu'alors des seuls Indiens sous le nom de Churun-Meru.

🔲 GLACIERS
• *Le plus long glacier du monde est le Lambert, découvert en 1956 dans le territoire antarctique australien. Il est large de 64 km et long de 700 km.*
• *Celui qui avance le plus rapidement est le Columbia, en Alaska. Il se déplace de 20 m/jour.*

Végétaux

Cactus géant

Le saguaro (*Cereus giganteus* ou *Carnegiea gigantea*), qui pousse en Arizona, en Californie et au Mexique, a un port en forme de candélabre et des tiges cannelées. Il ne grandit que de 2 cm les 10 premières années, et ne fleurit pas avant 50 ans. Mais sa durée de vie peut atteindre 200 ans et sa hauteur 15 m. Un spécimen, découvert en 1988 dans les montagnes Maricopa, Arizona, avait des branches de 17,67 m de long.

ARBRES

Arbres les plus volumineux

Le plus volumineux est le séquoia géant (*Sequoiadendron giganteum*) « General Sherman », du Sequoias National Park, Californie. Il culmine à 84 m et la circonférence de son tronc à 1,40 m du sol est de 31,3 m, soit un tronc d'un volume de 1 487 m³). Son écorce atteint 61 cm d'épaisseur. Il doit peser, racines comprises, 2 000 tonnes, bien que son bois soit léger (288 kg/m³). Sa graine pèse 5 mg. L'arbre adulte se développe donc 400 milliards de fois par rapport au poids de sa graine.
• L'arbre le plus volumineux de tous les temps était un séquoia appelé « Arbre de Lindsey Creek », dont le tronc avait un volume de 2 549 m³ et une masse totale de 3 300 tonnes. Cet arbre fut déraciné au cours d'une tempête en 1905.
France • Le plus gros est un platane d'Orient du parc Monceau, à Paris. Il a une circonférence de 7,50 m, pour une hauteur de 35 m. Il a été planté en 1814.

Arbres les plus hauts

L'arbre le plus grand de la planète encore vivant est un séquoia (*Sequoia sempervirens*), surnommé « Paradox Tree », situé dans le Redwood State Park de Humboldt, Californie. Il mesurait 112,47 m en janvier 1996.
France • Au Russey, Doubs, 3 sapins pectinés, respectivement de 52 m (5,30 m de circ. et 32 m³), 51 m (5,20 m de circ. et 30 m³) et 47 m (3,90 m de circ. et 21 m³) de haut, ont été plantés vers 1694 et sont donc âgés de 305 ans.
• Le plus grand arbre de Paris est un platane de l'avenue Foch qui mesure 42 m de haut.

Tronc le plus gros

Le châtaignier (*Castanea sativa*) appelé Castagno dei cento cavalli, « châtaignier aux cent chevaux », sur les pentes de l'Etna, Sicile, avait 58 m de circonférence en 1780. Il est aujourd'hui fendu en 3 parties.

Croissance la plus rapide

Hormis le bambou, qui n'est pas un arbre mais une graminée à tige ligneuse, la croissance la plus rapide connue est celle du spécimen d'*Albizzia falcata* planté en 1974 au Sabah, Malaisie, qui a poussé de 10,80 m en 13 mois. Un arbre de la même espèce planté en 1975, également au Sabah, est l'arbre qui a atteint le plus rapidement 30 m : en 5 ans et 4 mois.

Arbres les plus vieux

Le plus vieil arbre vivant est un séquoia appelé « Eternal God » âgé de 12 000 ans. Haut de 72,50 m et large de 5,90 m, il vit au parc national de séquoias Prairie Creek, Californie.
France • Le chêne d'Allouville-Bellefosse, Seine-Maritime, a 2 100 ans. Planté à l'époque de Charlemagne, il est haut de 25 m et possède un tronc creux de 15 m de circonférence qui abrite 2 chapelles.

🪪 TROUVAILLES

Le 15-09-97, Anicet Légaré et sa femme Louisa, de Guigues, Québec, ont eu la surprise de découvrir dans leur jardin 2 énormes navets (ravioles). Le plus gros pesait le poids record de 3,175 kg.

Sapin de Noël

Le plus grand arbre de Noël coupé a été érigé en 1950 dans un centre commercial de Seattle, État de Washington. C'était un sapin de Douglas de 67 m de haut.

BOIS

Bois le plus lourd

Le bois de fer (*Olea laurifolia*) ou « sidéroxylon » a une densité de 1,49 et pèse 1 490 kg/m³.

Bois les plus légers

• *Aeschynomene hispida*, de Cuba, a une densité de 0,044 et pèse 44 kg/m³.
• Le balsa (*Ochroma pyramidale*), bois très léger, a un poids variant de 40 à 380 kg/m³.

FEUILLES

Feuilles les plus grandes

• Le raphia (*Raffia farinifera* ou *R. ruffia*) des îles Mascareignes, océan Indien, et le palmier bambou amazonien (*Raffia taedigera*) d'Amérique du Sud et d'Afrique, ont des feuilles pouvant atteindre 20 m de long, avec des pétioles de 4 m.
• Les plus grandes feuilles sans division sont celles d'*Alocasia macrorrhiza*, que l'on trouve en Malaisie. En 1966, on a découvert un spécimen dont une feuille mesurait 3 m de long et 2 m de large.

FLEURS

Alocasia • 3,15 m, L. Grandchamps, Château-Renault, Indre-et-Loire, 1992.
Azalée (circ.) • 4,70 m, S. Duperray, St-Victor-sur-Rhins, Loire, 1998.
Chrysanthème (circ.) • 8,32 m, L. Grandchamps Château-Renault, Indre-et-Loire, 1996
Chrys. pyramide (circ.) • 4,97 m, Algoflash, Château-Renault, Indre-et-Loire, 1996

Chrys. pyramide (haut.) • 3,43 m, Algoflash, Château-Renault, Indre-et-Loire, 1997.
Clivia (50 ans, diam.) • 2,05 m, R. et J. Defrémont, Mauzé-Thouarsais, Deux-Sèvres, 1996.
Dahlia • 8,23 m, A. Guéry, Nantes, Loire-Atlantique, 1990.
Épiphyllum (50 ans, diam.) • 1,50 m, G. Roudinaud, Soyaux, Charente, 1997.
Fuchsia • 4,55 m, Municipalité, La Courneuve, Seine-St-Denis, 1989.
Géranium • 5,06 m, L. Grandchamps, Château-Renault, Indre-et-Loire, 1991.
Géranium (circ.) • 13,86 m, L. Grandchamps, Château-Renault, Indre-et-Loire, 1992.
Hortensia (larg.) • 2,90 m, Yves Bertrand, Villefranche-sur-Saône, Rhône, 1996.
Lilas blanc • 3,70 m, A.-C. Comar, Apt, Vaucluse, 1992.
Pétunia • 4,20 m, Bernard Lavery, Pontyclun, GB, 1993.
Rose trémière (*Althea*) • 4,50 m, Éric Grub, Harskirchen, Bas-Rhin, 1997.
Rosier • 500 m², Municipalité, Tombstone, Arizona, 1992.
Rosier grimpant • 7,50 m, M. Scali, Argentière, Haute-Savoie, 1996.
Tournesol • 7,76 m, M. Heijms, Oirschot, Pays-Bas, 1986.
• 5,185 m, O. Généreux, Lac-Nominingue, Québec, 1998.

Compositions florales

• Le plus grand bouquet du monde fut érigé du 2 au 5-10-98 à Enghien, Belgique. Il mesurait 30 m de haut. Il était composé de 149 200 dahlias.
• Le 26-04-97, l'Union des commerçants et le Club Interflora 77 ont composé un bouquet de muguet à l'aide de 60 750 brins, soit 9 720 000 clochettes.

CACTUS LE PLUS PIQUANT

Opuntia robusta, que l'on trouve au Mexique, plus communément appelé « figuier de Barbarie », est recouvert de soies piquantes comme des dards d'abeilles. Ces petites aiguilles produisent une poudre qui démange à rendre fou.

• Le 28-03-98, le précédent record du plus grand bouquet du monde a été battu, avec une hauteur de 9 m et une largeur de 21 m, St-Bernard, Ain. Il était composé de 87 000 narcisses et de 6 m³ de buis et végétaux.

Fin mai 1991, la ville de Ste-Geneviève-des-Bois, Essonne, a réalisé une composition florale de 11,05 m de haut, 25,60 m de long et 14,60 m de large, soit 453,50 m² de surface fleurie composée de 130 107 fleurs.

FRUITS ET LÉGUMES

Betteraves potagères • 18,37 kg, I. Neale, Newport, GB, 1994.
• 16,350 kg, A. Duchamp, St-Laurent-de-Vaux, Rhône, 1997.
Carotte • 7,095 kg, B. Lavery, Spalding, GB, 1996.
• 6,160 kg, J. Minard, St-Valery-en-Caux, Seine-Mar., 1997.
Chou-rave • 25,880 kg, R. Bizet, Wismes, Pas-de-Calais, 1996.
Citron • 4,8 kg, A. Menhinick, Lacock, Wiltshire, GB, 1983.
• 720 g, Clovis Mouilleau, Saint-Jean-de-Monts, Vendée, 1994.
Citrouille • 449 kg, H. Bax, Ashton, Ontario, Canada, 1994.
Concombre • 9,1 kg, B. Lavery, Llanharry, Mid Glam, GB, 1991.
Courge • 408,6 kg, J. et C. Lyons, Baltimore, Ontario, Canada, 1994.
• 2 m, M. Toth, Tarn, 1985.
Oignon • 7 kg, M. Ednie, Dundee, Écosse, GB, 1995.
Pomme circ. • 45 cm, 1,010 kg, O. Valentini, Mitry-Mory, S.-et-Marne, 1996.
Potiron • 200,5 kg, J. Murat, St-Hilaire-de-Lusignon, L.-et-Gar., 1996.
Rutabaga • 25, 54 kg, N. Craven, Stouffville, Ontario, Canada, 1995.
Tomates • 3,51 kg, G. Graham, Edmond, Oklahoma, 1986.
• 1,6 kg, R. Wernert, Drussenheim, Bas-Rhin, 1993.

DIVERS

Pied de vigne le plus productif
Dominique Bettin, viticulteur à Port-Ste-Marie, Lot-et-Garonne, possède un pied de vigne (muscat de Hambourg) qui a produit à lui seul 2 000 grappes de raisin en septembre 1992.

Collection de plantes vivantes
Le Dr Julian A. Steyermark (m.15-10-88), du jardin botanique du Missouri, à Saint Louis, possédait 138 000 espèces.

Engrais miraculeux
Louis Grandchamps, de Château-Renault, Indre-et-Loire, grâce à un engrais miraculeux de la société Algoflash, accumule les records :
Le plus grand chrysanthème, le plus grand géranium zonal, un géranium-lierre d'une circonférence de 6,40 m ; le plus grand philodendron, 2,87 m de haut et 13,86 m de circonférence. Une feuille prise au hasard mesurait, le 17-10-89, 1,41 m de long et 96 cm de large ; le plus grand alocasia, de 12,43 m de circonférence, d'environ 380 kg et de 3,15 m de haut.

Champignons
• Le 16-10-92, Bernard Alexandre, de Vernaison, Rhône, a trouvé un polypore *Meripilus giganteus* de 3,38 m de circonférence, de 20,075 kg.
• Michèle Maupin, de Clairoix, Oise, a eu la surprise de dénicher une morille de 24 cm de haut pour un poids de 250 g, le 23-04-97.

PLANTE LA PLUS TORTUEUSE

La Sarracenja leucophylla *utilise de nombreux pièges pour attraper et digérer les insectes. Autour de l'orifice de chacun de ses tubes se trouvent une armée de glandes qui produisent un nectar sucré. Ces glandes entourent des parcelles de tissu scintillant qui attirent les mouches. Une fois prises au piège, celles-ci sont emprisonnées, puis étranglées jusqu'à l'épuisement. Elles finissent par atterrir dans un bain d'enzymes qui les digèrent vivantes.*

Animaux sauvages

RECORDS GÉNÉRAUX

Animaux les plus forts

Lors d'une expérience, un scarabée-rhinocéros (*Dynastinae*), de 0,25 g, a supporté sur son dos 850 fois son poids. Un éléphant peut transporter 25 % du sien.

Mammifère le plus fertile

Le mulot (genre *Apodemus*) peut produire jusqu'à 7 portées de 4 à 12 petits/an (parfois plus), dans des conditions favorables. Les souris envahiraient des continents entiers en quelques décennies, s'il n'y avait les maladies, les prédateurs et le manque de nourriture, qui en déciment la plupart en quelques mois.

Vie la plus courte

Les éphémères, de la famille *Ephemeroidea*, passent 2 à 3 années comme larves au fond d'un lac ou d'un cours d'eau pour ne vivre que moins d'une heure comme adultes ailés.

Mammifère le plus répandu

Le rat noir (*Rattus norvegicus*) a émigré de son lieu d'origine, situé en Mongolie et au Kazakhstan, pour investir tous les points du globe. Aujourd'hui, sa population dans le monde est presque égale à celle du nombre d'humains (approximativement 5,3 milliards), mais elle augmentera beaucoup plus rapidement à l'avenir.

Concentrations animales

La plus grande concentration animale fut un essaim de sauterelles des Rocheuses (*Melanoplus spretus*) qui traversa le Nebraska, du 20 au 30-07-1874. D'après un scientifique qui surveilla son mouvement, l'essaim couvrait 257 000 km², soit la superficie de la moitié de la France. Il contenait 12 500 milliards d'insectes.

Animal le plus rapide

Le plus rapide de tous les êtres vivants est le faucon pèlerin (*Falco peregrinus*), dont la vitesse en piqué sous un angle de 45° peut atteindre 350 km/h.

Animal le plus lent

L'escargot de jardin est l'animal le plus lent, avec une vitesse moyenne au sol de 20 m/h. Bien entraînés, les escargots de course peuvent atteindre la vitesse record de 25 m/h.

MAMMIFÈRES

Mammifères imposants

Marins • Le plus grand spécimen connu est une femelle de 33,58 m, échouée en 1909 sur l'île Grytviken, Géorgie du Sud.
• Une femelle de 190 tonnes et de 27,60 m de long fut capturée le 20-03-47 par des baleiniers soviétiques. Sa langue pesait 4,3 tonnes et son cœur 700 kg.

Terrestres • Le plus grand éléphant mâle connu a été abattu le 4-04-78, au sud de Sesfontein, Damaraland, Namibie, après avoir tué 11 personnes et ravagé des cultures. Il mesurait, couché, 4,42 m du sommet de l'épaule à la base du pied avant, soit 4,21 m debout, et au total 10,38 m. La circonférence de sa patte antérieure mesurait 1,57 m et il pesait 8 tonnes.

France • Voir photo.

Mammifères les plus grands

La plus grande girafe connue était un mâle du Kenya (*G. camelopardalis tippelskirchi*) nommé George, accueillie au zoo de Chester, GB, le 8-01-59. À l'âge de 8 ans, du haut de ses 5,88 m, ses cornes touchaient presque le toit du bâtiment des girafes, qui mesurait 6 m. George mourut le 22-07-69.

France • Pompon, girafe mâle accueillie au zoo de Vincennes en 1972, mesurait 5 m. Elle est décédée en janvier 1998, à l'âge de 26 ans. Un autre mâle, de race masaï, entré en 1929 au zoo de Vincennes et mort en 1935, mesurait 5,50 m.

👤 SIAM, L'ÉLÉPHANT

Siam, éléphant d'Asie, pesait 5,5 tonnes pour 3,50 m au garrot. Il possédait des défenses de 2 m de long jusqu'à la racine, pour 40 kg chacune. Arrivé au zoo de Vincennes, à Paris, à l'âge de 17 ans, il est décédé en septembre 1997, à l'âge de 52 ans.

Mammifères les plus petits

Marin • La loutre de mer (*Enhydra lutris*), qui séjourne dans le Pacifique nord, ne pèse pas plus de 38 kg.

Terrestres • Les pachyures étrusques (*Suncus etruscus*), ou musaraignes étrusques, mesurent de 3,6 cm à 5,2 cm sans la queue, cette dernière ayant une longueur de 3 cm. Leur poids varie de 1,5 à 2,5 g.
• Le plus petit vrai primate est le maki (*Microcebus myoxinus*), mammifère lémurien, découvert dans les forêts d'arbres à feuilles caduques de l'ouest de Madagascar. Son corps mesure 6 cm de long, il a une queue de 13 cm de long, et un poids moyen de 30 g.

VITESSE ET MODE DE VIE

Mammifères marins

L'orque (*Orcinus orca*) est le plus rapide. Le 12-10-58, on a chronométré au nord-est du Pacifique, à 55,5 km/h (30 nœuds), un mâle de 6,10 à 7,60 m de long.

Gorilles

• Le plus grand gorille sauvage jamais mesuré était un mâle qui mesurait 1,95 m de la tête aux talons. Il fut abattu en 1938 à l'est de la République démocratique du Congo (ex-Zaïre).

• Le gorille le plus lourd en captivité était un mâle de la montagne N'gagi, mort au zoo de San Diego, Californie, en 1944. Il pesait 310 kg, en 1943, et mesurait 1,72 m de haut pour un tour de poitrine de 1,98 m.

France • Platon (n.1972), gorille gabonais de 230 kg et 1,80 m, fut sauvé de la mort puis transféré à l'âge de 5 ans, en 1977, au zoo de St-Martin-la-Plaine, Loire.

VITESSE SUR TERRE

Sur 400 m, le guépard des savanes d'Afrique australe (Acinonyx jubatus) atteint, lorsqu'il chasse, une vitesse maximale de 100 km/h.

Mammifères terrestres
Le plus rapide • *Voir photo.*
Le plus lent • *Voir photo.*

Plongée la plus profonde
Le 25-08-69, un cachalot (*Physeter catodon macrocephalus*) fut pris à 160 km au sud de Durban, Afrique du Sud, après être resté sous l'eau 1 h 52 min. On découvrit dans son estomac 2 requins scymnodons, espèce que l'on ne trouve qu'au fond de la mer, avalés 1 h plus tôt. Or, à cette distance des terres, la profondeur de l'océan est de 3 200 m sur un rayon de 50 km, ce qui laisse supposer qu'il peut descendre jusqu'à 3 000 m, et qu'il est alors plus pressé par le temps que par la pression.

Producteur de méthane
Une vache domestique émet 48 kg de méthane/an ; les émissions de gaz de toute la population bovine s'élèvent à 62 000 millions de kg. C'est ainsi que le niveau de méthane dans l'atmosphère augmente 8 fois plus vite que le niveau de dioxyde de carbone.

Longévité
Marin • Le requin à ailerons (*Balaenoptera physalis*) a une durée de vie de 100 ans.
Terrestres • L'homme (*Homo sapiens*) est le seul mammifère à pouvoir dépasser l'âge de 120 ans.
• L'éléphant d'Asie (*Elephas maximus*) a une durée de vie maximale estimée à 80 ans.

Carnivores les plus grands
Un ours polaire (*Ursus maritimus*) de 900 kg qui fut tué dans la région de Kotzebue Sound, Alaska, en 1960 mesurait 3,50 m du museau à la queue et ses pattes avaient 43 cm de diamètre.

Carnivore le plus vieux
En 1991, un ours brun d'Amérique, baptisé Ourson, est mort à l'âge de 69 ans au zoo du Hamma d'Alger. Un ours ordinaire vit en moyenne 30 ans.

Félins les plus grands
Cubanacan, un tigron (croisement d'un tigre et d'une lionne) adulte mâle du zoo d'Alipore, Calcutta, Inde, pèserait au moins 360 kg. Il mesure 1,32 m de haut au garrot et 3,50 m de longueur totale.
France • Baïkal, tigre de Sibérie né au zoo de Ravensden, GB, arrivé à 6 mois, le 7-11-85, au zoo de Saint-Martin-la-Plaine, Loire, mesure 3,25 m de long et 1,25 m au garrot.

ANIMAUX MENACÉS

Mammifères les plus rares
• La baleine à bec de Longman (*Indopacetus pacificus*) n'est connue que par 2 crânes, l'un découvert en 1922 près de MacKay, Queensland, Australie, l'autre en 1955 près de Mogadiscio, Somalie.
• Le marsouin (*Phocoena sinus*) n'a été vu dans aucune mer du monde depuis 1980 ; il est possible qu'il se soit éteint. Des centaines de milliers de spécimens ont été décimés par la pêche au filet durant les 45 dernières années.
Terrestres • Le rhinocéros de Java à une corne (*Rhinoceros sondaicus*), espèce solitaire, est considéré comme étant le mammifère le plus rare au monde.

Carnivores • Le thylacine, loup marsupial carnivore de Tasmanie (*Thylacinus cynocephalus*), est probablement éteint depuis la mort, en 1936, du dernier spécimen en captivité, au zoo de Beaumaris, à Hobart, Tasmanie, Australie. En 1982, un garde forestier aurait aperçu l'un d'eux dans la lumière des phares de sa voiture. Mais, depuis, aucun spécimen n'a été repéré.

Les ours des Pyrénées
Il y aurait actuellement 8 ou 9 ours bruns vivant encore en France, dans les vallées d'Aspe et d'Ossau, Pyrénées occidentales, entre 1 500 et 1 700 m. En 1957, ils étaient encore 70.

PINNIPÈDES

Pinnipèdes les plus grands
Éléphant de mer • Le plus gros spécimen de *Mirounga leonina* pesait 4 tonnes et mesurait 6,85 m. Il fut tué le 28-02-13, à Possession Bay, Géorgie du Sud, en 1913.
Phoque • Staline, un mâle mesurant 5,10 m pour 2 662 kg, a été recensé par le British Antarctic Survey, Géorgie du Sud, le 14-10-89.

LENTEUR

Le paresseux (Bradypus tridactylus) de la forêt brésilienne est l'animal le plus lent, avec une vitesse moyenne au sol de 120 m/h (2 m/min). Mais dans les arbres il peut foncer à 270 m/h (4,50 m/min).

La ferme

ÉQUIDÉS

Équidés les plus grands

Historique • Le plus grand fut un hongre shire appelé Sampson puis Mammouth (n.1846), élevé par Thomas Cleaver, de Toddington Mills, GB. Il mesurait 2,19 m et pesait 1 524 kg.

Pur-sang • Tritonis, hongre pur-sang canadien, appartenant à Christopher Ewing, de Southfield, USA, était le cheval le plus grand. Mort en septembre 1990, à l'âge de 7 ans, il mesurait 1,98 m et pesait 950 kg.

Équidés les plus petits

Historique • Le 30-11-75, le Dr Hamison, vétérinaire de Spartenburg, Caroline du Sud, certifia que Little Pumpkin (n.15-04-73), étalon appartenant à J. Williams Jr., mesurait 35,5 cm de haut et pesait 9 kg.

• Joy, née au printemps 1993, dans le haras de Gilles Van de Walle, de Plou, Cher, a été enregistrée comme étant la jument la plus petite, avec 68 cm au garrot à l'âge de 5 ans, le 15-09-98.

Ânesse • L'ânesse Verveine de Biard (n.1987) mesurait 78,5 cm au garrot.

Chevaux les plus âgés

Old Billy (n.1760), élevé par Edward Robinson, de Woolston, GB, a vécu 62 ans.

France • L'Ours, cheval camarguais appartenant à Marius Coulomb, de La Roque-d'Anthéron, Bouches-du-Rhône, est mort le 6-04-93, à l'âge de 47 ans.

Pur-sang de course • Le plus âgé fut le hongre Tango Duke (n.1935). Il appartenait à l'Australienne Carmen Koper, de Barongarook, et mourut le 25-01-78, à l'âge de 42 ans.

Poney • Le plus vieux poney, né en 1919 et mort à 54 ans, était élevé dans une ferme de l'Aveyron.

Rassemblement de chevaux et de chameaux le plus grand

Le 30-12-95, le sultanat d'Oman a présenté, à l'occasion de la 3e Fête royale d'équitation, un défilé de 210 pur-sang et 170 chameaux, exploit réputé impossible, les chevaux ayant peur des chameaux.

PORCINS

Cochon le plus lourd

Big Bill, porc châtré, croisé polonais-chinois, était si gros que son ventre touchait terre. Sa carrière s'arrêta en 1933 aux USA, quand, avec son propriétaire W. Chappall, ils eurent cet accident de voiture, alors qu'ils se rendaient à la foire. Le porc se cassa la jambe. Chappall, préférant abréger les souffrances de Big Bill, l'emmena à l'hôpital, où on lui administra une dose mortelle. À sa mort, il pesait 1 157 kg, pour 1,52 m au garrot et 2,74 m de long.

BOVINS

Bœufs les plus grands et les plus lourds

• La race la plus lourde est la chianini. Les taureaux peuvent peser jusqu'à 1,3 tonne pour 1,90 m au garrot.

• Le bœuf holstein-durham Mt Katahdin (m.1923), qui fut exposé par A. Rand, Maine, en 1910, pesait 2,3 tonnes. Il mesurait 1,88 m au garrot et 4 m de tour de poitrail.

Bœufs les plus légers

• En moyenne, les bœufs et les vaches adultes de race ovambo de Namibie, Afrique australe, pèsent respectivement 225 kg et 160 kg.

• Le 6-10-91 est né à la ferme Utz, à Madison, Virginie, un taurillon pesant 13,8 kg.

Vache la plus lourde

Ève (n.2-12-89) élevée par Michel Saillart, d'Hémévillers, Oise, pesait 1 380 kg, garantie non gestante, le 4-02-97.

Génisses les plus légères

Une génisse de 5,4 kg est née le 5-03-92 à la ferme de Pat et Eileen Dugan, de Towner, Dakota du Nord.

France • Née d'une maman vache miniature de 3 ans, Ève, la petite génisse Java ne pesait que 15 kg à sa naissance, en 1998. Les animaux de cette ferme toulousaine sont tous miniaturisés génétiquement.

Vache la plus âgée

Big Bertha (n.17-03-44), de race dremon, appartenant à Jerome O'Leary, de Blackwatersbridge, République d'Irlande, est morte le 31-12-93, à 3 mois de ses 50 ans.

Taureau le plus prolifique

Nordjydens Hubert, taureau danois mort à l'âge de 12 ans en janvier 1996, laissa 220 000 descendants vivants, obtenus par insémination artificielle.

Records de traite

En 1995, la vache frisonne Acme Goldy 2 (n.31-12-84), appartenant à Bryce Miller, de Woodford Grange Farm, GB, a produit 26 963 kg de lait pour une seule lactation (maximum 365 jours). Pendant cette période, cette vache réalisa aussi une production record de 966 kg de protéines en 365 jours.

Joseph Love, de Kilifi Plantations, Kenya, a obtenu, en trayant à la main 30 vaches, 531 litres de lait.

OVINS

Bélier le plus lourd

Stratford Whisper, bélier suffolk appartenant à Joseph et Susan Schallberger, de Boring, Oregon, pesait 247,2 kg en mars 1991 pour 1,09 m de haut.

 NAISSANCES MULTIPLES

Le 30-11-96, une chèvre alpine chamoisée, appartenant à Nicole et Noël Anglard, de Soursac, Corrèze, a donné naissance à 7 chevreaux tous viables.

Œufs de poule

Le plus petit • Ci-contre, l'œuf pondu par une poulette anglaise appartenant à Bernard Hisbergue, de Caudry, Nord, le 7-07-96. Il mesurait 1,6 x 1,3 cm pour le poids dérisoire de 0,82 g.

Les plus lourds • Le plus lourd pesait 454 g, il contenait deux jaunes et avait une coquille double. C'est une poule white-leghorn qui l'a pondu, à Vineland, New York, le 25-02-56.

France • Le record est un œuf de 202 g, pondu par une poule appartenant à Bernard Dedours, éleveur de Maisnil-lès-Ruitz, Pas-de-Calais, le 7-03-94.

COCHONS LES PLUS LÉGERS

Stefano Morine, de San Polo d'Enza, Italie, a obtenu la race la plus légère après 10 années d'expérimentation sur des cochons ventrus vietnamiens. Les porcelets pèsent 400 g à la naissance et 9 kg à l'âge adulte.

Moutons les plus petits

• Les moutons de la race ouessant, de l'île d'Ouessant, Bretagne, pèsent, en moyenne, 14 kg pour 50 cm au garrot.

• En janvier 1997, Claude Barré, de Malicorne, Sarthe, comptait dans son cheptel un bélier d'Ouessant adulte de 34 cm au garrot pour 10,10 kg.

Records de tonte

• La plus grande vitesse de tonte a été atteinte par le Néo-Zélandais Alan McDonald, qui a tondu à la machine 805 moutons en 9 h à Waitnaguru, en 1990. Un an avant, il tondit à la main 353 agneaux.

• Le 17-06-89, à Winchelsea Beach, GB, Robert Bull et Barry Godsell ont tondu 973 agneaux.

• Le record solo fut établi le 20-07-91, à la ferme de Pant, Merthyr Cynog, GB, par Philip Evans, avec 817 agneaux. Quoique supérieurs au record néo-zélandais, ces chiffres ne lui sont pas comparables, du fait de règles différentes.

France • En 1985, près de Manosque, Alpes-de-Haute-Provence, on a tondu 12 kg de laine sur un mouton de 3 ans. La tonte moyenne est de 3 kg.

Transhumance

La transhumance la plus importante du monde eut lieu en 1886, lorsque 27 hommes à cheval déplacèrent 43 000 moutons de Barcadine à l'élevage de Beaconsfield, Queensland, Australie, distant de 64 km.

CAPRINS

Bouc le plus gros

Mostyn Moorcock, bouc appartenant à Pat Robinson, Ewyas Harold, GB, pesait 181,4 kg (112 cm au garrot pour 168 cm de long). Il est mort en 1977 à 4 ans.

Chèvre la plus âgée

Aphrodite (n.1975), appartenant à Katherine Whitwell, de Moulton, GB, est morte le 23-08-93, à 18 ans et 1 mois, après avoir mis bas 26 chevreaux (dont 5 fois des triplés et 1 fois des quadruplés).

INSTINCT MATERNEL

Les poules prennent parfois de jeunes lapins nouveau-nés pour leurs propres œufs. Ce ne fut certainement pas le cas de cette poule white-leghorn qui pondit 371 œufs en 1 an, au cours d'une expérience menée en 1979 à l'université du Missouri, USA.

NAISSANCES MULTIPLES

Porcins

Le 21-09-93, une truie appartenant aux époux Ford, de la ferme Eastfield House, Melbourne, Australie, a donné naissance à 37 porcelets. Sur les 36 nés vivants, 33 ont survécu.

France • Le 3-01-84, à Rostronen, Côtes-d'Armor, une truie croisée avec une lignée chinoise a mis bas 24 porcelets, vivants.

Bovins

Big Bertha (1944-1993), de race dremon, appartenant à Jerome O'Leary, de Blackwatersbridge, République d'Irlande, a mis bas 39 veaux au cours de sa vie.

Ovins

Une brebis âgée de 6 ans nommée 835 Ylva a donné naissance à des octuplés en avril 1994, chez Birgitta et Kent Mossby, Falköping, Suède.

VOLAILLES

Coq le plus gros

• La plus grosse espèce de coq au monde est la white sully, un croisement de rhode island reds et d'autres espèces. Le plus gros d'entre eux fut un coq féroce nommé Weirdo, qui pesait 10 kg en janvier 1973. Il brisa la clôture de son enclos pour attaquer un autre coq, estropia un chien et tua 2 chats.

• Big Snow, le plus grand coq, pesait 10,5 kg en juin 1992, avec une hauteur au garrot de 84 cm. Il appartenait à Ronald Alldridge, de Deuchar, Australie.

Oiseaux et reptiles

OISEAUX

Oiseaux les plus lourds et les plus grands

Volants • L'outarde de Kori (*Ardeotis kori*), échassier d'Afrique du Nord-Est et méridionale, et la grande outarde (*Otis tarda*) d'Europe et d'Asie, peuvent peser jusqu'à 19 kg.

Terrestre • L'autruche d'Afrique du Nord mâle (*Struthio c. camelus*) peut mesurer 2,75 m et peser 156,5 kg.

Oiseaux les plus petits

Terrestre • *Voir photo.*

France • L'oiseau le plus petit est le roitelet huppé (*Regulus regulus*), qui pèse 5 g.

Marin • Le plus petit est le pétrel nain (*Halocyptena microsoma*), qui se reproduit sur les petites îles du golfe de Californie. Les adultes pèsent 30 g et mesurent environ 15 cm.

Oiseaux les plus vieux

Terrestres • Cocky, cacatoès à huppe jaune (*Cacatua galerita*), est mort au zoo de Londres en 1982, à 80 ans.

France • *Voir photo.*

Battements d'ailes

Le colibri à huppe d'or (*Heliactin cornuta*) d'Amérique du Sud bat des ailes 90 fois/seconde. À cette vitesse, ses ailes bourdonnent, d'où le nom d'oiseau-mouche donné à cet oiseau.

Oiseau le plus rapide

Voir Animal le plus rapide.

Oiseau terrestre le plus rapide

Malgré sa corpulence, l'autruche peut courir à 72 km/h en cas de besoin.

Oiseau le plus lent

La petite bécasse (*Scolopax minor*) atteint 8 km/h.

Oiseaux les plus hauts

Le 29-11-73, un vautour de Ruppell (*Gyps ruppellii*) entra en collision avec un avion au-dessus d'Abidjan, Côte-d'Ivoire, à 11 277 m, seul exemple relevé à une telle altitude. Des plumes restées accrochées dans le réacteur ont permis de l'identifier.

Œufs

Le 28-06-88, une autruche de 2 ans (*Struthio c. camelus* et *Struthio c. australis*) a pondu un œuf de 2,3 kg au kibboutz Ha'on, Israël.

Vision

• Le faucon pèlerin (*Falco peregrinus*) est capable de repérer un pigeon à une distance de plus de 8 km dans des conditions idéales.
• La bécasse (*Scolopax rusticola*) a un champ de vision de 360°, ce qui lui permet de voir derrière elle.

Ornithologue

Depuis 1965, l'Américaine Phoebe Snetsinger, de Webster Groves, a répertorié, 8 000 espèces d'oiseaux sur les 9 700 recensées, soit 79,5 % des espèces existantes listées.

REPTILES

Serpents les plus longs

En captivité • Colossus, python réticulé femelle morte le 15-04-63 au zoo de Highland Park, Pennsylvanie, mesurait 8,68 m de long et pesait 145 kg.

Serpent le plus vieux

Un boa (*Boa constrictor constrictor*) dénommé Popeye, du zoo de Philadelphie, est mort le 15-04-77, à l'âge de 40 ans, 3 mois et 14 jours.

Serpent le plus rapide

Le mamba noir (*Dendroaspis polylepis*) d'Afrique tropicale peut atteindre, sur terrain plat, des vitesses de 19 km/h sur de courtes distances et pourrait très facilement rattraper un coureur.

Serpents les plus venimeux

Terrestre • C'est *Oxyuranus microlepidotus*, à écailles lisses, des alentours du fleuve Diamantina, Australie. Sur un spécimen, on a recueilli 0,1 g de venin, qui suffirait à foudroyer 250 000 souris. Aucun homme n'a encore été victime de ce serpent.

👤 OISEAU TERRESTRE LE PLUS PETIT

Le plus petit du monde est le colibri d'Hélène (Mellisuga helenae), vivant à Cuba et dans l'île des Pins, Mélanésie. Les mâles adultes ne mesurent que 6 cm pour un poids de 1,5 g.

• C'est au Sri Lanka que l'on rencontre le plus important taux de mortalité dû à des morsures de serpents : environ 800 personnes y sont tuées chaque année par des reptiles ; 95 % d'entre elles sont mordues par *Bungarus caeruleus*, par le cobra de Sri Lanka (*Naja naja naja*) et par la vipère de Russell (*Vipera russelli pulchella*).

France • Le serpent le plus venimeux est une sous-espèce de la vipère aspic (*Aspis zinnikeri*), de 2 à 4 fois plus dangereuse que *Vipera aspis aspis*. On la trouve dans le Gers et les Pyrénées.

Venin

Pendant 10 ans, Bernard Keyter, superviseur à l'Institut de recherches médicales de

Crocodile le plus dangereux

Les crocodiles marins (*Crocodylus porosus*) tuent en moyenne 2 000 personnes/an, probablement plus, mais tous les cas d'accidents mortels ne sont pas recensés. L'attaque la plus connue eut lieu à la fin de la Seconde guerre mondiale, dans la nuit du 19 au 20-02-45. Les troupes alliées envahirent une île de la côte birmane, piégeant entre 800 et 1 000 soldats japonais dans un marais. Au matin, seulement 20 hommes étaient encore en vie. La majorité des soldats avaient été mangés vivants par des crocodiles.

LONGÉVITÉ

En juillet 1965, un jeune homme ramena d'Algérie un cigogneau tombé du nid. Le 12-02-66, l'oiseau fut adopté par Léopold Bozec, Pontoise, Val-d'Oise. Baptisée Rosalie, cette cigogne blanche femelle (Ciconia alba), entrait dans sa 35ᵉ année au mois de juin 1999.

SERPENT LE PLUS LONG

Le python réticulé (Python reticulatus), d'Asie du Sud-Est, dépasse 6,25 m de long. En 1912, un spécimen de 10 m a été tué dans l'île des Célèbes, Indonésie. La taille imposante de ces serpents, ainsi que celle des anacondas et des boas, les aide à tuer leurs proies par strangulation.

Johannesburg, Afrique du Sud, a lui-même extrait le venin de 780 000 serpents et avait obtenu 3 960 litres en 1995.

TORTUES

Tortues les plus grosses
Marines • C'est la tortue luth adulte (*Dermochelys coriacea*), qui pèse 450 kg et mesure 2 m, la carapace comptant pour 1,50 à 1,70 m. L'envergure des nageoires avant peut atteindre 2,15 m.
• La plus grande tortue luth est un spécimen trouvé mort sur la plage de Harlech, pays de Galles, le 23-09-88. Elle mesurait 2,91 m de long, avait 2,77 m d'envergure et pesait 961 kg. Elle est conservée au Muséum de Cardiff.
Terrestre • La plus grosse tortue terrestre vivante s'appelle Goliath et habite, depuis 1960, au Life Fellowship Bird Sanctuary, Floride. Originaire des Galapagos, ce *Chelonoidis nigra* mesure 1,35 m de long, 1 m de large et 68 cm de haut, pour 385 kg.

Tortue la plus vieille
La plus vieille tortue au monde dont l'âge ait été certifié a vécu au moins 188 ans. Il s'agissait d'une tortue à rayons de Madagascar (*Astrochelys radiata*), offerte par le capitaine Cook à la famille royale de Tonga en 1773 ou 1777. Elle s'appelait *Tui Malila* et est décédée en 1965.

CROCODILES

Crocodile le plus grand
Plusieurs cas de crocodiles marins (*Crocodylus porosus*) mesurant 10 m de long ont été signalés sans être authentifiés.

Le plus long spécimen connu mesure 7 m et vit dans le Bhitarkonika Wildlife Sanctuary, Inde.

Crocodile le plus petit
Le caïman nain (*Paleosuchus palpebrosus*) du nord de l'Amérique du Sud est le plus petit crocodile. Les femelles dépassent rarement 1 m de long et les mâles 1,50 m.

LÉZARDS

Lézard le plus gros
Le varan de Komodo (*Varanus komodoensis*), d'Indonésie, pèse 60 kg et mesure 2,25 m de long. Ces carnivores voraces sont capables de tuer des buffles adultes et des êtres humains. Le spécimen le plus grand mesuré exactement était un mâle présenté à un zoologiste américain en 1928. En 1937, il mesurait 3,10 m de long et pesait 166 kg.

Lézard le plus petit
Le gecko (*Sphaerodactylus parthenopion*), de l'île de Virgin Gorda, îles Vierges, mesure 1,8 cm de long, plus une queue de la même longueur.

Lézard le plus rapide
L'iguane à la queue effilée (*Ctenosaura*) du Costa Rica se déplace à 35 km/h.

Lézard le plus vieux
Un orvet (*Anguis fragilis*) mâle, qui vivait depuis 1892 au zoo de Copenhague, Danemark, est mort en 1946, à l'âge de 54 ans.

Poissons et insectes

AMPHIBIENS

Amphibien le plus gros
La salamandre de Chine (*Andrias davidianus*) mesure 1,14 m de long pour un poids de 25 à 30 kg. Un spécimen attrapé dans la province du Hunan, Chine, mesurait 1,80 m et pesait 65 kg.

Salamandre la plus vieille
Une salamandre géante du Japon (*Andrias japonicus*) est morte à l'âge de 55 ans, en 1881, au zoo d'Amsterdam.

Crapaud le plus gros
Le crapaud marin appartenant à Hakan Forsberg, d'Akers Styckebruck, Suède, pesait 2,65 kg et mesurait 38 cm en mars 1991.

Grenouille la plus grosse
Une grenouille goliath (*Conraua goliath*) du Cameroun, capturée en avril 1989 dans le fleuve Sanaga, Cameroun, par Andy Koffman, Seattle, État de Washington, mesurait 36,8 cm de long (87,6 cm pattes étirées) pour 3,6 kg, le 30-10-89.

POISSONS

Poissons marins les plus grands
Le requin-baleine (*Rhincodon typus*) se nourrit de plancton et de petits poissons, et vit dans les régions les plus chaudes de l'Atlantique, du Pacifique et de l'océan Indien. Il est le plus grand poisson du monde. Le 1er spécimen examiné scientifiquement a été harponné dans la baie de Table, Afrique du Sud, en 1828. Depuis lors, beaucoup ont été aperçus mais peu examinés. Le plus grand spécimen connu a été capturé au large de l'île Baba, près de Karachi, Pakistan, en novembre 1949. Il mesurait 12,65 m de long et 7 m de circonférence, autour de la partie la plus

NIDS DE GUÊPES

• Le plus grand a été découvert le 8-03-90 par les sapeurs-pompiers de Pélussin, Loire : 67 x 62 cm, pour un poids de 3 kg.
• Le plus lourd pesait 3,457 kg. Il fut récupéré par le sapeur-pompier Pierre Tabouret, le 30-12-90, sous une charpente, à Veynes, Hautes-Alpes.

épaisse de son corps, et pesait entre 15 et 21 tonnes.

Osseux • Le plus grand poisson à squelette osseux (*Pisces*) est le régalec (*Regalecus glesne*). Le 18-07-63, une équipe de scientifiques du laboratoire marin Sandy Hook a aperçu un autre régalec nageant au large d'Asbury Park, New Jersey, dont elle a estimé la taille à environ 15 m.

France • Un requin pèlerin mâle pêché dans la nuit du 21-11-1810 au large de Dieppe, Seine-Maritime, mesurait 9,52 m de long et pesait 8 tonnes. Il est conservé au Muséum d'histoire naturelle de Paris.

Poissons d'eau douce les plus grands
Eau douce • Des spécimens d'*Arapaima giga*, d'Amérique du Sud, ont atteint 4,50 m de long, pour un poids de 200 kg seulement.
• L'arapaima (*Arapaima glanis*), qui fréquente l'Amazone et d'autres fleuves d'Amérique du Sud, est souvent tenu pour le plus grand poisson d'eau douce. Un

spécimen adulte mesure en moyenne 2 m pour un poids de 70 kg. Le plus grand spécimen contrôlé de façon fiable mesurait 2,48 m et pesait 147 kg. Il fut pêché en 1836 dans le rio Negro, Brésil.

Poissons d'eau douce les plus grands
Le silure géant (*Pangasia-nodon gigas*) est le poisson d'eau douce le plus lourd. Autrefois, le poisson-chat géant, ou silure glane (*Silurus glanis*), le dépassait en taille. Au xixe siècle, en Russie, on a observé des spécimens de 4,50 m de long pour 300 kg. De nos jours, un silure de 1,80 m et 90 kg est considéré comme un grand spécimen.
France • Le 21-10-95, Thomas Flauger et Bernard Folché ont pêché, en Camargue, un silure de 100 kg.

Vitesse
Le voilier cosmopolite (*Istiophorus platypterus*) est considéré comme le poisson le plus rapide sur de courtes distances. Des expériences menées au Long Key Fishing Camp, Floride, ont permis de relever des vitesses de 110 km/h sur une distance de 100 m (le guépard ne dépasse pas 100 km/h).

Poisson le plus vieux
En 1948, une anguille européenne femelle (*Anguilla anguilla*), portant le nom de Putte, est morte à 88 ans, dans l'aquarium du musée d'Hälsingborg, Suède. Elle était née en 1860, dans la mer des Sargasses, Atlantique du Nord.

ARTHROPODES

Crustacés les plus grands
Marin • Le crabe-araignée géant sanschou, ou échassier (*Macrocheira kaempferi*), des eaux profondes au large de la côte sud-est

Poisson carnivore

Le plus grand poisson marin carnivore est le requin blanc (*Carcharodon carcharias*), grand requin épipélagique et solitaire, vorace et dangereux.
Il a une taille moyenne de 10 m pour un poids de 3 tonnes.
En juin 1978, un spécimen de 6,20 m de long a été capturé au large des Açores.
Il pesait 2 268 kg.
Le requin blanc, ainsi que le requin-tigre, le requin-léopard et le requin-citron, sont dangereux pour l'homme.

📇 **SAUT DE GRENOUILLE**

Lors des compétitions, on calcule le cumul de 3 sauts. Le record, un triple bond de 10,30 m qui date de 1977, est détenu par Santjie, grenouille à nez pointu d'Afrique du Sud (Ptychadena oxyrhynchus).

du Japon, mesure 25 x 30 cm ; l'envergure de ses pinces est de 2,50 m. Un spécimen de 18,6 kg avait des pinces de 3,70 m.

• Le homard américain, ou homard de l'Atlantique nord (*Homarus americanus*), est le plus lourd de tous. En 1987, un spécimen de 20 kg mesurant 1,06 m de l'extrémité de la queue au bout de la plus grande pince fut pêché au large de la Nlle-Écosse, Canada, et vendu à un restaurant new-yorkais.

ARACHNIDES, ARAIGNÉES

Araignée la plus lourde

Les araignées mangeuses d'oiseaux sont plus corpulentes que les mâles. En février 1985, Charles J. Seiderman, de New York, a capturé au nord de Paramaribo, Surinam, une énorme araignée femelle de 26,7 cm d'envergure. Son corps mesurait 10,2 cm de long et ses crochets 2,5 cm ; elle avait un poids record de 122,2 g. Elle est morte en janvier 1986, au cours d'une mue difficile.

Araignée la plus rapide

L'araignée-soleil à longues pattes, du genre *Solpuga*, vit dans les régions arides de l'Afrique. Elle se nourrit de lézards et peut atteindre une vitesse de 16 km/h.

Araignées les plus venimeuses

Les araignées brésiliennes vagabondes *Phoneutria*, et en particulier l'araignée brésilienne chasseuse d'homme *Phoneutria fera*, possèdent le neurotoxique le plus puissant. Extrêmement agressives, elles s'introduisent souvent dans les logis pour se cacher dans les placards ou les chaussures. Si on les dérange, elles mordent sauvagement plusieurs fois. Heureusement, un antidote a été mis au point et, depuis, seuls les enfants de moins de 7 ans demeurent vulnérables.

Araignée la plus célèbre

Belinda est morte le lundi 18-10-93 au zoo de Londres, à l'âge de 22 ans. Elle avait tenu son rôle le plus remarqué dans *James Bond contre Dr No*, et dans *Indiana Jones et le Temple maudit*.

Arrivée du Mexique en 1978, elle s'était vite distinguée par sa gentillesse, sa patience et sa docilité. Pesant 45 g et mesurant 17 cm d'envergure, mais restée simple, elle ne se nourrissait que d'une sauterelle toutes les 3 semaines.

INSECTES

Insectes les plus grands

Le plus grand est le *Pharnacia Kirbyi*, insecte-bâton des forêts tropicales de Bornéo. Le plus long spécimen connu est au Muséum de Londres et mesure 54,6 cm, pattes comprises.

France • Le coléoptère lucane ou cerf-volant (*Lucanus servus*) dépasse 10 cm et pèse jusqu'à 50 g.

Insectes les plus légers

Le pou sangsue mâle (*Enderleinellus zonatus*) à jeun, ainsi que la guêpe parasite (*Caraphractus cinctus*), peuvent peser 0,005 mg. Les œufs de la guêpe parasite pèsent chacun 0,0002 mg.

Insectes les plus rapides en vol

La vitesse maximale soutenue est de 39 km/h, par les espèces *Cephenemyia pratti*, *Sphingidae*, *Tabanus bovinus* et certains papillons tropicaux (*Hesperiidae*).

Insecte le plus rapide à la course

Les grands cafards tropicaux (*Dictyoptera*), qui mesurent 3 cm, peuvent se mouvoir à 5,4 km/h, soit 50 fois leur longueur/seconde.

Accélérations les plus fortes

Le scarabée à ressort (*Athous haemorrhoidalis*), commun en Europe, subit une accélération de 400 g quand il saute en l'air. Un spécimen de 1,2 cm pour 40 mg a sauté à 30 cm de haut. Son cerveau avait supporté une décélération de 2 300 G.

Insecte le plus bruyant

La cigale mâle (famille des *Cicadidae*) produit un bruit qui s'entend à 400 m de distance.

📊 **TOILES D'ARAIGNÉES**

• *Les membres de l'espèce indienne* Stegodyphus *construisent d'énormes toiles tridimensionnelles qui couvrent la végétation d'un film soyeux continu sur plusieurs km.*

• *La toile de l'araignée américaine* Achaearenea tepidariorum *peut capturer de petites souris, qui sont tirées au-dessus du sol.*

• *Les toiles les plus résistantes sont celles des araignées de la famille* Nephila*, qui peuvent attraper de petits oiseaux et ralentir le mouvement des mammifères de la taille d'un homme.*

Sports

GUINNESS DES RECORDS 2000

Extrême : air

SAUT À L'ÉLASTIQUE

Saut le plus long

En sautant d'un hélicoptère au-dessus de la vallée de la Loire, en février 1992, Gregory Riffi a réalisé un saut de 249,90 m de long. Pendant le saut, sa corde s'est étirée jusqu'à 610 m.

SURF

Surf : championnats

Les 1ers championnats officiels ont été inaugurés en 1997, en Turquie. Le titre masculin est détenu par Oliver Furrer, et

Saut à l'élastique groupé

Le 6-09-98, 25 personnes ont sauté d'une plate-forme suspendue à 52 m de haut, devant les tours jumelles du siège de la Deutsche Bank, à Francfort, Allemagne. Cet événement du « Festival Gratte-ciel », était organisé par le conseil municipal, dans le but d'attirer l'attention du public sur l'architecture moderne de la ville et sur l'émergence du quartier des affaires. Les participants étaient tous des volontaires recrutés dans le public.

le titre féminin par Vivian Wegrath, tous les 2 Suisses.

Surf : nombre de sauts

Éric Fradet, du Tignet, Alpes-Maritimes, compte plus de 14 700 sauts à son actif.

PARACHUTE

Les premiers sauts

• Du haut d'une tour, Louis-Sébastien Lenormand (1757-1839) sauta en quasi-parachute, à Montpellier, Hérault, en 1783.

D'un ballon • André-Jacques Garnerin (1769-1823) sauta de 680 m au-dessus du parc Monceau, à Paris, le 22-10-1797.

D'un avion • Albert Berry, funambule américain, sauta le 1er-03-12 à Saint Louis, Missouri.

Femmes • La 1re femme parachutiste fut Georgina Broadwick, qui sauta à Los Angeles, Californie, le 21-06-13.

Les plus âgés

Hommes • L'Anglais Edward Royds-Jones a sauté en tandem à l'âge de 95 ans et 170 jours, le 2-07-94, au-dessus de Dunkeswell, GB.

France • Le 17-10-93, le Français Louis Garcia a effectué avec brio un saut en tandem le jour même de ses 90 ans.

Femmes • La Britannique Sylvia Brett a sauté à l'âge de 80 ans et 166 jours, le 23-08-86, à Cranfield, GB.

Nombre de sauts

Hommes • Le Britannique Don Keller a effectué son 18 000e saut le 31-10-92.

France • Le Français Roch Charmet, décédé le 20-02-89, a effectué 14 650 sauts.

Femmes • Le record féminin est détenu par la Soviétique Valentina Zakorelskaïa, qui a sauté 8 000 fois entre 1964 et 1980.

Chute en parachute la plus longue

William Rankin est tombé pendant 40 min interminables, à cause de conditions thermiques défavorables, en Caroline du Nord, le 26-07-56.

Chute libre la plus longue

Joseph Kittinger a fait une chute de 25,82 km à partir d'un ballon qui se trouvait à 31,33 km d'altitude, à Tularosa, Nouveau-Mexique, le 16-08-60.

Base de saut la plus haute

Nicholas Feteris et le Dr Glenn Singleman ont sauté d'une plate-forme située à 5,88 km d'altitude, au Cachemire, le 26-08-92.

Altitude

Hommes • Le record du monde de distance en chute libre a été réalisé le 1er-11-62 par le Soviétique Roger-Eugène Andreïev. Il a sauté à l'altitude de 24 483 m au-dessus de Volsk, URSS.

Femmes • La Soviétique Elvira Fomitcheva détient le record du monde de distance en chute libre depuis le 26-10-77. Elle a sauté de 14 800 m à Odessa, Russie.

France • Patrick de Gayardon (1960-1998) a réalisé un saut à 12 700 m d'altitude, sans

oxygène, en effectuant près de 10 000 m de chute libre.

Femmes • En 1956, Colette Duval avait sauté à 11 700 m.

Précision

Hommes • Le record du monde de saut de précision sur disque de 0,03 m a été réalisé par l'Italien Paolo Filippini, avec 0,01 m au 8e saut, à Békéscsaba, Hongrie, le 27-09-96.

Femmes • La Soviétique Natalja Philinkova détient le record de saut de précision sur disque de 0,05 m réalisé le 19-10-88, à Fergana, Russie. Elle a effectué 41 atterrissages sur la cible.

Pyramide la plus grande

Le 12-10-94, à Davis, Californie, 46 parachutistes venus des 4 coins du monde ont formé une pyramide pendant 37 s 54.

Voltige individuelle

Le record du monde est détenu par le Français Franck Bernachot, avec 5 min 40 s réalisées sur un saut (comprenant 6 figures imposées), le 8-06-92, à Grenade, Espagne.

Voile contact

Le record du monde de la plus grande formation en voile contact a été de 53 parachutistes, le 6-09-96, à Kassel/Calden, Allemagne.

SAUT EN FORMATION

Le 26-07-98, 246 parachutistes se sont tenus pendant 7,3 s dans le ciel d'Ottawa, Illinois, soit la plus grande formation jamais réussie.

France • La France détient le record du monde du travail de voile contact à 8 vitesses de formation, avec un temps de 27 min 39 s, réalisé le 20-06-96, à Jakarta, Indonésie.

Vol relatif

Les Américains détiennent le record du monde de travail de relatif, plus longue séquence à 8, avec 25 formations réalisées sur un saut le 14-09-95, à Gap, Hautes-Alpes.

France • La plus longue séquence à 4 réalisée le 7-07-93 à Soulac-sur-Mer, Gironde, est de 26 formations sur un saut.

Sauts en formation

Voir photo.

Record non homologué • 297 parachutistes de 26 pays se sont rejoints à 6 500 m d'altitude, au-dessus d'Anapa, Russie, le 27-09-96.

VOLTIGE AÉRIENNE

Boucles

Hommes • Le 9-08-86, David Childs a exécuté 2 368 boucles à bord d'un Bellanca Decathlon, au-dessus du pôle Nord, Alaska.

Femmes • Johanna Osterud a réussi 208 boucles inversées, à bord d'un Supernova Hyperbipe, en survolant North Bend, Oregon, le 13-07-89.

SAUT D'UN IMMEUBLE

En octobre 1998, A.J. Hackett a sauté à 180,10 m de la Sky Tower, le plus haut building d'Auckland, Nouvelle-Zélande. Il s'attacha à 2 câbles en acier pour éviter d'entrer en collision avec la tour. Hackett est le 1er homme à avoir expérimenté le saut à l'élastique du haut de la tour Eiffel, et d'un hélicoptère.

NOMBRE DE SAUTS EN PARACHUTE ▮▶

L'Américain Don Kellner détient le record du plus grand nombre de sauts. En 1998, il s'était élancé 26 000 fois.

Vrilles

Le 28-10-89, le Suisse Éric Müller (n.1934), aux commandes d'un Extra 230, a effectué 125 vrilles successives entre 7 100 m et 200 m d'altitude.

Vol inversé

En juillet 1991, Johanna Osterud a gardé la tête en bas pendant 4 h 38 min 10 s, de Vancouver à Vanderhoof, Canada.
France • Le 13-06-90, Jean-Jacques Lancereau décollait de l'aérodrome de Biggin-Hall, près de Londres, à bord d'un Mudry CAP 10B. Après 335 km de vol inversé durant 1 h 17 min, il atterrissait au Bourget.

Avions liés

« Marche verte », la patrouille du roi du Maroc, dirigée par Jean-Pierre Otelli, est la seule patrouille au monde à présenter un show acrobatique mettant en scène 6 avions attachés les uns aux autres par des cordes.

ULM

Distance

Le Suisse Olivier Aubert et le Sud-Africain Mike Blyth ont parcouru 20 800 km sans assistance à bord de 2 ULM pendulaires, ralliant l'Afrique du Sud à la Norvège, du 12-04 au 6-08-95.

Vitesse

Le record du monde de vitesse sur base 15/25 km est détenu par le Français Serge Ferrari, qui a atteint la vitesse moyenne de 168,55 km/h, le 29-06-95, à bord d'un ULM trois-axes équipé d'un moteur de 42 ch, au départ de l'aérodrome de Belley-Peyrieu.

Altitude

Le pilote français Serge Zin est parvenu avec son Norgil-Mennetrey, le 18-09-94, sans cockpit, à l'altitude de 9 720 m, au-dessus de l'aérodrome de Château-Arnoux, Alpes-de-Haute-Provence.

AILE DELTA ET PARAPENTE

Aile delta : distance

Hommes • L'Américain Larry Tudor, de Rock Springs, Wyoming, a parcouru 495 km en ligne droite, le 1er-07-94.
Femmes • Le record féminin est de 335,8 km. Il est détenu par l'Américaine Kari Castle, qui survola Owens Valley, Californie, le 22-07-91.

Aile delta : vitesse

Le record du monde de vitesse en aile delta est détenu par le Tchèque Tomas Suchanek, qui a atteint 51,48 km/h de moyenne sur 100 km, le 5-03-94, sur sa Moyes Xtralite 137, au départ de Garie Beach, Australie.
France • Christian Durif a réalisé le record du monde de vitesse sur 50 km en atteignant la vitesse moyenne de 38,46 km/h, sur son aile delta Compact, au départ du col des Robines, Alpes-de-Haute-Provence.

Aile delta : altitude

Le record du monde de gain de hauteur est détenu par Larry Tudor, avec un gain de 4 343 m, au-dessus d'Owens Valley, Californie, en 1985.
Hommes • Depuis le 24-10-96, le Français Jacques Pierre, de Valserres, Hautes-Alpes, détient le record d'altitude en aile delta (ICARO 2000), remorquée par un ULM pendulaire (Air Création) piloté par Philippe Gaillard, en ayant volé à 5 903 m, au-dessus de l'aérodrome de Montdauphin-Saint-Crépin, Hautes-Alpes.
Femmes • Le record féminin est détenu par la Britannique Judy Leden, avec un gain de 3 970 m le 1er-12-92, sur sa Witts Wings HP AT 145, au départ de Kuruman Airfield, Afrique du Sud.

Parapente : distance

Hommes • Le record est détenu par Alex François Louw, avec 283,9 km, le 31-12-92.
Femmes • La plus grande distance parcourue par une femme est 285 km, par la Britannique Kat Thurston, le 25-12-95.

Parapente : altitude

Le record du monde de gain de hauteur est détenu par le Britannique Robbie Whittall, avec 4 526 m, le 6-01-93, sur sa Firebird, Navajo Proto, au départ de Brandvlei, Afrique du Sud.

Extrême : terre

MOUNTAIN-BIKE

CHAMPIONNATS DU MONDE
Cross-country

Hommes • Le record de titres dans l'épreuve de cross-country est détenu par le Danois Henrik Djernis, avec 3 titres consécutifs, de 1992 à 94.

Femmes • En cross-country, le record appartient à la Canadienne Alison Sydor, avec 3 titres, de 1994 à 96.

Descente

Hommes • Nicolas Vouilloz (France) a remporté 7 titres de champion du monde de descente, 3 en juniors (1992, 93 et 94) et 4 en seniors (1995, 96, 97 et 98).

Femmes • La Française Anne-Caroline Chausson a remporté 5 titres de champion du monde de descente : 2 en juniors (1994 et 95) et 3 en seniors (1996, 97 et 98).

COUPE DU MONDE
Cross-country

Hommes • Le Suisse Thomas Frischknecht a remporté 15 épreuves de Coupe du monde de cross-country entre 1991 et 98.

Femmes • L'Américaine Juli Furtado a, elle, gagné 28 épreuves de Coupe du monde de cross-country entre 1991 et 96.

Descentes

Hommes • Le Français Nicolas Vouilloz détient le record des victoires (7) dans les épreuves de descente, performance établie entre 1992 et 98.

Femmes • Avec 13 victoires en descente entre 1993 et 98, la Française Anne-Caroline Chausson est la spécialiste de la discipline.

Saut sans élan

Le 18-04-98, le Britannique Steve Geall a réussi un saut de 1,125 m.

SKATEBOARD

Records de vitesse

126,12 km/h est la vitesse maximale atteinte en skateboard. L'Américain Roger Hickey

réalisa ce record lors d'une course organisée le 15-03-90, à Los Angeles. Il était en position couchée.

• En station debout, la vitesse maximale est de 89,20 km/h. C'est toujours Roger Hickey, de San Demas, Californie, qui réalisa ce record, le 3-07-90.

• Quant à Eleftherios Argiropoulos, il parcourut, entre le 4 et le 5-11-93, 436,6 km en 36 h 33' 17", à Ekali, Grèce.

Saut en skateboard

Les championnats du monde de skateboard ont été créés en 1966, et ont eu lieu depuis par intermittence. Ce sport est aujourd'hui populaire dans le monde entier.

Le 14-09-82, à Grenoble, Isère, le Britannique Trevor Baxter a réussi un saut record de 1,67 m de haut. Le saut le plus haut à partir d'une rampe est de 3,60 m, par l'Américain Sergie Ventura.

HOCKEY ROLLER-BLADES ET ROLLER

Les 1ers patins à roulettes datent du XIIe siècle. Ils étaient utilisés par les habitants du continent arctique pour se déplacer sur la glace, et étaient fabriqués à l'époque avec des os d'animaux qu'ils attachaient à leurs bottes. Les 1ers patins modernes ont été conçus en 1960 par la Chicago Skate Company.

Prix les plus élevés

Le vainqueur du Ultimate In-line Challenge reçoit la coquette somme de 60 000 $. Chaussés de rollerblades, les participants doivent parcourir 20 km et disputer une épreuve de vitesse sur 1 500 m.

Temps records

• En février 1991, l'Américain Eddy Matzger a parcouru 34,82 km en 1 h, à Long Beach, Californie.

• Toujours à Long Beach, l'Américain Jonathan Seutter a couvert la distance de 285,86 km en 12 h, le 2-02-91.

• Le 2-10-94, l'Américaine Kimberly Ames a accompli une prouesse en patinant 24 h d'affilée pendant 455,5 km à Portland, Oregon.

Montagne la plus haute parcourue en rollers

En janvier 1998, les Américains Eddy Matzger et Dave Cooper ont gravi et descendu la route Murango, le long du Kilimandjaro, la plus haute montagne africaine. Ils mirent 6 jours à escalader 5 895 m.

Saut sur roller-blades

Le 25-04-99, à Paris, le Français Guillaume Jacquelin-Cluzeau, membre du team Fun Radio, a battu le précédent record du Suisse Randolph Sandoz (2,70 m), en sautant à une hauteur de 3,10 m, soit le saut le plus haut jamais réussi.

Roller hockey : victoires mondiales

Le Portugal a remporté pas moins de 14 titres entre 1947 et 93.

SKATEBOARD : SAUT LE PLUS HAUT

L'Américain Tony Alva a réussi un saut de 5,18 m lors des championnats du monde professionnels à Long Beach, Californie, le 25-09-97.

LUGE DE RUE

Lugeur le plus titré

L'Américain Michael Sherlock, également appelé « biker », commença la compétition en 1995. Il gagna la course EDI en 1996 et 97 ainsi que 3 médailles d'or au Jeux ESPN d'été (en catégorie luge de masse en 1996 et luge de masse et luge duel en 1997). Il rafla également la médaille d'argent dans la catégorie Super Mass Luge aux Jeux ESPN d'été de 1997.

Luge de rue propulsée

Le 15-05-98, Billy Copeland, technicien d'une imprimerie d'Ashland City, Tennessee, a établi un record du monde de vitesse sur une luge de rue équipée de moteurs fusées, en atteignant 113 km/h sur une distance de 45,70 m, sur la surface de la Granite Road, à Kern County, Californie. Il parcourut les 3,6 km de sa course dans une position inclinée, puis, quand il eut atteint la vitesse de 105 km/h, il déclencha l'allumage des fusées scellées à l'arrière de sa luge de 2,10 m de long, pour se mettre en condition de battre le record. La vitesse atteinte par Copeland a été chronométrée grâce à un radar. Billy Copeland pratique la luge de rue comme hobby depuis 1992 et prétend avoir atteint la vitesse de 129 km/h, dans les mêmes conditions et avec le même équipement, mais le record n'a pas été homologué. Les 8 moteurs fusées Aerotech G64 White Lightning peuvent être allumés soit par 2, soit en même temps. Il eut l'idée de mettre au point cette nouvelle luge quand il réalisa que les montagnes qui entouraient la ville où il habitait n'étaient pas assez abruptes pour lui permettre d'atteindre une vitesse supérieure à 97 km/h.

Luge de rue : vitesse

Le 29-05-98, Tom Mason, de Van Nuys, Californie, a conduit sa luge de rue de 10 kg à 130,8 km/h, au mont Whitney, Californie. L'exploit a été officiellement homologué par Bob Pererya, de la RAIL (Road Racing Association for International Luge).

MOUNTAIN-BOARDING : NOMBRE DE TITRES

L'Américain Jason T. Lee a gagné la totalité des titres du Dirt Duel '97 et du Dirt Duel '98, le championnat du monde de mountain-boarding. Lors de ces 2 championnats, il obtint les meilleurs temps en épreuve de qualification.

CHAR À VOILE

Vitesse
Détenu par le Français Christian Nau, le record du monde officiel de vitesse en char à voile est de 107 km/h. Cet exploit fut réalisé au Touquet, France, le 22-03-81. Ce jour-là, le vent soufflait à 120 km/h.

Speed sail sur glace
La vitesse la plus élevée d'un char à voile officiellement enregistrée est de 230 km/h, réalisée par l'Américain John Buckstaff à Lake Winnebago, Wisconsin, en 1938. Le vent soufflait à 115 km/h minimum.

Speed sail sur sable
Bertrand Lambert, avec un vent de 7,51 km/h, a atteint la vitesse de 151,55 km/h, sur 50 m, sur la plage de Berck, Pas-de-Calais, le 7-04-91.

Désert de Gobi
Le Français Éric Milet, de Saint-Nazaire, Loire-Atlantique, a réalisé la 1re traversée du désert de Gobi, Mongolie, soit 1 183 km, du 1er au 17-05-91, en autonomie totale. En passant 136 h 30 min sur une planche de 23 cm de large, il a amélioré de 33 km son record établi en 1989, lors de la traversée du Sahara.

Course la plus longue
La Transat des Sables, qui s'est déroulée dans le désert mauritanien du 8 au 18-03-97, fut l'épreuve la plus longue et la plus difficile jamais organisée, à l'initiative de la Fédération française de char à voile et du ministère français de la Jeunesse et des Sports. Les participants devaient parcourir quotidiennement entre 100 et 200 km, soit une moyenne de 6 à 8 h de course.

SUR RAILS

TGV Nord
Christian Nau a atteint la vitesse de 71 km/h à bord d'un char à voile sur les rails du TGV Nord, le 22-03-92.

Christian Nau : traversées en solitaire
• En 1972, le Français Christian Nau a traversé le Sahara, à travers la Mauritanie et le Sénégal, soit une distance de 1 500 km.
• Il a aussi parcouru 250 km à travers les îles Malouines (Falkland) sur un vélo à voile, cette fois-ci, en 10 jours, du 1er au 10-12-98.

Altiplano bolivien
Du 2 au 8-11-88, les Français Christian Nau et Jean-Luc Wibaux ont traversé la Bolivie, de La Paz au lac Uru-Uru, en chariot à voile sur voie ferrée, parcourant 274 km en 7 jours.

Sahara mauritanien
Les Français Christian Nau et Jean-Luc Wibaux ont également effectué la traversée du Sahara mauritanien à bord d'un « train à voile » constitué de 3 wagonnets, sur 652 km de voie ferrée minière, de Zouérate à Nouadhibou, en 9 jours, du 13 au 21-03-87.

Désert de Kalahari
Les Français Christian Nau et Damien Chatard ont réalisé, en tandem, la 1re traversée du désert du Kalahari en « train à voile ». Depuis Francistown le 8-10-93, ils ont roulé pendant 6 jours sur les rails avant de rejoindre Gaborone, terminus de la ligne.

VICTOIRES EN COUPE DU MONDE

Le Suisse Thomas Frischknecht a remporté 15 victoires de Coupe du monde en cross-country, entre 1991 et 98.

Extrême : eau

SURF

Compétition de surf la plus importante

Le G-Shock US Open, qui se déroule à Huntington Beach, Californie, est considérée comme la compétition la plus importante du monde. Elle a attiré 200 000 spectateurs chaque année depuis son lancement, en 1994, et rassemble environ 700 participants. Le total des prix s'élève à 155 000 $ (930 000 F), dont 100 000 $ (600 000 F) reviennent au vainqueur du concours masculin et 15 000 $ (90 000 F) à la championne qui remporte le concours féminin.

Titres mondiaux professionnels

Hommes • Le record masculin appartient à l'Américain Kelly Slater, avec 6 victoires : en 1992 et de 1994 à 98.

Femmes • Chez les femmes, le record est de 4 titres et appartient à l'Américaine Frieda Zamba (1984-86 et 88) ; à l'Australienne Wendy Botha (1987, 89, 91 et 92 ; et à l'Australienne Lisa Anderson (1993-96).

Titres mondiaux amateurs

Hommes • L'Australien Michael Novakov a remporté le titre à 3 reprises : en 1982, 84 et 86.

Femmes • Deux Américaines ont détenu le titre à 2 reprises : Joyce Hoffman, en 1965 et 66 ; et Sharon Weber en 1970 et 72.

BODYBOARDING

Nombre de titres

L'Américain Mike Stewart a gagné 9 championnats du monde et 8 titres nationaux. Il a remporté toutes les compétitions de bodyboarding auxquelles il a participé les 7 dernières années.

Houle

Mike Stewart a surfé une houle à Tahiti le 19-07-96, puis la suivit jusqu'à Hawaii, USA, où il se rendit en avion. Il la retrouva une 3e fois en Californie, puis une dernière en Alaska le 27-07.

Vague la plus haute

En janvier 1996, Mike Stewart s'est attaqué à une vague de 18,30 m de haut, au large de Maui, Hawaii. Il détient aussi le record de la vague la plus haute pagayée : elle mesurait 15,25 m.

SKI NAUTIQUE

Champions les plus titrés

Les USA ont remporté 17 fois consécutivement le championnat du monde par équipe, entre 1949 et 1993.

Hommes • Le Français Patrice Martin détient 5 titres de champion du monde du combiné : en 1989, 91, 93, 95 et 97.

Femmes • Le record du plus grand nombre de titres chez les femmes est de 3. Il est co-détenu par les championnes américaines Willa McGuire (1949, 50 et 55), et Liz Allan-Shetter (1965, 69 et 75).

Vitesse la plus élevée

Hommes • Le 6-03-83, l'Australien Christopher Massey a atteint 230,26 km/h, sur la rivière Hawkesbury, à Windsor, Australie. C'est la vitesse la plus élevée jamais enregistrée dans cette discipline.

Femmes • Le record féminin est de 178,8 km/h et appartient à l'Américaine Donna Patterson Brice, depuis le 21-08-77. La performance a été établie à Long Beach, Californie.

Nombre de skieurs tirés par un bateau

Le 18-10-86, 100 skieurs se sont fait tirer sur la distance d'un mile nautique (1,8 km) par le croiseur *Reef-Cat* à Cairns, Queensland, Australie. L'événement était organisé par le club local de ski nautique et de bateau à moteur.

BAREFOOT

Durée

• Le record officiel est de 2 h 42 min 39 s, par l'Américain Billy Nichols, sur le lac Weir, Floride, le 19-11-78.

 BAREFOOT

L'Australien Brett Wing a remporté au total 3 titres de champion du monde de barefoot (ski nautique nu-pieds) : en 1978, 80 et 82. Le record est codétenu par l'Américain Ron Scarpa en 1992, 96 et 98. Mais le plus grand nombre de titres (4) appartient conjointement à 2 femmes : l'Australienne Kim Lampard, en 1980, 82, 85 et 86 ; et l'Américaine Jennifer Calleri, en 1990, 92, 94 et 96. Le record par équipe appartient aux USA, avec 6 titres entre 1988 et 1998. Les champions de cette discipline n'utilisent ni skis, ni planches, ni chaussures.

• Le record de durée en arrière est de 1 h 27 min 3 s, détenu par l'Américain Steve Fontaine, à Jupiter, Floride, au 31-08-89.

Vitesse

Hommes • Le record de vitesse de barefoot est de 218,44 km/h, par l'Américain Scott Pellaton (n.8-10-56), sur 400 m, à Chandler, Californie, en 1989.

Femmes • Le record de vitesse féminin est de 118,56 km/h, par l'Australienne Karen Toms, sur la rivière Hawkesbury, Windsor, Australie, le 31-03-84.

De dos • Le record de vitesse de dos, de 100 km/h, est détenu depuis le 3-04-82 par l'Australien Robert Wing (n.13-10-57).

Sauts

• Les records de saut sont de 23,30 m par l'Américain Mike Seipel, à Jacksonville, Floride, le 13-10-90, et, pour les dames, de 16,50 m par l'Australienne Debbie Pugh, la même année.

• À son départ, le 18-09-93, à Albon, Val-de-Marne, Isabelle Tourde, championne de France de barefoot, a battu un record en sautant dans la Seine, corde en main, d'une hauteur de 15,07 m avant de se laisser tracter nu-pieds.

Tiré par un hélicoptère

Le 29-06-86, Grégory Riffi, de Dunkerque, Nord, a parcouru 500 m à la vitesse

Jet-ski

Depuis 1997, l'Union internationale motonautique, basée à Monaco, régit 3 disciplines pour les championnats du monde de jet-ski.

L'Allemand Marco Sickerling, qui concourt dans la catégorie freestyle, a été champion du monde en 1997 et champion d'Europe en 1998.

WAKEBOARDING

L'Américaine Tara Hamilton est devenue championne du monde de wakeboard en 1998. L'Américain Shaun Murray réussit le même exploit la même année. Le champion du monde est celui qui a remporté le plus grand nombre de compétitions officielles en une saison. Le wakeboard est un mélange de surf, de skateboard, de snowboard et de ski nautique.

moyenne de
120 km/h, nu-pieds. Il
était tiré par un hélicoptère.

CANOË-KAYAK

Les plus titrés aux JO

Carrière • Le Suédois Gert Fredriksson a décroché 6 médailles d'or (K1 1 000 m en 1948, 52, 56 ; K1 10 000 m en 1948 et 56 ; K2 1 000 m en 1960).

Femmes • L'Allemande Birgit Fischer Schmidt a remporté 5 titres olympiques (K1 500 m en 1980 et 92 ; K2 500 m en 1988 ; K4 500 m en 1988 et 96).

Les plus rapides

• En 1995, lors des championnats du monde, le kayak à quatre hongrois a couvert l'épreuve du 200 m en 31" 155, à 23,11 km/h.
• Le 3-08-96, le kayak à quatre allemand a parcouru l'épreuve du 1 000 m en 2' 51" 52, aux Jeux olympiques d'Atlanta, à la vitesse moyenne de 20,98 km/h.

SURFER LE MIEUX PAYÉ

L'Américain Kelly Slater avait gagné 708 230 $ (4 249 380 F) en avril 1999. En 1991, il était l'objet d'une guerre de concurrence entre les grandes compagnies de surfwear, que Quiksilver a gagné. Pour les femmes, le record sur une carrière appartient à l'Australienne Pam Burridge, avec 270 275 $ (1 621 650 F) gagnés à la même date.

Extrême : neige

SNOWBOARD

Nombre de médailles

Le plus grand nombre de médailles gagnées pendant les X Games par une femme est de 6, par l'Américaine Christy Barrett.

Nombre de titres

Le record du plus grand nombre de titres mondiaux remportés (titres olympiques inclus) est de 3 par la Française Karine Ruby. Elle remporta l'épreuve du slalom géant en 1996 et 98 (JO), et celle du cross en 1997. Aucun homme n'a remporté plus d'un titre.

Les plus rapides

La vitesse la plus élevée officielle est de 201,907 km/h. Ce record a été établi par l'Australien Daren Powell, aux Arcs, le 1er-05-99.

Descente verticale la plus longue

Le 20-04-98, à Sloko Range, Canada, Tammy McMinn a descendu 101 fois la même pente en snowboard pendant 15 h, soit une descente verticale totale de 93,124 km. Après chaque descente, elle remontait au sommet en hélicoptère.

LUGE

Les plus titrés

Hommes • Voir photo.

• Deux lugeurs ont remporté 2 titres olympiques et 4 titres mondiaux : les Allemands de l'Est Thomas Köhler (champion olympique solo en 1964 et biplace en 68, champion du monde solo en 1962, 65, 67 et biplace en 1967) et Hans Rinn (champion olympique biplace en 1976 et 80, champion du monde solo en 1973, 77 et biplace en 1977 et 80).

• Stefan Krausse et Jan Behrendt (RDA/Allemagne) ont, en duo, remporté un record de 6 titres : 1989, 91, 92, 93, 95 et 98.

Femmes • Voir photo.

• L'Allemande de l'Est Margit Schumann a gagné 4 titres mondiaux en solo en 1973, 74, 75 et 77 et un titre olympique en 1976.

Vitesse

Le 1er-05-82, à Tandådalens Linbana, Sälen, Suède, le Norvégien Asle Strand a atteint la vitesse record de 137,4 km/h.

Course olympique la plus serrée

La finale féminine des JO de Nagano, Japon, le 11-02-98, se joua à 0,002 s, en faveur de l'Allemande Silke Kraushaar, avec un temps de 3' 23'' 77.

LUGE : TITRES INDIVIDUELS

• *L'Allemand Georg Hackl a remporté 6 titres mondiaux (JO inclus), en solo, en 1989, 90, 92, 94, 97 et 98.*

• *Chez les femmes, l'Allemande de l'Est Steffi Walter est la seule à avoir remporté 2 titres olympiques en solo en 1984 et 88.*

CURLING

Championnats du monde

Hommes • Le Canada a remporté 24 championnats du monde entre 1959 et 95.

Femmes • Le Canada s'est imposé à 9 reprises aux championnats du monde féminin entre 1980 et 96.

Championnats d'Europe

Hommes • La Suisse a gagné 6 titres de champion d'Europe entre 1978 et 86.

Femmes • La Suède a remporté 9 championnats d'Europe entre 1976 et 93.

SKI-BOB

Nombre de titres mondiaux

Hommes • L'Autrichien Walter Kronseil a été 3 fois champion du monde, entre 1988 et 90.

Femmes • Pour les femmes, le record est détenu par l'Autrichienne Petra Tschach-Wlezcek, avec 4 titres individuels, de 1988 à 91.

Le plus rapide

Le record de vitesse en ski-bob a également été battu aux Arcs, le 1er-05-99, par le Suisse Romuald Bonvin, avec 173 km/h. Le précédent record datait de 1964 (166 km/h, par l'Autrichien Erich Brenter).

SKI

JO : les plus rapides

• 229 km/h est la vitesse la plus élevée jamais atteinte dans une compétition olympique. Cet exploit a été établi par le Français Michel Pruefer, aux Jeux olympiques d'Albertville, en 1992, lorsque la discipline fut présentée en tant que démonstration.

La plus jeune • En 1999, l'Américaine Tatiana Fields n'avait que 12 ans lorsqu'elle atteignit la vitesse de 161 km/h, aux championnats américains de ski de vitesse (Red Bull US Speed-Skiing Championships), à Snowmass, Colorado.

Descentes verticales

Hommes • Les Canadiens Edi Podivinsky, Luke Sauder, Chris Kent et le Suisse

X Games

Dans l'épreuve de snowboard, le plus médaillé est l'Américain Shaun Palmer, avec 3 médailles d'or lors des Winter X Games, soit 1 médaille chaque année depuis l'inauguration des Jeux en 1997. Ces Jeux sont le plus grand rassemblement mondial de sports extrêmes, lancé par la chaîne sportive américaine ESPN.

Sur la photo, on peut voir Shaun Palmer (à gauche) au coude à coude avec le Norvégien Tor Bruserud, à l'occasion des Championnats du monde de snowboard, en 1999, à Passo del Tonale, Italie.

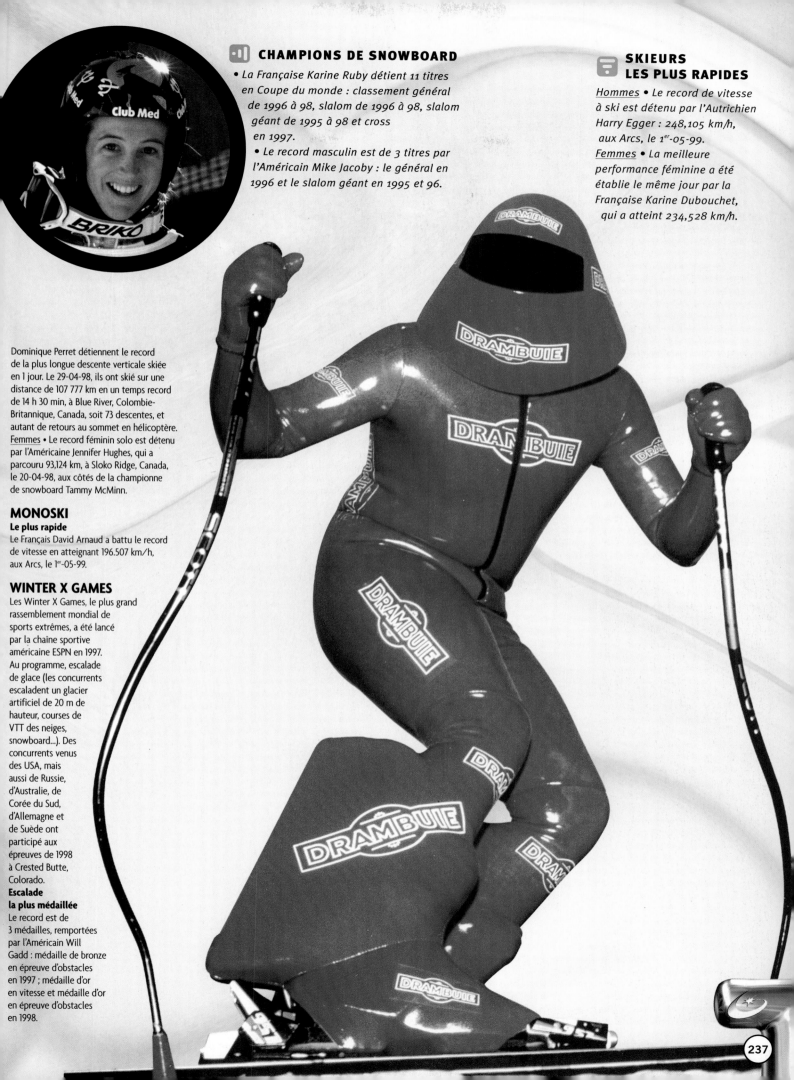

CHAMPIONS DE SNOWBOARD

• *La Française Karine Ruby détient 11 titres en Coupe du monde : classement général de 1996 à 98, slalom de 1996 à 98, slalom géant de 1995 à 98 et cross en 1997.*

• *Le record masculin est de 3 titres par l'Américain Mike Jacoby : le général en 1996 et le slalom géant en 1995 et 96.*

SKIEURS LES PLUS RAPIDES

Hommes • *Le record de vitesse à ski est détenu par l'Autrichien Harry Egger : 248,105 km/h, aux Arcs, le 1ᵉʳ-05-99.*
Femmes • *La meilleure performance féminine a été établie même jour par la Française Karine Dubouchet, qui a atteint 234,528 km/h.*

Dominique Perret détiennent le record de la plus longue descente verticale skiée en 1 jour. Le 29-04-98, ils ont skié sur une distance de 107 777 km en un temps record de 14 h 30 min, à Blue River, Colombie-Britannique, Canada, soit 73 descentes, et autant de retours au sommet en hélicoptère.
Femmes • Le record féminin solo est détenu par l'Américaine Jennifer Hughes, qui a parcouru 93,124 km, à Sloko Ridge, Canada, le 20-04-98, aux côtés de la championne de snowboard Tammy McMinn.

MONOSKI
Le plus rapide
Le Français David Arnaud a battu le record de vitesse en atteignant 196.507 km/h, aux Arcs, le 1ᵉʳ-05-99.

WINTER X GAMES
Les Winter X Games, le plus grand rassemblement mondial de sports extrêmes, a été lancé par la chaîne sportive américaine ESPN en 1997. Au programme, escalade de glace (les concurrents escaladent un glacier artificiel de 20 m de hauteur, courses de VTT des neiges, snowboard...). Des concurrents venus des USA, mais aussi de Russie, d'Australie, de Corée du Sud, d'Allemagne et de Suède ont participé aux épreuves de 1998 à Crested Butte, Colorado.
Escalade
la plus médaillée
Le record est de 3 médailles, remportées par l'Américain Will Gadd : médaille de bronze en épreuve d'obstacles en 1997 ; médaille d'or en vitesse et médaille d'or en épreuve d'obstacles en 1998.

CLUBS ET COMPÉTITIONS

• Le club de tir et de ski de Trysil, Norvège, fondé en 1861, se proclame le plus ancien du monde.

• Les 1ᵉˢ courses de descente se sont déroulées en Australie dans les années 1850.

• La plus ancienne compétition de ski en Europe, l'Holmenkollen Nordic, s'est déroulée pour la 1ʳᵉ fois en 1866.

• La Fédération internationale de ski (FIS) a été fondée le 2-02-24.

France • Un alpiniste grenoblois, Henri Duhamel, découvrit lors d'une exposition en 1878 l'existence de longues et étroites planchettes, mais il fallut attendre 1889 pour résoudre le problème des fixations. Sept ans plus tard, en 1896, était créé le 1ᵉʳ Ski Club français.

Coupe du monde

Le Norvégien Björn Daehlie a remporté 6 titres en ski de fond en 1992, 93, 95 à 97 et 99. Le Suédois Gunde Svan l'a remportée 5 fois en ski de fond (1984, 85, 86, 88, 89).

SKI ALPIN
JO ET CHAMPIONNATS DU MONDE

Les victoires aux Jeux olympiques sont considérées comme des titres de champions du monde, les championnats du monde étant organisés tous les deux ans.

JEUX OLYMPIQUES
Titres

Femmes • *Voir photo.*

Les plus titrés

Grand Chelem • Seuls 2 skieurs ont remporté tous les titres distribués à l'occasion de mêmes Jeux olympiques (descente, slalom, slalom géant) : l'Autrichien Toni Sailer en 1956, et le Français Jean-Claude Killy en 1968. Outre ses 3 victoires aux JO de 68, ce dernier a été champion du monde de descente en 66 et du combiné en 66 et 68.

Triplé • L'Italien Alberto Tomba a également remporté 3 titres olympiques, mais à l'occasion de 2 olympiades : les 2 slaloms en 88, et le géant en 92.

Femmes • Marielle Goitschel (n.1945) a 5 titres à son actif : championne olympique de géant en 64 et de spécial en 68, elle est également championne du monde de descente en 66 et du combiné en 64 et 66. À noter que sa victoire de 66 a été officialisée 23 ans plus tard : 2ᵉ de la course, elle a récupéré le titre après que la gagnante d'alors, l'Autrichienne Erika Schinegger, eut changé de sexe.

Les plus médaillés

Hommes • Depuis la guerre, c'est le Suisse Pirmin Zurbriggen qui a gagné le plus de médailles aux JO et aux championnats du monde : 11 entre 1985 et 1989 (5 or, 4 argent, 2 bronze).

Femmes • Avec 13 médailles d'or remportées entre 1934 et 1939, l'Allemande Christel Cranz détient le record absolu de titres.

Après-guerre • 3 skieuses se partagent un record de 9 médailles : l'Autrichienne Anne-Marie Moser-Pröll avec 5 d'or, 2 d'argent et 2 de bronze entre 1970 et 1980 ; la Liechtensteinoise Hanni Wenzel (4 or, 3 argent, 2 bronze) entre 1974 et 1980 ; et la Française Marielle Goitschel.

France • Jean-Claude Killy. *Voir Grand Chelem plus haut.*

• Émile Allais a gagné 8 médailles (4 d'or et 4 d'argent), en 1935, 1937 et 1938.

Écarts les plus faibles

À Grenoble, en 1968, à l'issue de la descente olympique, seulement 8 centièmes séparaient Killy de son dauphin Guy Périllat. À Albertville, en 1992, ce sont 5 centièmes qui ont permis à l'Autrichien Patrick Ortlieb de devancer le Français Franck Piccard sur la plus haute marche du podium à l'issue de la descente de Bellevarde.

Descente olympique la plus rapide

Le Français Jean-Luc Crétier détient le record de la plus grande vitesse moyenne en descente, avec 107,24 km/h, aux JO de Nagano, le 15-02-98. Bien que faisant de la compétition depuis 11 ans au plus haut niveau, il n'avait jamais remporté la moindre course ou médaille.

COUPE DU MONDE
Les plus titrés

Hommes • Avec 5 victoires, le Luxembourgeois Marc Girardelli (n.1963) détient le record de Coupes du monde remportées (1985, 86, 89, 91, 93). On trouve ensuite 2 skieurs avec 4 victoires chacun : l'Italien Gustavo Thoeni (1971, 72, 73 et 75) et le Suisse Pirmin Zurbriggen (1984, 87, 88 et 90).

France • 2 Français ont remporté la Coupe du monde : Jean-Claude Killy en 1967 et 1968 et Luc Alphand en 1997.

Femmes • L'Autrichienne Anne-Marie Moser-Pröll s'est imposée à 6 reprises, de 1971 à 1975 et en 1979.

France • Victorieuse du classement général en 1970, Michèle Jacot est la seule Française à figurer au palmarès de la Coupe du monde de ski.

Par discipline • Le Suédois Ingmar Stenmark détient le record de 8 victoires en Coupe du monde de slalom (1975-1981, 83) et 7 en géant (1975, 76, 78, 79, 80, 81, 84).

France • La Française Carole Merle a remporté 4 Coupes du monde de super-G entre 1989 et 1992.

Record de victoires

Hommes • Le Suédois Ingmar Stenmark a remporté 86 victoires entre 1974 et 1989 (46 en géant et 40 en slalom), avec un record de 14 victoires consécutives en géant entre mars 1978 et février 1980.

Femmes • Pendant sa carrière, de 1970 à 1979, l'Autrichienne Anne-Marie Moser-Pröll a remporté un record de 62 victoires, dont 11 descentes consécutives entre décembre 1972 et janvier 1974.

Saison • La Suissesse Vreni Schneider (n.1964) compte 55 victoires en Coupe du monde et a remporté 13 courses dans la seule saison 1988-89 (7 slaloms, 5 géants et 1 combiné).

Descente • L'Autrichien Franz Klammer (n.1953) a remporté 25 descentes de 1974 à 1984.

Skieurs les plus complets

Le Suisse Pirmin Zurbriggen est le seul skieur à avoir triomphé dans au moins une épreuve des 4 disciplines de la Coupe du monde : descente, slalom spécial, géant et super-G.

Femmes • Deux skieuses ont triomphé dans au moins une épreuve des 4 disciplines de la Coupe du monde : descente, spécial, géant et super-G : l'Autrichienne Petra Kronberger et la Suédoise Pernilla Wiberg.

SKI NORDIQUE
Titres

Le Norvégien Björn Daehlie a remporté 18 titres (olympiques compris), dont 12 individuels et 6 relais, entre 1991 et 1998. Aux JO de Nagano, Daehlie est devenu le sportif ayant remporté le plus d'épreuves de l'histoire des JO d'hiver, en gagnant sa 8ᵉ médaille d'or.

Il prévoit d'ajouter à son palmarès une victoire aux JO de 2002, à Salt Lake City, Utah.

SKI DE FOND
JO et championnats du monde

Les plus titrés • Le Norvégien Björn Daehlie a remporté un record de 5 titres olympiques : 3 à Albertville en 1992 (15 km et 50 km individuel, relais 4 x 10 km) et 2 à Lillehammer en 1994 (10 km et 15 km individuel).

• Le record absolu chez les hommes est de 11 titres, dont 4 olympiques, pour le fondeur suédois Gunde Svan, de 1984 à 1989.

Femmes • La Russe Yelena Välbe détient le record avec 12 titres, dont 7 individuels, entre 1989 et 1997.

Arrivée la plus serrée • Un centième de seconde séparait, à l'issue de la course des 15 km des JO de Lake Placid en 1980, le Suédois Thomas Wassberg du Finlandais Juha Mieto, après 41' 57" 06 de lutte.

Coupe du monde

Hommes • *Voir photo.*

Femmes • La Russe Yelena Välbe s'est adjugé 5 Coupes du monde en ski de fond (1989, 91, 92, 95, 96).

France • Jean-Paul Pierrat restera comme le 1ᵉʳ fondeur français à avoir décroché une médaille lors des championnats du monde en 1978 : le bronze sur 50 km. La 1ʳᵉ médaille d'argent du fond français a été remportée par le Jurassien Hervé Balland, sur 50 km, aux championnats du monde de Falun, en 1993.

Course la plus longue • La Vasaloppet se dispute en Suède tous les ans sur 89 km. Le record de vitesse, 3 h 48' 55", est détenu par le Suédois Bengt Hassis depuis 1986.

COMBINÉ NORDIQUE
Jeux olympiques

Hommes • En 1992 à Albertville, le public a assisté à un doublé français. Fabrice Guy a remporté le titre olympique du combiné nordique (saut et fond), son compatriote Sylvain Guillaume terminant 2ᵉ de l'épreuve.

VICTOIRES SUR UNE SAISON

La Suissesse Vreni Schneider participait à la compétition du slalom géant aux Jeux olympiques de 1988. Elle détient le record du plus grand nombre de victoires en Coupe du monde sur une seule saison : en 1988-89, elle fut vainqueur de 13 compétitions individuelles, dont les 7 slaloms.

SAUT LE PLUS LONG

Avec 214,50 m, l'Allemand Martin Schmitt a accompli le saut le plus long de l'Histoire, sur le tremplin de Planica, Slovénie, le 19-03-99. Ce jour-là, il a réussi au 2ᵉ de ses 3 sauts. Le lendemain, le Norvégien Tommy Ingebrigsten réussissait un saut à 219,50 m lors des qualifications.

BIATHLON
Jeux olympiques
Femmes • Le 1ᵉʳ titre olympique français en biathlon a été décroché en 1992 aux JO d'Albertville par le relais féminin composé d'Anne Briand, Véronique Claudel et Corinne Niogret. Anne Briand est la skieuse française la plus titrée dans cette discipline, avec un total de 8 médailles olympiques et mondiales.
Coupe du monde
En biathlon masculin, Patrice Bailly-Salins fut le 1ᵉʳ Français à remporter la Coupe du monde, en 1994. Il est également champion du monde du 10 km en 1995.

SAUT À SKI
Champion olympique le plus jeune
À l'âge de 16 ans et 259 jours, le sauteur à ski finlandais Toni Nieminen a accompli un saut de 122 m (noté 19/20) permettant à son équipe de décrocher le titre olympique à Albertville en 1992.
Saut le plus long
Voir photo.
France • Le 1ᵉʳ Français à avoir gagné une épreuve de Coupe du monde fut Nicolas Dessum, vainqueur le 22-01-95 sur le grand tremplin de Sapporo.
Femmes • Le record féminin est détenu par la Finlandaise Tiina Lehtola, avec 110 m.

Doublé alpin nordique
Le Norvégien Birger Ruud est le seul skieur à avoir gagné un titre olympique en ski alpin et en ski nordique : en 1936, il a remporté le saut à ski et la descente.

SKI ACROBATIQUE
Bosses
Le Français Edgar Grospiron a remporté le titre olympique des bosses en 1992 à Albertville.
Il s'est également imposé aux championnats du monde en 1989, 91 et 95.
• 5 victoires en Coupe du monde, 86 à 91, Éric Laboureix (France).
Femmes • 10 premières places en Coupe du monde, toutes disciplines confondues, Connie Kissling (Suisse), 83 à 92.

TITRES OLYMPIQUES

L'Allemande Katia Seizinger et la Suissesse Vreni Schneider ont remporté un total record de 5 médailles aux JO. Katia Seizinger a gagné les médailles d'or de descente en 1994 et 98 et du combiné en 1998, auxquelles s'ajoutent les médailles de bronze de Super-G en 1992 et 98. L'Allemande ayant de plus remporté 5 titres de vainqueur de la Coupe du monde de Super-G de 1993 à 96 et 98.

Glace

HOCKEY SUR GLACE
JEUX OLYMPIQUES
Les plus titrés

Depuis l'apparition du hockey sur glace comme discipline olympique en 1920 (bien que les 1ers Jeux d'hiver n'aient eu lieu qu'en 1924, à Chamonix), l'URSS a remporté à 8 reprises (record) la médaille d'or : en 1956, 64, 68, 72, 76, 84, 88 et 92 (CEI).

CHAMPIONNATS DU MONDE
Le plus titré

L'URSS a remporté à 24 reprises le titre mondial (dont 3 titres olympiques), en 1954, 56, 63, 64, 65, 66, 67, 68, 69, 70, 71, 73, 74, 75, 78, 79, 80, 81, 82, 83, 84, 86, 90 et 93 (Russie).

JOUEURS
Points

Carrière • En 1 253 matches et 18 saisons de carrière NHL entre 1979 et 97, le Canadien Wayne Gretzky détient le record de points (2 608), buts (837) et assistances (1 771).

Saison • Lors de la saison 1985-86, Wayne Gretzky inscrivit un record de 215 pts pour les Edmonton Oilers (dont un record de 163 assistances), soit une moyenne record de 2,69 pts par match. Lors de la saison 1981-82, il inscrivit aussi un record de 92 buts en 80 matches.

Moyenne par joueur

En 12 saisons, le Canadien Mario Lemieux a inscrit la moyenne record de 0,826 but par match. Six fois meilleur scoreur de la NHL, vainqueur de deux Stanley Cup, sacré 3 fois MVP, Lemieux a mis un terme à sa carrière en avril 1997 à l'âge de 31 ans, après avoir été éliminé au 1er tour des play-off avec les Pittsburgh Penguins par les Philadelphia Flyers.

ÉQUIPES
Victoires

Lors de la saison 1995-96, les Detroit Red Wings ont établi un nouveau record de victoires en saison régulière : 62 en 82 matches.

Invincibilité • Les Philadelphia Flyers restèrent invaincus durant 35 matches (25 victoires et 10 nuls) du 14-10-79 au 6-01-80.

Points

Au terme de la saison 1976-77, les Canadiens de Montréal se qualifièrent pour les play-off avec un total record de 132 pts sur 160 possibles (soit 60 victoires, 8 défaites et 12 nuls en 80 matches).

Buts

Saison • Lors de la saison 1983-84, les Edmonton Oilers établirent un record en marquant 446 buts en 80 matches, soit une moyenne de 5,57 buts par match.

STANLEY CUP
ÉQUIPES
Les plus titrées

Les Canadiens de Montréal ont remporté 24 Stanley Cup (1916, 24, 30, 31, 44, 46, 53, 56, 57, 58, 59, 60, 65, 66, 68, 69, 71, 73, 76, 77, 78, 79, 86 et 93) sur un total record de 32 finales.

JOUEURS
Le plus titré

Entre 1956 et 1973, le Canadien Joseph Henri Richard remporta 11 Stanley Cups avec les Canadiens de Montréal.

Sous 2 maillots • Le Canadien Mark Meissier est le seul hockeyeur à avoir remporté 2 Stanley Cup sous 2 maillots et à chaque fois comme capitaine (avec les Edmonton Oilers en 1990 et les New York Rangers en 1994).

Points

Carrière • Le Canadien Wayne Gretzky, The Great One (Edmonton Oilers, Los Angeles Kings, Saint Louis Blues, New York Rangers) a inscrit le nombre record de 362 pts en matches de Stanley Cup, dont 112 buts et 250 passes décisives ou assistances.

Saison • En 1985, Wayne Gretzky inscrivit un record de 47 pts lors des play-off remportés par son équipe des Edmonton Oilers, dont 16 buts et un record de 31 assistances. Cette même année, son coéquipier, le Finlandais Jari Kurri, égala le record de buts en play-off (19) établi en 1976 par le joueur des Philadelphia Flyers Reggie Leach.

Match • Le record de 8 pts sur un match de play-off est codétenu par le Suédois des New Jersey Devils Patrick Sundström (3 buts et 5 assistances) lors d'une victoire (10-4) contre les Washington Capitals, le 22-04-88 et par l'étoile des Pittsburgh Penguins Mario Lemieux (5 buts, 3 assistances) lors d'une victoire (10-7) sur les Philadelphia Flyers, le 25-04-89.

Assistance record

Le record de 6 assistances en 1 match est détenu par le Finlandais des New York Rangers Mikko Leinonen, le 8-04-82 (victoire des Rangers sur Philadelphie 7-3) et par Wayne Gretzky, des Edmonton Oilers, le 9-04-87, lors d'une victoire sur les Los Angeles Kings (13-3).

Gardien

Lors des demi-finales de la Stanley Cup 1936, le gardien de Detroit Norm Smith établit un record d'invincibilité sur un match en détournant 92 tirs des attaquants des Montréal Maroons.

Entraîneur le plus titré

7 titres pour Scott Bowman, en 1973, 76, 77, 78 et 79 (Montréal Canadiens), 1992 (Pittsburgh Penguins) et 1997 (Detroit Red Wings).

CHAMPIONNATS DE FRANCE

Créée en 1904, la compétition a été gagnée à 30 reprises (record) par les hockeyeurs de Chamonix : 1922, 23, 24, 25, 26, 27, 28, 29, 30, 39, 42, 44, 46, 49, 52, 54, 55, 58, 59, 61, 64, 65, 66, 67, 68, 71, 72, 73, 76 et 79.

RECORDS DIVERS
Buts

Le plus rapide • Le 14-01-90, à Horsholm, Danemark, le joueur de Rungsted Per Olsen inscrivit le 1er but du match contre Odense, en 1re division danoise, après seulement 2 secondes de jeu.

PATINAGE ARTISTIQUE
JEUX OLYMPIQUES
Les plus titrés

3 patineurs ont remporté 3 médailles d'or : le Suédois Gilis Grafström (en 1920, 24 et 28, plus une médaille d'argent en 32), la Norvégienne Sonja Henie (en 28, 32 et 36), la Soviétique Irina Rodnina, en couple avec deux partenaires différents (en 72, 76 et 80).

France • Andrée Joly et Pierre Brunet se sont adjugé 2 titres olympique 2 fois en couple (en 28 et 32) et la médaille de bronze en 1924.

CHAMPIONNATS DU MONDE

Hommes • Le Suédois Ulrich Salchow s'est adjugé 10 titres de 1901 à 1905 et de 1907 à 1911.

Femmes • Sonja Henie a remporté 10 titres, de 1927 à 36.

La plus jeune • À 14 ans et neuf mois, l'Américaine Tara Lipinski est devenue la plus jeune championne du monde de l'histoire, le 22-03-97 à Lausanne, Suisse.

Couples • La Soviétique Irina Rodnina a remporté 10 titres en couple, 4 avec Alexeï Oulanov de 1969 à 72, et 6 avec son mari, Alexandre Zaïtsev, de 1973 à 78.

Danse • La Soviétique Ludmila Pakhomova et son mari Alexandre Gorchkov ont décroché 6 titres, de 1970 à 74, et en 1976.

Patinage de vitesse féminin

L'Allemande Gunda Neimann-Stirnemann a remporté 7 titres mondiaux entre 1991 et 93, puis de 1995 à 98. En 1998, aux JO de Calgary, elle a établi un nouveau record du monde sur 3 000 m, avec 4'1"67. Le 7-02-99, elle a battu celui du 5 000 m, à Hamar, Norvège, avec un temps de 6'57"24.

PATINAGE ARTISTIQUE : GRAND CHELEM

L'Allemande Katarina Witt est une des rares patineuses à avoir réussi 2 fois le triplé, ou Grand Chelem : titre olympique, mondial et européen la même année, en 1984 puis en 1988. Les 2 autres patineurs à avoir accompli cet exploit étaient l'Autrichien Karl Schäfer et la Norvégienne Sonja Henie, tous les deux en 1932 et en 1936.

TITRES OLYMPIQUES

La Suisse a été championne du monde de bobsleigh à quatre à 20 reprises (1924, 36, 39, 47, 1954-57, 1971-73, 75, 1982-83, 1986-90 et 93). Ce total comprend 5 titres olympiques : 1924, 36, 56, 72 et 88. Sur la photo, l'équipe suisse – Marcel Rohner (pilote), Silvio Schaufelberger, Markus Nuessli et Beat Hefti – en route pour la 2e place des championnats du monde à Cortina d'Ampezzo, Italie, en février 1999.

France • Andrée Joly et son époux Pierre Brunet se sont adjugé 4 titres mondiaux en 1926, 28, 30 et 32. Alain Giletti a gagné le titre mondial en 1960 et 5 championnats d'Europe entre 1955 et 61. Alain Calmat fut champion du monde en 1965, Jacqueline Du Bief en 1952, Isabelle et Paul Duchesnay en danse, en 1991. Aux championnats du monde 1997 à Lausanne, Vanessa Gusmeroli a remporté la médaille de bronze de l'épreuve féminine.

Triplé • *Voir photo.*

Notes les plus élevées
Le record individuel est de 7 fois la note maximale de 6. Il est détenu par le Canadien Donald Jackson, aux championnats du monde 1962, et par la Japonaise Midori Ito aux championnats du monde 1989.

Couple • Les Britanniques Jayne Torvill et Christopher Dean ont reçu 29 fois la note maximale de 6 lors des championnats du monde de danse en 1984. Ils avaient déjà été notés 6 à 9 reprises aux championnats du monde 1983 et aux Jeux de 1984. Durant toute leur carrière, ils ont reçu 136 fois la note maximale de 6.

Innovation
Hommes • Le Canadien Kurt Browning a été le premier à réaliser une quadruple boucle piquée en compétition, lors des championnats du monde 1988.

Combinaison • Le 5-03-97 à Hamilton, Canada, le Canadien Elvis Stojko fut le premier patineur à réaliser la combinaison quadruple boucle piquée/triple boucle piquée de l'Histoire, lors de la finale du Trophée des Champions.

Femmes • Championne du monde juniors en 1991, championne d'Europe de 1991 à 95 et vice-championne du monde en 1993 et 95, Surya Bonaly a été la première patineuse à passer une quadruple boucle, lors des championnats du monde de Munich (Allemagne), le 16-03-91.

• La Japonaise Midori Ito a été la 1re femme à réussir un triple axel, lors des Mondiaux 1989.

PATINAGE DE VITESSE
JEUX OLYMPIQUES
Les plus titrés
Hommes • Le record est de 5 titres, par l'Américain Eric Heiden (500 m, 1 000 m, 1 500 m, 5 000 m et 10 000 m en 1980). Heiden est le seul à avoir gagné toutes les épreuves d'une discipline lors de mêmes Jeux olympiques.

Femmes • La Soviétique Lidia Skoblikova a remporté un record absolu de 6 médailles d'or : 2 en 1960 (1 500 m et 3 000 m) et 4 en 1964 (500 m, 1 000 m, 1 500 m et 3 000 m).

Les plus médaillés
Le Norvégien Ivar Ballangrud détient le record de 7 médailles dans sa carrière olympique : 4 d'or (5 000 m en 1928, 500 m, 5 000 m et 10 000 m en 1936), 2 d'argent et 1 de bronze.

CHAMPIONNATS DU MONDE
Hommes • 2 patineurs ont remporté 5 titres : le Norvégien Oscar Mathisen (1908, 09, 12, 13 et 14) et le Finlandais Clas Thunberg (1923, 25, 28, 29 et 31).

Femmes • L'Allemande de l'Est Karin Kania a remporté un record de 5 titres, en 1982, 84, 86, 87 et 88.

BOBSLEIGH
JEUX OLYMPIQUES
Pays le plus titré
La Suisse a remporté 5 fois la compétition olympique en bob à quatre, en 1924, 36, 56, 72 et 88. C'est encore la Suisse qui détient le record de titres en bob à deux avec 3 victoires, en 1948, 80 et 92.

Bobeurs les plus titrés
• Avec 3 médailles d'or gagnées en deux Olympiades, les Allemands de l'Est Reinhardt Nehmer et Bernhardt Germeshausen détiennent le record de titres olympiques par participant (bob à deux en 1976, et bob à quatre en 1976 et 1980).
• L'Italien Eugenio Monti a remporté 6 médailles de 1956 à 1968 (2 d'or, 2 d'argent et 2 de bronze).

CHAMPIONNATS DU MONDE
Pays le plus titré
La Suisse a été 15 fois championne du monde de bob à quatre depuis 1936, et 13 fois championne du monde de bob à deux.

Bobeurs les plus titrés
• L'Italien Eugenio Monti a été 11 fois champion du monde entre 1957 et 1968.
• L'Allemand Bogdan Musiol a été récompensé de 7 médailles (1 d'or, 5 d'argent, et 1 de bronze), entre 1980 et 1992.

Athlétisme 1

JEUX OLYMPIQUES

Les plus titrés

<u>Sur une carrière</u> • Le plus grand nombre de médailles d'or olympiques remportées par un athlète est de 10, par l'Américain Raymond Clarence Ewry de 1900 à 1908 (dont 2 lors des Jeux officiels mais non comptabilisés de 1906 à Athènes) : hauteur sans élan en 1900 à Paris, 1904 à Saint Louis, 1906 et 1908 à Londres, *idem* à la longueur sans élan et au triple saut sans élan en 1900 et 1904.

• Suivent, avec 9 titres, le Finlandais Paavo Nurmi (10 000 m en 1920 à Anvers et 1928 à Amsterdam, cross-country individuel en 1920 et 1924 à Paris, cross-country par équipes en 1920 et 1924, 1 500 m en 1924, 5 000 m en 1924, 3 000 m par équipes en 1924) et l'Américain Carl Lewis (100 m en 1984 à Los Angeles et 1988 à Séoul, 200 m en 1984, relais 4 x 100 m en 1984 et 1992 à Barcelone, saut en longueur en 1984, 1988, 1992 et 1996).

<u>France</u> • Sept athlètes français ont remporté un titre olympique : Michel Théato (marathon 1900), Joseph Guillemot (5 000 m 1920), Mohammed El Ouafi (marathon 1928), Alain Mimoun (marathon 1956), Guy Drut (110 m haies 1976), Pierre Quinon (perche 1984) et Jean Galfione (perche 1996).

<u>Femmes</u> • Le record de 4 médailles d'or olympiques est détenu par 4 femmes : la Néerlandaise Francina Elsje « Fanny » Blankers-Koen (100 m, 200 m, 80 m haies et relais 4 x 100 m en 1948 à Londres) ; l'Australienne Elizabeth « Betty » Cuthbert (100 m, 200 m, relais 4 x 100 m en 1956 à Melbourne, 400 m en 1964 à Tokyo) ; l'Allemande de l'Est Bärbel Eckert-Wöckel (200 m et relais 4 x 100 m en 1976 à Montréal et 1980 à Moscou) ; l'Américaine Evelyn Ashford (100 m en 1984 à Los Angeles, 4 x 100 m en 1984, 1988 à Séoul et 1992 à Barcelone). Seules 2 femmes ont

remporté 3 médailles d'or en sprint individuel : la Française Marie-José Pérec (400 m en 1992 et 96, 200 m en 1996) et l'Australienne Betty Cuthbert (100 m et 200 m en 1956, 400 m en 1964).

<u>France</u> • En remportant les 200 et 400 m des JO d'Atlanta en 1996, M.-J. Pérec a rejoint Micheline Ostermeyer, jusqu'alors la plus titrée des Françaises, avec 2 médailles d'or obtenues au poids et au disque aux Jeux de Londres en 1948.

<u>Doublés inédits</u> • Le Cubain Alberto Juantorena est le seul athlète à avoir remporté 400 m et 800 m lors des mêmes JO, en 1976 à Montréal.

• L'Américain Michael Johnson est le seul à avoir remporté les épreuves du 200 m et 400 m au cours de mêmes JO, à Atlanta en 1996.

• Le Britannique Sebastian Coe est le seul athlète à avoir réussi le doublé sur le 1 500 m, qu'il remporta à Moscou en 1980 et à Los Angeles en 1984.

<u>Sur une Olympiade</u> • Aux Jeux de 1924 à Paris, le Finlandais Paavo Nurmi a remporté un record de 5 médailles d'or : le cross-country individuel et par équipes, le 1 500 m, le 5 000 m et le 3 000 m par équipes. Aux JO de 1900 à Paris, l'Américain Alvin Christian Kraenzlein remporta un record de 4 titres individuels : 60 m, 110 et 200 m haies et saut en longueur.

<u>Femmes</u> • Aux Jeux de 1948 à Londres, la Néerlandaise « Fanny » Blankers-Koen remporta 4 médailles d'or.

<u>Les plus jeunes</u> • L'Américain Robert Bruce « Bob » Mathias avait 17 ans et 263 jours lorsqu'il remporta le décathlon des Jeux de 1948 à Londres.

<u>Femmes</u> • L'Américaine Barbara Pearl Jones était âgée de 15 ans et 123 jours lorsqu'elle remporta, avec l'équipe des USA, le relais 4 x 100 m des JO de 1952 à Helsinki.

<u>Les plus âgés</u> • L'Américain Patrick Joseph

« Babe » McDonald avait 42 ans et 26 jours quand il remporta le titre du lancer du poids de 25,4 kg aux JO de 1920 à Anvers.

<u>France</u> • Alain Mimoun était âgé de 35 ans et 335 jours lorsqu'il fut sacré champion olympique du marathon aux JO de 1956 à Melbourne.

<u>Femmes</u> • La Roumaine Lia Manoliu avait 36 ans et 176 jours lorsqu'elle décrocha le titre du disque aux Jeux de 1968 à Mexico.

Les plus médaillés

<u>France</u> • Alain Mimoun détient le record français avec 4 médailles olympiques : l'or au marathon en 1956, l'argent au 10 000 m en 1948 et 1952 et au 5 000 m en 1952.

<u>Femmes</u> • Deux femmes se partagent le record de 7 médailles olympiques. L'Australienne Shirley Barbara de la Hunty-Strickland : or sur 80 m haies en 1952 et 1956 et relais 4 x 100 m en 1956, et 1 d'argent et 3 de bronze entre 1948 et 1956 ; la photo finish du 200 m de 1948 indique toutefois qu'elle finit 3e et non 4e, ce qui porterait son total non officiel à 8 médailles.

• La Polonaise Irena Szewinska-Kirszenstein (or au relais 4 x 100 m 1964, au 200 m en 1968 et 400 m en 1976, argent au 200 m et saut en longueur en 1964, bronze sur 100 m en 1968 et 200 m en 1972).

• La Jamaïcaine Merlene Ottey a remporté le

plus grand nombre de médailles olympiques en individuel : 6 (4 de bronze et 2 d'argent) entre 1980 et 1996.

<u>Sur une Olympiade</u> • Le Finlandais Ville Ritola remporta 6 médailles lors des Jeux de 1924 : or sur 10 000 m, 3 000 m steeple, cross-country par équipes et 3 000 m par équipes, argent sur 5 000 m et cross-country individuel.

<u>France</u> • Micheline Ostermeyer remporta 3 médailles aux Jeux de 1948 à Londres : 2 d'or et 1 de bronze au saut en hauteur.

<u>Les plus âgés</u> • Le Britannique Tebbs Lloyd Johnson avait 48 ans et 115 jours lorsqu'il remporta la médaille de bronze au 50 km marche des Jeux de 1948.

<u>Femmes</u> • La Tchécoslovaque Dana Zatopekova avait 37 ans et 348 jours quand elle conquit la médaille d'argent du au Jeux de 1960.

CHAMPIONNATS DU MONDE

Les 1ers championnats du monde furent organisés à Helsinki, Finlande, en 1983. Disputés tous les 4 ans à l'origine, leur intervalle fut ramené à 2 ans à partir de 1991.

Les plus titrés

• L'Américain Carl Lewis a remporté un record de 8 titres mondiaux : 100 m en 1983, 1987 et 1991, relais 4 x 100 m en 1983, 1987 et 1991, saut en longueur en 1983 et 1987. Son compatriote Michael Johnson a également obtenu 8 titres : 200 m en 1991 et 1995, 400 m en 1993, 1995 et 1997, relais 4 x 400 m en 1993, 1995 et 1997.

• À Göteborg, en 1995, l'Américain Michael Johnson est devenu le 1er homme à remporter le 200 m et le 400 m lors d'une même édition des championnats du monde ou des Jeux olympiques.

<u>France</u> • Vainqueur du 400 m haies à Athènes en 1997, Stéphane Diagana est devenu le 1er athlète masculin français à remporter un titre mondial.

<u>Femmes</u> • L'Américaine Jackie Joyner-Kersee a remporté un record de 4 titres mondiaux : le saut en longueur en 1987 et 1991 et l'heptathlon en 1987 et 1993.

<u>France</u> • Marie-José Pérec est la seule athlète française à avoir remporté un titre mondial en athlétisme : le 400 m en 1991 et 1995.

<u>Titres consécutifs</u> • L'Ukrainien Serguëï

Titres indoor

La Roumaine Gabriela Szabo (photo) a battu le record féminin du 5 000 m indoor, le 13-02-99 à Dortmund, Allemagne, en 14 min 47 s 36. Szabo détient également 4 titres individuels en championnats indoor, dans l'épreuve du 1 500 m et du 3 000 m.

·□· MÉDAILLÉE

La Jamaïcaine Merlene Ottey détient le record absolu, avec 14 médailles aux championnats du monde entre 1983 et 97 : 3 d'or (200 m en 1993 et 95, relais 4 x 100 m en 1991), 4 d'argent (100 m en 1993 et 95, 200 m en 1983, relais 4 x 100 m en 1995) et 7 de bronze (100 m en 1987 et 91, 200 m en 1987, 1991 et 97, relais 4 x 100 m en 1983 et 93).

FEMME LA PLUS RAPIDE

Florence Griffith Joyner, surnommée par ses fans « Flo-Jo », aura marqué l'histoire de l'athlétisme en pulvérisant 2 records mondiaux – le 100 m et le 200 m féminin – lors des épreuves américaines de qualification pour les Jeux olympiques en juillet 1988. Son 100 m historique parcouru en 10"49 n'est pas près d'être battu. Plus tard, elle améliora à 2 reprises son record sur 200 m, aux JO de Séoul, Corée du Sud, en 21"56 pendant les demi-finales, puis en 21"34 lors de la finale, le 29-09-88. Florence Griffith Joyner est décédée le 21-09-98.

Bubka est le seul athlète à avoir remporté le titre d'une même discipline à 6 reprises (saut à la perche en 1983, 87, 91, 93, 95 et 97), soit lors de toutes les éditions des championnats du monde.

<u>En salle</u> • Le record de titres aux championnats du monde en salle est de 4, détenu par 2 athlètes : le Russe Mikhaïl Shtchennikov (5 km marche en 1987, 89, 91 et 93) et l'Ukrainien Sergueï Bubka (saut à la perche en 1985, 87, 91 et 95).

<u>Femmes</u> • La Bulgare Stefka Kostadinova a également remporté 4 titres aux championnats du monde en salle (saut en hauteur en 1985, 87, 89 et 93).

Les plus médaillés

• Outre ses 8 titres, Carl Lewis est l'athlète le plus médaillé : il remporta la médaille d'argent du saut en longueur en 1991 et la médaille de bronze du 200 m en 1993, soit un total record de 10 médailles. <u>Femmes</u> • Voir photo.

CHAMPIONNATS D'EUROPE

L'ex-Allemande de l'Est Marita Koch a remporté un record de 6 titres européens : sur 400 m et 4 x 400 m en 1978, 1982 et 1986.

<u>France</u> • Jean-Claude Nallet est l'athlète français le plus médaillé aux championnats d'Europe : 5 médailles, soit 2 d'or (relais 4 x 400 m 1969 et 400 m haies 1971), 2 d'argent (400 m 1969 et 400 m haies 1974) et 1 de bronze (200 m 1966).

🖬 1 500 M LE PLUS RAPIDE

Le Marocain Hicham el-Guerrouj a battu le record du monde du 1 500 m à Rome, Italie, le 14-07-98, avec un temps de 3'26", améliorant le précédent record de l'Algérien Noureddine Morceli de plus d'une seconde.

Athlétisme 2

CHAMPIONNATS DE FRANCE

Hommes • Alain Mimoun a remporté 32 titres de champion de France entre 1947 et 66 : 8 sur 5 000 m, 12 sur 10 000 m, 6 au marathon et 6 en cross-country.

Femmes • De 1925 à 1942, la sprinteuse Lucienne Velu décrocha 33 titres de championne de France.

Le plus jeune

C'est Benoît Zwierchewski, champion de France du 10 000 m en 1995, à 19 ans.

Les plus âgés

Hommes • Alain Mimoun fut sacré champion de France du marathon en 1966, à 45 ans.

Femmes • Nicole Levêque fut sacrée championne de France du 10 000 m en 1994, à l'âge de 43 ans.

RECORDS DU MONDE

Les plus rapides

Nouveau recordman du monde du 100 m à 24 ans et 11 mois, l'Américain Maurice Green a pulvérisé le précédent record du Canadien Donovan Bailey, avec un temps de 9" 79, le 17-06-99, à Athènes. Performance identique à celle de Ben Johnson, à Séoul, 11 ans plus tôt, mais ce dernier athlète avait été déchu de son titre pour cause de dopage.

Le plus de records

Carrière • L'Ukrainien Serguëi Bubka a battu à 35 reprises le record du monde du saut à la perche depuis 1984 : 17 en plein air (record : 6,14 m) et 18 en salle (record : 6,15 m).

Rapidité • Jesse Owens (USA) a battu 6 records mondiaux en 45 min à Ann Arbor, Michigan, le 25-05-35. Il court le 100 yds (91,40 m) en 9" 4 à 15 h 15, atteint 8,13 m au saut en longueur à 15 h 25, parcourt le

200 m en 20" 3 à 15 h 45 ainsi que le 200 m haies en 22" 6 à 16 h.

Âges extrêmes

Les plus jeunes • Le Britannique Thomas Ray avait 17 ans et 198 jours lorsqu'il battit le record du monde du saut à la perche avec 3,42 m, le 19-09-1879.

Femmes • La Chinoise Wang Yan avait 14 ans et 334 jours lorsqu'elle battit le record du monde du 5 km marche en 21' 33" 8, le 9-03-86 à Jian, Chine.

Les plus âgés • L'Allemand Gerhard Weidner avait 41 ans et 71 jours quand il battit le record du monde du 20 miles à la marche, le 25-05-74, et devint ainsi le plus vieux sportif à établir un record du monde officiel reconnu par un organisme international.

Femmes • Le record féminin est l'œuvre de l'ex-Soviétique Marina Stepanova, qui, alors âgée de 36 ans et 139 jours, battit le record du monde du 400 m haies en 52" 94, le 17-09-86 à Tachkent, Ouzbékistan.

Marathon

Le Brésilien Ronaldo da Costa a établi le record du marathon le plus rapide de tous les temps :

2 h 6 min 5 s, à Berlin, Allemagne, le 20-09-98.

Chez les femmes, la Kenyanne Tegla Loroupe est la plus rapide, avec 2 h 20 min 7 s, à Rotterdam, Pays-Bas, le 19-04-98.

🔊 IRON MAN

Le record de l'Iron Man le plus rapide – 3,8 km de natation, 180 km à vélo et un marathon complet de 42,195 km — est de 7 h 50 min 27 s. Il appartient au Belge Luc Van Lierde et a été établi à Roth, Allemagne, le 13-07-97.

MARATHON

Le plus ancien

Le Marathon de Paris est le plus ancien des marathons majeurs. Il fut organisé dès 1896.

Les plus rapides

Hommes • Si la distance d'un marathon est fixée depuis 1924 à 42,195 km, la difficulté varie selon les parcours. Le marathon le plus rapide de l'Histoire fut réalisé par l'Éthiopien Belayneh Dinsamo en un temps de 2 h 6' 50" le 17-04-88 à Rotterdam, Pays-Bas.

Femmes • La Norvégienne Ingrid Kristiansen court le Marathon de Londres en 2 h 21' 6", le 21-04-85.

Courses • 105 hommes coururent le Marathon de Londres en moins de 2 h 20, dont 46 en moins de 2 h 15, le 21-04-91. Onze hommes coururent le Marathon de Boston en moins de 2 h 10', le 18-04-94.

Femmes • 9 femmes coururent en moins de 2 h 30' le 1ᵉʳ marathon olympique féminin, à Los Angeles, Californie, le 5-08-84.

Triplé • Le temps combiné le plus rapide pour 3 marathons en 3 jours est de 8 h 22' 31" par le Britannique Raymond Hubbard : Belfast en 2 h 45' 55", Londres en 2 h 48' 45" et Boston en 2 h 47' 51", les 16, 17 et 18-04-88.

Âges extrêmes

Les plus âgés • Le Grec Dimitrion Yordanidis parcourut en 7 h 33' le Marathon d'Athènes le 10-10-76, à l'âge de 98 ans.

Femmes • La Néo-Zélandaise Thelma Pitt-Turner détient le record féminin : elle court le Marathon d'Hastings, Nlle-Zélande, en 7 h 58, à l'âge de 82 ans, en août 1985.

Le plus haut

Hommes • Tous les 2 ans depuis 1987 se court l'Everest Marathon, dont le parcours va de Gorak Shep (5 212 m d'altitude) à Namche Bazar (3 444 m). Le record de la course appartient au Britannique Jack Maitland en 3 h 59' 4", en 1989.

Femmes • Le record féminin de l'Everest Marathon est détenu par la Britannique Cath Proctor : 5 h 32' 43", en 1993.

Plus grand nombre de marathons courus • Entre 1967 et 1995, le Britannique Norm Frank termina 525 courses d'une distance supérieure ou égale à un marathon.

SEMI-MARATHON LE PLUS RAPIDE

Le semi-marathon le plus rapide fut couru en 59 min 17 s, par le Kenyan Paul Tergat, à Milan, Italie, le 4-04-98. Le record féminin appartient à la Japonaise Masako Chika, avec 66 min 43 s, à Tokyo, le 19-04-97. Le record de la Norvégienne Ingrid Kristiansen, en 66 min 40 s, à Sandnes, Norvège, le 5-04-87, ne fut jamais homologué.

• Jusqu'en 1992, l'Américain John Kelley termina à 61 reprises le Marathon de Boston, l'emportant en 1933 et 1945.

Les plus nombreux à l'arrivée
29 543 coureurs franchirent la ligne d'arrivée du Marathon de New York, le 6-11-94.

100 kilomètres
Le Français Henri Girault a couru plus de 300 courses de 100 km (distance reconnue par l'IAAF, la Fédération internationale) depuis 1979, sur tous les continents, excepté l'Antarctique.

Semi-marathon
Ces dernières années, la distance d'un semi-marathon est devenue l'une des plus populaires pour les courses sur route. L'IAAF organisa les 1ers championnats du monde en 1992.

Les plus rapides
Hommes • *Voir photo.*
Femmes • *Voir photo.*
• La Britannique Liz McColgan courut en 1 h 07' 11", à Tokyo, le 26-01-92, mais le dénivelé (33 m) était trop important pour que le record soit homologué.

RECORDS DIVERS

Sélections internationales
Le lanceur de poids Bjorn Bang Andersen a participé à 89 rencontres internationales pour la Norvège entre 1960 et 1981.
France • Le coureur Alain Mimoun a participé à 86 rencontres internationales pour la France.

Victoires consécutives
Hommes • L'Américain Edwin Corley Moses remporta 122 courses d'affilée sur 400 m haies entre sa défaite face à l'Allemand Harald Schmidt, le 26-08-77 à Berlin, et sa défaite face à son compatriote Danny Lee Harris, le 4-06-87 à Madrid.
Femmes • La Roumaine Yolanda Balas remporta 150 concours consécutifs au saut en hauteur entre 1956 et 1967.

Écarts taille/barre
Hommes • Le 27-01-78, lors d'un concours de saut en hauteur à New York, l'Américain Franklin Jacobs, 1,73 m, franchit une barre placée à 2,32 m, soit une différence record de 59 cm entre l'homme et la barre.
Femmes • L'Américaine Yolanda Henry, 1,68 m, franchit une barre placée à 2 m du sol le 30-05-90 à Séville, Espagne, soit 32 cm de différence.

Courses les plus longues
• La plus longue course jamais organisée fut une traversée New York-Los Angeles sur 5 898 km en 1929, remportée en 79 jours par l'Américain d'origine finlandaise Johnny Salo. Son temps réel fut de 525 h 57' 20" (soit une moyenne journalière de 11,21 km/h). L'Anglais Pietro Gavuzzi finit 2e à 2' 47" du vainqueur.
• La plus longue course organisée annuellement est la « New York 1 300 miles », organisée depuis 1987 entre Flushing Meadows et Corona Park, New York. Le record de la course est détenu par le Lituanien Georg Jennolayevs en 17 jours 14 h 28' 19", du 11 au 28-09-95.

Relais de masse
Le 20-12-98 à Toronto, Canada, 100 relayeurs du Canadian Millers Athletic Club ont couru un 100 miles (160,9 km) en 7 h 35 min 55 s.

PENTATHLON

La Suède a remporté 9 médailles d'or dans l'épreuve du pentathlon moderne, ainsi que 7 médailles d'argent et 5 de bronze. Aleksandr Parygine, du Kazakhstan, est l'actuel champion olympique de la discipline.

Golf

TOURNOIS DU GRAND CHELEM

Les plus titrés

Avec 18 victoires, l'Américain Jack Nicklaus est le golfeur le plus titré dans les tournois du Grand Chelem entre 1962 et 86 : 6 Masters, 4 US Open, 3 British Open en 1966, 70 et 78 et 5 USPGA.

Saison • L'Américain Ben Hogan est le seul à avoir remporté 3 tournois du Grand Chelem en une saison : le Masters, l'US Open et le British Open en 1953.

4 titres consécutifs • À ce jour, seuls 2 joueurs sont parvenus à s'imposer 4 fois consécutivement dans un grand tournoi : l'Anglais Tom Morris, dans le British Open (de 1868 à 72, non disputé en 1871) et l'Américain Walter Hagen dans l'USPGA (de 1924 à 27).

MASTERS

Les plus titrés

Le record de victoires au Masters appartient à l'Américain Jack Nicklaus, 6 fois vainqueur, en 1963, 65, 66, 72, 75 et 86. Arnold Palmer suit avec 4 titres, en 1958, 60, 62 et 64.

Scores

Parcours • Le score record de 63 en un parcours a été réalisé par le Zimbabwéen Nick Price, en 1986, sur le parcours d'Augusta, Géorgie.

Tournoi • *Voir photo.*

US OPEN

Les plus titrés

3 joueurs se partagent le record de 4 victoires à l'US Open : les Américains Willie Anderson (1901, 03, 04 et 05), Ben Hogan (1948, 50, 51 et 53) et Jack Nicklaus (1962, 67, 72 et 80).

Scores

Parcours • 63, score record par 3 Américains, Johnny Miller, en 1973, sur le parcours d'Oakmont, Pennsylvanie, Jack Nicklaus et Tom Weiskopf, en 1980, sur le parcours de Springfield, New Jersey.

Tournoi • 272 (63, 71, 70, 68) par Jack Nicklaus, à Baltusrol, en 1980, et par Lee Janzen (67, 67, 69, 69), à Baltusrol, en 1993.

BRITISH OPEN

Les plus titrés

Le record des titres appartient au Britannique Harry Vardon, vainqueur à 6 reprises, en 1896, 98, 99, 1903, 11 et 14. Suivent, avec 5 victoires, l'Australien Peter Thomson (1954, 55, 56, 58 et 65) et l'Américain Tom Watson (1975, 77, 80, 82 et 83).

Scores

Parcours • Le score record de 63 sur un parcours a été réalisé par 7 joueurs : l'Américain Mark Stephen Hayes à Turnberry, en 1977, le Japonais Isao Aoki à Muirfield, en 1980, l'Australien Greg Norman à Turnberry, en 1986, l'Anglais Paul Broadhurst à St-Andrews, en 1990, l'Américain Jodie Mudd au Royal Birkdale, en 1991, l'Anglais Nick Faldo et l'Américain William Stewart au Royal St-George's, en 1993.

Tournoi • Le score record sur 4 jours est de 268 (68, 70, 65, 65), œuvre de l'Américain Tom Watson à Turnberry, GB, en 1977.

RECORDS INDIVIDUELS

Victoires

Hommes • L'Américain John Nelson a gagné 18 tournois en une année, dont 11 consécutivement du 8-03 au 4-08-45.

• L'Américain Sam Snead a remporté 84 tournois officiels PGA de 1936 à 65, et 134 tournois dans toute sa carrière.

Femmes • Le record féminin de victoires est de 88, œuvre de l'Américaine Kathy Whitworth, de 1962 à 85 (elle fut élue 7 fois joueuse de l'année).

Écarts

Hommes • L'Américain Jerry Pate a remporté l'Open de Colombie 1981 avec 21 coups d'avance et un score total de 262.

Femmes • Cecilia Leitch a gagné le championnat open du Canada 1921 avec 17 coups d'avance.

Âges extrêmes

Le plus âgé • L'Anglais Tom Morris Sr a gagné l'Open britannique sur le parcours de Prestwick en 1867, à 46 ans et 99 jours.

Femmes • Isabella Robertson a remporté le championnat d'Écosse féminin à l'âge de 50 ans et 43 jours.

Le plus jeune • L'Anglais Tom Morris Jr, fils de Tom Morris Sr, s'est imposé lui aussi à Prestwick en 1868, à 17 ans et 249 jours.

4 parties royales

L'Américain Eldrick « Tiger » Woods détient le record du meilleur score pendant un tournoi de l'US Masters, avec 270 points (70, 66, 65, 69) en 1997. Il devenait cette année-là le joueur le plus jeune à remporter le Masters. Né en 1975, la légende dit que Woods aurait touché son 1er club de golf à l'âge de 11 mois. Sa carrière professionnelle a débuté le 26-08-96 : il était alors âgé de 21 ans.

◧ MEILLEUR SCORE DANS UN TOURNOI DE L'OPEN

L'Australien Greg Norman détient le record du meilleur score : 267 (66, 68, 69, 64). Norman a établi ce record au Royal St-George's, Sandwich, Kent, GB, du 15 au 18-07-93.

SCORE EN COUPE DU MONDE ▤

Le record du score individuel le plus bas dans une épreuve de la Coupe du monde appartient à Fred Couples. Il termina avec un score de 265, entre le 10 et le 13-11-94, aux championnats de Dorado, Porto Rico, alors qu'il représentait les USA avec Davis Love III. Les USA ont été vainqueurs de la Coupe du monde à 21 reprises.

<u>Femmes</u> • Thuashrai Selvaratrearu a gagné l'Open amateur du Sri Lanka à 12 ans et 324 jours.

Scores

<u>Sur 72 trous</u> • Davis Llewellyn a réalisé le score de 258 (64, 69, 60, 65) à l'Open de Biarritz en 1988. Même score pour Ian Woosnam (66, 67, 65, 60) à l'Open de Monte Carlo, 1990.

<u>Sur 18 trous</u> • Au moins 4 joueurs ont réussi un parcours de plus de 6 000 m en 58 coups. Le plus récent est l'Américain Monte Money, en 1981, sur le parcours de 6 041 m (un par 72) du Golf Club municipal de Las Vegas, Nevada.

<u>Femmes</u> • Le record de 62 est détenu par l'Américaine Mary Kathryn Wright depuis 1964 et fut réalisé sur le parcours texan de Hogan Park, un par 71 de 5 747 m.

TROUS-EN-UN

Les plus longs

<u>Hommes</u> • Le 31-12-95, l'Anglais Shaun Linch a expédié directement la balle dans le trou n° 5 (446 m) du parcours d'Exeter, GB.

<u>Femmes</u> • Le record est de 359 m, au 1er trou du Furnace Brook GC à

Wollaston, Massachusetts, par Marie Robie, le 4-09-49.

<u>France</u> • Le 21-08-94, François et Dominique Bueche ont réalisé un trou-en-un sur le même parcours de Hagenthal-le-Bas, Suisse, lors de la même compétition.

Double

On connaît 19 cas de 2 trous-en-un consécutifs. Le plus beau est celui réalisé le 2-09-64, un double albatros (- 3 sous le par) par Norman Manley aux trous 7 (par 4 de 301 m) et 8 (par 4 de 265 m) du parcours de Del Valle, Californie.

4 fois le même

Frédérique Gueisbuhler a réussi 4 fois le même trou-en-un (le 6 de St-Cloud, Paris) en 1960, 78, 90 et 92.

Âges extrêmes

<u>Le plus jeune</u> • Le plus jeune joueur ayant réussi un trou-en-un est l'Américain Coby Orr (5 ans) au 5e trou (94 m) du

parcours de Riverside, Texas, le 20-05-86.

<u>Femmes</u> • La plus jeune est Nicola Mynolas, âgée de 10 ans et 64 jours. Elle a réussi un trou-en-un le 18-09-93 sur le 1er trou (122 m) du parcours de South Course, Australie.

<u>Le plus âgé</u> • Le joueur le plus âgé à avoir réussi cet exploit est le Suisse Otto Bucher, 99 ans et 244 jours, le 13-01-85, au 12e trou (100 m) du La Manta GC, Espagne.

<u>Femmes</u> • La plus âgée à réussir un trou-en-un fut Erna Ross, au 17e trou (102 m) de l'Everglades Club de Palm Beach, Floride, à 95 ans et 257 jours, le 23-04-86.

Records divers

<u>Parcours le plus long</u> • International Golf Club de Boston (par 77) : 7 610 m de longueur.

<u>Trou le plus long</u> • N° 7 du parcours de Sano, Japon : 831 m.

Lancer le plus long

418,80 m, Jack Hamm (USA), Highlands Ranch, Colorado, 20-07-93.

Championnats de France

12 titres ont été remportés par Jean Garaïalde entre 1968 et 1985 chez les professionnels.

▤ TITRES

Les joueurs américains Arnold Palmer (à gauche) et Jack Nicklaus (à droite) ont remporté 6 fois la Coupe du monde par équipe : Palmer en 1960, de 1962 à 64 et de 1966 à 67 ; Nicklaus en 1963-64, 1966-67, 1971 et 73. Nicklaus détient aussi le record du nombre de titres individuels, en gagnant à 3 reprises : 1963-64 et 71.

Tennis

COUPE DAVIS

Pays les plus titrés
Les USA ont été vainqueurs à 31 reprises de la Coupe Davis entre 1900 et 1995. L'Australie suit avec 26 victoires.
France • La France a remporté 8 fois la Coupe Davis. Les « Mousquetaires » (René Lacoste, Henri Cochet, Jean Borotra et Jacques Brugnon) ont remporté 6 victoires consécutives, de 1927 à 32. Le 2-12-91 à Lyon, après 59 ans de disette, Henri Leconte et Guy Forget triomphent des Américains 3 à 1. Ils seront imités 5 ans plus tard par Pioline et Boetsch en simple, Forget - Raoux en double, qui s'imposent face à la Suède 3 à 2, le 1er-12-96 à Malmö.

Coupe de la Fédération
Créée en 1963, c'est l'équivalent de la Coupe Davis pour les femmes. Les USA l'ont remporté 15 fois (record), entre 1963 et 96.

Joueur le plus titré
Le joueur ayant le plus souvent remporté le « saladier d'argent » est l'Australien Roy Emerson, avec 8 victoires, en 1959, 60, 61, 62, 64, 65, 66 et 67.

ROLAND-GARROS

Joueurs les plus titrés
Hommes • Avec 6 victoires en 6 finales disputées, le Suédois Björn Borg détient le record en simple (1974, 75, 78, 79, 80 et 81).
France • Jean Borotra a remporté 11 titres : 2 en simple, 6 en double messieurs, 3 en double mixte.
• Yannick Noah fut le dernier vainqueur français en simple, en 1983.
Femmes • L'Américaine Chris Evert a remporté un record de 7 titres en simple, en 1974, 75, 79, 80, 83, 85 et 86.
• La Française Suzanne Lenglen a remporté un record de 19 titres aux Internationaux de

France entre 1914 et 26 : 6 simples, 6 doubles dames et 7 doubles mixte.
France • Françoise Durr est la dernière gagnante en simple femmes, en 1967.

Âges extrêmes
Les plus jeunes • En s'imposant à 17 ans et 109 jours, l'Américain Michael Chang a été le plus jeune vainqueur du simple messieurs, en 1989, et le 1er joueur américain depuis 1955 à remporter Roland-Garros. Les Championnats français ont débuté en 1891, et n'acceptèrent pas de joueurs étrangers jusqu'en 1925.
Femmes • La plus jeune gagnante du simple dames est l'Américaine d'origine yougoslave Monica Seles, lauréate du tournoi à l'âge de 16 ans et 169 jours, en 1990.
Double mixte • L'équipe américaine Andrea Jaeger - Jimmy Arias s'est adjugé le double mixte en 1981 aux âges respectifs de 15 ans et 339 jours, et 16 ans et 296 jours.
Les plus âgés • L'Espagnol Andres Gimeno a gagné le simple messieurs en 1972, âgé de 34 ans et 301 jours.
Femmes • À 34 ans et 1 mois, la Hongroise Suzy Kormoczy remportait en 1958 le simple dames. La Britannique Elizabeth Ryan a gagné le double en 1934 à 42 ans et 88 jours.

Finale la plus longue
La finale masculine de 1982, opposant le Suédois Mats Wilander à l'Argentin Guillermo Vilas, dura 4 h 42 min pour 4 sets.

Nombre de jeux
Depuis l'établissement du tie-break en 1973, le record de jeux disputés dans un match est de 71, lors d'une rencontre entre l'Haïtien Agenor et le Tchèque Prinosil en 1994.

Vainqueurs surprises
Seuls 3 joueurs non classés tête de série ont réussi à s'imposer sur la terre battue parisienne. Le Français Marcel Bernard (1946),

le Suédois Mats Wilander (1982) et le Brésilien Gustavo Kuerten (1997).

WIMBLEDON

Joueurs les plus titrés
Le Britannique William Renshaw a remporté 7 titres en simple, de 1881 à 1886 et en 1889. Depuis l'abolition du challenge round en 1922, le record appartient au Suédois Björn Borg, victorieux de 1976 à 80, qui détient aussi le record de victoires consécutives en simple.
France • Trois joueurs ont remporté 2 fois le simple messieurs : Jean Borotra (1924, 26), René Lacoste (1925, 28), et Henri Cochet (1927, 29). Le dernier date de 1946, avec Yvon Petra.
Femmes • Le record en simple est détenu par l'Américaine d'origine tchécoslovaque Martina Navratilova : 9 titres, en 1978 et 79, de 1982 à 87 et en 1990. Suit avec 7 succès l'Allemande Steffi Graf (1988 et 89, de 1991 à 93, 95 et 96). L'Américaine Billie Jean King a remporté 20 titres entre 1961 et 79 : 6 simples, 10 doubles dames et 4 doubles mixtes.

Participations
Le Britannique Arthur Gore a participé à 36 éditions du tournoi entre 1888 et 1927.
France • Jean Borotra (n.1898) a participé à 35 éditions du simple messieurs entre 1922 et 64. Il a ensuite disputé le double vétérans jusqu'en 1977, à 79 ans.

FLUSHING MEADOW

Joueurs les plus titrés
Hommes • 3 joueurs ont remporté un record de 7 titres en simple : les Américains Bill Tilden (1920 à 25, 29), Richard Sears (1881 à 1887), et William Larned (1901, 02, 07 à 11). L'US Open eut lieu à Forest Hills sur gazon

jusqu'en 1974 et sur terre battue de 1975 à 77, puis à Flushing Meadow sur decoturf, revêtement en ciment. Seul l'Américain Jimmy Connors a réussi à s'imposer sur les 3 surfaces : sur gazon en 1974, terre battue en 1976, et sur decoturf en 1978, 82 et 83.
Finales • Le record de 8 finales consécutives est codétenu par l'Américain William Tilden (de 1918 à 25) et le Tchèque Ivan Lendl (de 1982 à 89).
France • Le « Mousquetaire » René Lacoste a remporté 2 titres, en 1926 et 27.
Femmes • L'Américaine Molla Mallory a gagné 8 fois le simple dames : de 1915 à 18, de 1920 à 22 et en 1926. Margaret Evelyn Du Pont a remporté 25 titres entre 1941 et 60 : 3 simples, 13 doubles dames et 9 doubles mixtes.

MELBOURNE

Les Internationaux d'Australie se sont disputés à Kooyong, Sydney, sur gazon jusqu'en 1987, puis sur Rebound Ace (surface synthétique mi-lente) à Flinders Park, Melbourne, à partir de 1988.

Joueurs les plus titrés
Hommes • L'Australien Roy Emerson a remporté 6 titres en simple (1961, 1963 à 67). Adrian Karl Quist a remporté 10 doubles messieurs consécutifs (1936 à 40, 1946 à 50), et 3 simples (1936, 40 et 48).
France • En 1928, Jean Borotra s'est imposé en simple, double hommes et double mixte.
Femmes • L'Australienne Margaret Court (née Smith) a remporté 11 titres en simple (de 1960 à 66, de 1969 à 1971, en 1973), 8 en doubles dames et 2 en double mixte, soit un total de 21 titres.
Doubles • Thelma Dorothy Long a gagné 16 titres en double entre 1936 et 58 (12 doubles et 4 mixtes).
France • Le 28-01-95, Mary Pierce est devenue la 1re Française à inscrire son nom au palmarès, en battant l'Espagnole Arantxa Sanchez.

GRAND CHELEM

Hommes • En remportant l'édition 1999 du Tournoi de Roland-Garros, après avoir triomphé à Wimbledon (1992), à l'US Open (1994) et aux Internationaux d'Australie (1995), l'Américain André Agassi est devenu le 1er joueur professionnel, depuis 1969 et l'Australien Rod Laver, à gagner les 4 tournois du Grand Chelem. Il complète son formidable palmarès d'une victoire au Masters (1990), d'un titre olympique à Atlanta (1996) et d'une place de n° 1 mondial en 1995.
Femmes • 3 joueuses ont réussi le Grand Chelem : l'Américaine Maureen Connolly en 1953, l'Australienne Margaret Court (née Smith) en 1970 et l'Allemande Steffi Graf en 1988 (elle remporta la médaille d'or olympique la même année).

N° 1
la plus jeune

À 16 ans, 6 mois et 1 jour, la Suissesse Martina Hingis est devenue la plus jeune n°1 mondiale le 31-03-97.
Après avoir été la plus jeune joueuse à passer le cap du million de $ (6 millions de F), elle totalisait des gains s'élevant à 3 millions de $ (18 millions de F) fin mars 1997.

◨ REVENUS LES PLUS ÉLEVÉS SUR L'ATP TOUR

Le Suédois Stefan Edberg est l'un des 3 seuls joueurs à avoir gagné plus de 20 millions de $ (120 millions de F) dans l'ATP Tour, les autres étant l'Allemand Boris Becker et l'Américain Pete Sampras. Stefan Edberg a fait une entrée fracassante dans le monde du tennis en 1983, quand il remporta les 4 tournois du Grand Chelem junior en une seule année. Par la suite, il gagna tous les tournois du Grand Chelem, à l'exception des Internationaux de France.

Tournois consécutifs • L'Américaine d'origine tchécoslovaque Martina Navratilova a également remporté les 4 tournois à la file, mais à cheval sur 2 années, en 1983 et 84. Navratilova établit alors un record de 6 tournois du Grand Chelem à la suite, de Wimbledon 1983 à l'US Open 1984.
Double • Les Australiens Franck Sedgman et Ken MacGregor ont réussi le Grand Chelem en double en 1951.
Femmes • L'équipe américaine Pam Shriver - Martina Navratilova accomplit le même exploit en 1984.
Le plus grand nombre de victoires
Hommes • L'Australien Roy Emerson a remporté 12 tournois du Grand Chelem (6 en Australie, 2 en France, 2 en Grande-Bretagne et 2 aux USA) entre 1961 et 67. Avec 11 victoires suivent l'Australien Rod Laver (entre 1960 et 69, dont 4 à Wimbledon et 3 en Australie), le Suédois Björn Borg (6 Roland-Garros et 5 Wimbledon entre 1974 et 81) et l'Américain Pete Sampras, le plus titré des champions actuel (4 US Open, 5 Wimbledon, 2 Open d'Australie), au 1er-06-99.
France • Henri Cochet (4 Roland-Garros, 2 Wimbledon et 1 US Open) et René Lacoste (3 Roland-Garros, 2 Wimbledon et 2 Forest Hills) ont chacun gagné 7 tournois du Grand Chelem entre 1925 et 32.
• Finaliste de l'US Open 1993 et de Wimbledon 1997, Cédric Pioline est le seul joueur de l'après-guerre à avoir disputé 2 finales en tournois du Grand Chelem.
Femmes • Margaret Court (née Smith) a remporté 24 tournois entre 1960 et 73 : 11 en Australie, 5 aux USA, 5 en France et 3 en Grande-Bretagne.
• Suit l'Allemande Steffi Graf, la plus titrée de l'ère « open », avec 22 victoires en Grand Chelem au 1er-07-99.

◧ LA FED CUP À 14 ANS

Révélation de l'année 1996, la Russe Anna Kournikova est devenue la plus jeune participante et vainqueur de la Coupe de la Fédération, à l'âge de 14 ans. La Russie l'emporta 3-0 contre la Suède. Passée pro dès 1995, elle a atteint les demi-finales dames à Wimbledon en 1997, et gagné le double dames de la Princess Cup en 1998, avec Monica Seles.

MASTERS
Joueur le plus titré
Le Tchécoslovaque Ivan Lendl compte 5 victoires (1982, 83, 86 (janv.), 1986 (déc.) et 87). Il a disputé 9 finales de suite de 1980 à 88.

AUTRES RECORDS
Victoires en tournois
Hommes • L'Américain Jimmy Connors a remporté 109 tournois professionnels entre 1972 et 89.
France • Avec 23 tournois remportés, Yannick Noah détient le record.
Femmes • Les Américaines Martina Navratilova et Chris Evert ont respectivement remporté 167 et 157 tournois.
Matches gagnés consécutivement
Hommes • Avec 49 parties gagnées consécutivement sur le circuit masculin en 1978, le Suédois Björn Borg établissait un record inégalé à ce jour.
Femmes • L'Américaine Martina Navratilova a aligné 74 matches victorieux en 1984. Suit l'Allemande Steffi Graf, avec 66 victoires successives en 1989-90.
N°1 mondial
Durée • L'ex-Tchécoslovaque Ivan Lendl a occupé la place de n°1 mondial pendant 270 semaines, entre 1983 et 90.
Annuel • Six fois 1er consécutivement, c'est le nombre des classements annuels ATP remportés par l'Américain Pete Sampras, victorieux en 1993, 94, 95, 96, 97 et 98.
Femmes • Martina Navratilova a occupé la place de n°1 pendant 296 semaines, de 1978 à 87.
Le plus jeune • L'Américain John McEnroe était âgé de 21 ans et 16 jours, en mars 1980. Il a occupé cette place pendant 170 semaines, entre 1980 et 85.

◨ SERVICES CANON

• L'Américaine Venus Williams détient le record féminin du service le plus rapide, avec une mise en jeu chronométrée à 205 km/h, pendant les championnats européens indoor de Zürich, Suisse, le 16-10-98.
• Le plus rapide jamais recensé avec un équipement moderne fut une balle chronométrée à 239,8 km/h, œuvre du Britannique Greg Rusedski lors de la Coupe des champions de l'ATP, le 14-03-98, à Indian Wells, Californie.

Foot 1

ÉQUIPE DE FRANCE

Titres

Les Français ont remporté 11 titres : Champion du monde 1998 (bat Brésil 3-0 à St-Denis), Champion d'Europe des nations 1984 (bat Espagne 2-0 à Paris), Coupe intercontinentale des nations 1985 (bat Uruguay 2-0 au Paris), Champion olympique 1984 (bat Brésil 2-0 à Passadena, USA), Champion d'Europe Espoirs 1988 (bat Grèce 0-0, 3-0), Champion d'Europe Juniors (devenu des moins de 18 ans en 1981) en 1949, 1996 et 97 et Champion du monde militaire 1949, 64 et 95.

Victoires les plus larges

À domicile • En éliminatoires du championnat d'Europe des nations, l'équipe de France battit l'Azerbaïdjan 10-0 à Auxerre, le 6-09-95. L'ancien record était de 8-0, face au Luxembourg en 1913.

À l'extérieur • La victoire record de la France à l'extérieur date du 11-10-80, quand elle battit Chypre à Limassol 7 buts à 0.

Défaite la plus lourde

Le 22-10-1908, aux JO de Londres, la France s'incline 17-1 face au Danemark. À domicile, le 1er-11-1906, elle perd 15-0 contre l'Angleterre au Parc des Princes.

JOUEURS

Joueur le plus sélectionné

Avec 85 sélections du 29-04-89 au 5-06-99, Didier Deschamps détient le record en équipe de France, devant Manuel Amoros (82) et Maxime Bossis (76 entre 1976 et 86).

Buteurs les meilleurs

Carrière • Avec 41 buts en 72 sélections, Michel Platini est le meilleur buteur.

Match • Deux joueurs ont réussi 5 buts au cours d'un même match : Eugène Maes contre le Luxembourg, le 29-04-13 (victoire 8-0), et Thadée Cisowski face à la Belgique (6-3), le 11-11-56.

Plus rapide • En marquant à la 38e seconde du match de Coupe du monde France-Italie (1-2), le 2-06-78 à Mar del Plata, Argentine, Bernard Lacombe devint le buteur français le plus rapide en match international.

Capitaines

Michel Platini a porté 50 fois le brassard de capitaine de l'équipe de France, devant Roger Marche (42) et Didier Deschamps (39).

Invincibilité

Bernard Lama a tenu 800 min sans prendre de buts, entre le 17-08-94 (45e min du match France-République tchèque, 2-2) et le 16-08-95 (35e min du match France-Pologne, 1-1).

ÉQUIPES NATIONALES

CHAMPIONNATS D'EUROPE DES NATIONS

Pays le plus titré

La RFA (redevenue l'Allemagne) a remporté 3 fois l'épreuve, en 1972, 80 et 96.

Buteur le meilleur

Le record du plus grand nombre de buts inscrits lors d'une phase finale est détenu par le Français Michel Platini, avec 9 buts en 5 matches lors de l'édition 1984, en France.

CLUBS

COUPE D'EUROPE

Clubs les plus titrés

Avec 9 victoires, le Real Madrid (7 C1, 2 C3) est le club européen le plus titré. Il devance le FC Barcelone (1 C1, 4 C2, 3 C3) avec 8 titres et le Milan AC, avec 7 victoires (5 C1, 2 C2).

France • 2 victoires pour la France en Coupe d'Europe : l'Olympique de Marseille (C1 en 1993) et le Paris St-Germain (C2 en 1996).

 L'IDOLE DES JEUNES

Élu meilleur joueur du monde en 1998 par le jury de la FIFA, détenteur du Ballon d'Or, Zinedine Zidane, auteur de 2 buts en finale de la Coupe du monde et joueur français le mieux rémunéré au monde, symbolise à merveille la réussite du football français en cette fin de siècle.

Grand Chelem

• En 1962, l'Espagne fut le 1er pays à remporter les 3 Coupes européennes la même année, grâce au Real Madrid en C1, à l'Atletico Madrid en C2 et au Valence CF en C3, Valence a dû l'emporter face à Barcelone.

• En 1990, l'Italie rejoint les Espagnols, avec le Milan AC vainqueur en C1, la Sampdoria Gênes en C2 et la Juventus Turin en C3.

France • En 1996, la France a amené 2 clubs en finale de coupes européennes : le PSG, vainqueur en C2, et Bordeaux, battu par le Bayern Munich en C3.

Triplé européen

4 clubs ont gagné les 3 Coupes d'Europe : la Juventus Turin (Italie, C1 1985 et 96, C2 1984, C3 1977, 90 et 93), le FC Barcelone (Espagne, C1 1992, C2 1979, 82, 89 et 97, C3 1958, 60 et 66), l'Ajax Amsterdam (Pays-Bas, C1 1971, 72, 73 et 95, C2 87, C3 92) et le Bayern Munich (Allemagne, C1 1974, 75 et 76, C2 1967, C3 1996).

Matches européens en une saison

En 1995-96, Bordeaux, finaliste de la C3 contre le Bayern Munich, joua 20 rencontres européennes (14 en C3, 6 en Coupe Intertoto).

Buteur le meilleur

L'Allemand Jürgen Klinsmann détient le record du nombre de buts marqués en une saison européenne : 15 en 1995-1996 pour le Bayern de Munich, qui disputait la C3.

C1

Clubs les plus titrés

Victoires consécutives • Le Real Madrid a remporté 5 C1 consécutives de 1956 à 60.

France • Marseille est le seul club à avoir remporté la C1, face au Milan AC (1-0) le 26-05-93 au Stade de Munich, Allemagne.

Score le plus gros en finale

7-3 pour le Real Madrid face aux Allemands de l'Eintracht Francfort, à l'Hampden Park de Glasgow, le 18-05-60.

Joueurs les plus titrés

L'Espagnol Francisco Gento a remporté 6 titres avec son club du Real Madrid.

France • Raymond Kopa a remporté 3 Coupes avec le Real Madrid, en 1957, 58 et 59 (plus une finale perdue en 1956 avec Reims).

Pas de pub

Le FC Barcelone possède une particularité vestimentaire : les Catalans sont les seuls joueurs au monde évoluant à ce niveau à ne pas porter de publicité sur leurs maillots. Avec la Juventus de Turin, l'Ajax Amsterdam et le Bayern Munich, ils peuvent se vanter d'avoir remporté les 3 Coupes d'Europe.

CHILAVERT : GARDIEN BUTEUR

Dernier rempart de l'équipe nationale du Paraguay, José Luis Chilavert, qui donna tant de fil à retordre aux attaquants français lors de la dernière Coupe du monde, possède la particularité d'être un gardien buteur. Sous les couleurs du Paraguay et du club argentin de Velez Sarsfeld, il a inscrit 44 buts entre juillet 1992 et mai 1999. Spécialiste des penalties et des coups-francs, il s'est même payé le luxe d'inscrire 2 buts dans un match qualificatif de la Coupe du monde.

Buteur le meilleur en finale
Le Hongrois du Real Madrid Ferenc Puskas inscrivit 4 buts lors de la finale 1960.

C2
Club le plus titré
Le FC Barcelone s'est adjugé 4 fois l'épreuve. France • Le PSG est le seul club à avoir remporté la C2 en battant les Autrichiens du Rapid de Vienne (1-0) au stade du Roi-Baudouin, Bruxelles, le 8-05-96.

C3
Club le plus titré
Le FC Barcelone (1958, 60 et 66) et la Juventus de Turin (1977, 90 et 93) détiennent le plus grand nombre de victoires en Coupe de l'UEFA : 3.

CHAMPIONNATS DE FRANCE
Club le plus titré
L'AS St-Étienne a remporté 10 titres de champion de France (1957, 64, 1967-70, 1974-76 et 81). L'OM suit avec 8 titres, en 1937, 48, 71, 72 et de 1989 à 92 (il fut déchu de son titre 1993 suite à une affaire de corruption).
Joueur le plus titré
Hervé Revelli et J.-M. Larqué ont remporté chacun 7 fois le championnat de France de D1 avec St-Étienne (1967-70 et 1974-76).
Attaque la plus efficace
Avec 118 buts inscrits durant la compétition 1959-60, le Racing Club de Paris reste l'équipe la plus prolifique en une saison de championnat.
Défense la plus hermétique
Avec 21 buts encaissés en 38 matches lors du championnat 1991-92, l'OM détient le record défensif sur une saison de championnat.
Défense la plus hermétique à domicile
Avec 5 buts encaissés en 19 matches, Nantes 1979-80, Monaco 1984-85, St-Étienne 1986-87 et Bordeaux 1989-90 sont les équipes qui en ont encaissés le moins à domicile en une saison.
Défense la plus hermétique à l'extérieur
En 1988-89, Joël Bats, le gardien de but du Paris-SG, n'a été trompé qu'à 11 reprises en 19 matches joués sur terrain adverse.
Invincibilité
Clubs • En 1994-95, le FC Nantes est resté invaincu 32 matches consécutifs (record), de la 1re à la 32e journée. Cette saison-là, les Nantais ne concédèrent qu'une défaite (record) en 38 rencontres. En 1996-97, Nantes réalisa une série de 30 matches sans défaite entre la 8e et la 37e journée.
À domicile • Le FC Nantes est resté invaincu pendant 92 matches de championnat de 1976 à 81, près de 5 saisons consécutives.
Gardien • Le gardien bordelais Gaëtan Huard a gardé sa cage inviolée 1 176 min consécutives au cours du championnat 92-93, soit un total de 13 matches et 6 min.

Buteurs
les meilleurs
Carrière • En marquant à 299 reprises entre 1971 et 85, l'Argentin Delio Onnis (Reims, Monaco, Tours et Toulon) est le meilleur buteur de tous les temps en D1.
Français • 255 buts marqués entre 1967 et 1987 : ce total fait de Bernard Lacombe (Lyon, St-Étienne et Bordeaux) le meilleur buteur français de l'Histoire en D1.
Saison • Avec 44 buts en 1970-71, le Yougoslave Josip Skoblar (Marseille) est le meilleur buteur du championnat sur une saison.
Français • Le Nantais Philippe Gondet est le détenteur du record avec 36 buts inscrits lors de la saison 1965-66.
Match • 7 buts pour Rouen face à Valenciennes le 1er-05-38 : Jean Nicolas reste le buteur le plus prolifique en championnat sur une seule rencontre.
Titre • Le record est de 5 titres de meilleur buteur du championnat : il est codétenu par les Argentins Carlos Bianchi (1974, 76 et 77 avec Reims, 78 et 79 avec le Paris SG) et Delio Onnis (75 et 80 avec Monaco, 81 avec Tours, 82 et 84 avec Toulon) et le Français Jean-Pierre Papin (de 1988 à 92 avec Marseille).

Victoires
Saison • Dans une formule de championnat à 20 clubs (en 1946-47, de 1958-59 à 1962-63, de 1965-66 à 1967-68 et de 1970-71 à 1996-97), le plus grand nombre de victoires en une saison, est de 26 (sur 38 matches disputés). Performance conjointement établie par Reims (1959-60), Monaco (1960-61) et Nantes (1965-66 et 1979-80).

Spectateurs
D1 • Il y avait 57 603 spectateurs au Stade-Vélodrome le 8-04-98 pour assister à la rencontre entre Marseille et Paris-SG (0-0), lors de la 31e journée du championnat 1997-98.
D2 • Avec 48 018 spectateurs lors du match Red Star – St-Étienne du 10-03-99, le Stade de France détient le record d'affluence pour une rencontre de D2.

Foot 2

COUPE DE FRANCE

Club le plus titré

Avec 10 trophées, l'OM détient le record de victoires en Coupe de France (1924, 26, 27, 35, 38, 43, 69, 72, 76 et 89). L'OM détient aussi le record de participations à la finale : 16.

Joueurs

Titre • Trois joueurs ont remporté chacun 5 Coupes de France : Marceau Sommerlinck (Lille 1946, 47, 48, 53 et 55), Dominique Bathenay (St-Étienne 1974, 75 et 77 et Paris-SG 1982 et 83) et Alain Roche (Bordeaux 1986 et 87, Paris-SG 1993, 95 et 98).

Spectateurs

Lors de la finale de la Coupe de France 1999 entre Nantes et Sedan, le 15-05-99, le Stade de France a accueilli 78 586 spectateurs, record absolu pour une rencontre inter-clubs sur le territoire français.

COUPE DU MONDE

JOUEURS

Le plus titré

Le Brésilien Edson Arantes do Nascimento, dit Pelé, a remporté 3 titres mondiaux, en 1958 (2 buts en finale), 62 (sans disputer la finale) et 70 (1 but en finale).

Participations à une phase finale de Coupe du monde

Le gardien de but mexicain Antonio Carbajal (en 1950, 54, 58, 62 et 66) et le défenseur allemand Lothar Matthäus (en 1982, 86, 90, 94 et 98) sont les seuls joueurs à avoir disputé 5 phases finales.

Matches de phase finale

L'Allemand Lothar Matthäus a disputé 25 matches de Coupe du monde. Sept en 1986 et 90, 5 en 1994, 4 en 1998 et 2 en 1982.

Il devance 3 joueurs avec 21 rencontres, l'Argentin Diego Maradona, le Polonais Zmuda et un autre Allemand Uwe Seeler.

Buts en phase finale de Coupe du monde

14, c'est le nombre de buts inscrits par l'Allemand Gerd Müller en deux Mondial (10 en 1970 et 4 en 1974). Il devance le Français Just Fontaine, recordman absolu sur une Coupe du monde avec 13 buts marqués en 1958 en Suède.

Spectateurs

La World Cup de 1994 aux USA a battu un record d'affluence : 68 604 spectateurs par match (3 567 415 spectateurs en 52 matches).

Équipes les plus titrées

Le Brésil a gagné l'épreuve à 4 reprises (1958, 62, 70 et 94). Suivent, avec 3 victoires, l'Italie (1934, 38 et 82) et la RFA (1954, 74 et 90). L'Uruguay (1930 et 50) et l'Argentine (1978 et 86) comptent 2 victoires. L'Angleterre (1966) et la France (1998) complètent le tableau avec un trophée.

France • La France a participé à 10 phases finales (1930, 34, 38, 54, 58, 66, 78, 82, 86 et 98) et disputé 41 matches (21 victoires, 6 nuls, 14 défaites, 86 buts pour, 58 contre).

Victoires

53, c'est le nombre de victoires obtenus par le Brésil en phase finale. Les Sud-Américains devancent l'Allemagne avec 45 matches victorieux et l'Italie avec 38.

Défaites

19, c'est le nombre de défaites subies par le Mexique en phase finale. Ce dernier devance l'Argentine avec 18 matches perdus.

Plus grand nombre de buts

Équipes • Le Brésil a marqué un nombre record de 173 buts au cours de 78 matches. Il devance l'Allemagne avec 162 réalisations et l'Italie avec 105 buts inscrits.

 CAPITAINE

Avec 85 sélections du 29-04-89 au 5-06-99, Didier Deschamps détient le record en équipe de France. En tant que capitaine de l'équipe de France, il a porté le brassard pas moins de 39 fois, la dernière pour emmener son équipe vers une victoire historique.

Plus grand nombre de buts marqués dans un match

Phase finale • La Hongrie inscrivit le record total de 27 buts (en 5 matches) lors de la Coupe du monde 1954 (soit une moyenne de 5,4 buts/match).

• Deux joueurs ont marqué au moins un but lors de chaque match auquel ils ont participé en phase finale : le Français Just Fontaine en 1958 et le Brésilien Jairzinho en 1970 (7 buts en 6 matches).

Équipes • L'Iran a battu les Maldives 17-0 lors d'un match de qualification, le 2-06-97.

• La victoire de la Hongrie face au Salvador, le 15-06-82 à Elche (Espagne), est le plus haut score jamais réalisé par une équipe lors d'un match de phase finale : 10-1.

• Le record de buts marqués en un match de phase finale est de 12, inscrits en 1954 lors de la victoire de la Suisse sur l'Autriche (7-5).

Joueurs en éliminatoires • 7, c'est le record de buts marqués par un joueur lors d'un match de qualification à la Coupe du monde, et codétenu par l'Australien Gary Cole (contre les Fidji le 14-08-81) et l'Iranien Karim Bagheri (contre les Maldives le 2-06-97).

Joueur en phase finale • Le record de buts en un match est détenu par le Russe Oleg Salenko : 5 lors de Russie-Cameroun (6-1), en 1994.

Coup du chapeau

Quatre joueurs ont réussi 2 hat-tricks (coup du chapeau) en phase finale de Coupe du monde : Sandor Kocsis (Hongrie) en Suisse en 1954 ; Just Fontaine (France) lors de l'épopée suédoise en 1958 ; Gerd Müller (RFA) en 1970 lors du Mondial mexicain ; et l'Argentin Gabriele Batistuta (photo) lors des Coupes 1994 (contre la Grèce, aux USA) et 1998 (contre la Jamaïque au Parc des Princes).

NOMBRE DE VICTOIRES EN COUPE DU MONDE ▮▮◦

*Le Brésil a remporté la Coupe du monde à 4 reprises
(1958, 62, 70 et 94) ; sur la photo, Romario brandit le trophée
de la dernière victoire en date. Au total, le Brésil a remporté
53 de ses 78 matches de phase finale disputés.*

**Plus grand nombre de buts
lors d'une finale**

• L'Anglais Geoff Hurst est le seul joueur
ayant marqué 3 buts dans une finale : celle
de 1966, lors de la victoire de l'Angleterre
4-2 face à la RFA à Wembley.

• Sept buts furent marqués lors de la finale
1958 : 5-2 pour le Brésil contre la Suède.

Buteurs

Carrière • L'Allemand de l'Ouest Gerd Müller
a inscrit 14 buts en deux phases finales
(10 en 1970, 4 en 1974).

Match • Le record de buts en un match est
détenu par le Russe Oleg Salenko : 5 lors de
Russie-Cameroun (6-1), en 1994. 9 joueurs
suivent, avec 4 buts marqués lors d'un match
de phase finale.

Tournoi • En 1958, en Suède, le Français Just
Fontaine a marqué 13 buts en 6 matches,
soit le record de buts inscrits lors d'une
phase finale.

Finale • L'Anglais Geoff Hurst est le seul
joueur ayant marqué 3 buts dans une finale :
en 1966, lors de la victoire de l'Angleterre
4-2 face à l'Allemagne fédérale à Wembley.

Âges extrêmes

• Le Britannique et Irlandais du Nord
Norman Whiteside est le plus jeune joueur
ayant disputé une phase finale : 17 ans et
42 jours, le 15-06-82 en Espagne, à l'occasion
d'Irlande du Nord-Yougoslavie (0-0).

• Pelé est aussi le plus jeune joueur à avoir
remporté l'épreuve : 17 ans et 8 mois le jour
de la victoire du Brésil contre la Suède (5-2)
en 1958.

Coupe du monde 1998

Avec 32 participants, 64 matches disputés et
171 buts marqués, la Coupe du monde 1998
disputée en France du 10-06 au 12-07 est
celle de tous les records.

RECORDS DIVERS

Buteurs du siècle

Carrière • Le Brésilien Artur Friedenreich
aurait marqué un total non officiel de
1 329 buts en 26 ans de football d'élite
(de 1909 à 35). Le total officiel le plus élevé
est celui du Brésilien Edson Arantes do
Nascimento, dit Pelé, avec 1 285 buts en
1 322 matches, Pelé marqua son 1 000e but,
sur penalty, lors de son 909e match officiel,
au Maracana de Rio de Janeiro (Brésil).

Match • Le record de buts en un seul match
d'élite est détenu par le Français d'origine
polonaise Stephan Staniskowski, dit Stanis,
avec 16 buts inscrits pour Lens lors d'un
match de Coupe de France contre Aubry-
Asturies à Lens le 13-12-42, score final : 32-0.

Affluence du siècle

205 000 spectateurs (dont 199 589 payants)
ont assisté, le 16-07-50, à la finale de Coupe
du monde Brésil-Uruguay au stade Maracana
de Rio de Janeiro, Brésil.

Sélectionnés du siècle

Appelé à 143 reprises, le gardien Suédois
Thomas Ravelli détient le record absolu
de sélections pour une équipe nationale.
Il devance le Saoudien Majed Abdullah,
140 sélections et l'Allemand Lothar
Matthäus, 135 sélections (en cours).

Palmarès du siècle

L'Allemand Franz Beckenbauer, aujourd'hui
président du prestigieux Bayern Munich,
possède le plus beau et le plus complet
palmarès de tous les temps. Il a gagné :

• la Coupe du monde (comme joueur puis
comme entraîneur),

• le Championnat d'Europe des Nations,

• la Coupe d'Europe des clubs champions
(3 fois),

• la Coupe d'Europe des vainqueurs de
coupes,

• la Coupe de l'UEFA (comme entraîneur),

• la Coupe intercontinentale,

• le Championnat d'Allemagne (5 fois),

• la Coupe d'Allemagne (4 fois),

• le Championnat des USA (3 fois),

• le Ballon d'Or du meilleur
joueur européen (2 fois).

Buts

Le plus grand nombre •
Sophus Nielsen
(Danemark) contre la
France le 22-10-1908 et
Gottfried Fuchs
(Allemagne) contre la
Russie le 1er-07-1912
ont inscrit 10 buts
lors d'un match
international.

Le plus long •
Le 23-03-96,
le gardien
de but José Luis
Chilavert marqua
sur un coup franc
de 60 m, lors du
match
de championnat
opposant son
équipe de Velez
Sarsfield à River
Plate (3-2).
Profitant de la
distraction
du gardien
adverse,
il se précipita
pour frapper ce
coup franc qui finit
sa course sans rebond
sous la barre.

Rugby

COUPE DU MONDE

Née en 1987, elle se dispute tous les 4 ans. Les Blacks (Nlle-Zélande) remportèrent chez eux la 1re édition, en battant la France en finale (29-9). En 1991, la compétition (disputée en France et en GB) a été remportée par l'Australie (12-6 contre l'Angleterre), et, en 1995, l'Afrique du Sud (à domicile) a battu les Blacks 15-12.

ÉQUIPES

Points

Dans l'histoire de la compétition, les recordmen de points marqués sont les All-Blacks avec 768 pts, soit une moyenne de 42,7 pts par match. À l'inverse, l'équipe la plus perméable est le Japon, avec 468 pts encaissés en 9 matches, soit une moyenne de 52.

Blacks for ever

La Nlle-Zélande détient le record de victoires en phase finale de Coupe du monde : 16 (6 en 1987, 5 en 1991 et 5 en 1995).

En 1995, face aux Japonais, ils inscrirent 21 essais.

Les plus représentatifs d'entre eux, Jonah Lomu (photo) et son co-équipier Marc Ellis, réussirent un total record de 7 essais marqués.

Match • Le record de points marqués sur un match de Coupe du monde est détenu par la Nlle-Zélande, vainqueur du Japon 145 à 17 à Bloemfontein, Afrique du Sud, le 4-06-95. D'autres records furent battus durant ce match : le plus grand total de points (162), le plus grand écart (128), le plus grand nombre d'essais (21) et de transformations (20).

France • Le record français sur un match date du 2-06-87, quand le XV de France triompha du Zimbabwe à Auckland (Nlle-Zélande), 70 à 12.

Zéro • En 3 Coupes du monde, seules 2 nations ne parvinrent pas à marquer le moindre point sur un match : la Côte-d'Ivoire (battue 89-0 par l'Écosse le 26-05-95 à Rustenburg, Afrique du Sud) et le Canada (battu 20-0 par l'Afrique du Sud le 3-06-95 à Port Elizabeth, Afrique du Sud).

JOUEURS

Marqueurs

Total • Le record de points marqués en Coupe du monde (227 pts) appartient à l'Écossais Gavin Hastings.

Tournoi • Sur un seul tournoi, il est détenu par le Néo-Zélandais Grant Fox, avec 126 pts.

France • Le record pour un joueur français appartient à Thierry Lacroix, meilleur de l'édition 1995, avec 112 pts.

Match • Lors de la victoire de la Nlle-Zélande sur le Japon (145-17 le 4-06-95 à Bloemfontein), le Néo-Zélandais Simon Culhane s'appropria sur un match les records de points (45) et de transformations (20). Cette dernière performance est aussi un record en match international.

France • Le plus grand nombre de points marqués par un joueur français sur un match de Coupe du monde appartient à Didier Camberabero : 30 pts contre le Zimbabwe le 2-06-87 à Auckland (Nzl).

Pénalités

Le record de pénalités marquées en Coupe du monde est détenu par l'Écossais Gavin Hastings (36), qui possède aussi celui des transformations (39).

Tournoi • Le record appartient au Français Thierry Lacroix, avec 26 pénalités réussies lors de l'édition 1995, en Afrique du Sud.

Match • L'Écossais Gavin Hastings (contre le Tonga le 30-05-95) et le Français Thierry Lacroix (face à l'Irlande le 10-06-95) co-détiennent le record de pénalités inscrites au cours d'un match de Coupe du monde : 8. C'est aussi un record mondial.

Essais

• L'Anglais Rory Underwood possède le record d'essais marqués en Coupe du monde : 11.

• L'Anglais Rob Andrew possède le record des drops (5) marqués en Coupe du monde.

Tournoi • Les Néo-Zélandais Marc Ellis et Jonah Lomu ont réussi 7 essais lors de la Coupe du monde 1995.

TOULOUSE PUISSANCE 15

Le record de victoires en championnat de France (créé en 1892) appartient au Stade toulousain, 15 fois victorieux, en 1912, 22, 23, 24, 26, 27, 47, 85, 86, 89, 94, 95, 96, 97, et 99.

Match • Lors de la victoire de la Nlle-Zélande sur le Japon 145-17 (CM 95), le Néo-Zélandais Marc Ellis battit le record du plus grand nombre d'essais sur un match pour un seul joueur (6).

TOURNOI DES CINQ
NATIONS

Le 1er Tournoi international opposa les 4 nations britanniques (Angleterre, Écosse, Pays de Galles, Irlande) en 1884. La France les rejoignit en 1910.

ÉQUIPES

Victoires

Le Pays de Galles détient le record de victoires dans le Tournoi des Cinq Nations : 22 entre 1910 et 1994, auxquelles il faut ajouter 11 victoires à égalité avec une ou plusieurs équipes.

France • La France l'a emporté à 11 reprises, plus 8 succès ex aequo, dont 4 consécutifs entre 86 et 89.

Grand Chelem

Est ainsi dénommée une victoire en Tournoi réalisée en remportant ses 4 matches. L'Angleterre détient le record du genre : 11, en 1913, 14, 21, 23, 24, 28, 57, 80, 91, 92 et 95.

France • La France a réalisé 6 Grand Chelem (les 2 derniers consécutifs) dans son histoire : en 1968, 77, 81, 87, 97 et 98.

Points

Tournoi • Le record est la propriété du XV d'Angleterre, auteur de 141 pts en 1997 (Écosse 41-13, Irlande 46-6, France 20-23 et Galles 34-13).

France • Le record pour le XV de France date

du Tournoi 1997 : 129 pts en 4 victoires (Irlande 32-15, Galles 27-22, Angleterre 23-20 et Écosse 47-20).

Match • Le record appartient au Pays de Galles, victorieux de la France 49 à 14 à Swansea, Pays de Galles, le 1er-01-10.

France • Le XV de France a battu son record de points en Tournoi sur un seul match le 15-03-97, à Paris, en dominant l'Écosse 47 à 20.

JOUEURS

Essais

Tournoi • Le record d'essais sur un Tournoi est de 8 : il appartient à l'Anglais C.N. Lowe (en 1914) et à l'Écossais I.S. Smith (en 1925).

• Ce même Smith détient le record des essais consécutifs marqués pour une même équipe : 6 en 2 matches du Tournoi 1925.

Régularité • Seuls 4 joueurs réussirent l'exploit de marquer un essai lors de chacun des 4 matches d'un Tournoi : l'Anglais H.C. Catcheside en 1924, l'Écossais A.C. Wallace en 1925, les Français Patrick Estève en 1983 et Philippe Sella en 1986.

RECORDS INTERNATIONAUX

JOUEURS

Victoires

91 fois sélectionné pour la Nlle-Zélande depuis 1986, Sean Fitzpatrick compte un record mondial de 73 victoires internationales.

France • 70 victoires pour Philippe Sella (en 111 sélections).

Sélections

Voir photo.

Sélections consécutives • Le joueur le plus

SELLA : LE PLUS CAPÉ

Le record mondial des sélections appartient au Français Philippe Sella, avec 111 capes entre 1982 et 1995. Il devance l'Australien David Campese (101 capes entre 1982 et 1996) et son compatriote Serge Blanco (93 capes entre 1980 et 1991).

régulier au sein de son équipe nationale est le Néo-Zélandais Sean Fitzpatrick, sélectionné 63 fois consécutivement au sein des All-Blacks entre 1988 et 1995.

• Le Gallois Gareth Edwards n'a jamais manqué un match au cours de sa carrière internationale, soit 53 sélections consécutives de 1967 à 1978.

France • Le trois-quarts centre Roland Bertranne détient le record de France de sélections internationales consécutives : 46 entre 1973 et 1979.

Capitanat record

Le joueur anglais William Carling détient le record mondial des matchs joués en tant que capitaine : de 1988 à 96, il commanda à 59 reprises le XV de la Rose, obtenant son dernier capitanat face à l'Irlande à Twickenham, le 16-03-96. Carling est le seul joueur de l'Histoire à avoir gagné 3 Grand Chelem en tant que capitaine.

France • Le flanker international Jean-Pierre Rives, dit « Casque d'Or », détient le record de matchs joués en tant que capitaine du XV de France : 34 entre 1978 et 1984.

Points

L'Australien Michael Lynagh détient le record mondial de points marqués au niveau international : 911 en 72 sélections avec le XV d'Australie entre 1984 et 95.

Essais

Carrière • Avec 64 essais marqués en 101 sélections, le joueur australien David Campese détient le record mondial en matchs internationaux.

France • L'arrière ou ailier du XV de France Serge Blanco détient un record national, avec 38 essais en 93 sélections.

RECORDS ABSOLUS

ÉQUIPES

Victoires

France • Le 16-12-79, l'AS Béziers établit un record de France en battant Monchanin 100 à 0 lors d'un match de championnat.

Consécutives • Les All-Blacks de Nlle-Zélande remportèrent 17 victoires consécutives en match international entre

1965 et 1969.

France • Le XV de France remporta 10 victoires internationales consécutives entre 1931 et 1937.

Invincibilité

International • Les All-Blacks de Nlle-Zélande restèrent invaincus en match international pendant 23 rencontres entre 1987 et 1990.

Club • L'équipe néo-zélandaise de Feilding joua 108 matches sans défaite entre 1984 et 1989.

France • L'AS Béziers connut une série de 50 matches sans défaite en championnat de France, entre 1970 et 1973.

JOUEURS

Essais

Carrière • L'Anglais Alan Morley inscrivit un record de 473 essais entre 1968 et 1986, total incluant 378 essais pour Bristol, un record pour un seul club.

Match • Le record d'essais appartient au Sud-Africain Jannie Van der Westhuizen, auteur de 14 essais lors d'un match entre son club de Carnarvon et Williston, le 11-03-72 à North Cape, Afrique du Sud.

CHAMPIONNAT DE FRANCE

Joueur le plus titré

Le pilier de l'AS Béziers Armand Vaquerin est le joueur ayant brandi le plus souvent le bouclier de Brennus, trophée récompensant le Champion de France : 10 fois, en 1971, 72, 74, 75, 77, 78, 80, 81, 83 et 84. Seul le titre bitterrois de 1961 lui a échappé. Il avait 10 ans à l'époque. Vaquerin se tua en 1993, dans une partie de roulette russe.

Challenge Du Manoir

Créé en 1931 par le Racing Club de France et disputé sur invitations, il a été remporté à 10 reprises (ce qui constitue un record) par le RC Narbonne, en 1968, 73, 74, 76, 78, 79, 84, 89, 90 et 91. Depuis 1997, le Du Manoir est l'appellation officielle de la Coupe de France.

RUGBY
RECORDS DE SÉLECTIONS INTERNATIONALES

PAYS	NOMBRE	JOUEUR	DATE
France	111	Philippe Sella	1982-1995
Australie	101	David Campese	1982-1996
Angleterre	91	Rory Underwood	1984-1996
Nlle-Zélande	91	Sean Fitzpatrick	1986-1997
Irlande	81	Mike Gibson	1964-1979
Pays de Galles	71	Ieuan Evans	1987-1997
Écosse	60	Gavin Hastings	1986-1995
Afrique du Sud	42	James Small	1992-1997

Basket

JEUX OLYMPIQUES

Les plus titrés

Hommes • Voir photo.

Femmes • Le tournoi olympique féminin a été remporté à 3 reprises par l'URSS, en 1976, 80 et 92 (sous le nom d'« Équipe unifiée ») et par les USA en 1984, 88 et 96.

Série record

Les USA ont remporté 63 matches consécutifs de 1936, 1er tournoi olympique de basket, durant les Jeux de Berlin, à la finale des Jeux de Munich, en 1972, où ils s'inclinèrent face à l'URSS (50-51). Depuis, ils ont gagné 37 matches, mais ont subi une défaite, en 1988, encore face aux Russes, en finale du tournoi olympique. Ce qui porte leur total olympique à 100 victoires pour 2 défaites !

CHAMPIONNATS DU MONDE

Hommes • Instaurés en 1950, les championnats du monde ont été remportés à 4 reprises (record) par la Yougoslavie en 1970, 78, 90 et 98. Ce pays devance l'URSS, vainqueur en 1967, 74 et 82, et les USA, qui se sont imposés en 1954, 86 et 94.

Femmes • Le titre féminin, disputé pour la première fois en 1953, a été remporté à 6 reprises par l'URSS, en 1959, 64, 67, 71, 75 et 83.

COUPE D'EUROPE

Les plus titrés

Hommes • Créée en 1957, la Coupe d'Europe des clubs champions fut la propriété du Real Madrid à 8 reprises, en 1964, 65, 67, 68, 74, 78, 80 et 95 (sous l'appellation « championnat d'Europe »).

France • Le club français détenant le record de victoires en Coupe d'Europe est le CSP Limoges, vainqueur de la Coupe Korac en 1982 et 83, de la Coupe des Coupes en 1988 et de la Coupe des clubs champions (championnat d'Europe à partir de 1992) en 1993 à Athènes, en battant les Italiens du Benetton Trévise (59 à 55).

Femmes • Entre 1959 et 1982, la Coupe d'Europe féminine fut remportée à 19 reprises par le club lituanien de l'ancienne URSS, le Daugawa Riga.

France • En enlevant la 1re Euroligue féminine en 1997, le Cercle Jean-Macé de Bourges est devenu la première équipe française féminine à remporter le championnat d'Europe des clubs. En finale, les Berruyères ont battu les Allemandes de Wuppertal 71-52. C'est la 3e victoire française dans une compétition européenne, après les victoires en Coupe Ronchetti de Bourges, déjà, en 1995 et Tarbes en 1996. Le Clermont UC a perdu les 5 finales de championnat d'Europe des clubs (1971, 73, 74, 76, 77) auxquelles il a participé.

Le plus de participations

L'Élan béarnais Pau-Orthez a toujours participé à une Coupe d'Europe depuis la saison 1978-79, soit 22 saisons consécutives (en comptant celle acquise pour la saison 1999-2000).

CHAMPIONNATS DE FRANCE

Clubs les plus titrés

Hommes • L'AS Villeurbanne, de la banlieue lyonnaise, est le club ayant remporté le plus souvent le championnat de France, avec 14 victoires, en 1950, 52, 55, 56, 57, 64, 66, 68, 69, 71, 72, 75, 77 et 81. Le CSP Limoges suit avec 8 titres, en 1983, 84, 85, 88, 89, 90, 93 et 94.

Femmes • Le Clermont Université Club a remporté 13 titres féminins entre 1969 et 1981, dont 12 consécutifs (celui de 1980 lui ayant échappé au profit du Stade français). De 1969 à 1973, le club n'a jamais connu la défaite en championnat.

Joueurs les plus titrés

Hommes • En 1997, à 38 ans, Richard Dacoury a remporté son 9e titre de champion de France. Il en collectionne 8 sous le maillot du CSP Limoges (entre 1983 et 1996) et 1, le dernier, sous celui du PSG-Racing. Dacoury a également été champion d'Europe des clubs avec Limoges en 1993.

Femmes • La joueuse du CUC Maryse Sallois a remporté 12 titres entre 1968 et 1979.

Scores

Hommes • Âgé de 13 ans, le Suédois Mats Wermelin marqua 272 pts lors d'un match d'un tournoi régional de jeunes à Stockholm, le 5-02-74. Son équipe remporta le match 272-0.

France • Le 4-03-67, lors d'un match de championnat Denain-Valenciennes, le joueur de Denain Jean-Pierre Staelens inscrivit 71 pts, record national.

• En 21 saisons au plus haut niveau, de 1974 à 95, le Français Hervé Dubuisson marqua le total record de 12 204 pts. Il détient également le record de sélections en équipe de France : 254.

Femmes • Le 25-02-24, à l'occasion d'un match universitaire aux USA entre Central HS et Ursaline Academy, la joueuse de Central Marie Boyd inscrivit 156 des 163 pts de son équipe. En face, Ursaline ne marqua que 3 pts.

Victoire

Lors des Jeux asiatiques à Delhi, en novembre 1982, l'Irak battit le Yémen 251 à 33, soit un écart record de 218 pts.

Tir le plus précis

En démonstration à Seal Beach, Californie, le 15-11-93, l'Américain Thomas Amberry marqua 2 570 lancers francs consécutifs.

NBA : MEILLEUR DÉFENSEUR

Dikembe Mutombo (n° 55, en bas contre les LA Lakers), des Atlanta Hawks, avait été élu 3 fois meilleur défenseur de l'année en NBA, en mai 1998. Son 1er titre date de la saison 1994-95 au sein des Denver Nuggets, puis en 1996-97 avec les Atlanta Hawks.

NBA : AFFLUENCE

Tyrone Corbin (à droite), attaquant des Atlanta Hawks, aux prises avec Ron Harper, des Chicago Bulls, à Atlanta, Géorgie, le 27-03-98. Lors de ce match, les Bulls essuyèrent une défaite (89-74), devant un public record de 62 046 personnes.

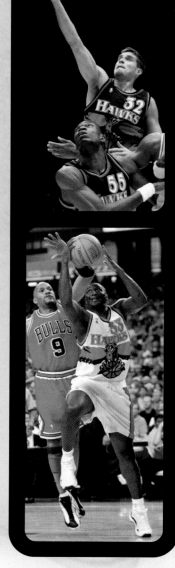

Joueurs les plus grands

Hommes • Lorsqu'il portait les couleurs de la Libye, en 1962, Sulaiman Ali Nashnush était réputé pour mesurer 2,45 m.

Femmes • L'ex-Soviétique Ouliana Semenova, pivot du Daugawa Riga, mesurait 2,18 m.

LA NBA

Équipes les plus titrées

Les Boston Celtics ont remporté 16 fois le championnat de la National Basketball Association (NBA) en 1957, 59, 60, 61, 62, 63, 64, 65, 66, 68, 69, 74, 76, 81, 84 et 86 ; les Celtics ont participé à 22 finales, ce qui constitue un autre record.

Sur un match

Le plus de points • Lors d'un match NBA à Denver, Colorado, le 13-12-83, 370 pts furent marqués ; les Detroit Pistons ont ainsi battu les Denver Nuggets par 186 pts à 184 après 3 prolongations.

• Le record de points marqués dans le temps réglementaire est de 320 lorsque les Golden State Warriors dominèrent les Denver Nuggets 162 à 158 à Denver, le 2-11-90.

Joueurs

De la saison • Kareem Abdul-Jabbar a remporté le titre à 6 reprises (en 1971, 72, 74, 76, 77 et 80). Bill Russel (1958, 61, 62, 63 et 65)

Titres olympiques

Les USA ont remporté 11 fois la médaille d'or olympique : en 1936, 48, 52, 56, 60, 64, 68, soit 7 titres consécutifs, puis en 76, 84, 92 et 96. L'équipe a gagné 100 matches et en a perdu 2 depuis 1936. En juillet 1996, Shaquille O'Neal (en photo avec l'actrice Meagan Good), pivot des Orlando Magic, est passé aux Los Angeles Lakers pour 123 millions de $, soit le contrat le plus gros jamais signé.

En 848 matches de saison régulière au sein des Chicago Bulls (1984-97), Michael Jordan inscrivit 26 920 pts, soit une moyenne de 31,7 pts par match. En 121 matches de play-off, il inscrivit également 4 165 pts, soit une moyenne de 34,4 pts. Michael Jordan s'est retiré du circuit le 13-01-99.

et Michael Jordan (1988, 91, 92, 96 et 98) suivent avec 5 récompenses.

Des finales • Michael Jordan truste les récompenses avec 6 titres acquis en 1991, 92, 93, 96, 97 et 98.

Nombre de matches
A.C. Green détient le record de matches consécutifs joués en NBA. Entre le 19-11-86 et 4-05-99, il a disputé 1 028 parties sous les couleurs successives des L.A. Lakers, des Phoenix Suns et des Dallas Mavericks.

Meilleurs marqueurs
Match • Le 2-03-62 à Hershey, Pennsylvanie, lors du succès des Philadelphia Warriors sur les New York Knicks (169-147), le pivot de Philadelphie Wilton Norman « Wilt » Chamberlain inscrivit un record de 100 pts (dont un record de 59 en une mi-temps – la 2e), soit 36 paniers réussis, un autre record, sur 63 tentés et 28 lancers francs réussis sur 32 tentés.

Saison • Lors de la saison 1961-62 avec les Philadelphia Warriors, Wilt Chamberlain marqua un total record de 4 029 pts en 80 matches, soit une moyenne fabuleuse de 50,4 pts par match.

Carrière • En 20 saisons NBA au sein des Milwaukee Bucks (1969-75) puis des L. A. Lakers (1975-89), Kareem Abdul Jabbar (né Ferdinand Lewis Alcindor) inscrivit 38 387 pts, soit une moyenne de 24,6 pts par match.

Meilleurs rebondeurs
Carrière • Entre 1959 et 1973, Wilt Chamberlain réalisa un total de 23 924 rebonds, glanant 11 titres de meilleur rebondeur (en basket, le mot « rebond » qualifie une récupération de la balle sous les panneaux après un panier raté) en 1960, 61, 62, 63, 66, 67, 68, 69, 71, 72 et 73.

Série • Dennis Rodman (Detroit, San Antonio puis Chicago entre 1991 et 97) détient le record de 6 titres consécutifs de meilleur rebondeur.

Moyenne • En 14 saisons NBA, Wilt Chamberlain réalisa une moyenne record, avec 22,9 rebonds par match.

Match • Le 24-11-60, lors d'un match opposant les Philadelphia Warriors aux Boston Celtics, le pivot de Philadelphie Wilt Chamberlain réalisa la fabuleuse performance de prendre 55 rebonds. Un record aujourd'hui inégalable, au vu de l'évolution du jeu.

Meilleurs passeurs
• Le meneur de jeu des Utah Jazz, John Stockton, est le meilleur passeur de l'histoire de la NBA : il est le seul joueur (avec Magic Johnson) à avoir dépassé les 10 000 passes décisives ; il a battu, lors de la saison 1995-96, le record de titres de meilleur passeur de la Ligue (en basket, on comptabilise une passe décisive ou « assist » lorsque son destinataire marque un panier

en suivant) : 9 titres, tous consécutifs, depuis la saison 87-88.

Match • Le 30-12-90 à l'Orlando Arena, Scott Skiles, des Orlando Magic, a réalisé un record de 30 passes décisives face aux Denver Nuggets.

Extrêmes
Le plus grand • Le pivot roumain des Washington Bullets, Gheorghe « Ghidza » Muresan, ancien de Pau-Orthez, est le joueur le plus grand ayant jamais évolué en NBA : 2,31 m.

Le plus petit • Le meneur de jeu des Charlotte Hornets, Tyrone « Mugsy » Bogues, est le joueur le plus petit évoluant en NBA, avec 1,58 m.

Le plus jeune • Jermaine O'Neal avait 18 ans et 53 jours lorsqu'il fit ses débuts sous les couleurs des Portland Trail Blazers, le 5-12-96 contre les Denver Nuggets.

Le plus vieux • Robert Parish, des Chicago Bulls, jouait encore à 43 ans et 231 jours, le 19-04-97.

Sport auto

CIRCUITS

Les plus rapides

La moyenne la plus rapide sur un tour, en circuit fermé, a été réalisée le 5-05-79 par l'Allemand Hans Liebold : 403,878 km/h. Une performance enregistrée sur l'anneau de Nardo (Italie), au volant d'une Mercedes 111-IV, voiture expérimentale équipée d'un V8 double turbo de 500 ch.

Circuit routier

Le circuit routier le plus rapide était l'ancien tracé de 14,1 km de Spa-Francorchamps (Belgique). Le record du tour y fut établi le 6-05-73 par le Français Henri Pescarolo (sur une Matra Simca MS 670 V12). Il couvrit un tour en 3' 13" 4, à la vitesse moyenne de 262,461 km/h.

FORMULE 1

Titres de champions du monde

L'Argentin Juan Manuel Fangio a remporté 5 fois le championnat du monde des conducteurs, en 1951 et de 1954 à 57. Fangio se retira de la compétition en 1958, après 24 victoires (dont 2 ex aequo) sur 51 Grands Prix disputés.

France • Alain Prost, seul français champion du monde, a remporté 4 titres mondiaux : 3 sur McLaren (1985 et 86 avec moteur Porsche, 1989 avec moteur Honda) et 1 sur Williams-Renault (en 1993).

Le plus jeune • Le plus jeune champion du monde de l'Histoire fut le Brésilien Emerson Fittipaldi, qui remporta le 1er de ses 2 titres le 10-09-72, à 25 ans et 273 jours.

Père et fils • Voir photo.

En activité • L'Allemand Michael Schumacher, sacré en 1994 et 95, est le plus couronné des pilotes en activité.

Victoires en Grands Prix

Carrière • Le Français Alain Prost détient un triple record : celui des victoires en Grands Prix (51 sur 199 Grands Prix disputés entre 1980 et 93), celui des points marqués (798,5), des points retenus (768,5) et des podiums (106).

Saison • Le Britannique Nigel Mansell a gagné 9 Grands Prix en 1992 (sur Williams-Renault). L'Allemand Michael Schumacher égala ce record en 1995 sur Benetton-Renault.

• En 1963, alors que la saison ne comportait que 10 épreuves, l'Anglais Jim Clark s'était imposé à 7 reprises.

France • Alain Prost a remporté 7 courses lors d'une même saison, en 1984, 88 et 93.

Sur une même course • Le Français Alain Prost a remporté les Grands Prix du Brésil et de France à 6 reprises ; le Brésilien Ayrton Senna, 6 fois le Grand Prix de Monaco.

En activité • L'Allemand Michael Schumacher compte 35 victoires et 550 points. Il devance l'Anglais Damon Hill, qui a remporté 22 Grands Prix et 356 points (arrêté au 25-05-99).

Pole position

Carrière • Triple champion du monde (1988, 90 et 91), le Brésilien Ayrton Senna, décédé accidentellement à Imola, Italie, le 1er-05-94, détient un record de 65 pole positions en 161 courses disputées entre 1984 et 94. Ses 41 victoires en Grands Prix en font le dauphin d'Alain Prost.

Saison • Le Britannique Nigel Mansell détient le record de 14 pole positions en une saison, en 1992 sur Williams-Renault. Le Brésilien Ayrton Senna en 1988 et 89 (sur McLaren-Honda), et le Français Alain Prost en 1993 (sur Williams-Renault) suivent avec 13 pole positions.

Hat-trick • Le Britannique Jim Clark a réalisé un record de 11 hat-tricks en Grands Prix : pole position, victoire et meilleur tour.

Premier Grand Prix • Le Canadien Jacques Villeneuve a réussi l'exploit d'obtenir la pole position à Melbourne, Australie, pour son 1er Grand Prix, le 9-03-96. Jusqu'à cette date, seuls deux pilotes avaient réussi cette performance : l'Américain Mario Andretti (à Watkins Glen, USA, en 1968), et l'Argentin Carlos Reutemann (à Buenos Aires, Argentine, en 1972).

Participations

Record • 256, c'est le nombre de Grands Prix courus par l'Italien Ricardo Patrese de 1977 à 1993. Il devance l'Autrichien Gerhard Berger, qui a disputé 210 épreuves du championnat du monde.

France • Alain Prost a disputé 199 Grands Prix ; il devance Jacques Laffite, avec 176 courses.

Constructeurs les plus titrés

10 titres de champion du monde pour les McLaren : 1974 (Fittipaldi), 76 (Hunt), 84 (Lauda), 85, 86, 89 (Prost), 88, 90, 91 (Senna) et 98 (Hakkinen).

Constructeurs les plus victorieux

Le record est détenu par Ferrari, avec 122 succès sur 607 courses disputées (au 25-05-99), devant McLaren (117) et Williams (103).

Saison • En 1988, McLaren s'est imposé dans 15 Grands Prix sur 16 : 8 victoires du Brésilien Ayrton Senna et 7 du Français Alain Prost.

Invincibilité • Ferrari fut invaincu en Grands Prix en 1952 (7 épreuves), et remporta les 8 premières courses (sur 9) de la saison 1953.

Arrivées les plus serrées

• À l'arrivée du Grand Prix d'Italie à Monza, le 5-09-71, seulement 10 millièmes de seconde séparaient le vainqueur, le Britannique Peter Gethin, du Suédois Ronny Petersson.

• Lors du même Grand Prix, 61 centièmes séparaient Peter Gethin du pilote classé 5e.

Les plus rapides

Aux essais • Le tour le plus rapide lors des essais a été établi le 20-07-85, à Silverstone, GB, par le Finlandais Keke Rosberg, sur Williams-Honda : 1' 05" 59, à la moyenne de 258,80 km/h.

Course • 242,615 km/h : c'est la moyenne du Britannique Peter Gethin établie lors du Grand Prix d'Italie à Monza, le 5-09-71, au volant d'une BRM.

Changement de pneus • Le plus rapide fut réalisé par l'équipe McLaren sur la voiture d'Ayrton Senna, lors du Grand Prix d'Allemagne le 25-07-93 : 4" 81.

RALLYES

Championnat du monde

Pilote le plus titré • Le Finlandais Juha Kankkunen a été sacré 4 fois : en 1986, 87, 91 et 93.

France • En 94, Didier Auriol est devenu à 36 ans le 1er Français champion du monde des rallyes sur Toyota Celica.

Carrière • Le Finlandais Juha Kankkunen et l'Espagnol Carlos Sainz totalisent 22 succès

Rallye : les plus titrés

Le Finlandais Tommi Makinen et son co-pilote Risto Mannisenmaki étaient détenteurs de 3 titres de champions du monde consécutifs en novembre 1998. Ils posent sur le capot de leur Mitsubishi Lancer, fêtant leur victoire à Monte Carlo, le 20-01-99, qui améliore leurs chances de remporter un 4e titre.

Déjà 2 fois Champion du monde (sur Benetton Ford en 1994 et Benetton Renault en 1995) le pilote Allemand Michael Schumacher, qui défend actuellement les couleurs de Ferrari, détient tous les records des pilotes en activité : plus grand nombre de titres, de poles positions, de Grands prix remportés et de points obtenus.

chacun dans les épreuves du championnat (arrêté le 26-05-99).

Saison • Le Français Didier Auriol a remporté un record de 6 épreuves en 1992.

Constructeur le plus titré • Le record est détenu par la firme italienne Lancia, avec 11 titres mondiaux entre 1972 et 92.

Monte-Carlo • Créé en 1911, le plus prestigieux des rallyes a été remporté 4 fois par 3 pilotes : le Français Jean Trévoux, en 1934, 39, 49 et 51 ; l'Italien Sandro Munari, en 1972, 75, 76 et 77 et l'Allemand Walter Röhrl, en 1980 et de 1982 à 1984. Röhrl gagna à chaque fois avec le même coéquipier, Christian Geistdorfer, mais avec 4 voitures différentes.

Paris-Dakar

Le Finlandais Ari Vatanen a remporté 4 fois l'épreuve, sur Peugeot en 1987, 89 et 90, et sur Citroën en 1991.

Le plus long

Le plus long rallye couru régulièrement est le Safari Rallye, disputé pour la 1re fois en 1953 sous le nom de Coronation Rallye, à travers le Kenya, la Tanzanie et l'Ouganda, mais aujourd'hui limité au seul Kenya. La 17e édition de 1971, la plus longue, se disputa sur 6 234 km. Le Kenyan Shekar Mehta a remporté 5 fois l'épreuve (1973 et de 1979 à 82).

24 HEURES DU MANS

Pilotes • Le pilote belge Jacky Ickx a remporté 6 victoires (1969, 75, 76, 77, 81 et 82).

France • Henri Pescarolo compte 4 victoires dans l'épreuve : 3 sur Matra (de 1972 à 74) et 1 sur Porsche (en 1984). Pescarolo détient le record de participations dans l'épreuve : 31.

Constructeur • Les voitures construites par Porsche ont remporté les 24 Heures du Mans à 16 reprises (1970-71, 76-77, 79, 81 à 87, 93, 96 à 98). Cela ne représente qu'une petite partie de leurs nombreux succès mondiaux en championnats internationaux : avec plus de 100 victoires, et 13 titres de constructeur entre 1969 et 85, Porsche est le constructeur le plus récompensé au monde.
• En 1995, les Anglais de McLaren participaient pour la 1re fois aux 24 Heures. Ils remportèrent magistralement la course en plaçant 4 voitures (le prototype F1) dans les 5 premiers.

Distances

• Sur l'ancien tracé, le record de distance est de 5 333,72 km. Il est détenu par l'Autrichien Helmut Marko et le Néerlandais Gijs Van Lennep sur une Porsche 917K (équipée d'un moteur à 12 cylindres à plat de 4 907 cm³), les 12 et 13-06-1971.
• Sur le tracé utilisé depuis 1988, le record est de 5 332 km. Il a été établi à la moyenne de 221,630 km/h, les 11 et 12-06-1988, par le Néerlandais Jan Lammers et les Britanniques John Dumfries et Andy Wallace au volant d'une Jaguar modèle XJR9.

Record du tour

Le record du tour en course sur le nouveau tracé est détenu en 3' 21" 27 (vitesse moyenne de 242,093 km/h) par le Français Alain Ferté, performance établie les 9 et 10-06-1989 sur une Jaguar modèle XJR–9.

Vitesse

405 km/h dans la ligne droite des Hunaudières : c'est la plus grande vitesse jamais réalisée en course. Elle a été atteinte par Roger Dorchy sur WM Peugeot P88 en 1988.

Arrivée

L'arrivée la plus serrée entre le 1er et le 2e date de 1966 : 20 m d'écart entre deux Ford.

Quinté gagnant

En 1957, Jaguar alignait 5 prototypes au départ de la course. Les 5 voitures se sont classées aux cinq premières places.

INDY CAR

Indianapolis

Victoires • Trois pilotes, tous américains, comptent 4 victoires aux 500 Miles d'Indianapolis : Anthony Foyt Jr (1961, 64, 67 et 77), Al Unser Jr (1970, 71, 78 et 87) et Rick Ravon Mears (1979, 84, 88 et 91).

Rapidité • Le Néerlandais Arie Luyendyk (sur Lola-Chevrolet) s'est adjugé l'édition 1990, à la vitesse moyenne de 299,3 km/h. En qualifications, sur 4 tours, le record de vitesse est détenu depuis le 12-05-96 par Arie Luyendyk à 381,392 km/h, dont un tour record à 382,216 km/h.

Participation •
A. Foyt Jr a disputé 35 fois l'épreuve entre 1958 et 92. Cette année-là, il avait 56 ans.

France • Deux Français ont remporté l'épreuve : Jules Goux (sur Peugeot) en 1913 et René Thomas (sur Delage) l'année suivante.

DE PÈRE EN FILS ▮▮

Champion du monde en 1996, le Britannique Damon Hill a succédé, au palmarès général, à son père Graham Hill, mort dans un accident d'avion en 1975, et sacré, lui, à 2 reprises en 1962 et 68.

Moto

CHAMPIONNATS DU MONDE

VITESSE

Pilotes les plus titrés

Créé en 1949 par la Fédération internationale de motocyclisme, le championnat du monde a été remporté 15 fois (record) par l'Italien Giacomo Agostini, principalement sur MV Agusta. Soit 7 titres consécutifs en 350 cm³ (1968, 69, 70, 71, 72, 73 et 74) et 8 en 500 cm³ (1966, 67, 68, 69, 70, 71, 72 et 75). L'Espagnol Angel Nieto suit avec 13 titres : 7 en 125 cm³ (1971, 72, 79, 81, 82, 83 et 84) et 6 en 500 cm³ (1969, 70, 72, 75, 76 et 77).

France • Jean-Louis Tournadre s'est adjugé le titre 250 cm³ en 1982, comme Christian Sarron en 1984.

• Patrick Pons a remporté le titre en 750 cm³, en 1979.

Doublés • L'Italien Giacomo Agostini est l'unique coureur ayant remporté 2 titres différents durant 5 années consécutives (350 et 500 cm³ de 1968 à 72).

• L'Américain Freddie Spencer est le seul pilote à avoir remporté la même année les titres en 250 et 500 cm³ en 1985, sur Honda.

Le plus de courses gagnées

Carrière • L'Italien Giacomo Agostini a remporté 122 courses (68 en 500 cm³, 54 en 350 cm³) en championnat du monde entre le 24-04-65 et le 25-09-77.

Saison • Le record de courses remportées en une saison (19) est détenu par 2 coureurs : le Britannique Mike Hailwood (en 1966) et l'Italien Giacomo Agostini (en 1970).

Femmes • Après la Finlandaise Taru Rinne, l'Italienne Daniela Tognoli a été la 2ᵉ femme à participer à une course de championnat du monde, en 1993.

Âges extrêmes

Le plus jeune • L'Italien Luigi Capirossi a été sacré champion du monde en 125 cm³ à 17 ans et 165 jours, le 16-09-90.

Le plus âgé • L'Allemand Hermann Peter Müller a remporté en 1955 le titre des 250 cm³ à 46 ans.

Constructeurs

Le constructeur japonais Yamaha a remporté 45 titres de champion du monde entre 1964 et 92.

Circuits

Moyenne • Sur le circuit de Donington, GB, le Britannique Steve Hislop a réalisé un tour record à 199,1 km/h de moyenne, le 11-08-90.

Vitesse • Sur l'anneau ovale et incliné de Daytona, Floride, le Canadien Yvon Duhamel a atteint la vitesse de 257, 958 km/h en mars 1973, sur une Kawasaki modifiée de 4 cylindres et 903 cm³.

Side-car

• Le Suisse Rolf Biland s'est adjugé un record de 7 titres mondiaux (1978, 79, 81, 83, 92, 93 et 94).

• L'Allemand de l'Ouest Klaus Enders suit avec 6 titres (1967, 69, 70, 72, 73 et 74).

• Le Suisse Rolf Biland détient un record de 75 victoires en side-car en championnat du monde.

Endurance

Titres • Le Français Patrick Igoa a gagné 3 fois le championnat du monde sur Honda, en 1984, 85 et 86.

Bol d'Or

• Le Français Dominique Sarron détient le record de victoires au Bol d'Or : 7, en 1981, 83, 86, 87, 88, 93 et 94 (cette dernière avec son frère Christian).

• Jean-Claude Chemarin a remporté 4 fois le Bol d'Or, en 1976, 77, 78 et 79, sur Honda, et 3 fois les 24 Heures du Mans, en 1978, 79 et 81.

TRIAL

L'Espagnol Jordi Tarres s'est adjugé 6 titres de champion du monde, en 1987, 89, 90, 91, 93 et 94.

CROSS

Champion le plus titré

Le Belge Joël Robert a remporté 6 titres mondiaux en 250 cm³, en 1964, 68, 69, 70, 71 et 72.

Nombre de courses gagnées

Entre le 25-04-64 et le 18-06-72, le Belge Joël Robert a gagné un record de 50 Grands Prix en 250 cm³.

Toutes catégories

Le Belge Éric Goebers est l'unique pilote ayant remporté le titre mondial dans les 3 catégories du championnat du monde de cross : 125 cm³ en 1982 et 83, 250 cm³ en 1987 et 500 cm³ en 1988 et 90.

Champion le plus jeune

Le Néerlandais Dave Strijbos est devenu champion du monde en 125 cm³ le 31-08-86, à l'âge de 18 ans et 296 jours.

France • Jacky Vimond en 1986 (250 cm³) et Jean-Michel Bayle en 1988 (125 cm³) ont été sacrés champions du monde.

DIVERS

Paris-Dakar

Stéphane Peterhansel l'a remporté 6 fois en 1991, 92 (Paris-Le Cap), 93, 95, 97 et 98. Le français Cyril Neveu 5 fois, en 1979, 80, 82, 86 et 87. L'Italien Eddy Orioli compte 4 succès.

Enduro du Touquet

Créé en 1975, c'est l'épreuve majeure en enduro qui se déroule au Touquet, Pas-de-Calais. Le recordman de cette course, le Néerlandais Kees Van der Ven, l'a remportée 5 fois en 1982, 83, 84, 85 et 86.

Plus grande course sur plage

Plus de 250 000 spectateurs se déplacèrent pour assister à l'Enduro du Touquet, France, le 22-02-98. Cet événement annuel réunit 800 pilotes s'affrontant sur la plage du Touquet. Pour l'édition 1997, seulement 100 pilotes terminèrent la course. La course sur plage est une extension du motocross, et s'affirme comme un sport moto très populaire. La compétition internationale de motocross la plus populaire au monde est le Motocross des nations, où les 3 meilleurs pilotes de 30 nations s'affrontent.

AGOSTINI

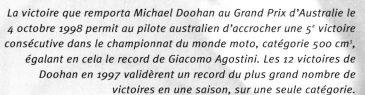

réé en 1949 par la Fédération internationale de motocyclisme, le hampionnat du monde a été remporté 15 fois (record) par l'Italien iacomo Agostini, principalement sur MV Agusta. Soit 7 titres en 350 cm³ 1968, 69, 70, 71, 72, 73 et 74) et 8 en 500 cm³ (1966, 67, 68, 69, 70, 71, 2 et 75). L'Espagnol Angel Nieto suit avec 13 titres : 7 en 125 cm³ (1971, 2, 79, 81, 82, 83 et 84) et 6 en 50 cm³ (1969, 70, 72, 75, 76 et 77). 'Italien Giacomo Agostini est l'unique coureur ayant remporté 2 titres urant 5 années consécutives (350 et 500 cm³ de 1968 à 72).

PLUS GRAND NOMBRE DE TITRES EN 500 CM³

La victoire que remporta Michael Doohan au Grand Prix d'Australie le 4 octobre 1998 permit au pilote australien d'accrocher une 5ᵉ victoire consécutive dans le championnat du monde moto, catégorie 500 cm³, égalant en cela le record de Giacomo Agostini. Les 12 victoires de Doohan en 1997 validèrent un record du plus grand nombre de victoires en une saison, sur une seule catégorie.

CHRISTIAN SARRON

Christian Sarron est le recordman français des victoires en Grands Prix : 7. Avec son frère Dominique, ils forment le couple de Français le plus primé de l'histoire du sport.

Cyclisme

CYCLISME

Records du monde masculins

épreuve	nom	nationalité	date	lieu	perf.
200 m lancé	Curtis Harnett	Canada	28-09-1995	Bogota	9"865
500 m lancé	Alexandre Kiritchenko	URSS	29-10-1988	Moscou	26"649
Km lancé	Maic Malchow	RDA	28-08-1988	Colorado Springs	1'02"091
Km arrêté	Shane Kelly	Australie	26-09-1995	Bogota	1'00"613
4 km	Chris Boardman	GB	29-08-1996	Manchester	4'11"114
4 km par équipe	Adler Capelli, Cristiano Citton, Andrea Colinelli, Mano Trentini	Italie	31-08-1996	Manchester	4'00"958
Heure	Chris Boardman	GB	6-09-1996	Manchester	56,375 km

Records du monde féminins

épreuve	nom	nationalité	date	lieu	perf.
200 m lancé	Olga Slioussareva	Russie	25-04-1993	Moscou	10"831
500 m lancé	Erika Salumae	Russie	6-08-1987	Moscou	29"655
500 m arrêté	Félicia Ballanger	France	29-09-1995	Bogota	34"017
3 km	Marion Clignet	France	31-08-1996	Manchester	3'30"974
Heure	Jeannie Longo-Ciprelli	France	26-10-1996	Mexico	48,159 km

JEUX OLYMPIQUES

Les Français Paul Masson (Athènes, 1896) et Robert Charpentier (Berlin, 1936) ont remporté chacun 3 médailles d'or olympiques sur un même tournoi.
Le sprinter Daniel Morelon en a gagné 2 en 1968 à Mexico, et 1 en 1972 à Munich.
Femmes • La Française Jeannie Longo-Ciprelli fut sacrée championne olympique sur route en 1996 à Los Angeles.

CHAMPIONNATS DU MONDE

SUR ROUTE
Les plus titrés
Hommes • Trois coureurs professionnels ont remporté 3 titres : l'Italien Alfredo Binda (1927, 30, 32) ; les Belges Rik Van Steenbergen (1949, 56, 57) et Eddy Merckx (1967, 71, 74).
France • Les 7 vainqueurs du championnat du monde professionnel sont Georges Speicher (1933), Antonin Magne (1936), Louison Bobet (1954), André Darrigade (1959), Jean Stablinski (1962), Bernard Hinault (1980) et Luc Leblanc (1994).
Femmes • Voir photo.
Amateurs • L'Italien Giuseppe Martano (1930, 32, et l'Allemand de l'Est Gustav Schur (1958, 59) ont gagné chacun à 2 reprises.

France • Chez les amateurs, la France compte aussi 7 vainqueurs : André Leducq (1924), Octave Dayen (1926), Henry Aubry (1946), Jean Jourden (1961), Jacques Botherel (1965), Régis Ovion (1971) et Richard Vivien (1987).

SUR PISTE
Les plus titrés
Depuis 1993, les championnats regroupent professionnels et amateurs. Avant cette date, le coureur pro japonais Koichi Nakano remporta 10 titres en vitesse (1977 à 86).
France • En 1994, à Palerme, Fabrice Colas-Fabrice Magné ont remporté le dernier titre mondial décerné en tandem, leur 3e. À cette occasion, Florian Rousseau, qui sera ensuite champion olympique en 1996, s'imposait dans l'épreuve du km pour la 2e fois.

CLASSIQUES

Paris-Roubaix
Le plus titré • Le Belge Roger de Vlaeminck est le recordman : 4 victoires (1972, 74, 75, 77).
Le plus âgé • Gilbert Duclos-Lassalle, lauréat en 1992 et 93, en est le plus ancien vainqueur : 38 ans et 8 mois.

Milan-San Remo
Le Belge Eddy Merckx a gagné 7 fois l'épreuve, en 1966, 67, 69, 71, 72, 75 et 76.

Bordeaux-Paris
Disputée de 1891 à 1988, cette classique était la plus longue course d'un jour de la saison professionnelle, sa distance variant de 550 à 620 km. Le Belge Herman Van Springel compte 7 succès : 1970, 74, 75, 77, 78, 80 et 81.

Tour de Lombardie
Le plus titré reste l'Italien Fausto Coppi : 5 victoires de 1946 à 49 et 1954.

COURSES À ÉTAPES

Vainqueurs des 3 Tours
Quatre coureurs ont réalisé le triplé Tour d'Espagne, de France et d'Italie dans leur carrière : les Français Jacques Anquetil et Bernard Hinault, le Belge Eddy Merckx et l'Italien Felice Gimondi. Au total, Merckx a gagné 11 Tours (5 de France, 5 d'Italie et 1 d'Espagne) et Hinault 10 (5 de France, 3 d'Italie et 2 d'Espagne).

TOUR D'ITALIE (LE GIRO)
Les plus titrés
Trois coureurs ont remporté 5 fois le Giro, créé en 1908 : l'Italien Alfredo Binda en 1925, 27, 28, 29 et 33 et son compatriote Fausto Coppi en 1940, 47, 49, 52 et 53, et le Belge Eddy Merckx en 1968, 70, 72, 73 et 74.
France • Bernard Hinault a gagné 3 fois le Tour d'Italie (1980, 82 et 85), Jacques Anquetil 2 fois (1960 et 64).
Maillot rose
De bout en bout • Les Italiens Costante Girardengo (1919), Alfredo Binda (1927), Gianni Bugno (1990) et le Belge Eddy Merckx (1973), l'ont porté jusqu'à la victoire finale.
Le plus souvent porté • Eddy Merckx l'aura porté durant 76 jours dans toute sa carrière.
France • Le recordman français est Jacques Anquetil, avec 42 jours.

TOUR D'ESPAGNE (LA VUELTA)
Les plus titrés
Avec 3 succès consécutifs de 1992 à 94, le Suisse Tony Rominger est le recordman.
France • Le Français Bernard Hinault compte 2 succès dans la Vuelta, en 1978 et 83.
Record d'étapes
En 1977, le Belge Freddy Maertens remporta la Vuelta en s'adjugeant 13 étapes et en gardant de bout en bout le maillot amarillo de leader.

TOUR DE FRANCE
Les plus titrés
Quatre coureurs ont remporté 5 Tours : les Français Jacques Anquetil (1957, 61, 62, 63, 64) et Bernard Hinault (1978, 79, 81, 82, 85), le Belge Eddy Merckx (1969, 70, 71, 72, 74),

et l'Espagnol Miguel Indurain, qui est le seul à l'avoir gagné 5 fois de suite (1991 à 1995).
Année
En 1969, le Belge Eddy Merckx remporte : le Tour (maillot jaune), le classement par points (maillot vert), le classement de la montagne, le classement par équipes, 6 étapes dont 3 contre-la-montre.
Records d'étapes
Carrière • Eddy Merckx détient le record de 34 victoires d'étapes. Suivent les Français Bernard Hinault avec 27 victoires, André Leducq avec 25 et André Darrigade avec 22.
Sur un Tour • Le record est de 8. Il est détenu conjointement par les Belges Eddy Merckx (1970, 74), Freddy Maertens (1976) et le Français Charles Pélissier (1930).
Moyenne la plus élevée
Sur un Tour • En 1992, Miguel Indurain a atteint une moyenne de 39,504 km/h. Vainqueur de 5 Tours de France, il a aussi remporté le Tour d'Italie en 1992 et en 1993.
Sur une étape • Le 9-07-93, sur l'étape Évreux-Amiens, le vainqueur belge Johan Bruyneel a couvert les 158 km à 49,417 km/h.
Contre-la-montre
Individuel • En 1989, lors de la dernière étape entre Versailles et Paris (24 km), l'Américain Greg LeMond s'imposa à la moyenne de 54,545 km/h.
Par équipes • Le 4-07-95, avec 54,930 km/h de moyenne, l'équipe Gewiss-Ballan a réalisé sur 67 km le contre-la-montre par équipe le plus rapide de l'histoire du Tour.
Prologue record
En 1994, à Lille, l'Anglais Chris Boardman a parcouru les 7,2 km du prologue à 55,152 km/h.
Écarts extrêmes
Le plus petit • En 1989, après 3 250 km, 8 s séparaient le vainqueur, l'Américain Greg LeMond, du Français Laurent Fignon, qui perdit son maillot jaune à la dernière étape.
Le plus grand • Au classement général final du Tour 1903, Maurice Garin a distancé le 2e de 2 h 49' 45".
Étape la plus longue
En 1919, l'étape Les Sables-d'Olonne - Bayonne s'est disputée sur 486 km.
Maillot jaune
De bout en bout • Quatre coureurs ont porté le maillot jaune de la 1re à la dernière étape : l'Italien Ottavio Bottechia (1924), le Luxembourgeois Nicolas Frantz (1928), le Belge Romain Maes (1935) et le Français Jacques Anquetil (1961).
Le plus porté • Eddy Merckx l'a porté durant 96 jours en 7 Tours de France. Il précède Bernard Hinault (78 jours en 8 Tours), Miguel Indurain (60 jours en 11 Tours) et Jacques

Poursuite

Depuis la création, en 1974, des Jeux du Commonwealth, le titre du 4 000 m par équipe a été remporté par l'équipe australienne à 5 reprises. L'Australie a également détenu le record de vitesse, avec 4'03"84, établi à Victoria, Colombie-Britannique, Canada, en 1994.
Ce record a depuis été battu par l'Italie, qui a enregistré un temps record de 4'00"958, au vélodrome de Manchester, GB, en 1996.

La Française Jeannie Longo-Ciprelli a remporté 10 titres : 4 sur piste (86 et 88-89), 6 sur route (85-87, 89 et 2 en 95), ainsi qu'un record de points (89) et 2 records de contre-la-montre (95-96). Elle compte aussi de nombreux records du monde, dont le record de l'heure, et aussi la médaille d'or olympique en 1996.

Anquetil (51 jours en 8 Tours).

Classement par points

Le maillot vert de leader du classement par points a été gagné 4 fois par l'Irlandais Sean Kelly en 1982, 83, 85 et 89.

Classement de la montagne

L'Espagnol Federico Bahamontes (en 1954, 58, 59, 62, 63 et 64) et le Belge Lucien Van Impe (en 1971, 72, 75, 77, 81 et 83) ont ramené 6 fois à Paris le maillot blanc (puis à pois rouges) du meilleur grimpeur.

RECORD DE L'HEURE

<u>Hommes</u> • Le Britannique Chris Boardman détient le record de l'heure depuis le 6-09-96, avec 56,375 km, à Manchester.
• Depuis Henri Desgrange, son 1ᵉʳ détenteur (35,325 km le 11-05-1893), le record a été amélioré 33 fois et détenu par 26 coureurs.
<u>Femmes</u> • Le record appartient à Jeannie Longo-Ciprelli depuis le 26-10-96. En parcourant 48,159 km, elle améliora de 748 m l'ancien record de la Britannique Yvonne Mac Gregor.

RECORDS DIVERS

N° 1 mondial

Après Charly Mottet et Laurent Fignon, Laurent Jalabert est devenu, en septembre 1995, le 3ᵉ Français n° 1 mondial.

Sur route

<u>Carrière</u> • De 1961 à 78, le Belge Eddy Merckx a disputé 1 800 courses et décroché 525 victoires. De 1966 à 76, il a remporté 28 classiques. De 1937 à 59, l'Italien Fausto Coppi a triomphé 158 fois sur route et 81 fois sur piste. Le Belge Rik Van Steenbergen s'est imposé 1 053 fois de 1943 à 65 : 338 fois sur route et 715 sur piste.
<u>France</u> • Henri Pélissier (1890-1936) et Bernard Hinault ont obtenu chacun 9 victoires dans les grandes classiques.
<u>Femmes</u> • La Française Jeannie Longo-Ciprelli est la plus titrée de l'Histoire. Elle a remporté 3 Tours de France (1987 à 89), 10 championnats du monde, dont 6 sur route (1985 à 87, 89 et 2 en 95) et 4 sur piste. Elle s'adjuge son 13ᵉ titre de championne de France en 1995. L'année suivante, elle remporte la médaille d'or sur route aux JO d'Atlanta, et la médaille d'argent du contre-la-montre sur route. Également reconvertie au VTT, elle compte une médaille d'argent aux championnats du monde 1993.
<u>Saison</u> • En 1974, Eddy Merckx s'est adjugé, les Tours d'Italie, de Suisse et de France plus le championnat du monde.
<u>France</u> • En 1995, Laurent Jalabert obtint 23 succès. Il remporta le Tour d'Espagne, Milan-San Remo, la Flèche wallonne, Paris-Nice, le Critérium international et le maillot vert du Tour de France.

Natation et plongeon

NATATION

JEUX OLYMPIQUES

Les plus titrés

Hommes • L'Américain Mark Spitz a remporté un record de 9 médailles d'or (4 x 100 m et 4 x 200 m nage libre en 1968, 100 et 200 m nage libre, 100 et 200 m papillon, 4 x 100 m et 4 x 200 m nage libre, 4 x 100 m 4 nages en 1972).

Olympiade • L'Américain Mark Spitz possède le record de 7 médailles d'or remportées lors des mêmes JO : 4 en individuel et 3 en relais, en 1972, à Munich (*Voir photo*).

• L'Américain Matt Biondi a également remporté 7 médailles lors d'une même Olympiade, en 1988, mais seulement 5 d'entre elles étaient en or.

Individuel • Quatre nageurs ont obtenu le record de 4 médailles d'or en individuel. Il s'agit de l'Américain Charles Daniels (en 1904 et 08), de l'Allemand de l'Est Roland Matthes (en 1968 et 72), de l'Américain Mark Spitz (en 1972) et de l'Allemande de l'Est Kristin Otto (en 1988).

France • Jean Boiteux a remporté la médaille d'or sur 400 m nage libre et celle de bronze sur 4 x 200 m nage libre en 1952, à Helsinki.

Femmes • La Hongroise Kristina Egerszegi est la seule à avoir gagné 5 médailles d'or en individuel (100 m dos en 1988 ; 200 m dos en 1988, 92 et 96 ; 400 m 4 nages en 1988).

• L'Allemande de l'Est Kristin Otto a remporté 6 médailles d'or aux JO de Séoul en 1988 (100 m nage libre, dos et papillon, 50 m et 4 x 100 m nage libre et 4 x 100 m 4 nages).

Les plus médaillés

Hommes • *Voir photo.*

Femmes • 3 nageuses ont gagné 8 médailles. L'Australienne Dawn Fraser (4 d'or sur 100 m nage libre en 1956, 60 et 64 et 4 x 100 m nage libre en 1956, 4 d'argent sur 400 m nage libre en 1956, 4 x 100 m nage libre en 1960 et

JO : LE PLUS MÉDAILLÉ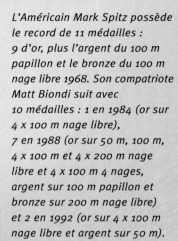

L'Américain Mark Spitz possède le record de 11 médailles : 9 d'or, plus l'argent du 100 m papillon et le bronze du 100 m nage libre 1968. Son compatriote Matt Biondi suit avec 10 médailles : 1 en 1984 (or sur 4 x 100 m nage libre), 7 en 1988 (or sur 50 m, 100 m, 4 x 100 m et 4 x 200 m nage libre et 4 x 100 m 4 nages, argent sur 100 m papillon et bronze sur 200 m nage libre) et 2 en 1992 (or sur 4 x 100 m nage libre et argent sur 50 m).

64, 4 x 100 m 4 nages en 1960) ; l'Allemande de l'Est Kornelia Ender (4 d'or sur 100 et 200 m nage libre, 100 m papillon et 4 x 100 m 4 nages en 1976, 4 d'argent sur 200 m 4 nages et 4 x 100 m 4 nages en 1972, 4 x 100 m nage libre en 1972 et 76) ; l'Américaine Shirley Babashoff (2 d'or sur 4 x 100 m nage libre en 1972 et 76, 6 d'argent sur 100 et 200 m nage libre en 1972, 200, 400 et 800 m nage libre et 4 x 100 m 4 nages en 1976).

France • Stephan Caron a gagné 2 médailles de bronze aux Jeux olympiques, sur le 100 m nage libre en 1988 et 1992.

• Catherine Plewinski a, elle aussi, remporté 2 médailles de bronze, en 1988 sur 100 m nage libre et en 1992 sur 100 m papillon.

Arrivées les plus serrées

En 1972, à Munich, lors du 400 m 4 nages, le Suédois Gunnar Larsson n'a devancé l'Américain Tim McKee que de 2 millièmes de

seconde, soit 3 mm. Depuis, les nageurs ne sont plus départagés qu'au centième de seconde.

CHAMPIONNATS DU MONDE

Le plus titré

L'Américain Jim Montgomery a remporté 6 médailles d'or (2 en individuel et 4 en relais) en 1973 et 75.

Les plus médaillés

Hommes • L'Allemand Michael Gross a gagné 13 médailles : 5 d'or, 5 d'argent et 3 de bronze en 3 championnats du monde (1982, 86 et 91).

Femmes • L'Allemande de l'Est Kornelia Ender a remporté 10 médailles : 8 d'or et 2 d'argent en 1973 et 75.

Sur une compétition

Nageur • Le record en une seule édition est

Nage papillon

Le Britannique James Hickman est l'actuel détenteur de 2 records en brasse papillon. Il a effectué le temps le plus rapide sur 200 m, à Paris, le 28-03-98, avec 1' 51" 76. Il est également recordman du monde du 100 m, améliorant le précédent record de Michael Klim (51" 2) de 2 centièmes. Hickman était au meilleur de sa forme à Sheffield, GB, pour les championnats d'Europe de nages sur courtes distances. Il a remporté le 200 m papillon et le 200 m 4 nages, catégorie pour laquelle il a gagné une médaille de bronze sur 100 m. La brasse papillon est née d'une erreur dans le règlement de la brasse et fut ˘ reconnue officiellement en 1952.

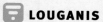 **LOUGANIS**

Le plongeur américain Gregory Louganis a atteint les scores de 754,41 points pour l'épreuve avec tremplin, et 710,91 points pour le haut vol, aux JO de 1984, à Los Angeles, Californie. Au cours de sa carrière, Louganis a remporté 47 titres nationaux et a conquis 5 titres de champion du monde : champion de haut vol en 1978, champion de haut vol et de tremplin en 1982 et 86.

de 7, par l'Américain Matt Biondi : 3 d'or, 1 d'argent et 3 de bronze en 1986.
Équipe • En 1986, les nageuses de RDA avaient gagné 23 médailles (dont 13 d'or) sur 29 possibles ; en 1994, lors du Mondial de Rome, les Chinoises ont reçu 19 médailles (dont 12 d'or) sur 29 possibles.
France • Catherine Plewinski a remporté 3 médailles aux championnats du monde 1991 à Perth, Australie : 2 d'argent sur 50 m et 100 m nage libre, 1 de bronze sur 100 m papillon. Auxquelles il faut ajouter 5 titres européens (libre et papillon).

Records du monde
Hommes • Toutes époques confondues, le recordman des records du monde est le Suédois Arne Borg : 32 de 1921 à 29.
• Dans les conditions modernes, sur des distances métriques en piscine de 50 m, le record est de 26 records du monde, par l'Américain Mark Spitz de 1967 à 72.
• Lors de 8 de ses 9 titres olympiques (excepté le 4 x 200 m nage libre de 1968), Mark Spitz battit le record du monde de l'époque.
Femmes • Toutes époques confondues, le record des records est détenu par la Danoise Ragnhild Hveger : 42 de 1936 à 42.
• Dans les conditions modernes, l'Allemande de l'Est Kornelia Ender a battu 23 records du monde de 1973 à 76.

Bassin record
86 records du monde ont été battus dans la piscine de North Sydney, Australie, entre 1955 et 78.

VITESSE
Nageurs les plus rapides
L'Américain Tom Jager a parcouru 50 yards (45,72 m) en 19" 5, soit une vitesse moyenne de 8,64 km/h, dans une piscine de 25 yards (22,86 m), à Nashville, Tennessee, le 23-03-90.
100 m • Le Russe Alexandre Popov détient, depuis 1994, le record du monde du 100 m nage libre en 48" 21.
50 m • En bassin de 25 m, le Suisse Dano Halsall a atteint la vitesse de 8,85 km/h sur 50 m, le 24-02-89, à Londres.
Femmes • Le record féminin est de 7,3 km/h, par la Chinoise Wenji Yang, lors de son record du monde du 50 m, 24" 79, en 1992.

WATER-POLO

JEUX OLYMPIQUES
Pays • Avec 6 victoires, la Hongrie est l'équipe ayant remporté le plus de succès en tournois olympiques (1932, 36, 52, 56, 64 et 76).
Nageurs • 5 hommes se partagent le record de 3 médailles d'or : les Britanniques George Wilkinson (1900, 08, 12), Paul Radmilovic et Charles Smith (1908, 12, 20) et les Hongrois Deszo Gyarmati et Gyorgy Karpati (1952, 56, 64).

France • Paul Dujardin et Henri Padou ont obtenu 2 médailles : l'or en 1924 et le bronze en 1928.

CHAMPIONNATS DU MONDE
Buteur
Le plus grand nombre de buts inscrits dans un match international est de 13. Ce record est détenu par l'Australien D. Handley aux championnats du monde 1982 en Équateur, lors de la rencontre Australie-Canada.

CHAMPIONNATS D'EUROPE
Victoires
La Hongrie est l'équipe la plus titrée du water-polo européen : elle a été sacrée 10 fois depuis 1926.

CHAMPIONNATS DE FRANCE
Tourcoing a remporté 31 titres de champion entre 1920 et 1964. Le Cercle des nageurs de Marseille en a enlevé 23, dont un record de 19 consécutifs de 1973 à 91.
Sélections
Alexeï Barkalov a porté 412 fois le maillot de l'URSS, entre 1965 et 80.

PLONGEON

JEUX OLYMPIQUES
Les plus titrés
L'Italien Klaus Dibiasi est le seul plongeur à avoir remporté la même épreuve, le haut vol, lors de 3 Jeux successifs.
Doublés • Un plongeur a remporté le haut vol et le tremplin lors de 2 Jeux consécutifs : l'Américain Gregory Louganis en 1984 et 88.
Femmes • L'Américaine Patricia McCormick a réussi le même exploit en 1952 et 56.
Les plus médaillés
Deux plongeurs ont remporté 5 médailles : l'Italien Klaus Dibiasi (3 d'or et 2 d'argent sur 4 Jeux, de 1964 à 76) et

l'Américain Gregory Louganis (4 d'or et 1 d'argent, en 1976, 84 et 88).

CHAMPIONNATS DU MONDE
Le plus titré • *Voir photo.*
Le plus médaillé • Le plus grand nombre de médailles d'or obtenues dans une même catégorie sportive, depuis la création des championnats du monde en 1973, est 3, par l'Américain Philip Boggs, pour l'épreuve avec tremplin, en 1973, 75 et 78. Il remporta aussi un titre olympique pour l'épreuve avec tremplin en 1976.

Sports de combat

BOXE

CHAMPIONNATS DU MONDE
Combats

Le plus court • Il ne fallut que 20" à l'Américain Gerald McClellan pour battre Jay Bell pour le titre WBC des moyens, le 7-08-93, à Porto Rico.

Le plus long • Le championnat du monde le plus long (sous les règles du marquis de Queensberry) opposa, en poids légers, les Américains Joe Gans et Oscar « Battling » Nelson à Goldfield, Nevada, le 3-09-06. Il s'acheva au 42e round quand Gans fut déclaré vainqueur par disqualification.

Pour le titre • Le record de combats pour un titre mondial est détenu par le triple champion du monde des welters, l'Américain Jack Britton : 37 entre 1915 et 22, dont 18 « non-décisions ». De 1984 à 96, le Mexicain Julio Cesar Chavez disputa 33 championnats du monde, dont 30 victoires, 1 nul et 2 défaites.

Règne le plus bref

L'Américain Tony Canzoneri fut champion du monde des super-légers du 21-05 au 23-06-33, soit 33 jours.

Titres simultanés

• Le fait de détenir simultanément le titre de 3 catégories fut réalisé par l'Américain Henry « Homicide Hank » Armstrong, champion du monde poids plume, poids légers et poids welters d'août à décembre 1938. Depuis 30 ans, les catégories de poids et les autorités se sont multipliées (17 catégories et 4 fédérations majeures, soit 68 titres « mondiaux » en 1997), mais Armstrong fut le seul champion de 3 catégories séparées de 10 kg, ce qui rend son exploit d'autant plus remarquable.

• Il est admis cependant que l'Américain Barney Ross (né Barnet Rosofsky) détint les titres des poids légers, super-légers et welters en même temps, du 28-05 au 17-09-34, bien qu'il y ait incertitude quant à la date à laquelle il renonça à son titre des légers.

Reconquêtes

Le seul boxeur à avoir gagné le titre à 5 reprises dans la même catégorie fut l'Américain « Sugar » Ray Robinson (né Walker Smith Jr), qui en battant son compatriote Carmen Basilio au Chicago Stadium, Illinois, le 25-05-58, récupéra son titre des moyens pour la 4e fois.

France • De Georges Carpentier, champion du monde des mi-lourds le 12-10-20, à Khalid Rahilou, champion WBA des super-légers en 1997, la France compte 25 champions du monde.

Le plus de K.O.

Le Sud-Africain Vic Toweel envoya l'Anglais Danny Sullivan au tapis à 14 reprises avant l'arrêt du combat, au 10e round, le 2-12-50 à Johannesburg, Afrique du Sud, lors d'un championnat du monde des poids coq.

CHAMPIONNATS DU MONDE DES POIDS LOURDS
Combat le plus court

Le championnat le plus expéditif eut lieu à Detroit le 6-04-1900, lorsque James Jeffries battit Jack Finnegan en 55".

Règnes

Le plus long • L'Américain Joseph Barrow, dit Joe Louis, a détenu le titre mondial pendant 11 ans et 252 jours, en date du 22-06-37, lorsqu'il mit Joseph Braddock K.O. au 8e round à Chicago, Illinois, au 1er-03-49, date où il annonça son retrait des rings.

Le plus bref • L'Américain Tony Tucker fut champion des lourds pour l'IBF pendant 64 jours, du 30-05 au 2-08-87, quand il fut battu par Mike Tyson pour le titre unifié.

Reconquêtes

Mohammed Ali, ex-Cassius Clay, fut d'abord sacré le 25-02-64 en battant Sonny Liston, avant d'être déposé le 28-04-67 par les autorités de la boxe mondiale pour avoir refusé de servir au Vietnam. Ali dut attendre le 30-10-74 pour s'emparer à nouveau du titre, en battant (K.O. 8e) son compatriote George Foreman à Kinshasa, ex-Zaïre.

Invincibilité

Le poids lourd américain Rocco Marchegiano, dit Rocky Marciano, est le seul champion du monde, toutes catégories confondues, à n'avoir compté que des victoires durant sa carrière professionnelle, soit 49 (dont 43 avant la limite) du 17-03-47 au 21-09-55. Il annonça sa retraite le 27-04-56.

RECORDS DIVERS
Combats

Le plus long • Ce fut le combat avec gants qui opposa les Américains Andy Bowen et Jack Burke, les 6 et 7-04-1893 à La Nlle-Orléans. L'affrontement dura en effet 110 rounds, soit 7 h 19 min (entre 21 h 15 et 4 h 34, heure locale). Le verdict rendu fut initialement un no-contest (littéralement : pas de décision) avant d'être changé en match nul. Le 31-05-1893, Bowen remporta un combat en 85 rounds. Il devait décéder l'année suivante.

Le plus court • Le combat le plus expéditif sur les tablettes se déroula lors d'un tournoi des Golden Gloves à Minneapolis, Minnesota, le 4-11-47, quand Mike Collins mit Pat Brownson au tapis au 1er coup. L'arbitre stoppa alors Brownson sans même le compter, après 4" de combat.

K.O.

Consécutifs • Le record de K.O. consécutifs est détenu par l'Américain Lamar Clark, soit 44, entre 1958 et 60. Il réalisa l'exploit d'aligner 6 K.O. consécutifs, dont 5 au cours du 1er round, le 1er-12-58 à Bingham, Utah.

Carrière • Le boxeur comptant le plus grand nombre de K.O. à son palmarès est Archibald Wright, alias Archie Moore, entre 1936 et 63 : 145, dont 129 en combats professionnels.

France • Marcel Cerdan, champion du monde des poids moyens en 1949, fut l'auteur dans sa carrière professionnelle de 12 K.O. à la 1re reprise.

Audience TV la plus importante

En juillet 1997, la superstar Mike Tyson fut condamnée à payer une amende de 3 millions de $ (18 millions de F) par un tribunal du Nevada, et vit sa licence de boxeur annulée pour un an, après avoir arraché avec ses dents un bout de l'oreille de son adversaire Evander Holyfield, pendant le championnat WBA poids lourds, le 28-06-97. Après cet incident, le bout d'oreille fut trouvé sur le ring par Mitch Libonati, un employé du MGM Grand Hotel, qui l'entoura avec un bout de gant et l'apporta au vestiaire d'Holyfield. Ce dernier alla immédiatement à l'hôpital, et son oreille fut recousue. Le combat fut regardé par la plus grande audience de l'histoire de la boxe ; des célébrités comme Whitney Houston et Robert De Niro étaient parmi les 16 000 spectateurs qui avaient payé jusqu'à 1 440 $ (8 640 F) pour assister au combat, en direct, au MGM Grand Arena, Las Vegas. Voir photo.

AMATEURS
Jeux olympiques

Carrière • Seuls deux boxeurs ont remporté 3 médailles d'or olympiques : le Hongrois Laszlo Papp (moyens en 1948, super-welters en 1952 et 56) et le Cubain Teofilo Stevenson (en lourds en 1972, 76 et 80).

France • Seulement 3 boxeurs français réussirent à décrocher la médaille d'or olympique : Paul Fritsch en poids plume en 1920 à Anvers, Jean Despeaux en moyens et Roger Michelet en lourds, ces derniers en 1936 à Berlin.

Championnats du monde

Pays • Aux championnats du monde organisés

Revanche Holyfield-Tyson

Le 28-06-97, au MGM Grand Arena de Las Vegas, Mike Tyson, alors qu'il affrontait Evander Holyfield pour le championnat WBA catégorie poids lourds, lui arracha un bout de l'oreille avec ses dents. Il fut disqualifié au 3e round et condamné à une amende de 3 millions de $.

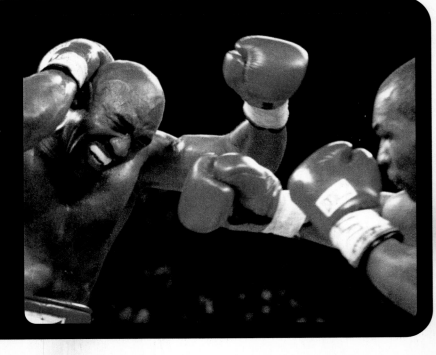

Le sumotori hawaïen Chad Rowan, alias Akebono, mesure 2,04 m et pèse 227 kg. Il est le plus grand et le plus lourd yokozuna de l'histoire du sumo. En janvier 1993, il devint le 1er rishi non japonais à atteindre le grade de yokozuna. Il fut naturalisé japonais en 1996.

DAVID DOUILLET

David Douillet est le seul judoka français à avoir remporté 3 titres de champion du monde. Vainqueur en 1993 dans la catégorie plus de 95 kg, il renouvelle son exploit en 1995 avec un doublé historique aux JO d'Atlanta : un titre en plus de 95 kg et un titre toutes catégories confondues.

en Finlande en mai 1993, Cuba a remporté un record de 8 titres sur les 12 mis en jeu.
Boxeur • Le record de titres mondiaux (institués en 1974) appartient au Cubain Felix Savon, champion du monde des lourds en 1986, 89 et 91 et des super-lourds en 1993 et 95, soit 5 titres.

LUTTE

JEUX OLYMPIQUES
Médailles olympiques
Trois lutteurs ont remporté 4 médailles olympiques : le Finlandais Eino Leino, en style libre, de 1920 à 32, le Hongrois Imre Poliak, en gréco-romaine, de 1952 à 64, et l'Américain Bruce Baumgartner, en style libre, de 1984 à 96.
Titres olympiques
Quatre hommes ont remporté un record de 3 titres olympiques : le Suédois Carl Westergren, en 1920, 24 et 32, son compatriote Ivar Johansson, 2 titres en 1932 et un en 36, le Soviétique Alexandre Vasilié-vitch Medved, en 1964, 68 et 72, et le Russe Alexandre Karéline, en 1988, 92 et 96.
France • Trois lutteurs français ont obtenu 1 titre olympique : Henri Deglane en gréco-romaine (poids lourds) en 1924, Émile Poilvé en libre (moyens) en 1936, et Charles Pâcome en libre (légers) en 1932.

CHAMPIONNATS DU MONDE
Le plus titré
Le Soviétique Alexandre Medved a remporté 10 titres de champion du monde en style libre, de 1962 à 73, dans 3 catégories.
Titres consécutifs
Un seul homme a remporté 6 fois consécutivement le championnat du monde de sa catégorie : le Russe Alexandre Karéline, en gréco-romaine, de 1989 à 95 (super-lourds, entre 100 et 130 kg). Également triple champion olympique (1988, 92, 96), Karéline est d'ailleurs invaincu depuis 1987.
France • Daniel Robin, en libre en 1967, et Patrice Mourier, en gréco-romaine en 1987, sont les seuls Français à avoir été champions du monde.
Combat le plus long
Durant les Jeux olympiques de 1912, l'Estonien Martin Klein, représentant la Russie, a vaincu le Finlandais Alfred Asikáinen au bout d'un combat qui, pour la médaille d'argent, dura 11 h 40 min, en gréco-romaine, catégorie des 75 kg.

JUDO

JEUX OLYMPIQUES
Le judo a été définitivement admis aux JO en 1972 à Munich, pour les garçons. Les filles ont dû patienter jusqu'à Barcelone 1992 (démonstration en 1988).

Les plus titrés
On dénombre 4 judokas ayant remporté 2 médailles d'or olympiques (record) dans l'histoire des Jeux : le Néerlandais Wilhelm Ruska (plus de 95 kg et toutes catégories en 1972, sans compter 2 titres mondiaux des plus de 95 kg en 1967 et 71), l'Autrichien Peter Seisenbacher (moins de 86 kg en 1984 et 88), le Japonais Hitoshi Saito (plus de 95 kg en 1984 et 88), le Polonais Waldemar Legien (moins de 78 kg en 1988 et moins de 86 kg en 92).

CHAMPIONNATS DU MONDE
Les plus titrés
Hommes • Trois judokas se partagent un record de 4 titres de champion du monde : le plus célèbre est le Japonais Yasuhiro Yamashita, vainqueur en 1979, 81 et 83 en plus de 95 kg et en 81 en toutes catégories. Il faut ajouter à ce palmarès 1 titre olympique en 1984 en toutes catégories et 9 titres consécutifs de champion du Japon entre 1977 et 85. Yamashita se retira après 203 victoires consécutives.
Femmes • La Belge Ingrid Berghmans s'est octroyé 6 titres mondiaux au cours de sa carrière : toutes catégories en 1980, 82, 84 et 86, et chez les moins de 72 kg en 1984 et 89. Elle a également reçu 3 médailles d'argent et 1 de bronze. Enfin, elle a remporté la médaille d'or olympique en 1972, chez les moins de 72 kg.
France • David Douillet est le seul triple champion du monde français grâce à ses titres en plus de 95 kg en 1993 et 95 et toutes catégories en 1995.
• Fabien Canu suit avec 2 titres de champion du monde en moins de 86 kg, en 1987 et 89.
• C'est Jean-Luc Rougé qui décrocha le 1er titre mondial pour la France, en 1975, chez les moins de 95 kg.
Femmes • La Française Brigitte Deydier a remporté 3 titres mondiaux en 1982, 84 et 86, les trois en moins de 66 kg.

COUPE DU MONDE
La France a remporté la 1re Coupe du monde messieurs par équipes organisée à Paris le 25-09-94. La formation française était composée de Hamid Abdoume, Franck Chambily, Benoît Campargne, Yacine Douma, Christophe Gagliano, Djamel Bouras, Vincent Carabetta, Patrick Rosso, Laurent Cros, David Douillet et Tamaz Saakachvili.

CHAMPIONNATS DE FRANCE
Le record est détenu par Roger Vachon avec 13 victoires.

KARATÉ

CHAMPIONNATS DU MONDE
Les plus titrés
Un seul karatéka a réussi l'exploit de remporter 3 titres individuels de champion du monde : l'Espagnol José Manuel Egea, vainqueur en toutes catégories en 1988 et en mi-lourds (moins de 80 kg) en 1990 et 92.
France • La France a décroché 2 titres de champion du monde par équipes en 1972 et 94, obtenant un impressionnant total de 11 médailles lors de l'édition 1994 à Kota Kinabalu, Malaisie.

SUMO
Coupe de l'Empereur
Le yokozuna (grand champion) Koki Naya, alias Taiho (ce qui signifie « Grand Oiseau »),

a gagné la Coupe de l'Empereur un record de 32 fois.
Invincibilité
Yukio Shoji, alias Aobajo, est resté invaincu durant ses 22 ans de carrière, de 1964 à 86, établissant un record de 1 631 combats victorieux consécutifs.

Gym et haltérophilie

GYMNASTIQUE

JEUX OLYMPIQUES

Pays les plus titrés

Hommes • L'URSS, puis la CEI et la Russie, a remporté 6 titres masculins par équipe, en 1952, 56, 80, 88, 89 et 96. Le Japon en a remporté 5, en 1960, 64, 68, 72 et 76.

Femmes • Voir photo.

Champions les plus titrés

Carrière • Les Soviétiques Boris Chakhline et Nikolaï Andrianov ont remporté 6 médailles d'or : 1 en 1956, 4 en 1960 et 1 en 1964 pour Chakhline ; 1 en 1972, 4 en 1976 et 1 en 1980 pour Andrianov, qui empocha un total record de 15 médailles olympiques entre 1972 et 80.

Femmes • La Tchécoslovaque Vera Caslavska-Odlozil reçut 7 médailles d'or (3 en 1964, 4 en 68).

• La Soviétique Larissa Latinina a remporté 6 médailles d'or individuelles et 3 par équipe, de 1956 à 64.

Olympiade • Le Biélorusse Vitaly Scherbo a gagné 6 médailles d'or à Barcelone en 1992 : par équipe, au combiné, aux anneaux, au cheval d'arçons, aux barres parallèles et fixes.

Polyvalence • Le Soviétique Alexandre Ditiatine est le seul homme ayant remporté une médaille dans les 8 spécialités lors des mêmes Jeux (Moscou 1980) : 3 d'or, 4 d'argent et 1 de bronze.

France • Gustave Sandras est le seul Français devenu champion olympique du concours général, performance réalisée aux Jeux de 1900 à Paris.

Championne la plus médaillée

En plus de ses 9 médailles d'or, la Soviétique Larissa Latinina a aussi gagné 5 médailles d'argent et 4 de bronze, soit un total de 18 médailles olympiques : record toutes catégories.

Note maxi

La Roumaine Nadia Comaneci fut la 1re gymnaste à obtenir la note maximale de 10 (7 fois), aux Jeux de Montréal, en 1976.

CHAMPIONNATS DU MONDE

Équipes les plus titrées

Hommes • L'URSS (puis CEI) a remporté 8 titres par équipe.

Femmes • L'équipe féminine d'URSS a été sacrée 11 fois championne du monde.

Champions les plus titrés

Hommes • Le Soviétique Boris Chakhline s'est adjugé 10 titres individuels de 1954 à 64, plus 3 titres par équipe.

Femmes • La Soviétique Larissa Latinina a gagné 6 titres individuels, de 1956 à 64, et 3 par équipe.

Champions les plus jeunes

Hommes • Le Soviétique Dimitri Bilozertchev est devenu champion du monde à l'âge de 16 ans et 315 jours, le 28-10-83.

Femmes • La Roumaine Daniela Silivas a remporté le titre mondial à la poutre à 14 ans et 6 mois, le 10-11-85.

• En remportant, le 23-10-87, le titre mondial à l'âge de 14 ans et 352 jours, à Rotterdam, Pays-Bas, la Roumaine Aurelia Dobre est devenue la plus jeune championne du monde au concours général individuel.

ÉQUIPE FÉMININE LA PLUS TITRÉE AUX JO

L'URSS a remporté 10 titres olympiques féminins entre 1952 et 80 et de 1988 à 92 (CEI). Sur la photo, la gymnaste Svetlana Khorkina, membre de l'équipe de Russie qui a gagné la médaille d'or en 1998, lors de la Coupe du monde, au Japon.

CHAMPIONNATS DE FRANCE

Henri Boério (de 1972 à 1977) et André Weingand (entre 1945 et 1952) ont gagné 6 fois le titre masculin. Chez les femmes, Danielle Coulon-Sicot a été sacrée 5 fois entre 1954 et 59.

RECORDS DIVERS

Sauts périlleux

Vitesse • Le Biélorusse Vitaly Scherbo, sextuple médaillé d'or aux JO de Barcelone, a parcouru la distance de 50 m en sauts périlleux arrière en 10" 22, le 31-08-95, au Makuhar Messe Event Hall de Chiba, Japon.

Distance • Ashrita Furman a réalisé 8 341 sauts arrière en 10 h 30, sur la distance de 19,67 km séparant les villes de Lexington et Charleston, Massachusetts, le 30-04-86.

La plus jeune

La Grecque Paraskevi Kona était âgée de 9 ans et 299 jours au début des Jeux des Balkans, à Serrès, Grèce, le 1er-10-81.

GRS

CHAMPIONNATS DU MONDE

Équipe la plus titrée

La Bulgarie obtint 9 titres par équipe (record) en 1969, 71, 81, 83, 85, 87, 89 (ex æquo), 93 et 95.

Championnes

• La Bulgare Maria Guigova a remporté 3 titres individuels au concours général (1969, 71 et 73).

• La Bulgare Maria Petrova a également remporté 3 titres de championne du monde individuelle au concours général (1993, 94 et 95) et 2 par équipe (1993 et 95). Petrova a aussi décroché 2 titres de championne d'Europe, en 1992 et 94.

Polyvalence • La Bulgare Bianca Panova a remporté les médailles d'or des 4 appareils et la médaille d'or par équipe en 1987.

Note maximale

Aux JO de Séoul 1988, la Soviétique Marina Lobach a remporté le titre olympique en obtenant la note maximale dans les 6 engins.

HALTÉROPHILIE

JEUX OLYMPIQUES

• Le Bulgare Naïm Shalamanov – aujourd'hui Turc sous le nom de Suleymanoglu – a remporté 3 médailles d'or successives : catégorie 60 kg en 1988 et 92, puis 64 kg en 1996.

• L'Américain Norbert Schemansky a remporté 4 médailles olympiques : l'or, en catégorie mi-lourds (1952) ; l'argent (1948) et le bronze, en catégorie lourds (en 1960 et 64).

France • Louis Hostin s'est adjugé 2 titres olympiques en mi-lourds, en 1932 et 36, et Charles Rigoulot en a obtenu 1 dans la même catégorie en 1924.

• Ernest Cadine décrocha le titre toutes catégories aux JO d'Anvers 1920, bien que classé en mi-lourds.

Géant

Le record de titres mondiaux, y compris les titres olympiques, est de 10 (7 + 3). Il a été établi par le Bulgare devenu Turc Naïm Shalamanov – aujourd'hui Turc sous le nom de Suleymanoglu – entre 1983 et 1996. En 56, 60 ou 64 kg, il a aussi été 8 fois champion du monde à l'arraché, et 7 fois au jeté.

GRS

Deux gymnastes bulgares ont remporté 3 titres de championne du monde individuelle au concours général : Maria Gigova en 1969, 71 et 73 et Maria Petrova (photo) en 1993, 94 et 95.

Femmes • La Chinoise Li Hongyun a remporté 13 médailles dans la catégorie 60-64 kg, entre 1992 et 96.

CHAMPIONNATS DU MONDE

Les plus titrés

Hommes • *Voir photo.*

France • Daniel Tenet a été champion du monde des poids moyens à l'arraché en 1981 à Lille. Il a également obtenu la médaille d'argent des légers aux JO de 1976, après le déclassement du Polonais Kaczmarek pour dopage.

Femmes • Le record de médailles d'or est de 12, établi par la Chinoise Peng Liping dans la catégorie 52 kg en 1988, 89, 91 et 92, et par la Bulgare Milena Trendafilova en catégorie 67,5 kg, 70 kg et 75 kg entre 1989 et 1993.

Invincibilité • L'Américain John Davis est resté invaincu en poids lourds de 1938 à 53.

Âges extrêmes

Le plus jeune • Le Bulgare (puis Turc) Naïm Shalamanov a établi le record des 56 kg à l'épaulé-jeté (160 kg) et au total (285 kg) à l'âge de 15 ans et 123 jours à Allentown, Pennsylvanie, le 26-03-83.

Le plus âgé • L'Américain Norbert Schemansky, âgé de 37 ans et 333 jours, a établi le record des poids lourds à l'arraché en soulevant une charge de 164,2 kg, à Detroit, USA, en 1962.

CHAMPIONNATS DE FRANCE

Pierre Gourier a remporté 14 titres de champion de France

Records divers

Charges les plus lourdes • Le poids le plus lourd jamais soulevé par un homme est de 2 844 kg : l'Américain Paul Anderson, qui pèse 165 kg, champion olympique des lourds en 1956, a soulevé cette charge bras tendus et allongé sur le dos le 12-06-57, à Toccoa, Géorgie.

Femmes • Le record féminin est de 1 616 kg, par l'Américaine Joséphine Blatt à Hoboken, New Jersey, le 15-04-1895.

Par rapport au poids du corps • Le record est détenu par le Bulgare (devenu Turc) Naïm Suleymanoglu, 1er homme à réussir un arraché de 2,5 fois le poids de son corps en soulevant 150 kg à Cardiff, le 27-04-88. Il a remporté le titre olympique en 1988 à Séoul, en 1992 à Barcelone et en 1996 à Atlanta.

• Le 1er homme à épauler-jeter plus de 3 fois le poids de son corps a été le Bulgare Stefan Topurov, qui a soulevé 180 kg à Moscou, le 24-10-83.

Femmes • La 1re femme à épauler-jeter plus de 2 fois le poids de son corps a été la Chinoise Cheng Jinling, qui a soulevé 90 kg (catégorie 44 kg) aux championnats du monde de 1988.

HALTÉROPHILIE
RECORDS DU MONDE MASCULINS

catégorie	technique	kg	nom (nationalité)	date
54 kg	Arraché	132,5	Halil Mutlu (Turquie)	20-07-96
MOUCHE	Épaulé-jeté	160	Halil Mutlu (Turquie)	18-11-94
	Total	290	Halil Mutlu (Turquie)	18-11-94
59 kg	Arraché	140	Hafiz Suleymanoglu (Turquie)	3-05-95
COQ	Épaulé-jeté	170	Nicolaï Peshalov (Bulgarie)	3-05-95
	Total	307,5	Ninsheng Tang (Chine)	21-07-96
64 kg	Arraché	148,5	Wang Guohua (Chine)	5-04-96
PLUME	Épaulé-jeté	187,5	Valerios Leonidis (Grèce)	22-07-96
	Total	335	Naïm Suleymanoglu (Turquie)	22-07-96
70 kg	Arraché	163	Wan Jianhui (Chine)	10-07-97
LÉGERS	Épaulé-jeté	195	Xugang Zan (Chine)	23-07-96
	Total	357,5	Xugang Zan (Chine)	23-07-96
76 kg	Arraché	170	Ruslan Savchenko (Ukraine)	16-11-93
MOYENS	Épaulé-jeté	208,5	Pablo Lara (Cuba)	20-04-96
	Total	372,5	Pablo Lara (Cuba)	20-04-96
83 kg	Arraché	180	Pyrros Dimas (Grèce)	26-07-96
LOURDS-LÉGERS	Épaulé-jeté	214	Zhang Yong (Chine)	12-07-97
	Total	392,5	Pyrros Dimas (Grèce)	26-07-96
91 kg	Arraché	187,5	Alexeï Petrov (Russie)	27-07-96
MI-LOURDS	Épaulé-jeté	228,5	Kakhi Kakhiasvilis (Grèce)	6-05-95
	Total	412,5	Alexeï Petrov (Russie)	7-05-94
99 kg	Arraché	192,5	Serguei Syrtsov (Russie)	25-11-94
	Épaulé-jeté	235	Kakhi Kakhiashvilis (Grèce)	28-07-96
	Total	420	Kakhi Kakhiashvilis (Grèce)	28-07-96
108 kg	Arraché	200	Timur Taimazov (Ukraine)	26-11-94
LOURDS	Épaulé-jeté	236	Timur Taimazov (Ukraine)	29-07-96
	Total	435	Timur Taimazov (Ukraine)	26-11-94
+ de 108 kg	Arraché	205	Alexandre Kurlovitch (Biélorussie)	27-11-94
SUPER-LOURDS	Épaulé-jeté	260	Andreï Chermekine (Russie)	30-07-96
	Total	457,5	Alexandre Kurlovitch (Biélorussie)	27-11-94

HALTÉROPHILIE
RECORDS DE FRANCE MASCULINS

catégorie	technique	kg	nom	date
54 kg	Arraché	112,5	Éric Bonnel	18-11-94
MOUCHE	Épaulé-jeté	140	Éric Bonnel	18-11-94
	Total	252,5	Éric Bonnel	18-11-94
59 kg	Arraché	115	Laurent Fombertasse	17-06-93
COQ	Épaulé-jeté	145,5	Laurent Fombertasse	26-03-93
	Total	262,5	Laurent Fombertasse	17-06-93
64 kg	Arraché	127,5	David Balp	27-03-94
PLUME	Épaulé-jeté	157,5	David Balp	4-05-95
	Total	282,5	David Balp	5-05-94
70 kg	Arraché	132,5	Franck Collinot	26-02-94
LÉGERS	Épaulé-jeté	160,5	Azzedine Elyabouri	25-06-94
	Total	292,5	Franck Collinot	26-02-94
76 kg	Arraché	140	Franck Collinot	16-03-96
MOYENS	Épaulé-jeté	172,5	Fabien Michel	6-05-94
	Total	307,5	Fabien Michel	28-03-94
83 kg	Arraché	162,5	Cédric Plançon	27-03-93
LOURDS-LÉGERS	Épaulé-jeté	185	Cédric Plançon	26-06-93
	Total	335	Cédric Plançon	27-03-93
91 kg	Arraché	162,5	Cédric Plançon	24-11-95
MI-LOURDS	Épaulé-jeté	202,5	Stéphane Sageder	25-06-94
	Total	357,5	Gérard Scandella	7-05-94
99 kg	Arraché	165	Francis Tournefier	28-03-93
	Épaulé-jeté	215	Francis Tournefier	24-04-93
	Total	380	Francis Tournefier	24-04-93
108 kg	Arraché	162,5	Francis Tournefier	26-06-93
LOURDS	Épaulé-jeté	215,5	Francis Tournefier	20-06-93
	Total	375	Francis Tournefier	19-06-93
+ de 108 kg	Arraché	155	Frédéric Baron	4-12-93
SUPER-LOURDS	Épaulé-jeté	180	Frédéric Baron	4-12-93
	Total	335	Frédéric Baron	4-12-93

NATATION HOMMES

	MONDE			EUROPE			FRANCE		
	ANNÉE	NOM	PERFOR.	ANNÉE	NOM	PERFOR.	ANNÉE	NOM	PERFOR.
50 m	1990	T. Jager (USA)	21"81	1992	A. Popov (RUS)	21"91	1993	C. Kalfayan	22"39
100 m	1994	A. Popov (RUS)	48"21	1994	A. Popov (RUS)	48"21	1991	S. Caron	49"18
200 m	1989	G. Lamberti (ITA)	1'46"69	1989	G. Lamberti (ITA)	1'46"69	1988	S. Caron	1'49"19
400 m	1994	K. Perkins (AUS)	3'43"80	1992	E. Sadovyi (CEI)	3'45"	1990	C. Marchand	3'52"12
1 500 m	1994	K. Perkins (AUS)	14'41"66	1991	J. Hoffmann (ALL)	14'50"36	1988	F. Iacono	15'21"45
100 m dos	1992	J. Rouse (USA)	53"86	1998	S. Theloke (ALL)	54"43	1992	F. Schott	55"18
200 m dos	1991	M. Lopez-Zubero (ESP)	1'56"57	1991	M. Lopez-Zubero (ESP)	1'56"57	1991	D. Holderbach	2'0"60
100 m brasse	1996	F. Deburghgraeve (BEL)	1'0"60	1996	F. Deburghgraeve (BEL)	1'0"60	1996	V. Latocha	1'2"28
200 m brasse	1992	M. Barrowman (USA)	2'10"16	1992	N. Rozsa (HON)	2'11"23	1998	J.-C. Sarnin	2'13"42
100 m papillon	1997	M. Klim (AUS)	52"15	1996	D. Pankratov (RUS)	52"27	1998	F. Esposito	52"94
200 m papillon	1995	D. Pankratov (RUS)	1'55"22	1995	D. Pankratov (RUS)	1'55"22	1998	F. Esposito	1'56"32
200 m 4 nages	1994	J. Sievinen (FIN)	1'58"16	1994	J. Sievinen (FIN)	1'58"16	1997	X. Marchand	2'1"08
400 m 4 nages	1994	T. Dolan (USA)	4'12"30	1991	T. Darnyi (HON)	4'12"36	1997	X. Marchand	4'21"33
4 x 100 m	1995	États-Unis	3'15"11	1997	Russie	3'16"85	1992	Équipe nationale	3'19"16
4 x 200 m	1998	Australie	7'11"86	1992	CEI	7'11"95	1993	Équipe nationale	7'19"86
4 x 100 m 4 nages	1996	États-Unis	3'34"84	1996	Russie	3'37"48	1991	Équipe nationale	3'40"51

NATATION FEMMES

	MONDE			EUROPE			FRANCE		
	ANNÉE	NOM	PERFOR.	ANNÉE	NOM	PERFOR.	ANNÉE	NOM	PERFOR.
50 m	1994	Le Jingyi (CHN)	24"51	1998	I. De Bruijn (HOL)	25"09	1992	C. Plewinski	25"36
100 m	1994	Le Jingyi (CHN)	54"01	1993	F. Van Almsick (ALL)	54"57	1989	C. Plewinski	55"11
200 m	1994	F. Van Almsick (ALL)	1'56"78	1994	F. Van Almsick (ALL)	1'56"78	1992	C. Plewinski	1'59"88
400 m	1988	J. Evans (USA)	4'3"85	1989	A. Moehring (RDA)	4'5"84	1988	C. Prunier	4'12"76
800 m	1989	J. Evans (USA)	8'16"22	1987	A. Moehring (RDA)	8'19"53	1988	C. Prunier	8'39"20
100 m dos	1994	He Cihong (CHN)	1'0"16	1991	K. Egerszegi (HON)	1'0"31	1997	R. Maracineanu	1'1"84
200 m dos	1991	K. Egerszegi (HON)	2'6"62	1991	K. Egerszegi (HON)	2'6"62	1998	R. Maracineanu	2'11"26
100 m brasse	1996	P. Heyns (AFS)	1'7"02	1987	S. Hoerner (RDA)	1'7"91	1987	P. Louvrier	1'10"14
200 m brasse	1994	R. Brown (AUS)	2'24"76	1997	A. Kovacs (HON)	2'24"90	1992	K. Brémond	2'29"96
100 m papillon	1981	M. Meagher (USA)	57"93	1988	K. Otto (RDA)	59"	1992	C. Plewinski	59"01
200 m papillon	1981	M. Meagher (USA)	2'5"96	1983	C. Polit (RDA)	2'7"82	1995	C. Jeanson	2'11"48
200 m 4 nages	1997	Wu Yan Yan (CHN)	2'9"72	1981	U. Geweniger (RDA)	2'11"73	1997	N. Cliton	2'27"14
400 m 4 nages	1997	Chen Yan (CHN)	4'34"79	1982	P. Schneider (RDA)	4'36"10	1998	N. Cliton	4'48"81
4 x 100 m	1994	Chine	3'37"91	1986	Allemagne de l'Est	3'40"57	1989	Équipe nationale	3'47"04
4 x 200 m	1987	Allemagne de l'Est	7'55"47	1987	Allemagne de l'Est	7'55"47	1997	Équipe nationale	8'11"93
4 x 100 m 4 nages	1997	Chine	4'1"67	1984	Allemagne de l'Est	4'3"69	1993	Équipe nationale	4'12"59

ATHLÉTISME HOMMES

	MONDE ANNÉE	MONDE NOM	MONDE PERFOR.	EUROPE ANNÉE	EUROPE NOM	EUROPE PERFOR.	FRANCE ANNÉE	FRANCE NOM	FRANCE PERFOR.
100 m	1999	M. Greene (USA)	9"79	1993	L. Christie (GBR)	9"87	1990	D. Sangouma	10"02
200 m	1996	M. Johnson (USA)	19"32	1979	P. Mennea (ITA)	19"72	1987	G. Quénéhervé	20"16
400 m	1988	H. Reynolds (USA)	43"29	1987	T. Schönlebe (RDA)	44"33	1991	O. Noirot	45"07
800 m	1997	W. Kipketer (DAN)	1'41"11	1997	W. Kipketer (DAN)	1'41"11	1979	J. Marajo	1'43"9
1 000 m	1981	S. Coe (GBR)	2'12"18	1981	S. Coe (GBR)	2'12"18	1998	D. Maazouzi	2'15"89
1 500 m	1998	H. El-Guerrouj (MAR)	3'26"	1997	F. Cacho (ESP)	3'28"95	1998	D. Maazouzi	3'31"59
Mile	1993	N. Morceli (ALG)	3'44"39	1985	S. Cram (GBR)	3'46"32	1995	E. Dubus	3'50"33
2 000 m	1995	N. Morceli (ALG)	4'47"88	1985	S. Cram (GBR)	4'51"39	1997	N. Bosch	4'55"60
3 000 m	1996	D. Komen (KEN)	7'20"67	1998	I. Viciosa (ESP)	7'29"34	1998	M. Essaïd	7'30"78
5 000 m	1998	H. Gebreselassie (ETH)	12'39"36	1997	D. Baumann (ALL)	12'54"70	1998	M. Essaïd	13'2"15
10 000 m	1998	H. Gebreselassie (ETH)	26'22"75	1984	F. Mamede (POR)	27'13"81	1992	T. Martins	27'22"78
20 km	1991	A. Barrios (MEX)	56'55"6	1990	D. Castro (POR)	57'18"4	1990	B. Istweire	58'18"4
Heure	1991	A. Barrios (MEX)	21,101 km	1976	J. Hermens (HOL)	20,944 km	1990	B. Istweire	20,601 km
110 m haies	1993	C. Jackson (GBR)	12"91	1993	C. Jackson (GBR)	12"91	1986	S. Caristan	13"20
400 m haies	1992	K. Young (USA)	46"78	1995	S. Diagana (FRA)	47"37	1995	S. Diagana	47"37
3 000 m steeple	1997	B. Barmasai (KEN)	7'55"72	1984	J. Mahmoud (FRA)	8'7"62	1984	J. Mahmoud	8'7"62
Hauteur	1993	J. Sotomayor (CUB)	2,45 m	1987	P. Sjöberg (SUE)	2,42 m	1994	J.-Ch. Gicquel	2,33 m
Perche	1994	S. Bubka (UKR)	6,14 m	1994	S. Bubka (UKR)	6,14 m	1998	J. Galfione	6 m
Longueur	1991	M. Powell (USA)	8,95 m	1987	R. Emmian (URS)	8,86 m	1998	K. Klouchi	8,30 m
Triple saut	1995	J. Edwards (GBR)	18,29 m	1995	J. Edwards (GBR)	18,29 m	1994	S. Hélan	17,55 m
Poids	1990	R. Barnes (USA)	23,12 m	1988	U. Timmermann (RDA)	23,06 m	1973	Y. Brouzet	20,20 m
Disque	1986	J. Schult (RDA)	74,08 m	1986	J. Schult (RDA)	74,08 m	1997	J. Pons	64,74 m
Marteau	1984	Y. Sedykh (URS)	86,74 m	1984	Y. Sedykh (URS)	86,74 m	1998	G. Dupray	80,71 m
Javelot	1996	J. Zelezny (RTC)	98,48 m	1996	J. Zelezny (RTC)	98,48 m	1989	P. Lefèvre	82,56 m
Décathlon	1992	D. O'Brien (USA)	8891pts	1984	D. Thompson (GBR)	8847 pts	1990	C. Plaziat	8574 pts
4 x 100 m	1992/93	États-Unis	37"40	1993	Grande-Bretagne	37"77	1990	Équipe nationale	37"79
4 x 400 m	1998	États-Unis	2'54"20	1996	Grande-Bretagne	2'56"60	1993	Équipe nationale	3'0"09
4 x 1 500 m	1977	RFA	14'38"8	1977	RFA	14'38"8	1979	Équipe nationale	14'48"2
20 km marche	1994	B. Segura (MEX)	1h17'25"5	1992	S. Johansson (SUE)	1h18'35"2	1992	T. Toutain	1h21'14"9
50 km marche	1996	T. Toutain (FRA)	3h40'57"9	1996	T. Toutain (FRA)	3h40'57"9	1996	T. Toutain	3h40'57"9

ATHLÉTISME FEMMES

	MONDE ANNÉE	MONDE NOM	MONDE PERFOR.	EUROPE ANNÉE	EUROPE NOM	EUROPE PERFOR.	FRANCE ANNÉE	FRANCE NOM	FRANCE PERFOR.
100 m	1988	F. Griffith-Joyner (USA)	10"49	1998	C. Arron (FRA)	10"73	1998	C. Arron	10"73
200 m	1988	F. Griffith-Joyner (USA)	21"34	1979	M. Koch (RDA)	21"71	1993	M.-J. Pérec	21"99
				1986	H. Drechsler (RDA)	21"71			
400 m	1985	M. Koch (RDA)	47"60	1985	M. Koch (RDA)	47"60	1996	M.-J. Pérec	48"25
800 m	1983	J. Kratochvilova (TCH)	1'53"28	1983	J. Kratochvilova (TCH)	1'53"28	1995	P. Djaté-Taillard	1'56"53
1 000 m	1996	S. Masterkova (RUS)	2'28"98	1996	S. Masterkova (RUS)	2'28"98	1995	P. Djaté-Taillard	2'31"93
1 500 m	1993	Y. Qu (CHN)	3'50"46	1980	T. Kazankina (RUS)	3'52"47	1996	P. Djaté-Taillard	4'2"26
Mile	1996	S. Masterkova (RUS)	4'12"56	1996	S. Masterkova (RUS)	4'12"56	1996	F. Quentin	4'27"43
3 000 m	1993	J. Wang (CHN)	8'6"11	1994	S. O'Sullivan (IRL)	8'21"64	1989	M.-P. Duros	8'38"97
5 000 m	1997	J. Bo (CHN)	14'28"09	1998	G. Szabo (ROU)	14'31"68	1998	J. Llado	15'11"26
10 000 m	1993	J. Wang (CHN)	29'31"78	1986	I. Kristiansen (FIN)	30'13"74	1992	R. Murcia	31'42"83
100 m haies	1988	Y. Donkova (BUL)	12"21	1988	Y. Donkova (BUL)	12"21	1990	Mon. Ewanje-Epée	12"56"
400 m haies	1995	K. Batten (USA)	52"61	1993	S. Gunnell (GBR)	52"74	1995	M.-J. Pérec	53"21
Hauteur	1987	S. Kostadinova (BUL)	2,09 m	1987	S. Kostadinova (BUL)	2,09 m	1985	Mar. Ewanje-Epée	1,96 m
Perche	1998	E. George (AUS)	4,59 m	1998	D. Bartova (RTC)	4,51 m	1998	A. Homo	4,25 m
Longueur	1988	G. Chistiakova (RUS)	7,52 m	1988	G. Chistiakova (RUS)	7,52 m	1995	N. Caster	6,94 m
Triple saut	1995	I. Kravets (UKR)	15,50 m	1995	I. Kravets (UKR)	15,50 m	1997	B. Lise	14,50 m
Poids	1987	N. Lissovskaïa (URS)	22,63 m	1987	N. Lissovskaïa (URS)	22,63 m	1984	L. Manfredi	17,74 m
Disque	1988	G. Reinsch (RDA)	76,80 m	1988	G. Reinsch (RDA)	76,80 m	1996	I. Devaluez	62,02 m
Marteau	1999	M. Melinte (ROU)	75,97 m	1998	M. Melinte (ROU)	75,97 m	1998	F. Ezeh	65,54 m
Javelot	1988	P. Felke (RDA)	80 m	1988	P. Felke (RDA)	80 m	1993	M. Bègue	64,46 m
Heptathlon	1988	J. Joyner-Kersee (USA)	7291 pts	1989	L. Nikitina (URS)	7007 pts	1988	C. Beaugeant	6702 pts
4 x 100 m	1985	Allemagne de l'Est	41"37	1985	Allemagne de l'Est	41"37	1997	Équipe nationale	42"21
4 x 400 m	1988	URSS	3'15"17	1988	URSS	3'15"17	1994	Équipe nationale	3'22"34
10 km marche	1990	N. Ryachkina (URS)	41'56"23	1990	N. Ryachkina (URS)	41'56"23	1995	A.-M. Berthonnaud	45'46"17

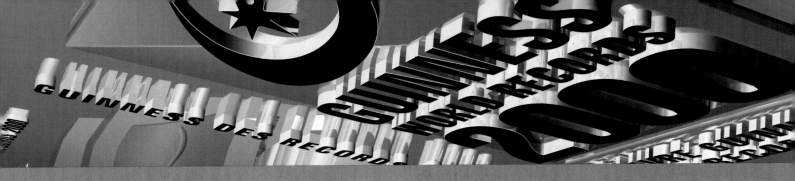

PROCÈS-VERBAL D'HOMOLOGATION

TITULAIRE DU RECORD

Nom : .... Prénom : ....

Adresse : .... Pays : ....

Code postal + Dépt : .... Ville : ....

Tél. domicile : .... Tél. bureau : ....

Signature du déclarant :   Signature de l'impétrant :

DESCRIPTION COURTE DU RECORD

(pouvant servir d'article pour le *Livre Guinness des Records* précisant le pays, la ville, le lieu, la date, le nombre de participants)

Titre : .... Date : ....

Texte : ....

....

....

....

Lieu du record, ville, département : ....

Hauteur : .... Longueur : .... Largeur : .... Circonférence : ....

Volume : .... Poids : .... Temps : .... Distance : ....

Pièces jointes : .... Constat de témoins (huissier, témoin officiel…) : .... Photos : ....

TÉMOINS – À REMPLIR EXCLUSIVEMENT PAR LE OU LES TÉMOINS

(Au choix : huissiers ou témoins officiels, personnalités, élus, représentants de l'État)

Nom : .... Prénom : ....

Adresse : .... Ville : ....

Code postal, pays : .... Signature du témoin 1 :

Nom : .... Prénom : ....

Adresse : .... Ville : ....

Code postal, pays : .... Signature du témoin 2 :

Nous soussignés, titulaire de la performance décrite ci-dessus, témoins assermentés, certifions sur l'honneur l'exactitude des faits exposés sur le présent document et autorisons le Bureau Officiel du *Livre Guinness des Records* à publier les présents renseignements dans ses prochaines éditions ainsi qu'extrait ou totalité des courriers que nous lui avons adressés, suivis de nos signatures en fac-similé et des photos communiquées, sans réserve ni restriction. La rédaction n'est pas responsable des textes, illustrations et photos publiés qui engagent la seule responsabilité de leurs auteuLes documents reçus ne sont pas rendus, et leur envoi implique l'accord de leur auteur pour leur libre utilisation sans droits. Merci de joindre à votre dossier vos vidéos VHS ou 8 mm.

Case réservée au Bureau d'Homologation du *Livre Guinness des Records*. Ne rien écrire ici.

1 Nom Tit. ou Sté : _____

   ad. : _____

2 Pays ou département : _____ Code post. : _____ Ville : _____

3 Tél. : _____

4 Mot clef : _____   **5** Record, Commentaire : _____

6 Chap. : _____   **7** Date du record : _____   **8** Édition, p. : _____

Libellé : ....

D. P. le : ....   T ☐   C ☐   H. le : ....

RÈGLEMENT D'HOMOLOGATION DU LIVRE GUINNESS DES RECORDS – LGR
BUREAU OFFICIEL D'HOMOLOGATION DES RECORDS
ÉDITIONS PHILIPPINE – 40, COURS ALBERT-Ier – 75008 PARIS – FRANCE

Art. 1er – RECORDS
Un record est un phénomène, une performance ou un exploit qui dépasse ce qui a été réalisé auparavant selon les mêmes critères et paramètres. Les records doivent être à la fois mesurables et comparables. Les records soumis sont de plus en plus nombreux et souvent difficiles à comparer. La Commission d'Homologation est contrainte d'effectuer une sélection très stricte : ne sont pris en considération que les records qui battent un record précédemment établi et ceux qui paraissent dignes de figurer dans le *LGR*. Une performance homologuée qui ne serait pas retenue par la Commission n'en resterait pas moins un record, pour lequel nous félicitons le titulaire, mais, dans ce cas, il ne figurera pas dans le *LGR*. Dans le cas d'un record qui constituerait une nouvelle rubrique, il convient d'établir les nouvelles règles précises et de les soumettre au Bureau Officiel d'Homologation pour leur approbation et leur enregistrement. La tentative doit se dérouler dans un lieu public.

Art. 2 – PROCÈS-VERBAL
Les postulants à l'homologation d'un record doivent remplir obligatoirement le Procès-Verbal, détachable et inclus dans le *LGR*. Ce document peut aussi être demandé au Bureau d'Homologation, avec une enveloppe timbrée.

Art. 3 – TÉMOIN DÉLÉGUÉ ET DIPLÔME
Le *LGR* se réserve le droit d'envoyer un témoin délégué. Cette présence n'est toutefois pas obligatoire et un représentant officiel peut être désigné sur proposition du candidat (voir art. 9). Un diplôme peut être demandé au *LGR*, **France** : se renseigner sur les conditions au préalable. **Attention** : les diplômes ne peuvent être établis en période de bouclage (mai à juillet).

Art. 4 – MATÉRIEL
Pour les sports nécessitant du matériel (raquette, chaussures, bateau, vélo, etc.), la spécificité de celui-ci ne sera pas prise en compte, sauf dans les cas où cette spécificité est prise en compte par les Fédérations.

Art. 5 – FÉDÉRATIONS
Si le record à battre appartient à une discipline régie par une autorité ou une Fédération, celle-ci devra être consultée, c'est elle qui homologuera le record. Le *LGR* ne l'enregistrera qu'ultérieurement.

Art. 6 – INFORMATION
L'événement devra être organisé sous l'égide d'un organisme de presse ou d'information (journal, magazine, radio, TV) local ou national, qui devra donc être prévenu à temps. Il devra, dans la mesure du possible, être annoncé ou relaté.

Art. 7 – RECORDS NON HOMOLOGABLES
Le *LGR* ne publie pas de records gratuitement dangereux (plongeon d'un hélicoptère, suspension par une corde en feu...). Les records détenus par des professionnels ne doivent pas tenter les amateurs doués de raison.
Les records de gloutonnerie sont totalement déconseillés par le *LGR* et ne sont plus homologués. Les records de fakirisme, incomparables entre eux, ne peuvent plus être homologués. Les records non-stop, pour la même raison, ne sont plus homologués.

Art. 8 – MARATHONS – RELAIS – TÉLÉTHONS
Pour ne pas multiplier à l'infini les records du fait de la variation du paramètre temps (en 30 mn, 1 h, 2 h, 24 h, non-stop, etc.), ne seront plus homologués que quelques-uns inférieurs à 1 h. Pour les relais, seules les catégories homologuées par les Fédérations seront prises en compte.

Art. 9 – DOSSIER DU RECORD
Les prétendants à un record doivent faire parvenir au Bureau Officiel d'Homologation le Dossier du record. Celui-ci se composera de photocopies d'extraits de la documentation (coupures de presse, témoignages, etc.), d'une attestation signée par un témoin officiel (personnalité, maire, député, officier ministériel ou assermenté), **de photos et de k7 vidéo** de l'événement. Cette documentation ne sera pas retournée. Toute photo ou vidéo remise doit être libre de droits pour toutes éditions du *LGR* et pour la promotion ou émissions de TV *LGR*. Le dossier sera obligatoirement accompagné d'un procès-verbal (art. 2).

★

Art. 10 – RÈGLEMENTS SPÉCIFIQUES
BALLONS DE BAUDRUCHE EN GRAPPE : nombre de ballons de baudruche qui doivent être gonflés à l'hélium, être attachés entre eux et décoller du sol.
BALLON DE FOOT : jonglage, nombre de contacts rebonds sur le corps, mains exceptées, en 5 mn et 1/2 h. La chute du ballon au sol est éliminatoire.
BASKET - LANCERS FRANCS : consécutifs, derrière la ligne de lancer franc (5,80 m), ou distance, lors d'un match ou non.
BOULE DE PÉTANQUE : distance, pieds joints et fixes. Carreau : depuis la plus grande distance.
CADDIE : le plus grand nombre d'articles différents récoltés dans 1 magasin en 1/2 h. Retour à la caisse.
CHENILLE : record de distance sans tomber de 50 personnes, chevilles attachées.
CLOCHE-PIED : distance en 1/2 h. La pose du 2e pied est éliminatoire.
COLLECTES : le plus grand nombre d'objets d'une même catégorie ayant une valeur faciale (timbres postaux, pièces de monnaie, billets de banque).
COLLECTIONS : tous les objets d'une collection doivent être différents. Les catégories sont si nombreuses que toutes ne pourront figurer dans le *LGR*.
COURSES DE BAIGNOIRES SUR L'EAU : course de vitesse sur 100 m, 2 rameurs à bord d'une véritable baignoire.
COURSES DE COCHONS : le « cavalier » se maintient à une corde ceinturant la « monture ». Pistes délimitées par des bottes de paille. Vitesse sur 50 m.
COURSE À LA CUILLÈRE : vitesse sur 50 m ou durée. Cuillère à café posée sur l'extrémité de l'arête nasale, partie creuse vers le haut sans toucher les paupières.
COURSES DE LITS : lits d'hôpital à roulettes (10 cm de diamètre max.) poussés par 4 « infirmiers », un « malade » de 80 kg, lest compris, allongé. Terrain horizontal, rue ou route goudronnée. Vitesse sur 100 m.
COURSE D'ŒUF : œuf cru et de poule. Cuillère à dessert, maintenue à la main ou dans la bouche (2 catégories). L'œuf ne doit être ni touché, ni fixé, ni cassé. Vitesse sur 100 m.
COURSES EN SAC : les candidats sont seuls ou groupés par paire, dos à dos (2 catégories), les sacs sont noués au-dessus des épaules. Vitesse sur 50 m.
CRACHER DE GRAINS, PÉPINS OU NOYAUX : élan de 2 m. Chaque candidat a droit à 3 essais. Record de distance. Terrain horizontal, vitesse du vent nulle.
CRÊPES : poêle ronde. Crêpe cuite des 2 côtés, record de diamètre. *Lancer de crêpes* : « nombre » de lancers d'une crêpe qui doit retomber sur son autre face à chaque lancer (voir art. 8) ou « hauteur » par-dessus une barre, rattrapée à plat.
CUISINE ET PÂTISSERIE : les records de plats régionaux, étant donné leur trop grand nombre, ne seront pas obligatoirement inscrits dans le *LGR*. Les réalisations doivent ressembler en tout à un plat existant (recette, proportions et saveur), être cuites en un seul morceau et être comestibles, et bonnes. *Tarte ronde* : diamètre. *Tarte rectangulaire* : largeur, longueur. *Pièces montées* : la variété des réalisations est telle qu'il est impossible d'homologuer des records dans cette catégorie. *Hachis Parmentier* : proportions : 2/3 purée, 1/3 viande.
DACTYLOGRAPHIE : texte recopié sur ordinateur. Nombre de mots en 5 mn. Pénalité : 10 mots par faute.
ÉCHASSES : hauteur des échasses : 2 m. Avec ou sans l'agneau vivant, d'un poids maximum de 10 kg. Course ou record de vitesse sur 50 m.
ENTASSEMENT : l'entassement dans une voiture doit se faire portières fermées (toit y compris), mais fenêtres ouvertes. Véhicule catégorie A.
ÉPLUCHAGE : l'épluchage est limité aux oranges, pommes de terre, pommes et oignons, tous crus. *Record de vitesse* : en solo pour éplucher 10 kg. *Nombre de pièces épluchées* : en solo pendant 1/2 h. *Pelure la plus longue* : d'un fruit ou légume dont le poids ne dépasse pas 700 g. Catégorie étendue aux crayons avec taille-crayon d'écolier. *Pelure la plus longue en 15 mn* : peler un fruit ou légume dont le poids est fixé à 250 g. Étendu aux crayons.
HUÎTRES (OUVERTURE) : vitesse pour 100 huîtres ou nombre d'huîtres ouvertes en 1 h. Variante : ouverture dans le dos de l'écailler.
JEU DES 2 ERREURS : 2 erreurs ont été volontairement glissées dans le livre. À vous de les trouver ; ce sont deux autres clés pour rentrer dans le *Livre Guinness des Records*.
JUDO : nombre de chutes en 5 mn.
LÂCHER DE GRAIN DE RAISIN : le grain de raisin lâché par un assistant d'une hauteur, immeuble, tour, pont... doit être rattrapé dans la bouche par le candidat.
LANCERS : distance, élan de 2 m.
LANCER DE FEUILLE DE PAPIER : flèche ou avion dans une feuille A4, distance depuis le sol, sans vent.
LANCER-RATTRAPÉ DE L'ŒUF CRU DE POULE : record de distance à 2 participants. Il faut le rattraper intact. Élan 2 m.
LANCER DE CRAVATE : record de distance. La cravate est maintenue dans la main, roulée ou en boule, non nouée. Les pieds du lanceur sont joints et fixes.
LANCER DU BRACELET ÉLASTIQUE DE 8 CM : tendu entre l'extrémité du pouce et l'autre main qui le lâche. Distance.
LANCER DE ROULEAU DE PAPIER HYGIÉNIQUE : lancer le rouleau, qui se déroule sans se casser. Distance.
LANCER DE PNEU : pneu de voiture. Poids 6 kg. Lancer en hauteur par-dessus une barre ou en longueur. *Rouler* : distance.
LANCER-RATTRAPÉ DE POMME DE TERRE CRUE 80-90 G : distance à 2 participants. Lancer avec une fourchette assurée au poignet. Réceptionnée en vol.
LEVER DE BARRE-HALTÈRES : poids maximum cumulé levé en épaulé-jeté en 1 mn.
LOGO : supérieur à 100 m².
MASQUE DE CARNAVAL : record de taille. C'est un faux visage dont on se couvre la figure ; il faut pouvoir se déplacer avec ce masque.
MONOCLES : maintien de capsules de bouteille en monocle, 1 sur chaque œil, course en ligne sur 50 m. La perte d'un monocle est éliminatoire.
MUSCLES : *barre fixe* : suspension par le majeur, record de durée ou de tractions. Suspension par les 2 bras, nombre de tractions, menton du candidat hissé à hauteur de la barre. *Abdominaux* : relevés de buste à la verticale, assis jambes tendues non tenues, mains croisées derrière la tête. *Variante* : candidat suspendu par les pieds à un espalier, tête en bas, nombre de relevés de buste à l'horizontale. *Cheveux* : traction d'un véhicule sur roues à l'aide d'une corde fixée aux cheveux, terrain horizontal, record du poids tracté. *Pliage de clous* : temps pour 10 clous, de 7 mm de diamètre et 21 cm de long ou nombre de clous en 1 h. *Livre Guinness des Records* : durée de maintien à bout de bras (un seul ou les deux) d'un livre vers le haut. *Pompes* : nombre en 1 mn, 1/2 h, sur un ou deux bras. *Le sans-chaise* : durée, dos au mur, fémur à l'horizontale.
NOIX (ÉNOISAGE) : vitesse pour ouvrir 100 noix avec casse-noix et les décortiquer.
OBJETS MINIATURES : les instruments et les optiques étant de plus en plus performants, il n'est plus possible de mesurer comparativement les records battus. Éviter.
OBJETS GÉANTS : ils doivent être une réplique exacte d'un objet usuel dans toutes ses proportions et matières.
PALETTE : charge maximum. Déplacement de la palette avec un transpalette manuel, sur 10 m.
PEINTURE OU DESSIN LES PLUS GRANDS : *peinture, dessin* ou succession de dessins sur toile ou sur papier, record de surface. Le nombre de participants n'entre pas en compte. Les records de vitesse ne sont plus homologuables. *Fresque* : record de surface. Peinture directement sur le mur. *Banderole artistique* : record de longueur. Dessin ou peinture sur une bande de papier ou de tissu déroulée. *Banderole publicitaire* : textes ou logos publicitaires peints, imprimés ou fixés, record de longueur.
PICHENETTE : propulsion d'une capsule de bouteille sur terrain horizontal, sur le sol, distance.
PINCE À LINGE : record de durée. Pince en bois neuve, maintenue entre le pouce et le bout de l'index et non avec la 1re phalange, les 3 autres doigts écartés. *Hérisson* : nombre de pinces à linge fixées sur la peau ou les vêtements, qui doivent être usuels.
POGS : record de hauteur ou nombre de pogs empilés, sans colle ni maintien, pendant au moins 1 mn.
PORTER : *fromages* : vitesse sur 50 m. *Cantal* : pièce de 38 kg. *Parmesan* : pièce de 40 kg. *Emmenthal* : meule de 68 kg. *Sac de blé* : 80 kg, vitesse sur 200 m. *Sac de charbon* : 50 kg, vitesse sur 1 000 m. *Sac de pommes de terre* : 25 kg, vitesse sur 50 m, sans attache ni accessoire. *Oranges* : quantité maximum portée en une brassée à 50 m.
POUSSER DE BROUETTE : vitesse sur 100 m, charge humaine ou non, de 80 kg. *Brouette humaine* : vitesse sur 100 m. Un candidat-pousseur, un candidat-brouette. Port de pantalon et gants obligatoire pour candidat-brouette. *Variante* : pousser d'orange par le candidat-brouette avec le front protégé par un bourrelet, vitesse sur 50 m.
PLIAGE : record de taille de la feuille de départ. Sans structure ni fixation d'aucune sorte.
PYRAMIDES : record de hauteur d'un assemblage d'objets (verres, canettes, livres...) tous identiques. Taille et forme de la base indifférentes. Sans structure ni fixation. *Variante* : base : 10 x 10 cm. *Bouteilles* : record de hauteur, sans charpente, planche de bois entre chaque étage. *Château de cartes* : record de hauteur d'une pyramide de cartes à jouer, cartes postales, sous-bocks..., posés verticalement. *Colonne de pièces* : record de hauteur, à partir d'une pièce posée sur sa tranche ou à plat (2 catégories). *Colonne de pneus* : base avec un seul pneu. *Mur* : surface, base constituée d'une seule ligne d'objets. *Pile d'assiettes* : hauteur à partir d'une seule assiette.
Rouler de tonneau : 50 kg, vitesse sur 50 m.
SCRABBLE : les parties doivent être jouées lors de compétitions et respecter la règle du jeu.
SOUFFLER D'HARMONICA : durée d'un seul souffle.
SOUFFLER DU PETIT POIS CRU : *horizontal* : distance sur terrain horizontal lisse, vent nul, un seul souffle, candidat à plat ventre, les mains croisées sous le menton. *Vertical* : durée. Le candidat est allongé sur un lit les bras le long du corps.
VÉLO D'APPARTEMENT : distance en 1 mn, 5 mn, 1/2 h ou 1 h. Le modèle du vélo n'est pas pris en considération.

★

Pour des raisons de place, dans tous les cas, le fait de détenir un record, qu'il soit homologué par le Bureau Officiel ou non, n'implique jamais l'inscription automatique dans le Livre Guinness des Records*.*

N° 30 06 99

RÉALISATION

ÉDITIONS

PHILIPPINE

PHILIPPE SCALI

Coordination Justine Larroque

Rédaction et Bureau d'homologation français Jane Néaumet

Traductions de l'anglais et adaptation française Eaton Publishing, Bertil Scali, Stephen Wilson

avec la collaboration de Gérard Avezac, Awa Beye, Lydia Camiade, Cissé Djariatou, Vanessa Epstein,
Stéphane Ferrand, Marie-Thérèse Fontaine, Lyazid Hamroune, Lindsay Lareine, Sébastien Lenot, Frédérique Lopez,
Maggie Louis, Frédérique Masson, Christine de La Tour, Louise Tourret, Lucas Scali, Sarah Vu

Sports Stéphane Bitton

Lectures et rewriting Jean-Pierre Coin, Sophie Repain

Iconographie Martine Detier, Frédérique Lopez, Xavier Rousseau

Maquette Chaff, Pascal Brunet (BLUE Process)

assistés de Claude Gentiletti, Francine Lambert, Eleanor Rosenberg

Couverture et illustrations 3D Olivier Glon (Axovia)

Photogravure Euresys

Relations publiques Tony Krantz (Mikado : 01 40 67 68 93)

Guinness World Records Christopher Irwin, Ian Castello-Cortes

TV Michael Feldman

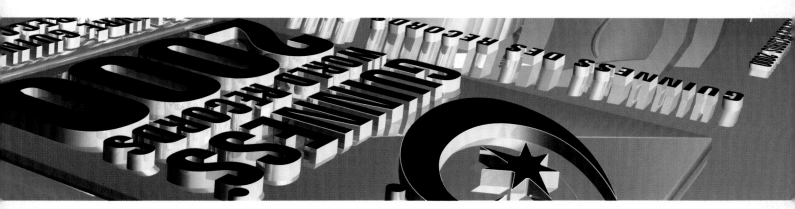

REMERCIEMENTS

Aérophile (Jérôme Giacomoni/Matthieu Gobi) • Agence Madison (Valérie Sarfati) • Air France (Philippe Chovard) • Anna • Apple (Pascale Gaydier) • Atmosphérique Trema (Laurent Macherey) • Audience Étude Presse (Bénédicte Bordes) • Aure Atika & Philippouné • Myriam Baptiste • Sarah Belaïsch • Nicolas Bertrand • Geneviève Bête • Claire Bierg • Aurélie Billaud • Julio lover Black • Claire Blanvillain • BMG (Christine Magalahes) • Bouygues (Céline Ode-Raphard) • Brasseries Kronenbourg (Stéphanie Pichon) • Lidia Breda • Édith Bruschi • Bureau Médical de Lourdes (Pascal Ferte) • Canal + (Pascal Aznar/Sébastien Cochan/Dorothée Georges-Picot) • Carrefour (Françoise) • Cassius • Casterman (Étienne Pollet) • François de Châtenay • Christelle & Adeline • Christie's (Céline Hersant) • CNC (Laurent Champoussin/Catherine Merliod) • Conférence des Évêques de France (Père Lalanne) • Nico Cracho • Crédit Agricole (P. Vincent) • Bérénice Daniel • Louise Daniel & Margot • Darmancier et Heitz (Étude) • Delabel (Sébastien Prieto) • Karine Douglas • Dreyfus Music (Christian Chevalier/Jean Ber) • Léa Drucker • Eidos Interactive (M. De Molly) • Émilie • L'Équipe (Éric Heurteloup) • ESA (M. Corvaja) • Évian (Sylvie Gégère/Emmanuel Malabœuf/Pascale Monnerot) • Fédération Française de la Montagne et de l'Escalade (Michèle Morgan) • Fernande Frankel • Festival d'Avignon (Théâtre) • Fidal (Sophie Grossetête) • Française des Jeux (M.-S. Chadrin) • Francky (goes to Hollywood) • Futuroscope (Anne Labasque/Dominique de Souza) • Clovis Goux • Laurence Granec • Hachette Filipacchi Médias (Marie Muzard) • Havas Advertising (Lorella Gessa) • Hickory (Anna Millet) • H & M (Nicolas Delarue) • Charlotte Hœpffner • Hôpital de la Pitié-Salpêtrière • IBM France (M.-C. Monnier) • Labyrinthus (Isabelle de Beaufort) • Sandrine Laly • Céline Lambert • Larroque & Laffite Family (Enzo & Théo) • Albertine Lastera (Cinéma) • Le Figaro (Alain Aubert) • Le français dans le monde (Sébastien Langevin) • LGP de Paris • Lopez Family • Louis-Davis & Jérome (Chatillon's villa) • Sébastien Lubrano • Geoffroy-Antoine de Lucenay • LVMH (Françoise Duclos/Laurence Medras) • Camille Marchaud • M.A. & Mathieu • Mairie de Bordeaux (Thomas Samson) • Valérie Morvany • Mathilde Mouëza • Médiamétrie (Laurence Bonzom) • Mercury (Sylvain Baudier) • Midi Minuit (Charlotte Lepot) • Moët et Chandon (M. de Warren) • Christophe Molin • Myriam & Marine • Philippe Néaumet & Sons • Nestlé France (Corinne Gouy) • Nike (Sophie Camoune) • Renée Orio • Mehdi Oussédik • Panasonic (Sophie Ripeau) • Peio (Glisse) • Pernod Ricard (Alain Thieffry) • Monique Petit • Pleasantville (Françoise Frey) • Paul & Claire Du Plessis • Printemps (Valérie Barjot) • Evelyne & Nicolas Proust • Psion France (Maria Mariannie) • Renault (Hélène Carle/Mathieu Perrier/M. Leroy) • Reporters sans frontières • Romain • Maïdi Roth • Flore Roumens • Fanny Saisset • Salon de l'Agriculture (Chrystelle Lefèvre) • Sciences et Vie Junior • Seita (Nadine Nitzer) • Self Image (Sylvie Gotlibowicz) • Simon • SIPA (Martine Detier/Xavier Rousseau/Benoît Kosbur) • Sofiged (Didier Tell) • Sony (Valérie Michelin/Agnès Toïgo) • Sotheby's (Sophie Dufresnes) • Source (Marc Teissier) • Stade de France (David Burgos) • Steven • Juliette Streitwiesser • Suzuki • Swatch • Claire Taillandier • Ilham Tazi • TF1 (Laurent Guilloton) • Thierry, Sabine, Steph & Steph (St-Sébastien) • Jacques Tajan (Dominique Perrin) • Tibo & Gromed • Juliette Tisné • Sandrine Ubald • Vandystadt (M. Mahé/Thierry de Vissant) • Venturi (Denis Morin) • Victoires de la musique (Frédéric Lusa) • Vince • Wonderbra (Céline Costa) • Yves St Laurent • Daniel Zeline • Zoo de St-Martin-la-Plaine (Mme Thivillon) • Zoo de Vincennes (Laurence Paoli).

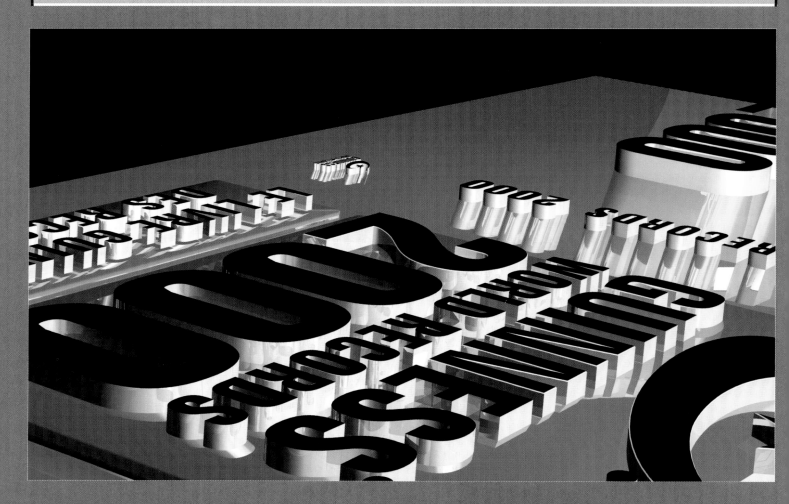

Imprimé et relié en CE
par Partenaires Livres® - 45330 Malesherbes
Dépôt légal : septembre 1999

GUINNESS DES RECORDS 2000

2000

GUINNESS DES RECORDS 2000

GUINNESS
WORLD RECORDS
2000

LE LIVRE GUINNESS
DES RECORDS

GUINNESS
WORLD RECORDS
2000

LE LIVRE GUINNESS
DES RECORDS